D0058637

Антология афоризмов от царя Соломона до Станислава Лема

Большая книга афоризмов

По русским
и иностранным источникам
составил
Константин ДУШЕНКО

Издание второе, исправленное

2000

УДК 882
ББК 84(2Рос-Рус)6-4
Д 86

Душенко К. В.

Д 86 Большая книга афоризмов. Изд. 2-е, исправленное. — М.: ЗАО Изд-во ЭКСМО-Пресс, 2000.— 1056 с.

ISBN 5-04-003141-6

Книга, которую вы держите в руках, — *самая современная энциклопедия афоризмов* на русском языке.

Это не значит, что в ней представлены только современные афористы. Это лишь значит, что в книге собраны афоризмы, которые могли бы заинтересовать современного читателя. Многие из них принадлежат античным писателям, классикам XVII, XVIII, XIX веков. И если современные авторы все же преобладают, то это потому, что Сенека ничего не писал о компьютерах, Вольтер — о кино, а Марк Твен — о фрейдизме.

В книге есть изречения, заставляющие задуматься; есть фразы, заставляющие улыбнуться. Но самые лучшие — те, в которых улыбку и мысль нельзя разделить. Они-то и составляют ядро «Большой книги афоризмов».

УДК 882
ББК 84(2Рос-Рус)6-4

ISBN 5-04-003141-6

У меня есть цитата на любой случай — это лучший способ мыслить оригинально.

Дороти Сейерз

Эту книгу я посвящаю
московскому музыкальному театру
«Амадей»

Предисловие

Почти каждому мудрому изречению соответствует противоположное по смыслу — и при этом не менее мудрое.

Джордж Сантаяна

Нашей задачей было составить *современную книгу* афоризмов. Это не значит, что в ней представлены только современные афористы. Это лишь значит, что в книге собраны афоризмы, которые могли бы заинтересовать современного читателя. Многие из них принадлежат античным писателям, классикам XVII, XVIII, XIX веков. И если современные авторы все же преобладают, то это потому, что Сенека ничего не писал о компьютерах, Вольтер — о кино, а Марк Твен — о фрейдизме.

Что такое афоризм? Самый простой ответ: это то, чем прославились Франсуа Ларошфуко и Станислав Ежи Лец. Афоризм — это мысль, выраженная в парадоксальной, неожиданной, образной форме, *«мысль, исполняющая пируэт»* (цитирую бельгийца Жориса де Брюйна). Есть изречения, заставляющие задуматься; есть фразы, заставляющие улыбнуться. Но самые лучшие — те, в которых улыбку и мысль нельзя разделить. Они-то и составляют ядро «Большой книги афоризмов».

Уже в XVII веке афоризмы стали особым жанром литературы. Афоризмы такого рода — создававшиеся именно как афоризмы — в этой книге преобладают. Но многие афоризмы представляют собой цитаты из более обширных произведений; например, бóльшая часть афоризмов Оскара Уайльда — реплики из его пьес. Наряду с «авторскими» афоризмами в эту книгу включены анонимные, но, как правило, не общеизвестные. Имя автора в таких случаях заменяется сокращением «NN».

Кроме того, в книгу включены родственные афоризму юмористические цитаты и фразы, а также изречения и сентенции, представляющие интерес прежде всего благодаря авторитетности автора. В этих изречениях важно не столько то, ЧТО сказано, сколько то, КЕМ это сказано. (Тогда как настоящий афоризм ценен сам по себе, своей точной и неожиданной формой.)

«Иначе расставленные мысли производят другое впечатление» (Блез Паскаль). Составитель стремился там, где это возможно, создать эффект переклички цитат, когда один афоризм отвечает другому, дополняет, уточняет или опровергает его. Некоторые, впрочем немногочисленные, афоризмы повторяются дважды — если они одинаково важны для разных тематических рубрик.

«Большая книга афоризмов» не претендует на научную строгость, в отличие от моего «Словаря современных цитат» (М.: Аграф, 1997), где даются возможно более точные сведения об источнике каждой цитаты, а также приводится ее точная форма. Значительная часть афоризмов взята из вторичных источников, поэтому их атрибуция не всегда надежна. Бóльшая часть иностранных афоризмов переведена специально для этого издания, в том числе практически все афоризмы польских авторов. Нередки случаи «двойного перевода», когда, скажем, итальянский автор цитируется по английскому сборнику афоризмов. Заведомые отклонения от исходного текста, как правило, отмечаются, например: *«Видоизмененный Генрих Гейне», «Марк Твен в редакции Джона Кьярди»* и т.д. Афоризмы русскоязычных авторов даются по возможности в точном, хотя иногда — сокращенном виде.

Развитая система отсылок от одной рубрики к другой позволяет практически неограниченно расширять область поиска. Полный указатель тематических рубрик помещен в конце книги.

Константин ДУШЕНКО

Июнь 1999 г.

Во втором издании уточнен перевод некоторых афоризмов, исправлено написание некоторых имен, уточнены и дополнены сведения об авторах в именном указателе.

Константин ДУШЕНКО

Январь 2000 г.

А

АВТОБУС, ТРОЛЛЕЙБУС, ТРАМВАЙ

Кто готов постоять за других, должен ездить в автобусе.

Дмитрий Пашков

ЗАКОНЫ ОЖИДАНИЯ:

1. Автобус, только что отъехавший от остановки, — именно тот, который вам нужен.

2. Время ожидания автобуса прямо пропорционально неблагоприятности погодных условий.

3. Все автобусы, идущие в противоположную сторону, исчезают с лона земли и обратно не возвращаются.

Джон Коркоран

В автобусе всегда полно мест, если он идет в обратную сторону.

Янина Ипохорская

Из всех живых существ стадный инстинкт наиболее развит у троллейбусов.

Видоизмененный Юрий Шанин

Мужчина все чаще смотрит на женщину снизу вверх. Особенно часто — в автобусе.

Жанна Голоногова

Если девушка уступает тебе место в трамвае, нет смысла за ней ухаживать.

Аркадий Давидович

Она уже обижалась, когда ей уступали место в трамвае.

Эмиль Кроткий

Иногда нежелание уступить место в транспорте делает мужчину начитаннее.

Владимир Колечицкий

В поезде читают, потому что скучно, в трамвае — потому что интересно.

Илья Ильф

Любой пассажир автобуса старше тридцати — неудачник.

Лелия, герцогиня Вестминстерская

АВТОМАТИЗАЦИЯ

См. также «Компьютер и мыслящие машины», «Техника. Технология»

Автоматизация — это старания мужчин упростить работу настолько, чтобы ее могли делать женщины.

NN

Автоматизация создает новые области занятости: требуется все больше и больше людей для исправления ошибок.

NN

Автоматизация создала совершенно новые сферы незанятости.

NN

Одна машина может сделать работу пяти обычных людей; ни одна машина не сделает работу одного незаурядного человека.

Элберт Хаббард

Стоило только попросить мужчину помочь вымыть посуду — и тут же появилась автоматическая посудомойка.

Сирил Норткот Паркинсон

«Автоматический» означает, что ты не сможешь починить это сам.

Франк Капра

Техника дойдет до такого совершенства, что человек сможет обойтись без себя.

Станислав Ежи Лец

АВТОМОБИЛИ

См. также «Дороги»

Некое существо встало на двух своих задних конечностях, а потом опустилось опять на четыре колеса.

Станислав Ежи Лец

Парень, который изобрел первое колесо, был идиотом, но парень, который изобрел остальные три, был гением.

Сид Сизар

В Библии многое звучит вполне современно — взять хотя бы историю о Ное, который сорок дней искал место для парковки.

Роберт Орбен

Раньше мужчина начинал с поручика, теперь — с «Мерседеса».

Вильгельм Ленц

Кажется, грядут времена, когда младенец будет появляться на свет с левой стопой в форме педали.

Кристофер Холл

В автомобиле сидел стандартный молодой человек из тех, которые выпускаются сериями — вместе с автомобилями.

Эмиль Кроткий

Как описываются машины в рекламных проспектах? «Волнующие», «эффектные», «изящные», «грациозные», «обтекаемой формы». Прямо не знаешь, куда их вести — в гараж или в номер мотеля.

Роберт Орбен

Если мужчина непонятно зачем держит полный гараж машин, значит, гараж для него — эмоциональный заменитель гарема.

Джон Халлибертон

Существует немало механических устройств, усиливающих сексуальное наслаждение, в особенности у женщин. Лучшее из них — «Мерседес-Бенц 380SL» с откидными сиденьями.

Патрик О'Рурк

Ничто так не обесценивает вашу машину, как новая машина соседа.

NN

Если бы американцам приходилось ставить свои холодильники перед своими домами, новые марки холодильников появлялись бы каждую неделю.

Уолтер Рейтер

В семейном бюджете расходы на машину играют такую же роль, как расходы на армию в госбюджете.

NN

Новая машина не может служить показателем того, сколько у вас денег, но может служить показателем того, сколько вы должны.

NN

Опытный автомеханик оценивает стоимость ремонта с удивительной точностью — до одного-двух долларов. Это именно та сумма, которая хранится в вашем бумажнике.

NN

Водитель — самый опасный узел машины.

Лео Кампьон

Если все машины в стране поставить в один ряд, непременно найдется кретин, который попробует их обойти.

NN

Алкоголь с бензином образуют крайне опасную смесь.

«Пшекруй»

Не спи за рулем — стране нужен каждый налогоплательщик.

NN

Телеграфный столб бьет машину только в порядке самозащиты.

Из американского фильма «Ночная езда»

Если вы полагаете, что ремни безопасности неудобны, испробуйте растяжку для берцовой кости.

NN

Если мужчина врезался в чужую машину, он прежде всего заглядывает в свой бумажник, а женщина — в свое зеркальце.

Маргарет Тернбулл

Аварии случаются потому, что нынешние водители ездят по вчерашним дорогам на завтрашних машинах с послезавтрашней скоростью.

Витторио Де Сика

Послушав в суде двух свидетелей одного дорожного происшествия, уже не так веришь историкам.

NN

Любой машины хватит до конца жизни, если ездить достаточно лихо.

«Пшекруй»

Не знаю, что думать: то ли моя жена в самом деле на 65-й раз сдала экзамен по вождению, то ли у нее интрижка с инструктором.

Роберт Орбен

Еще ни один пешеход не задавил автомобиля, тем не менее недовольны почему-то автомобилисты.

Илья Ильф

В наше время пешеходы бывают двух видов: быстрые или мертвые.

Жан Риго

Автомобиль благотворно повлиял на состояние нравов: конокрадство почти прекратилось.

NN

АВТОРИТЕТ. ДЕЛОВАЯ РЕПУТАЦИЯ

См. также «Репутация. Доброе имя», «Руководство и управление»

Нужно иметь авторитет, чтобы им не пользоваться.

Лешек Кумор

Настоящая слава — это когда ваше имя ценится дороже, чем ваша работа.

Дэниэл Бурстин

Унция репутации стоит фунта работы.

Лоренс Питер

Для репутации важен размах, а не итог.

Сирил Норткот Паркинсон

Скрытый талант не создает репутации.

Эразм Роттердамский

Любое дело женщине приходится делать вдвое лучше мужчины, чтобы заслужить хотя бы половинное уважение. К счастью, это нетрудно.

Шарлотта Уиттон

Он имел репутацию сильного, поскольку был знаком с дзюдо, карате и несколькими высокими чиновниками.

Роман Гожельский

Я еще не встречал кота, которого заботило бы, что о нем говорят мыши.

Юзеф Булатович

Неважно, что тебя принимают за кого-то другого, — важно, за кого тебя принимают.

Владислав Катажиньский

Требуй уважения к себе, если не можешь его заслужить.

Михаил Генин

Когда тебя все любят, то многим это не нравится.

Анатолий Рас

Хочешь, чтобы тебя оценили, — умри.

Итальянское изречение

АД И РАЙ

См. также «Дьявол и черти»

Ад — это место, где дурно пахнет и никто никого не любит.

Святая Тереза

Ад — единственная действительно значительная христианская община во вселенной.

Марк Твен

В раю, конечно, климат получше, зато в аду гораздо более приятное общество.

Тристан Бернар

Я хочу попасть в ад, а не в рай. Там я смогу наслаждаться обществом пап, королей и герцогов, тогда как рай населен одними нищими, монахами и апостолами.

Никколо Макиавелли

Многие могли бы попасть в рай вместо ада, затратив вполовину меньше усилий.

Бен Джонсон

Как видно, в аду есть и вход, и выход, коль скоро можно пройти через ад.

Станислав Ежи Лец

Иные ведут себя так, будто уверены, что ад уже кондиционирован.

NN

Ад — это историческая родина человечества, рай — доисторическая.

Борис Крутиер

А может быть, ад был результатом первой, неудачной попытки сотворения рая?

Веслав Тшаскальский

Если ада нет, значит, множество проповедников брали деньги за лжесвидетельство.

Уильям Санди

Ад нужен не для того, чтобы злые получили воздаяние, а для того, чтобы человек не был изнасилован добром.

Николай Бердяев

Границы рая и ада подвижны, но всегда проходят через нас.

Станислав Ежи Лец

Наберите команду плыть в рай и попробуйте сделать стоянку в аду на какие-нибудь два с половиной часа, просто чтобы взять угля, и будь я проклят, если какой-нибудь сукин сын не останется на берегу.

Марк Твен

Только счастливые будут в раю. Несчастные прокляты как в той, так и в этой жизни.

Людвиг Берне

Жаль, что в рай надо ехать на катафалке!

Станислав Ежи Лец

Рай достается нам с огромной скидкой, сколько бы он нам ни стоил.

Американское изречение

Можешь не опасаться, что тебя затопчут по дороге в рай.

Дмитрий Пашков

В рай принимают не по заслугам, а по протекции, иначе вы остались бы за порогом, а впустили бы вашу собаку.

Марк Твен

Чтобы попасть в рай, нужно переплыть Лету.

Станислав Ежи Лец

Мало попасть в рай, надо еще там устроиться.

Григорий Яблонский

Много ли радости попасть в рай, если нельзя послать оттуда знакомым открытку с видами?

NN

Сохрани нас бог от рая, из которого нет выхода!

Уршула Зыбура

Что делают в раю, мы не знаем; зато мы точно знаем, чего там не делают: там не женятся и не выходят замуж.

Джонатан Свифт

Ибо в воскресении ни женятся, ни выходят замуж, но пребывают, как Ангелы Божии на небесах.

Евангелие от Матфея, 22, 30

В настоящее время райские чертоги отапливаются радиаторами, соединенными с адом. Муки грешников усугубляются от сознания, что огонь, пожирающий их, одновременно обеспечивает комфорт праведникам.

Марк Твен

Порой меня охватывает тревога: а вдруг мы уже в раю?

Станислав Ежи Лец

В раю должно быть все: и ад тоже!

Станислав Ежи Лец

Я не намерен портить отношений ни с небесами, ни с адом, — у меня есть друзья и в той, и в другой местности.

Марк Твен

А что, если наша Земля — ад какой-то другой планеты?

Олдос Хаксли

АДВОКАТЫ

См. также «Суд и судьи»

Закон защищает каждого, кто может нанять хорошего адвоката.

NN

Адвокат готов пойти на все что угодно, чтобы выиграть процесс. Иногда он даже готов сказать правду.

Патрик Марри

Адвокат никогда не проигрывает, клиент — довольно часто.

Юзеф Булатович

Адвокат по уголовным делам найдет тринадцать лазеек в десяти заповедях.

NN

Богатая практика не всегда делает адвоката лучше, но всегда делает его богаче.

NN

Если вы не можете найти адвоката, который хорошо знает законы, найдите адвоката, который хорошо знает судью.

NN

Если ты сам себе адвокат, значит, твой клиент идиот.

Американское изречение

Хороший адвокат изучает законы; умный адвокат приглашает судью на обед.

NN

Хорошие адвокаты, в своем большинстве, честно живут, усердно работают и умирают в бедности.

Дэниэл Уэбстер

АЗАРТНЫЕ ИГРЫ. ЛОТЕРЕЯ

См. также «Игра», «Карты. Картежники», «Скачки»

Азартная игра, именуемая бизнесом, неодобрительно смотрит на бизнес, именуемый азартной игрой.

Амброз Бирс

Тем, кто может позволить себе азартные игры, деньги не нужны, а те, кому деньги нужны, не могут позволить себе играть.

NN

Признайся: ставя на красное и черное, ты все же не теряешь надежды выиграть на зеленое!

Станислав Ежи Лец

Нет веры тверже, чем вера в игральные автоматы.

NN

Игральный автомат: мышеловка на дураков.

NN

В Лас-Вегасе есть абсолютно все, что нужно для азартных игр: кости, рулетка, игральные автоматы и церкви для немедленного венчания.

NN

Брак — единственная азартная игра, благословляемая церковью.

NN

Лотерея — наиболее точный способ учета количества оптимистов.

С. Обухов

Твои шансы выиграть в лотерею возрастут, если ты купишь билет.

Уинстон Грум
(из «Правил Форреста Гампа»)

АКТЕРЫ

См. также «Киноактеры», «Театр»

Все люди актеры, за исключением, пожалуй, некоторых актеров.

Сашá Гитри

Настоящий артист — всегда артист, даже на сцене.

Михаил Генин

Актер не профессия, а диагноз.

NN

Крайняя чувствительность создает посредственных актеров; средняя чувствительность дает большинство плохих актеров, и только ее отсутствие дает великих актеров.

Дени Дидро

Для того, чтобы растрогать, не нужно быть растроганным.

Дени Дидро

Актерская игра все равно что катание на роликах: если знаешь, как это делается, это нисколько тебя не электризует и не возбуждает.

Джордж Сандерс

Не путайте: актеры гибнут от недохваленности, настоящие люди — от недолюбленности.

Фридрих Ницше

Актер должен заставить публику забыть о существовании автора, о существовании режиссера и даже о существовании актера.

Пол Скофилд

Актеры играют тем лучше, чем хуже пьеса.

Альбрехт Галлер

Между актером и автором отношение примерно такое же, как между плотником или каменщиком и архитектором. Им не обязательно понимать общий замысел, от этого они свою работу лучше делать не будут.

Джордж Бернард Шоу

Актерское мастерство — это прежде всего способность удерживать от кашля полный зал.

Ралф Ричардсон

Побудительный мотив любого артиста: «Ну, посмотри на меня, мама!»

Ленни Брюс

Самых хороших и самых плохих актеров мы видим отнюдь не на сцене.

Ромен Роллан

Когда актер не понимает, кого он играет, он поневоле играет самого себя.

Василий Ключевский

На лицах актеров можно прочесть все не сыгранные ими роли.

Мечислав Шарган

Имя его не сходило с афиши, где он неизменно фигурировал в числе «и др.».

Эмиль Кроткий

Подмостки — отечество актера, и нужно все время продлевать паспорт, чтобы не лишиться гражданства.

Чарлтон Хестон

Работа в театре имеет много общего с безработицей.

Артур Гингольд

Незанятые актеры как призраки, которые ищут тело, в которое они могли бы вселиться.

Гейл Годвин

Он хочет стать актером, и у него есть для этого все данные, включая полное отсутствие денег и чувства ответственности.

Хедда Хоппер

Получаю письма: «Помогите стать актером». Отвечаю: «Бог поможет!»

Фаина Раневская

Я жила со многими театрами, но так и не получила удовольствия.

Фаина Раневская

Актер — нечто меньшее, чем мужчина; актриса — нечто большее, чем женщина.

Ричард Бартон

Если актер женится на актрисе, начинаются склоки из-за зеркала.

Берт Рейнолдс

Следует прощать талантливым актрисам их капризы, ибо бедные, лишенные таланта дамы капризничают не меньше.

Жюль Ренар

Ей подвластна вся гамма чувств от А до Б.

Дороти Паркер
о Кэтрин Хепберн

Импровизировать может лишь тот, кто знает роль назубок.

Джуди Фостер

Самовлюбленность — весьма полезное качество в жизни, а для актера — совершенно необходимое.

Роберт Морли

Я не так хорош, как теперь обо мне говорят, и не так плох, как обо мне будут говорить.

Густав Холоубек, польский актер

Хорошему актеру не мешает даже самый блестящий режиссерский замысел.

Антоний Слонимский

Самые лучшие актеры, конечно, у Диснея. Плохого актера он просто стирает.

Алфред Хичкок

Господи, пошли мне хороших актеров, и пошли мне их дешево!

Лилиан Бейлис, английская театральная деятельница

Он играл короля так, словно боялся, что в любую минуту кто-то сыграет туза.

Юджин Филд

Любительское представление: шанс для людей, лишенных таланта, доказать это всем.

NN

Актеры не уходят на покой. Просто они получают все меньшие и меньшие роли.

Дэвид Нивен, по канве изречения «Старые солдаты не умирают. Они просто медленно уходят»

АЛЬТРУИЗМ – ЭГОИЗМ

См. также «Добрые дела», «Жертва. Самопожертвование», «Любовь к ближнему»

Братолюбие живет тысячью душ, себялюбие — только одной, и притом очень жалкой.

Мария Эбнер-Эшенбах

Эгоизм — симптом недостатка любви к себе. Кто себя не любит, вечно тревожится за себя.

Эрих Фромм

Эгоист — человек дурного тона, больше интересующийся собой, чем мной.

Амброз Бирс

Эгоист — это человек, который никогда не скажет дурного слова ни о ком, потому что говорит только о себе.

NN

Эгоист — это человек, любящий себя больше, чем других эгоистов.

Геннадий Малкин

Всего меньше эгоизма у раба.

Александр Герцен

Эгоистка считает, что мужчины сотворены для нее, альтруистка — что это она сотворена для мужчин.

Анджей Монастырский

Будь альтруистом, уважай эгоизм других!

Станислав Ежи Лец

АМЕРИКА И АМЕРИКАНЦЫ

Америка — самая богатая страна в мире, потому что половину ее населения составляют сбежавшие из Европы кассиры и их потомки.

Казимеж Бартошевич

Америка — единственная страна, которая от варварства перешла прямо к упадку, минуя стадию цивилизации.

Жорж Клемансо

Америка не знает, куда направляется, но бьет рекорд скорости по дороге туда.

Лоренс Питер

Американцы переплывут океан, чтобы сражаться за демократию, но не перейдут через улицу, чтобы проголосовать.

Билл Вон

Американцы: народ, который ищет пилюлю от всех болезней — и избирает ее в конгресс.

Леонард Луис Левинсон

Америка — это страна, где за доллар можно купить запас аспирина на всю жизнь, и этого запаса хватает на две недели.

Джон Барримор

Один американец — индивидуалист; двое американцев — фирма; трое американцев — монополия.

Джером Лоуренс

Молодость — самая старая традиция Америки, ей уже триста лет.

Оскар Уайльд

У американцев больше машин, сберегающих время, и меньше времени, чем у любого другого народа.

NN

Американец: человек, который, будучи наконец в состоянии купить небольшую машину, покупает большую.

NN

Что меня особенно поразило в Америке — это как родители слушаются своих детей.

Английский король Эдуард VIII
в 1957 г.

В Европе, если у богатой женщины роман с дирижером, она рожает ему ребенка; в Америке она покупает ему оркестр.

Эдгар Варес

Американки требуют от своих мужей таких исключительных достоинств, какие англичанки ожидают найти разве что у своих лакеев.

Сомерсет Моэм

Добропорядочные американцы после смерти отправляются в Париж.

Томас Голд Эпплтон
(а за ним — Оскар Уайльд)

Хэппи-энд — вот наша национальная религия.

Мэри Маккарти

АНГЛИЙСКИЙ ЯЗЫК

Английский — простой, но очень трудный язык. Он состоит из одних иностранных слов, которые к тому же неправильно произносятся.

Курт Тухольский

Англичане берут в рот дюжину односложных слов, жуют их, глотают их, и выплевывают, — и это называется английским языком.

Генрих Гейне

Англия и Америка — две нации, разделенные общим языком.

Перефразированный
Оскар Уайльд

Познания гидов в английском языке как раз достаточны, чтобы всякое объяснение довести до полной неудобопонятности.

Марк Твен

Английским-то он овладел. Но в особо извращенной форме.

Андрей Вансович

Кто вызубрил англо-русский словарь, знает англо-русский язык.

NN

Не сомневаюсь, ты удивишься, если корова вдруг заговорит по-английски. Но поверь мне: на десятый раз тебя бы уже раздражало ее далекое от оксфордского произношение. Конечно, если бы ты разбирался в этом...

Станислав Ежи Лец

АНГЛИЯ И АНГЛИЧАНЕ

Не только Англия, но и каждый англичанин — остров.

Новалис

Англичане пишут слова «Я» и «Бог» с большой буквы, но «Я» — с несколько большей, чем «Бог».

Пьер Данинос

Англичане как ни одна другая нация в мире обладают способностью наливать новое вино в старые мехи.

Клемент Эттли

Англичане обладают волшебным даром превращать вино в воду.

Оскар Уайльд

Англичанин уважает ваши мнения, но совершенно не интересуется вашими чувствами.

Уилфрид Лориер

Для англичанина признаться в своем полном невежестве по части лошадей — значит совершить социальное самоубийство: вас будут презирать все, и в первую очередь лошади.

Уолтер Селлар и Роберт Йитман

В Англии я предпочел бы быть мужчиной, или лошадью, или собакой, или женщиной, — именно в этом порядке. В Америке порядок был бы обратный.

Брюс Гулд

На континенте Европы думают, что жизнь — это игра, а в Англии думают, что крикет — это игра.

Джордж Майкс

В Англии преобладают два типа женщин: одни не могут рассказать анекдот, другие не могут его понять.

Джермейн Грир

В английском суде подсудимый считается невиновным, пока он не докажет, что он ирландец.

Тед Уайтхед

Англичане путешествуют не для того, чтобы увидеть чужие края, а чтобы увидеть солнце.

Сэмюэл Батлер

Молчание — английский способ беседовать.

Генрих Гейне

Я люблю англичан. Они выработали самый строгий в мире кодекс безнравственности.

Малколм Брэдбери

АНЕКДОТЫ

См. также «Остроумие», «Шутки»

Анекдот — это остроумие тех, у кого его нет.

Адриан Декурсель

Анекдот — это комедия, спрессованная в секунды.

Карел Чапек

Все мы обожаем анекдоты. Которые сами рассказываем.

«Пшекруй»

Если анекдот — оружие слабого, ясно, почему мужчины насочиняли столько анекдотов о женщинах.

Лешек Кумор

Отличный способ испортить с человеком отношения — сказать: «Нет, вы не так рассказываете этот анекдот». Потом рассказать по-своему.

Марк Твен

Каждый должен использовать свое право на анекдот.

Виктор Коняхин

Джентльмен: человек, который любой анекдот всегда слышит впервые.

NN

Рассказчику анекдотов нужна хорошая память и твердая вера в отсутствие памяти у других.

Янина Ипохорская

Зануда скорее сменит свой круг друзей, чем свой набор анекдотов.

«Пшекруй»

Анекдоты размножаются почкованием.

Карел Чапек

Идиоты и гении не обязаны понимать анекдоты.

Хуго Штейнхаус

Рассказывать анекдоты Господу Богу так, чтобы он не угадывал конца, — вот чем стоило бы гордиться.

Станислав Ежи Лец

АНТИСЕМИТИЗМ

См. также «Евреи», «Расизм»

Не будь антисемитизма, я бы не думал о себе как о еврее.

Артур Миллер

Если бы евреев не было, их следовало бы выдумать для удобства политиканов на все времена.

Изрейел Зангвилл

Да, я еврей, и когда предки моего достоуважаемого оппонента были дикарями на никому не известном острове, мои предки были священниками в храме Соломона.

Бенджамин Дизраэли в полемике с неким ирландским политиком

Иудея восстала против Рима, чтобы погубить Россию.

Аркадий Давидович

Почему по тревоге бьют одних и тех же?

Яцек Вейрох

Чем отличаются сионисты от антисемитов? Сионисты говорят, что среди евреев много знаменитостей, а антисемиты говорят, что среди знаменитостей много евреев.

Константин Мелихан

Пятый пункт массового помешательства.

Борис Крутиер

Он антисемитского происхождения.

Станислав Ежи Лец

Он упорно твердит, что еврей он только наполовину! Подтверждаю — самое большее наполовину. Потому что мне точно известно, что он по меньшей мере полукретин.

Станислав Ежи Лец

Антисемит без евреев нуждается в самом необходимом.

Геннадий Малкин

Во всем виноваты евреи. Это их Бог нас всех сотворил.

Станислав Ежи Лец

Пора расшифровать псевдоним первого человека!

Станислав Ежи Лец

Раньше было не принято публично демонстрировать антисемитизм. Раньше эту нужду справляли в одиночестве.

Борис Парамонов

Антисемит не становится приличнее оттого, что лжет согласно принципу.

Фридрих Ницше

А бедняжка Гитлер думал, что антисемитизм можно приспособить только к национальному социализму.

Станислав Ежи Лец

АРМИЯ И ВОЕННЫЕ

См. также «Война», «Генералы»

В армии всё точь-в-точь как у бойскаутов, но скауты находятся под присмотром взрослых.

Блейк Кларк

Любое дело можно делать тремя способами: правильно, неправильно и по-армейски.

Американское изречение

Прежде чем повелевать, научись повиноваться.

Солон

Армейское правило: «Командовать умеет лишь тот, кто умеет подчиняться». Это все равно что сказать: «Плавать умеет лишь тот, кто умеет тонуть».

Лоренс Питер

Военное воспитание внедряет отвагу при помощи страха.

Тадеуш Котарбиньский

В конечном счете солдатский ранец не тяжелее, чем цепи военнопленного.

Дуайт Эйзенхауэр

Всякий, кто пытается уклониться от выполнения боевого долга, не является подлинным сумасшедшим.

Джозеф Хеллер

Если враг не угрожает, армия в опасности.

Аркадий Давидович

Дети играют в солдат. Это понятно. Но почему солдаты играют в детей?

Карл Краус

Солдат — последнее звено эволюции животного мира.

Джон Стейнбек

От солдата требуется прежде всего выносливость и терпение; храбрость — дело второе.

Наполеон I

Нельзя стать хорошим солдатом без некоторой доли глупости.

Флоренс Найтингейл

Британский солдат устоит против кого угодно, только не против Британского министерства обороны.

Джордж Бернард Шоу

Офицер не может быть хорошим командующим, если он уже совсем не боится капрала.

Брюс Маршалл

Фуражка деформирует голову.

Морис Дрюон

Этот офицер обладает способностями, но умело это скрывает.

Служебная аттестация некоего американского офицера

Кадровый офицер — человек, которого мы кормим в мирное время, чтобы в военное время он послал нас на фронт.

Габриэль Лауб

АРХИТЕКТУРА

См. также «Города»

Живопись — искусство, на которое можно смотреть; скульптура — искусство, вокруг которого можно обойти; архитектура — искусство, сквозь которое можно пройти.

Дэн Райс

Архитектура — это музыка в пространстве, как бы застывшая музыка.

Фридрих Шеллинг

Дом — это машина для жилья.

Шарль Ле Корбюзье

Здания должны быть хорошими соседями для человека.

Пол Тайри

Модное здание через десять лет утратит молодость и станет устарелым. Оно сделается менее неприятным на глаз через двести лет, когда мода забудется.

Стендаль

Приезжая в Париж, я обедаю только в ресторане на Эйфелевой башне. Это единственное место, откуда не видно этого чудовищного сооружения.

Уильям Моррис

Фараоны рекламировали себя при помощи пирамид.

Рамон Гомес де ла Серна

Если бы эти старые стены могли говорить, какими бы они были занудами!

Роберт Бенчли

Город, в котором тебе не везет, всегда кажется неинтересным по архитектуре.

Эмиль Кроткий

Врач может похоронить свою ошибку, архитектор — разве что обсадить стены плющом.

Франк Ллойд Райт

Убийцы и архитекторы всегда возвращаются на место преступления.

Питер Устинов

Я не могу возмущаться деянием Герострата, пока не увижу архитектуры храма Дианы в Эфесе.

Станислав Ежи Лец

АСТРОЛОГИЯ

Природа, наделившая всякое животное средствами к существованию, дала астрономии в качестве помощника и союзника астрологию.

Иоганн Кеплер

Люди считают себя неповторимыми и верят в коллективные гороскопы.

Чеслав Банах

Гороскоп: инструкция к калошам счастья. Не хватает только калош.

Видоизмененный
Антоний Регульский

Я не верю в астрологию, потому что я Близнец, а Близнецы никогда не верят в астрологию.

Реймонд Смальян

Человечество вступило в столь высокую фазу развития, что о его будущем говорят с уверенностью только астрологи.

NN

На Луне и на Марсе тоже будут астрологи.

Станислав Ежи Лец

Звезды склоняют, но не принуждают.

Формула средневековой астрологии

Молитесь, астрологи, о беззвездном небе!

Станислав Ежи Лец

АТЕИЗМ. НЕВЕРИЕ

См. также «Бог», «Вера», «Религия»

Безбожие — основная из великих религий мира.

Амброз Бирс

Безбожники — это верующие, которые не желают быть ими.

Станислав Ежи Лец

У всякой религии свои атеисты.

Лешек Кумор

Их разделяет все: оба неверующие, но в разных богов.

Веслав Брудзиньский

Атеизм нуждается в религии ничуть не меньше, чем вера.

Оскар Уайльд

Атеизм — это тонкий лед, по которому один человек пройдет, а целый народ ухнет в бездну.

Фрэнсис Бэкон

Всевышнего нетрудно свергнуть с престола, но такие выгодные должности недолго остаются вакантными.

Хуго Штейнхаус

Одним и тем же мозгом мыслить и верить?

Станислав Ежи Лец

Никто так не легковерен, как человек неверующий.

Ириней Лионский

Из двух людей, которые не убеждались лично в существовании Бога, ближе к нему тот, кто его отрицает.

Симона Вейль

Хотя сам Бен-Гурион не верил в Бога, иногда можно было подумать, что Бог верит в него.

Хаим Бермант

Атеисты говорят о времени «после рождества Христова» — «наша эра». Странно.

Станислав Ежи Лец

Мало того, что Бога нет, но попробуйте еще найти водопроводчика в нерабочую субботу!

Вуди Аллен

Озлобленный атеист не столько не верит в Бога, сколько испытывает к нему неприязнь.

Джордж Оруэлл

Слава богу, я все еще атеист.

Луис Бунькюэль

В окопах нет атеистов.

Уильям Каммингс

Может быть, атеист не способен прийти к Господу по тем же самым причинам, по которым вор не способен прийти к полицейскому.

Лоренс Питер

Бога отрицают или потому, что мир так плох, или потому, что мир так хорош.

Николай Бердяев

В правилах хорошего тона предусмотрено все, даже как должен вести себя неверующий по отношению к Богу.

Станислав Ежи Лец

Он потерял веру. Потому что обрел уверенность.

Доминик Опольский

Не каждый, кто потерял веру, так уж сразу стал философом.

Ралф Баллер

Воинствующее безбожие есть расплата за рабьи идеи о Боге.

Николай Бердяев

«Я даже удивлен, как это вы... И не верить в Бога!» — «У меня нет потребности в такой гипотезе, как у Вольтера». — «Ну, после Вольтера была вторая мировая война». — «Тем более».

Варлам Шаламов.
«Из записных книжек»

Господь охотнее терпит тех, кто его вовсе отрицает, чем тех, кто его компрометирует.

Викто́р Шербюлье

АТОМНАЯ ЭНЕРГИЯ

Ученые расщепили атом. Теперь атом расщепляет нас.

Квентин Рейнолдс

Всего лишь одна атомная бомба может испортить вам целый день.

Граффити (Англия)

История — утомительная прогулка от Адама до атома.

Леонард Луис Левинсон

Водородная бомба: изобретение, позволяющее покончить со всеми изобретениями.

Роберт Орбен

Вы — почтенный обломок прошлого, если помните времена, когда «мировой пожар» был всего лишь метафорой.

Франклин П. Джонс

Прогресс имеет один недостаток: время от времени он взрывается.

Элиас Канетти

АФОРИЗМЫ. ИЗРЕЧЕНИЯ

См. также «Парадокс», «Цитаты»

Афоризмы коротки, как память.

«Пшекруй»

Афоризм — это мысль, высказанная иностранным автором.

Антон Лигов

Афоризм — это мысль, исполняющая пируэт.

Жорис де Брюйн

Существуют писатели, способные воплотить на двадцати страницах то, для чего мне иногда требуется целых две строки.

Карл Краус

Экономьте время — читайте афоризмы.

Юрий Базылев

Афоризмы подобны адвокатам, неизбежно видящим лишь одну сторону дела.

Антони Берджесс

Афоризм содержит полправды — необычайно высокий процент.

Габриэль Лауб

Чем бесспорнее изречение, тем больше опасность, что оно станет общим местом.

Люк де Вовенарг

Изречения — обычные слова необычных людей.

NN

Любой афоризм что орех: снаружи хорош, а внутри на три четверти пуст.

Фернан Вандран

Можно ли считать афоризм приговором? Да, по отношению к автору.

Станислав Ежи Лец

Афорист — добытчик аттической соли для чужих кушаний.

Веслав Брудзиньский

Вы заметили, что мы обращаем гораздо больше внимания на мудрые мысли, когда их цитируют, чем когда мы встречаем их у самого автора?

Филип Хамертон

Компилятор делает книги из чужих цитат; афорист сочиняет цитаты для чужих книг.

Веслав Брудзиньский

Иначе расставленные слова обретают другой смысл, иначе расставленные мысли производят другое впечатление.

Блез Паскаль

Антология глупых мыслей — уже мудрость.

Ян Лехицкий

Соломон создал книгу премудростей, но книга премудростей не создала Соломона.

«Наблюдение Тугера»

Будущее литературы — в афоризме. Его нельзя экранизировать.

Габриэль Лауб

Афоризм оставляет больше места для человека.

Станислав Ежи Лец

Читая древних мудрецов, часто находишь что-то свое.

Болеслав Вольтер

Афорист — это человек, который радуется как ребенок, придумав фразу, которая, по всей вероятности, была древним народным присловьем у финикийцев.

Веслав Брудзиньский

Да сгинут те, кто раньше нас высказал наши мысли!

Латинское изречение

Не пора ли ввести кольцевание крылатых слов?

Борис Брайнин

Нет ничего сказанного, что было бы сказано впервые.

Теренций

Все уже сказано? Да, несомненно, — если бы слова не меняли смысла, а смыслы не меняли слова.

Жан Польян

Все давно уже сказано, но так как никто не слушает, приходится постоянно возвращаться назад и повторять все сначала.

Андре Жид

Все уже сказал реби Бен Акиба. Но кое-что из этого конфисковали.

Станислав Ежи Лец

Скоро золотые мысли станут доступны каждому: их будут штамповать из пластмассы.

«Пшекруй»

Не надо мне некролога — лучше напечатайте на этом месте мои афоризмы.

Аркадий Давидович

Б

БАЛЕТ

См. также «Танцы»

Танец — единственное искусство, материалом для которого служим мы сами.

Тед Шон

Россия: сотни миль полей и по вечерам балет.

Алан Хакни

Балет — это опера для глухих.

Эмиль Кроткий

Балет: искусство, своей популярностью в немалой степени обязанное тому, что женатые мужчины могут видеть здесь множество женщин, которые в течение целого вечера не произносят ни слова.

Робин Гудфеллоу

Тот, кто сказал «глуп как тенор», как видно, не знал танцоров.

Ежи Вальдорф

Очень многие балеты были бы изумительны, если б не танец.

«Ивнинг стандард»

Я не стараюсь танцевать лучше всех остальных. Я стараюсь танцевать лучше себя самого.

Михаил Барышников

Когда поднимаешь партнершу, тяжел не вес, а характер.

Марис Лиепа

В танце каждое движение преисполнено мудрости, и нет ни одного бессмысленного движения. Поэтому митиленец Лесбонакт прозвал танцоров «мудрорукими».

Лукиан из Самосаты

После двухчасового телевизионного балета приятно наблюдать за регулировщиками на уличных перекрестках. До чего же успокаивает вид движений, имеющих какой-то смысл!

Габриель Бертель

Лучше балета бывает только кордебалет.

Геннадий Малкин

БАНКИ

См. также «Кредит»

Цивилизация — это стадия развития общества, на которой ничего нельзя сделать без финансирования.

NN

Банк — это место, где вам дадут денег взаймы, если вы докажете, что они вам не нужны.

Боб Хоуп

Банкир — это человек, который одолжит вам зонтик в солнечную погоду, чтобы забрать его, как только начинается дождь.

Марк Твен; по другим источникам — Роберт Фрост

Один поэт [1] сказал: «Первый король был счастливый воин!» Насчет основателей нынешних наших финансовых династий мы можем, пожалуй, прозаически сказать, что первый банкир был счастливый мошенник.

Генрих Гейне

---

[1] Вольтер.

Центральный банк — это банк, при помощи которого государство вмешивается в дела частных банков, и который, в отличие от них, может сам печатать нужные ему деньги.

К. Гепперт и К. Пат

Средний возраст: когда мечтаешь, чтобы «да» тебе сказал банкир, а не девушка.

NN

Финансист — это ростовщик с фантазией.

Артур Пинеро

Что такое ограбление банка по сравнению с основанием банка?

Бертольт Брехт

Банкроты — побочный продукт процветающих банков.

Эдвард Йокель

БАНЯ

См. также «Чистота. Гигиена»

Настоящего мужчину видно, даже когда он голый.

Станислав Ежи Лец

Только в бане имеет смысл менять шило на мыло.

Юрий Мелихов

Об одной грязной бане Диоген спросил: «А где мыться тем, кто мылся здесь?»

По рассказу Диогена Лаэртского

Моясь однажды в бане, Демонакт никак не мог решиться зайти в горячую воду. Кто-то стал упрекать его в трусости. «Скажи, ради отечества, что ли, должен я сделать это?» — возразил Демонакт.

Лукиан из Самосаты

Рука руку моет, с ногами сложнее.

«Пшекруй»

Самые горячие женщины водятся в саунах.

Збышек Крыгель
в редакции Дм. Пашкова

БЕДНОСТЬ

См. также «Деньги», «Богатство»

Самый великий человек в истории был самым бедным.

Ралф Эмерсон

Большинство святых были бедняками, но отсюда еще не следует, что большинство бедняков — святые.

Уильям Индж

Всякий, кому приходилось жить в бедности, знает, до чего это накладно — быть бедным.

Джеймс Болдуин

Бедняки платят дороже всего.

Уршула Зыбура

Не бедность невыносима, а презрение. Я могу обходиться без всего, но я не хочу, чтобы об этом знали.

Вольтер

Быть бедным плохо уже потому, что это занимает все ваше время.

Виллем де Конинг

Сладок сон трудящегося, мало ли, много ли он съест; но пресыщение богатого не дает ему уснуть.

Екклесиаст, 5, 11

В бедности есть что-то от запаха смерти.

Зора Херстон

Я начал с нуля и упорным трудом достиг состояния крайней бедности.

Граучо Маркс

Моих денег мне хватит до конца жизни, если только я не захочу что-нибудь купить.

Джеки Мейсон

Не было ни гроша — и не будет.

Владимир Колечицкий

Мне всегда было непонятно — люди стыдятся бедности и не стыдятся богатства.

Фаина Раневская

Бедность не порок — если другие ее не видят.

NN

Бедность не порок. Будь она пороком, ее не стыдились бы.

Джером Джером

«Бедность не порок». Еще бы! Порок очень даже приятная штука.

Поль Леотод

Бедность не порок, но это единственное, что можно сказать в ее пользу.

NN

БЕЗРАБОТИЦА И ЗАНЯТОСТЬ

См. также «Профессия», «Работа»

Средний возраст — это когда ты слишком молод, чтобы идти на пенсию, и слишком стар, чтобы получить другую работу.

Лоренс Питер

Спад — это когда ваш сосед теряет работу, кризис — когда работу теряете вы.

Гарри Трумэн

Реорганизация — это когда ваш сослуживец теряет работу; спад — когда работу теряете вы; кризис — когда работу теряет ваша жена.

NN

«Приемлемый уровень безработицы» на бюрократическом языке означает, что «нас на улицу не выкинут», а «приемлемый бюджет» — что «кое-кому придется туго, но никак не нам».

Лоренс Питер

Растет интерес к круглогодичной занятости на должности Санта-Клауса.

Юзеф Булатович

Миллионы наших сограждан не работают, но, слава богу, имеют работу.

NN

В России и в Дартмурской тюрьме нет безработных, и по той же самой причине.

Английский лейборист Филип Сноуден в 1932 г.

Чем тяжелее работа, тем легче на нее устроиться.

Константин Мелихан

Найти мужчину легче всего тогда, когда у тебя уже есть один; найти работу легче всего тогда, когда у тебя уже есть работа.

Пэйдж Митчелл в измененной редакции

Требуются менеджеры не старше 35 лет с сорокалетним опытом работы.

NN

Если тебе говорят: «Мы уведомим вас о своем решении»,— ты уже уведомлен.

NN

Когда вы женитесь на своей любовнице, вы создаете новое рабочее место.

Джеймс Голдсмит

В рамках реформы уволили 100 пожарных и наняли одного глотателя огня.

Юзеф Кмецяк

Учиться, учиться и еще раз учиться, потому что работы вы все равно не найдете.

Виктор Коняхин

БЕСПРИСТРАСТНОСТЬ. ОБЪЕКТИВНОСТЬ

Тот, кто смотрит на дело с обеих сторон, обычно не видит ни одной из них.

Оскар Уайльд

«Только я могу судить о цвете,— сказал дальтоник,— потому что я беспристрастен».

Веслав Брудзиньский

Эксперт излагает объективную точку зрения. А именно свою собственную.

Морарджи Десаи

Субъективизм — обычное дело при отыскании объективных причин.

Лешек Кумор

Субъективная оценка — «мне нравится», объективная — «начальству нравится».

Михаил Гаспаров

Труднее всего написать положительную рекомендацию человеку, которого очень хорошо знаешь.

Франк Хаббард

Друзья не могут быть беспристрастны и часто даже бывают несправедливы, стараясь сохранить беспристрастность.

Кристиан Фридрих Геббель

Я сначала пишу предисловие, а книгу читаю потом, чтобы сохранить беспристрастность.

Сидни Смит

Взвешивая чужие промахи, мало кто из нас не положит руку на чашу весов.

Лоренс Питер

Пристрастность не исключает правоты. Гнев — плохой советчик, но какой проницательный аналитик!

Кароль Ижиковский

БЕССМЕРТИЕ

См. также «Воскресение. Реинкарнация», «Жизнь после смерти»

О бессмертии мечтают миллионы людей — тех самых, которые мучительно думают, чем бы занять себя в дождливый воскресный вечер.

Сьюзен Эрц

Идея бессмертия служит примирению с чужой смертью и с собственной жизнью.

Григорий Ландау

Человек — единственное животное, знающее, что его ожидает смерть, и единственное, которое сомневается в ее окончательности.

Уильям Эрнест Хокинг

Догмат бессмертия души есть самая утешительная и в то же время наиболее устрашающая идея.

Вольтер

Кто-то спросил Демонакта, считает ли он, что душа бессмертна. «Бессмертна,— ответил он,— но не более, чем все остальное».

Лукиан из Самосаты

Ни у одного народа вера в бессмертие не была так сильна, как у кельтов; у них можно было занимать деньги, с тем что возвратишь их в ином мире.

Генрих Гейне

Бессмертие стоит нам жизни.

Рамон де Кампоамор

Наша надежда на бессмертие не порождена ни одной из существующих религий; наоборот, почти все религии порождены этой надеждой.

Роберт Ингерсолл

Смерть не умирает.

Дэвид Лоуренс

Смерти празднуем умерщвление.

Тропарь православного пасхального канона

Христианское бессмертие — это жизнь без смерти, совсем не так, как думают, жизнь после смерти.

Петр Чаадаев

Христиане жаждут бессмертия так, словно уверены в райском блаженстве; и в то же время боятся смерти, словно уверены, что попадут в ад.

Ежи Плудовский

Самое неоспоримое свидетельство бессмертия — это то, что нас категорически не устраивает любой другой вариант.

Ралф Эмерсон

Быть Богом и творить смертных людей?

Станислав Ежи Лец

Если бы одни умирали, а другие нет, умирать было бы крайне досадно.

Жан Лабрюйер

Если бы мы жили вечно, у нас на все нашлось бы время, — но едва ли нашлась бы охота.

Владислав Гжещик

Если бы мы жили вечно, представляете, сколько составили бы наши счета за мясо и овощи?

Вуди Аллен

Люди не хотят жить вечно. Люди просто не хотят умирать.

Станислав Лем

Никто из нас еще не родился бессмертным, и, если бы это с кем-нибудь случилось, он не был бы счастлив, как это кажется многим.

Платон

Для нас, людей, все постоянно — до тех пор, пока не изменится, и все мы бессмертны — пока не умрем.

Малколм Маггеридж

Все мы или почти все мы умрем.

Из проповеди французского священника, прочитанной в присутствии Людовика XIV

Кости лежат на кладбище. Интересно, сколько шестерок выпадет у Творца?

Мечислав Шарган

БЕССОННИЦА

См. также «Сон и пробуждение»

Жизнь — это сон.

Кальдерон

Жизнь — сон? Не чаще ли бессонница?

Григорий Ландау

Бессонница — это разглядывание собственного нутра в черном зеркале ночи.

Халина Аудерская

Кто не страдал бессонницей, тот не знает своей биографии.

Дон-Аминадо

Бессонница — это когда не можешь спать даже на службе.

NN

Бессонница — это когда не можешь спать, даже когда уже пора просыпаться.

Из книги «Азимов продолжает шутить»

Едва ли случайно, что электрическая лампочка и таблетки от бессонницы были изобретены одним и тем же поколением.

Хоймар фон Дитфурт

Вы заснете вдвое быстрее, если будете считать по две овцы сразу.

NN

Счастливые овец не считают.

Ян Добжаньский

Заснул, забыв принять снотворное.

Эмиль Кроткий

Лучшее средство от бессонницы — спать.

Эмиль Кроткий

Те, кто несчастлив, и те, кто плохо спит, привыкли этим гордиться.

Бертран Рассел

А я говорю вам, что Богу тоже знакомы бессонные ночи.

Мария Конопницкая

БИБЛИОТЕКА. БИБЛИОФИЛЫ

См. также «Чтение и читатели»

Моя родина там, где моя библиотека.

Эразм Роттердамский

Книга — друг одинокого, а библиотека — убежище бездомного.

Стефан Витвицкий

Нигде так сильно не ощущаешь тщетность людских надежд, как в публичной библиотеке.

Сэмюэл Джонсон

Каталог — напоминание о том, что забудешь.

Рамон Гомес де ла Серна

Иные владеют библиотекой, как евнухи владеют гаремом.

Виктор Гюго

Никому не давайте своих книг, иначе вы их уже не увидите. В моей библиотеке остались лишь те книги, которые я взял почитать у других.

Анатоль Франс

Книга так захватила его, что он захватил книгу.

Эмиль Кроткий

Я люблю время от времени навещать друзей, просто чтобы взглянуть на свою библиотеку.

Уильям Гэзлитт

Люди заполняют свои библиотеки книгами, а М* заполняет книги своей библиотекой.

Никола Шамфор

БИБЛИЯ

См. также «Христианство»

Библия не может быть делом Всевышнего уже потому, что Он слишком лестно отзывается там о себе и слишком плохо о человеке. Но, может быть, это как раз и доказывает, что Он ее Автор?

Кристиан Фридрих Геббель

Я читаю уголовный кодекс и Библию. Библия — жестокая книга. Может быть, самая жестокая, которая когда-либо была написана.

Жорж Сименон

Библия гораздо в меньшей степени пуританка, чем мы.

Адольф Рудницкий

Бывают колченогие столы, под которые подкладывают Библию — чтоб не шатались.

Кароль Ижиковский

Люди отвергают Библию не потому, что она противоречит себе, а потому, что она противоречит им.

Американское изречение

За шесть дней трудно сделать что-либо путное. Взять хотя бы наш мир.

«Пшекруй»

Бог был доволен своей работой, вот что ужасно.

Сэмюэл Батлер

Темой для великого поэта могла бы стать скука Всевышнего после седьмого дня Творения.

Фридрих Ницше

Господь всегда в творении.

Джордж Бернард Шоу

Откровение — знаменитая книга, в которой Иоанн Богослов сокрыл все, что знал. Откровение сокрытого совершается комментаторами, которые не знают ровно ничего.

Амброз Бирс

Тот, кто присягает на Библии, вовсе не обязан знать ее содержание.

Леонид Крайнов-Рытов

Объявление в газете техасского городка: «Читайте Библию, чтобы узнать, что людям следует делать. Читайте нашу газету, чтобы узнать, что они действительно делают».

NN

Новый Завет не отменяет Ветхого Завета для ветхого еще человечества.

Николай Бердяев

БИЗНЕС

См. также «Корпорации и монополии», «Реклама», «Страхование», «Фондовая биржа», «Цена», «Экономика»

Коммерция? Это очень просто. Это деньги других людей.

Александр Дюма-сын

Бизнес — это сочетание войны и спорта.

Андре Моруа

Бизнес — это искусство извлекать деньги из чужого кармана, не прибегая к насилию.

Макс Амстердам

Бизнес — это часто что-то вроде убийства любимых детей, чтобы твои другие дети добились успеха.

Джон Харви-Джонс

Не говори: мы начинали с нуля; на нуле все может и кончиться.

Тадеуш Гицгер

В бизнесе ни один шанс не теряется: если вы его загубили, его отыщет ваш конкурент.

NN

Капитал — это часть богатства, которой мы жертвуем, чтобы умножить свое богатство.

Алфред Маршалл

Мошенничество: хорошая сделка, столкнувшаяся с плохим законом.

Альфред Капю

«Джентльменское соглашение» — это сделка, условия которой не потрудились изложить на бумаге оба партнера.

NN

Устный договор не стоит бумаги, на которой он написан.

Сэмюэл Голдвин

Кто покупает лишнее, в конце концов продает необходимое.

Бенджамин Франклин

Никогда не улыбайтесь фоторепортерам. Как только ваша фирма потерпит убытки, вы увидите свою улыбку на финансовой полосе.

Алан Шугар

Первое правило бизнеса — поступай с другим так, как он хотел бы поступить с тобой.

Чарлз Диккенс

БЛАГОДАРНОСТЬ – НЕБЛАГОДАРНОСТЬ

Благодарность — это переваривание благодеяния, процесс, вообще говоря, тяжелый.

Адриан Декурсель

Тонкой душе тягостно сознавать, что кто-нибудь обязан ей благодарностью; грубой душе — сознавать себя обязанной кому-либо.

Фридрих Ницше

Признательность — это добродетель, которая проявляется чаще до, чем после.

Маргарита де Блессингтон

Первый шаг неблагодарности — это исследование побуждений благотворителя.

Пьер Буаст

Не то важно, кто оказал тебе услугу, а то, кого наиболее выгодно поблагодарить.

Веслав Брудзиньский

Признательность большинства людей порождена скрытым желанием добиться еще больших благодеяний.

Франсуа Ларошфуко

Чрезмерная поспешность в расплате за оказанную услугу есть своего рода неблагодарность.

Франсуа Ларошфуко

Неблагодарных гораздо меньше, чем полагают, ибо щедрых значительно меньше, чем думают.

Шарль Сент-Эвремон

На долг благодарности набегают проценты обязательств.

Уршула Зыбура

Ошибки людей в их расчетах на благодарность за оказанные ими услуги происходят оттого, что гордость дающего и гордость принимающего не могут сговориться о цене благодеяния.

Франсуа Ларошфуко

Бывают услуги настолько бесценные, что отплатить за них можно только неблагодарностью.

Александр Дюма-отец

Зачем кусать нам груди кормилицы нашей; потому что зубки прорезались?

Александр Пушкин

Давай по порядку: сперва ты подашь мне руку, потом я подставлю тебе ногу.

Влодзимеж Счисловский

Если кто-нибудь от кого-нибудь (от человека, учреждения, правительства) получил взятку, тепленькое местечко или другое даяние, то он благодарен давшему не только по соглашению, из лояльности или из вежливости, но даже идейно, по убеждению, — за что уже не заплачено.

Кароль Ижиковский

Размеры моей благодарности будут безграничны в пределах разумного.

Семен Альтов

Взаимоотношения усложнились: ты — мне, я — ему, он — тебе.

Семен Пивоваров

Люди могут простить вам добро, которое вы для них сделали, но редко забывают зло, которое они причинили вам.

Сомерсет Моэм

БЛАГОРОДСТВО. ВЕЛИКОДУШИЕ

См. также «Джентльмены»

Не доверяйте первому побуждению — оно почти всегда благородно.

Талейран

Каждый хочет иметь репутацию благородного человека, и каждый хочет купить ее подешевле.

Миньон Маклофлин

Совершенство духа нельзя ни взять взаймы, ни купить, а если бы оно и продавалось, все равно, я думаю, не нашлось бы покупателя.

Сенека

Великодушие всем прнебрегает, чтобы всем завладеть.

Франсуа Ларошфуко

Наиболее виновные — наименее великодушны, это общее правило.

Пьер Бомарше

Благородная женщина не должна ожидать от другой женщины того, чего она сама бы не сделала.

Маргарита Валуа

К сожалению, умных людей куда больше, чем благородных.

Борис Парамонов

Бить лежачего некрасиво. Зато безопасно.

Анджей Сток

Я никогда не ударю лежачего, разве что он попытается встать.

Веслав Брудзиньский

БЛАГОТВОРИТЕЛЬНОСТЬ

См. также «Добрые дела», «Нищие. Милостыня»

Благотворительность — стерилизованное молоко человеческой доброты.

Оливер Херфорд

Истинная цель дела благотворительности не в том, чтобы благотворить, а в том, чтобы некому было благотворить.

Василий Ключевский

Чего я не люблю у бедных, так это нахальства. Им ничего не дают, а они все просят и просят.

Морис Шевалье

Послушать иных, так можно подумать, что богач не может быть счастлив, пока не сделает несчастными нескольких бедняков, раздав им все свои деньги.

Лоренс Питер

Филантроп: человек, который большую часть своего времени убеждает других пожертвовать на благотворительность.

NN

Филантроп: человек, который открыто раздает наворованное.

Видоизмененный
Леонард Луис Левинсон

Благотворительность и патриотизм — главные качества американца, которому нужно что-либо продать.

Генри Луис Менкен

Пусть лучше бизнесмены ведут свое дело честно, чем отдают часть сверхприбыли на благотворительность.

Теодор Рузвельт

Профессиональное нищенство — занятие не менее доходное, чем профессиональная филантропия.

Хораций Сафрин

Чрезмерный богач, не помогающий бедным, подобен здоровенной кормилице, сосущей с аппетитом собственную грудь у колыбели голодающего дитяти.

Козьма Прутков

Деньги от богатых к бедным можно перетаскивать только дырявыми ведрами.

Артур Окун

Если все богачи в мире разделят свои деньги между собой, на всех не хватит.

Жюль Бертийон

Кто ничего не имеет, всегда готов поделиться с другими.

NN

Помните о бедняках — это не требует никаких расходов.

Генри Уилер Шоу

Лучший способ помочь бедным — это не стать одним из них.

Ланг Ханкок,
австралийский миллионер

БЛИЗКИЕ ЛЮДИ

См. также «Знакомство. Знакомые»,
«Родственники», «Семья»

Близкими можно считать людей с той минуты, когда они теряют способность всматриваться друг в друга.

Григорий Ландау

Близкие люди всегда кажутся недалекими.

Леонид Леонидов

Если близкому человеку надо объяснять, то — не надо объяснять.

Григорий Ландау

Не читайте рукописи жене. Читайте только очень близким людям.

Борис Замятин

Бедный ненавидим бывает даже близкими своими, а у богатого много друзей.

Притчи, 14, 20

До близких далеко, до далеких близко, — вот и ходишь к далеким.

Эмиль Кроткий

Хорошо навещать родных и друзей, но не жить рядом с ними.

Томас Фуллер

Нас привязывают к жизни те, кому мы служим опорой.

Мария Эбнер-Эшенбах

БЛОНДИНКИ, БРЮНЕТКИ

Мужчины предпочитают блондинок, так как считают, что брюнетки умнее и потому опаснее.

Марсель Ашар

Теперь я понял, почему блондинки пользуются бóльшим успехом. Их легче разглядеть в темноте.

Роберт Орбен

Выбирая жену, попробуй представить себе, как бы она выглядела, если бы она не была блондинкой.

Леонард Луис Левинсон

Мою жену называют глупой блондинкой, но это неправда: она не блондинка.

Роберт Орбен

Из всех этих лживых россказней о блондинках добрая половина неправда.

Янина Ипохорская

Блондинка: смесь брюнетки с пергидролем.

«Пшекруй»

Мы красим волосы каждый раз в разный цвет, чтобы не повторять дважды одну и ту же ошибку.

Янина Ипохорская

Джентльмены предпочитают блондинок, но женятся на брюнетках.

Анита Лус

Джентльмены предпочитают блондинок, особенно если они женаты на брюнетках.

NN

Бог — джентльмен. Он благосклонен к блондинкам.

Джо Ортон

БОГ

См. также «Вера», «Молитва», «Религия», «Чудо»

Если Бог за вас, кто против вас?

Апостол Павел —
Послание к римлянам, 8, 31

Бог есть, но я в него не верю.

Осип Брик

Верить в Бога невозможно, не верить в него — абсурдно.

Вольтер

Многие верят в Бога, но немногим верит Бог.

Мартти Ларни

Респектабельные люди верят в Бога, чтобы только не говорить о нем.

Жан Поль Сартр

К Богу приходят не экскурсии с гидом, а одинокие путешественники.

Владимир Набоков

Если Бог вездесущ, любая дорога должна вести к нему.

Станислав Ежи Лец

Бог, который позволил бы нам удостовериться в своем существовании, был бы не Богом, а идолом.

Дитрих Бонхеффер

Не знаю, существует ли Бог, но для его репутации было бы лучше, если бы он не существовал.

Жюль Ренар

Если бы Бога не было, следовало бы его выдумать.

Вольтер

Труднее всего нам было бы вынести такого Бога, какого мы для себя выдумали.

Элиас Канетти

Верующий создает Господа Бога по своему подобию. Если он уродлив, то и Бог его нравственный урод.

Жюль Ренар

Если Бог сотворил человека по своему образу и подобию, то человек отплатил ему тем же.

Вольтер

Если бы треугольники создали себе бога, он был бы с тремя сторонами.

Шарль Монтескье

Богу не хватает стойкости характера, твердых убеждений. Ему следует быть католиком, или пресвитерианином, или кем-нибудь, все равно, — но не стараться поспеть сразу повсюду.

Марк Твен

Что мы можем сказать о Боге? Ничего. Что мы можем сказать Богу? Все.

Марина Цветаева

Перед Богом мы все одинаково мудры — или одинаково глупы.

Альберт Эйнштейн

Понять Бога легко, если только не пытаться его объяснить.

Жозеф Жубер

Бог, которого можно понять, уже не Бог.

Сомерсет Моэм

Чем дальше мы продвигаемся в познании Бога, тем дальше Бог удаляется от нас.

Мария Эбнер-Эшенбах

Бог дальше от людей, чем люди от Бога.

Эмиль Сьоран

Пустыня — это Бог без людей.

Оноре Бальзак

Бог — это сфера, центр которой везде, а окружность — нигде.

Приписывается Тимею Лотрскому

Бог — всего лишь слово, придуманное, чтобы объяснить мир.

Альфонс де Ламартин

Кто не любит, тот не познал Бога, потому что Бог есть любовь.

Апостол Иоанн — 1-е соборное послание, 4, 8

Бог выше всяких определений.

Августин Блаженный

Основная мысль человека есть мысль о Боге, основная мысль Бога есть мысль о человеке.

Николай Бердяев

Нужно ангельское терпение, чтобы быть отцом всех христиан.

Хенрик Ягодзиньский

Бог не ангел.

Станислав Ежи Лец

Настоящий человек состоит из вопросов, настоящий Бог состоял бы из ответов.

Станислав Ежи Лец

Порою мне кажется, что Творец очарован ангельской монархической системой: Бог царствует, но не управляет.

Станислав Ежи Лец

Добрые христиане воображают себе, будто Господь Бог имеет самую внушительную картотеку.

Кароль Ижиковский

У Бога нет религии.

Махатма Ганди

Сильные видят в Боге доказательство своей силы, слабые — защиту от своей слабости.

Анна Кшижановская

Каждый думает, что Бог на его стороне, а богатые и могущественные это знают.

Жан Ануй

Неужели Бог забыл обо всем, что я для него сделал?

Людовик XIV
после поражения французской армии при Мальплаке в 1709 г.

Многие люди смотрят на Господа Бога как на слугу, который должен сделать за них всю грязную работу.

Франсуа Мориак

У Бога добавки не просят.

Сергей Довлатов

Я всегда держу слово, если имею дело с людьми, и не всегда — если имею дело с Богом. Бог способен прощать.

Видоизмененный Пол ван Дорен

Любовь — не один из атрибутов Бога, но сумма его атрибутов.

Дж. М. Гиббон

Господь любит нас всех, но ни от одного из нас не в восторге.

Айзек Азимов

Чем ближе к небесам, тем холоднее.

Антон Дельвиг

Бог простит мне глупости, которые я наговорил про него, как я моим противникам прощаю глупости, которые они писали против меня, хотя духовно они стояли настолько же ниже меня, насколько я стою ниже тебя, о Господи!

Генрих Гейне

Бог — писатель, а мы все — герои и читатели одновременно.

Айзек Зингер

Всевышний — это комедиант, чья публика боится смеяться.

Генри Луис Менкен

Господь, вероятно, смеется, потому что знает, чем все кончится.

Харви Кокс

Господи, прости мне мои маленькие шутки на Твой счет, и я прощу Тебе большую шутку, которую Ты сыграл со мной.

Роберт Фрост

Господь не ожидает от тебя решения всех мировых проблем; он лишь надеется, что ты не будешь их создавать.

NN

Каждый человек стал бы Богом, если бы Бог позволил.

Юзеф Булатович

Богу богово, кесарю кесарево. А что же людям?

Станислав Ежи Лец

Два человека не могут ненавидеть друг друга, если оба они любят Бога.

Неизвестный американец

Зачем нападать на Бога? Возможно, он так же несчастен, как мы.

Эрик Сати

Драматург меняет бутафорию, но сохраняет актеров. Господь поступает наоборот.

Томас Маккьоун

Один человек вместе с Богом составляет большинство.

Франк Бухман

Господь Бог изощрен, но не злонамерен.

Альберт Эйнштейн

Трудно Богу доказать свое алиби.

Станислав Ежи Лец

Божьи жернова мелют медленно, но муку дают превосходную.

Секст Эмпирик

Бог правду видит, да не скоро скажет. Что за волокита?

Илья Ильф

Действуя инкогнито, Господь не затыкает рты своим жертвам — им позволено обманываться и роптать.

Кароль Ижиковский

Отпечаток перста Божия должен выглядеть как знак бесконечности ∞.

Карел Чапек

Отпечатки перста Божия никогда не идентичны друг другу.

Станислав Ежи Лец

Люди решили, что Бога нет, но их решение для Бога необязательно.

Кардинал Стефан Вышиньский

Прежде искали доказательства существования Бога, ныне приходится искать доказательства существования человека.

Казимеж Брандыс

БОГАТСТВО

См. также «Деньги»

Богатство — это сбережения многих в руках одного.

Юлиан Тувим

Если вам говорят: «Мое богатство нажито тяжелым трудом», спросите: «Чьим?»

Дон Маркис

Многие мечтают о таких деньгах, при которых деньги уже не нужны.

Владислав Гжещик

Очень богатые люди не похожи на нас с вами.

Фрэнсис Скотт Фицджеральд

Богатые не похожи на нас с вами — у них денег больше.

Эрнест Хемингуэй

Богатые не похожи на нас с вами: они платят меньше налогов.

Питер де Врайз

Богатые не похожи на нас с вами: у них гораздо больше кредит.

Джон Леонард

Единственное, что мне нравится в богатых людях, — это их деньги.

Нэнси Астор

У меня ни копейки денег не бывает. Ну, бывает там миллион, два, три.

Владимир Брынцалов

Печально видеть, как богатые швыряют деньгами, и сознавать, что ты им не можешь помочь.

Пьер Данинос

Быть богатым в наше время очень накладно.

Майкл Харрингтон

Только очень богатый человек может позволить себе жить, как богатый.

Сирил Норткот Паркинсон

Мало кто из нас может вынести бремя богатства. Конечно, чужого.

Марк Твен

Люди не хотят быть богатыми; люди хотят быть богаче других.

Джон Стюарт Милль

Раньше люди хотели быть богатыми; теперь они удовлетворяются тем, что живут как богатые.

NN

Я хочу жить как бедный человек с деньгами.

Пабло Пикассо

Если бы не богачи, богатство никого бы не раздражало.

Геннадий Малкин

Он призвал к себе бедняков и раздал им богачей.

Элиас Канетти

Люди, сделавшие себе состояние, упорно рядятся в шкуру людей, унаследовавших свое состояние.

Марио Буатта

Есть на свете горстка людей, которых деньги не могут испортить, и мы, конечно, относимся к их числу.

Миньон Маклофлин

Богатые духом чаще всего — бедные родственники бедных духом.

Феликс Райчак

Выбирай, сказали ему: богатство или ум? Как умный человек, он выбрал богатство.

Мечислав Шарган

Хочется быть богатым, чтобы не думать о деньгах, хотя богатые только о них и думают.

Абель Боннар

Кто любит серебро, тот не насытится серебром.

Екклесиаст, 5, 9

БОКС

Бокс: дружеские кровоизлияния.

Эмиль Кроткий

Бокс — это наука, исследующая человека на прочность.

Виктор Жемчужников

Бокс — это когда много белых людей смотрят, как двое черных избивают друг друга.

Мохаммед Али (Кассиус Клей)

В боксе нет крутых, есть только те, кому еще не заехали в челюсть.

Ежи Кулей, двукратный олимпийский чемпион по боксу

Я отдал бы свою правую руку, чтобы одинаково свободно владеть обеими руками.

Некий американский боксер

Я видел, как Джордж Форман боксировал с тенью, и тень выиграла.

Мохаммед Али (Кассиус Клей)

Самое трудное в боксе — собирать свои зубы с пола рукой в боксерской перчатке.

Франк Хаббард

БОЛЕЗНИ

См. также «Диагноз», «Здоровье и самочувствие», «Инфаркт», «Склероз», «Простуда», «Психиатрия. Психические расстройства», «Ревматизм», «Язва»

Человек любит поговорить о своих болезнях, а между тем это самое неинтересное в его жизни.

Антон Чехов

Больше всего тех болезней, которых мы больше всего боимся.

Лешек Кумор

Кто заражен страхом болезни, тот уже заражен болезнью страха.

Мишель Монтень

У стариков меньше болезней, чем у молодых, но эти болезни уже на всю жизнь.

Гиппократ

Старость — сама по себе болезнь.

Теренций

Болезнь принимает здоровые формы.

Михаил Жванецкий

Мнимые больные неизлечимы, зато настоящие могут получить мнимое излечение.

«Пшекруй»

Лучше десять раз тяжело заболеть, чем один раз легко умереть.

NN

Доктор дает мне две недели жизни. Хорошо бы в августе.

Ронни Шейкс

Смерть — ты уже вконец надоел твоей болезни.

Хенрик Ягодзиньский

На свете творится бог знает что! Начинают умирать люди, которые раньше никогда не умирали.

Юлиан Тувим

БОЛТЛИВОСТЬ

См. также «Разговор»

Там, где достаточно нескольких слов, не говори более получаса.

«Пшекруй»

Галстуки, шнурки и язык всегда развязываются в самый неподходящий момент.

Владислав Гжещик

Ему было бы что сказать, если бы он столько не говорил.

Веслав Брудзиньский

Мужчина занимается болтовней, если выпил или устал от одиночества. Женщина мелет языком просто для практики.

Макс Брандт

Почему мы запоминаем во всех подробностях то, что с нами случилось, но не способны запомнить, сколько раз мы рассказывали об этом одному и тому же лицу?

Франсуа Ларошфуко

Один болтун, сильно докучавший Аристотелю своим пустословием, спросил его: «Я тебя не утомил?» Аристотель ответил: «Нет, я не слушал».

Диоген Лаэртский

Разговорчивость — возрастная болезнь.

Бен Джонсон

БОЛЬНИЦА

См. также «Врачи», «Лекарства и лечебные процедуры», «Медицина», «Хирург. Операция»

В каждой больнице есть два вида пациентов: одни серьезно больны, другие жалуются на питание.

NN

Не все пациенты любят лечиться, но все пациенты любят лечить.

Максим Звонарев

Если вам случится попасть в больницу, помните: по-настоящему опасная операция не может стоить дешевле 11 тысяч долларов.

Американский совет

Больничное лечение обходится дорого, но где еще вам подадут завтрак в кровать?

Неизвестный американец

Кладбища богатеют, когда нищают больницы.

Александр Минкин

БОЛЬШИНСТВО – МЕНЬШИНСТВО

См. также «Выборы», «Парламент»

Иногда большая часть побеждает лучшую.

Тит Ливий

Нет ничего отвратительнее большинства.

Иоганн Вольфганг Гёте

Если вы заметили, что вы на стороне большинства, это верный признак того, что пора меняться.

Марк Твен

В мыслях с меньшинством, в речах с большинством.

Бальтасар Грасиан

Фундаментом любой политики служит безразличие большинства.

Джеймс Рестон

Политик не представляет большинство, а создает большинство.

Стюарт Холл

Тот, на чьей стороне большинство, всегда находчив и умен.

Бенджамин Дизраэли

Меньшинство всегда не право — вначале.

Герберт Прокноу

Мужество подвергается испытанию, когда мы в меньшинстве; терпимость — когда мы в большинстве.

Ралф Сокман

В демократии большинство правит, а меньшинство все время указывает, куда крутить руль.

Лоренс Питер

Для правящего большинства наибольшую опасность представляет меньшинство в собственном лагере.

Аминторе Фанфани

Если большинство иногда и делает правильный выбор, то лишь под влиянием ложных мотивов.

Филип Честерфилд

Большинство складывается случайно, меньшинство — сознательно.

Стефан Киселевский

Правительство существует для того, чтобы защищать права меньшинства.

Уэнделл Филлипс

В государстве следует четко различать арифметическое большинство и большинство политическое.

Антуан де Ривароль

Меньшинство нередко становится большинством, потому что встает с постели и голосует.

Лоренс Питер

БРАК

См. также «Замужество и женитьба», «Мужья и жены», «Развод», «Свадьба», «Холостяки»

Брак — это продолжение любви иными средствами.

Геннадий Малкин

В любви теряют рассудок, в браке замечают потерю.

Моисей Сафир

Браком по любви мы называем брак, в котором состоятельный мужчина женится на красивой и богатой девушке.

Пьер Боннар

Многие мужчины, влюбившись в ямочку на щеке, по ошибке женятся на всей девушке.

Стивен Ликок

Там, где брак без любви, будет любовь без брака.

Томас Фуллер

У того, кто женится ради денег, есть хотя бы разумный повод.

Габриэль Лауб

При нынешних налогах жениться можно и по любви.

NN

Жить с человеком, которого любишь, так же трудно, как любить человека, с которым живешь.

Жан Ростан

Мужчина, который любит женщину очень сильно, просит ее выйти за него замуж — то есть изменить свое имя, бросить свою работу, рожать и воспитывать его детей, ждать его, когда он приходит с работы, переезжать с ним в другой город, когда он меняет работу. Трудно представить себе, чего бы он потребовал от женщины, которую не любит.

Гейбриелл Бартон

Есть только один способ сделать брак счастливым, и мы все хотели бы его узнать.

NN

Я не знал, что такое счастье, пока не женился, но тогда уже было поздно.

Макс Кауффманн

Мужчина женится, потому что влюбился. Женщина влюбляется, потому что хочет выйти замуж.

Анри Дювернуа

Любовь замужней женщины — великая вещь. Женатым мужчинам такое и не снилось.

Оскар Уайльд

Брак — пожизненная кара за любовь.

Рената Шуман-Фикус

Брак — это чудо превращения поцелуя из удовольствия в обязанность.

Хелен Роуленд

Брак — это долгое плавание в тесной каюте.

Айрис Мердок

Заключение брака: формальность, необходимая для получения развода.

Оливер Херфорд и Джон Клей

Нельзя найти счастья в браке, если вы не принесете его с собой.

NN

Двадцать лет любви делают из женщины развалину; двадцать лет брака придают ей сходство с общественным зданием.

Оскар Уайльд

Брак — слишком совершенное состояние для несовершенного человека.

Никола Шамфор

Брак — основная причина разводов.

Лоренс Питер

Брак — самый дорогой способ получения бесплатных советов.

NN

Брак — самый дорогой способ бесплатной стирки белья.

Франклин П. Джонс

Брак — это любовь, которую попросили еще кое о чем.

Войцех Бартошевский

Брак — это гавань в бурю, но чаще — буря в гавани.

Жан Пти-Сенн

Самая прочная основа для брака — взаимное непонимание.

Оскар Уайльд

Супружество и смерть всегда застают человека неподготовленным.

Никколо Томмазео

Супружество — это процесс, в ходе которого клиентуру цветочника перехватывает бакалейщик.

Франсис Родман

Супружество — это общественный институт, позволяющий мужчине и женщине получить максимальное наслаждение при разводе.

Северин Барбаг

Семья — такая хорошая вещь, что многие мужчины имеют их сразу две.

Адриан Декурсель

Брак упрощает нашу жизнь и усложняет наш день.

Жан Ростан

«Старую собаку не выучишь новым фокусам». Тот, кто это сказал, наверняка не был женат.

Раймон Дункан

Каждое супружество — мезальянс.

Карл Краус

Смешанный брак — это брак между мужчиной и женщиной.

Александр Ботвинников

Брак — это триумф привычки над ненавистью.

Оскар Левант

Супружество таит в себе немало мучений, но целибат не таит в себе никаких удовольствий.

Сэмюэл Джонсон

Когда я понял, что не могу позволить себе содержать семью, я уже был женат.

NN

Часто разница между удачным и неудачным браком заключается в трех-четырех не произнесенных репликах ежедневно.

Харлан Миллер

Самое ценное в браке то, что в нем можно быть одному, не страдая от одиночества.

Джерала Бренан

Брак — это лихорадка, которая начинается жаром, а кончается холодом.

Гиппократ

Счастливый брак — это долгий разговор, который всегда кажется слишком коротким.

Андре Моруа

Брак — это долгий разговор, прерываемый спорами.

Роберт Льюис Стивенсон

Если бы супруги не жили вместе, удачные браки встречались бы чаще.

Фридрих Ницше

Природой брак не предусмотрен.

Наполеон I

Бывают удачные браки, но не бывает браков упоительных.

Франсуа Ларошфуко

Главный секрет удачного брака — в несчастьях видеть случайности, а случайности не воспринимать как несчастья.

Гарольд Николсон

Кто не способен ни на любовь, ни на дружбу, тот вернее всего делает свою ставку — на брак.

Фридрих Ницше

Брак холостит душу.

Александр Пушкин

Если на свете так мало счастливых браков, то лишь потому, что девушки гораздо больше внимания уделяют плетению силков, чем строительству клеток.

Джонатан Свифт

Что делают в раю, мы не знаем; зато мы точно знаем, чего там не делают: там не женятся и не выходят замуж.

Джонатан Свифт

Ибо в воскресении ни женятся, ни выходят замуж, но пребывают, как Ангелы Божии на небесах.

Евангелие от Матфея, 22, 30

Брак, если уж говорить правду, зло, но зло необходимое.

Сократ

Брак — такая чудесная вещь, что нужно думать о ней всю жизнь.

Талейран

Брак — это союз между мужчиной, который не может спать при закрытом окне, и женщиной, которая не может спать при открытом окне.

Джордж Бернард Шоу

Женщина тревожится о своем будущем до тех пор, пока она не замужем; напротив, мужчина не тревожится о своем будущим, пока он не женат.

Лизелотт Пулвер

Супружество, как и увечье, следует переносить терпеливо.

Кароль Бунш

В браке главное не победа, а участие.

Геннадий Малкин

Хорошо бы ввести страховку супружеской жизни.

Лешек Кумор

Теория, лежащая в основе брака: если ты нашел сорт пива, который тебе по вкусу, бросай свое дело и иди наниматься на пивоваренный завод.

Джордж Джин Нейтан

Люди перестают развиваться, как только начинают размножаться.

Сирил Норткот Паркинсон

Самые трудные годы брака — те, что следуют после свадьбы.

NN

Держи глаза пошире до свадьбы и зажмуривай после.

Бенджамин Франклин

Брак — единственная форма рабства, допускаемая законом.

Джон Стюарт Милль

Супружество — это рабство мужчины и отпущение на волю женщины.

Адриан Декурсель

Брак — это лотерея, в которой мужчина ставит на кон свою свободу, а женщина — свое счастье.

Виржиния Де Рье

Раб был свободен — он не имел семьи.

Ратмир Тумановский

Женщины лишают свободы лишь тех, кто не знает, что с ней делать.

Хелена Жмиевская

Современные браки и современные войны не объявляют — в них постепенно сползают.

Минор Лазаревич

Брак — это состояние, в котором двое не могут жить ни друг с другом, ни друг без друга.

Видоизмененная
Мария Эбнер-Эшенбах

Брак — это цена, которую мужчины платят за секс; секс — цена, которую женщины платят за брак.

NN

Супружество — это соглашение, условия которого ежедневно пересматриваются и утверждаются заново.

Брижит Бардо

Критический период в супружестве — время завтрака.

Алан Патрик Херберт

Первая часть нашего брака была очень удачна. Но потом, когда мы возвращались со свадебной церемонии...

Хенни Янгман

Можно объяснить другим, почему ты вышла за своего мужа, но нельзя убедить в этом себя.

Жорж Санд

Брак — не такое уж страшное дело; время от времени можно в него вступать.

Магдалена Самозванец

БРАНЬ. МАТЕРЩИНА

Первый человек, который бросил ругательство вместо камня, был творцом цивилизации.

Зигмунд Фрейд

Жена содрогается при мысли о том, чем занимается втайне ее муж, если он не курит, не пьет и не матерится.

Из книги Э. Мёрфи «2 715 коротких цитат»

В зеркале речи часто отражаются обнаженные детородные органы.

Станислав Ежи Лец

Он выразился так ясно, что разум отказывался понимать.

Станислав Ежи Лец

Когда я увидел, что этот парень помял мне крыло, я сказал ему, чтобы он плодился и размножался. Но только другими словами.

Вуди Аллен

Культура — это умение материться без мата.

Аркадий Давидович

Мы матом не ругаемся — мы им разговариваем.

Приписывается Александру Лебедю

Благодаря свободе слова отпала необходимость в выборе выражений.

Борис Крутиер

Ругань: компромисс между бегством и дракой.

Финли Питер Данн

Беззубому остается лаfive.

Лев Краткий

Никогда свобода слова не бывает столь драгоценна, как при случайном ударе молотком по пальцу.

Маршалл Ламзден

Культурный человек не тот, кто не матерится при женщинах, а тот, кто не замечает, когда это делают женщины.

Геннадий Степаненко

Диоген бил отца, если сын сквернословил.

Роберт Бартон (XVI в.)

Чем слабее доводы, тем крепче выражения.

NN

Чтобы научиться ругаться по-настоящему, нужно научиться водить машину.

«Закон дедушки Чарнока»

Изучение ругательств народов — хороший путь к постижению их святынь.

Григорий Ландау

Народ чертыхается истово, он верит в магию слова.

Станислав Ежи Лец

Давайте чертыхаться, пока есть время, в раю нам не позволят.

Марк Твен

БРАТСТВО

См. также «Альтруизм — эгоизм»

О всеобщем братстве мечтают те, кому никто не брат.

Шарль Шеншоль

Так много зла делается в мире во имя братства, что, будь у меня родной брат, я бы назвал его двоюродным.

Бенджамин Дизраэли

Мечтая о братстве, имеют в виду сестер.

Геннадий Малкин

Будь мне братом, или я убью тебя.

Никола Шамфор

Если братаются два народа, значит, они идут против третьего.

Зофья Налковская

«Наконец-то я встретил братскую душу»,— сказал Каин Авелю.

Януш Васильковский

Люди когда-нибудь станут братьями и снова начнут с Каина и Авеля.

Станислав Ежи Лец

Все люди братья, но не все братья люди.

Ежи Лещинский

Все люди — братья! А как же женщины?

Геннадий Малкин

Все люди — сестры.

Феминистский лозунг

БУДУЩЕЕ

См. также «Оптимизм — пессимизм», «Потомство», «Предсказания и прогнозы», «Утопия»

Будущее нельзя предвидеть, но можно изобрести.

Денис Габор

Я интересуюсь будущим потому, что собираюсь провести там всю свою остальную жизнь.

Чарлз Кеттеринг

Я никогда не думаю о будущем. Оно наступает достаточно быстро.

Альберт Эйнштейн

Знать прошлое достаточно неприятно; знать еще и будущее было бы просто невыносимо.

Сомерсет Моэм

Будущее — это зеркало без стекла.

Ксавье Форнере

Будущее — это то, навстречу чему каждый из нас приближается со скоростью 60 минут в час.

Клайв Льюис

Будущее нужно постоянно вызывать из небытия, прошлое приходит само.

Станислав Ежи Лец

Будущие события отбрасывают назад свою тень.

Томас Кемпбелл

Увы, будущее никогда не приходит — вокруг нас всегда настоящее.

Владислав Гжегорчик

Если вы не думаете о будущем, у вас его и не будет.

Джон Голсуорси

Иные из тех, кто боится взглянуть в глаза будущему, не подозревают, что будущее может показать им зад.

Станислав Ежи Лец

Всю свою жизнь мы только и делаем, что берем в долг у будущего, чтобы заплатить настоящему.

Моисей Сафир

Все мы живем за счет будущего. Не удивительно, что его ожидает банкротство.

Кристиан Фридрих Геббель

Будущее уже наступило.

Роберт Юнг

Будущее уже не то, что было раньше.

Поль Валери

Будущее укрыто даже от тех, кто его делает.

Анатоль Франс

Трудно что-либо предвидеть, а уж особенно будущее.

Сторен Петерсон

Речь идет не о том, чтобы предвидеть будущее, а о том, чтобы творить его.

Дени де Ружмон

Не всякий умеет танцевать под музыку будущего.

Станислав Ежи Лец

Чем дальше будущее, тем лучше оно выглядит.

«Закон Финнигана»

Слишком светлое будущее непрактично.

Геннадий Малкин

Будущее будет черным.

Джеймс Болдуин,
американский писатель
негритянского происхождения

Если верно, что человечество учится на своих ошибках, нас ожидает блестящее будущее.

Лоренс Питер

Никогда не доверяй будущему — оно ничем не заслужило доверия.

Андре Шансон

Трудно избежать будущего.

Оскар Уайльд

Перед прошлым — склони голову, перед будущим — засучи рукава.

Генри Луис Менкен

После нас хоть потоп.

Маркиза де Помпадур

БУХГАЛТЕРИЯ И ОТЧЕТНОСТЬ

Мудрецы и кассиры одинаково спокойно относятся к деньгам.

Эмиль Кроткий

Дату возникновения мира могли бы установить лишь бухгалтеры.

Станислав Ежи Лец

Существуют три вида лжи: бахвальство, вранье и отчетность.

Юзеф Булатович

Военное министерство готовит три вида отчетов: один, чтобы обманывать общественность; второй, чтобы обманывать кабинет министров; и третий, чтобы обманывать самих себя.

Герберт Асквит

Балансовые отчеты все равно что сводки о ходе военных действий: детали верны, а в целом — вранье.

Михаэль Шифф

Круглые числа всегда лгут.

Сэмюэл Джонсон

Ревизор не примет отчета, если итоговая цифра делится на 10 или на 5.

«Принцип О'Брайена»

Все сходится, кроме баланса.

«Пшекруй»

Если все должно сходиться, что-то должно не сходиться.

Станислав Ежи Лец

Дебет с кредитом не сходится, а человек с человеком всегда сойдется.

Борис Брайнин

БЮДЖЕТ

См. также «Доходы и расходы»

Цивилизация — это стадия развития общества, на которой ничего нельзя сделать без финансирования.

NN

Выработка бюджета есть искусство равномерного распределения разочарований.

Морис Станс, директор Бюджетного бюро США

Идеальный политик голосует за все ассигнования и против всех налогов.

NN

Составлять сбалансированный бюджет — все равно что защищать свою добродетель: нужно научиться говорить «нет».

Рональд Рейган

Правительство не решает проблем, оно финансирует их.

Рональд Рейган

Национальный доход не размножается делением.

Яцек Вейрох

Если это хорошая политика, значит, это плохая экономика, и наоборот.

Юджин Бэр

Меньше миллиона — это деньги. Больше миллиона — это финансы. Больше миллиарда — это дефицит.

«Уолл-стрит джорнал»

Государственные финансы — это искусство передавать деньги из рук в руки до тех пор, пока они не исчезнут.

Роберт Сарнофф

Царедворцы кричат: «Давайте нам, не считая», а народ: «Считайте то, что мы вам даем».

Мария Лещинская,
французская королева

Все средства хороши, кроме безналичных.

Данил Рудый

Политик готов рассмотреть любые возможности снизить налоги, за исключением сокращения расходов.

NN

ВТОРОЙ ЗАКОН ПАРКИНСОНА: Расходы стремятся сравняться с доходами.

Сирил Норткот Паркинсон

Любой военный проект требует вдвое больше времени, чем предполагалось, стоит вдвое дороже и дает лишь половинный эффект.

Сайрус Вэнс,
министр обороны США

Экономическая проблема: как у всех отнять, чтобы каждому прибавить.

Хенрик Ягодзиньский

Самая трудная задача, стоящая перед парламентариями, — как извлечь деньги из налогоплательщиков, не трогая избирателей.

NN

Бюджет все равно что совесть: от расходов он не удерживает, но вызывает чувство вины.

NN

Жить по бюджету — то же самое, что жить не по средствам, с той только разницей, что все аккуратно заносится на бумагу.

NN

Составление бюджета — самый солидный и добросовестный способ залезть в долги.

NN

Составление бюджета — самый трудоемкий способ установить, что ты не можешь прожить на свой заработок.

NN

Составлять бюджет — значит отравлять себе жизнь еще до всяких трат.

«Пшекруй»

БЮРОКРАТИЯ

См. также «Должность», «Совещания и комитеты», «Учреждение. Организация», «Характеристики и анкеты», «Чиновник»

Бюрократия — это как рыбная ловля там, где рыба не водится.

Сирил Норткот Паркинсон

Государственная машина: удивительный механизм, позволяющий десятерым делать работу одного.

NN

Бюрократ: человек, наделенный талантом непонимания.

Жорж Элгози

Бюрократический способ избавления от ненужных бумаг состоит в том, чтобы уничтожать их, сохраняя копию каждой страницы.

Лоренс Питер

Даже знак параграфа выглядит как орудие пытки.

Станислав Ежи Лец

Иногда головой не пробьешь даже бумагу.

Веслав Брудзиньский

Сперва завизируй, потом импровизируй.

NN

Служебные секретные документы существуют не для того, чтобы защищать секреты, а для того, чтобы защищать служащих.

Джонатан Линн и Энтони Джей

Докладная записка пишется не для того, чтобы информировать ее адресата, а для того, чтобы защитить ее автора.

Дин Ачесон

Бюрократия разрастается, чтобы поспеть за потребностями разрастающейся бюрократии.

Айзек Азимов

Часть любой административной машины не служит решительно ничему — это красота в чистом виде.

Жорж Элгози

Работать с людьми легко. Трудно работать с живыми людьми.

Александр Кулич

«Оптимизировать»: усложнить дело настолько, чтобы обеспечить максимальный уровень своей защищенности.

Лоренс Питер

Это ужасно, что вечность состоит из отчетных периодов.

Станислав Ежи Лец

Служебные бумаги стремятся заполнить все свободные ящики.

Джерри Браун,
губернатор Калифорнии

Вера в бумагу носит мистический характер. На ней пишут гарантии вечности гранита.

Станислав Ежи Лец

Я верю в неизбежную гибель всех земных организмов — но не организаций.

Станислав Ежи Лец

В

ВДОВЦЫ И ВДОВЫ

Женщины живут дольше мужчин, особенно вдовы.

Жорж Клемансо

Вдова: женщина, которая уже не находит в своем муже ни единого недостатка.

NN

Призрак покойника часто пугает нас в облике своей вдовы.

Станислав Ежи Лец

Признак дурного тона — начинать заигрывать со вдовой, прежде чем она вернется домой с похорон.

Сьюмас Макманус

Плачущие вдовы быстрее утешаются.

Оливер Уэнделл Холмс-старший

Утирать вдовьи слезы — одно из опаснейших занятий для мужчины.

Дороти Дикс

Вдов некоторых поэтов следует сжигать вместе с их неизданными поэтическими опусами.

Станислав Ежи Лец

На одного Орфея, спустившегося в ад искать свою жену, сколько найдется вдовцов, которые не пошли бы и в рай за своим женами!

Жорж Пети

ВЕЖЛИВОСТЬ

См. также «Манеры. Воспитанность. Этикет», «Такт. Тактичность»

Вежливость есть символически условное выражение уважения ко всякому человеку.

Николай Бердяев

Вежливость — это хорошо организованное равнодушие.

Поль Валери

Если вдруг замечаешь, что двадцатилетние подозрительно учтивы с тобой, значит, ты старше, чем тебе кажется.

Сильвия Чиз

По части учтивости лучше пересолить, чем недосолить.

Мигель Сервантес

Если вы решили убить человека, ничего не стоит быть вежливым.

Уинстон Черчилль

Улыбайся и не жалей учтивости, когда тебя вызывают на ссору. Так нам велит Евангелие, и только так можно довести того гада до бешенства.

«Пшекруй»

Вы еще не умерли, чтобы говорить о вас только хорошее.

Кароль Ижиковский

«Очень приятно!» — самая распространенная ложь на свете.

Герд Хайзе

Когда мы уступаем дорогу автобусу, мы делаем это не из вежливости.

Виктор Шкловский

Все труднее встретить вежливого человека, который ничего не пытается вам продать.

NN

Как трудно быть вежливым, когда ты прав!

Андрей Петрилин

Я отказался участвовать в его похоронах, но послал очень вежливое письмо, в котором одобрил это мероприятие.

Марк Твен

Будь любезен с людьми, пока не заработаешь свой первый миллион. А потом уже люди будут любезны с тобой.

NN

Будь вежлив с каждым. Никогда не известно, кто попадет в число двенадцати присяжных.

Американское изречение

Хам остается хамом, даже когда извиняется.

Ян Цыбис

Притворяйся вежливым — и привыкнешь.

«Пшекруй»

ВЕЛИКАЯ ДЕРЖАВА

См. также «Внешняя политика», «Нация»

Большая империя, как и большой пирог, начинает крошиться с краев.

Бенджамин Франклин

Чем меньше граждане, тем больше кажется империя.

Станислав Ежи Лец

Другие нации «используют силу»; мы, британцы, «демонстрируем мощь».

Ивлин Во

Применять право вето — все равно что совершать прелюбодеяние. Первый раз чувствуешь угрызения совести, зато потом — сплошное удовольствие.

Постоянный представитель Великобритании в ООН — советскому дипломату Олегу Трояновскому

Великие державы всегда вели себя как бандиты, а малые — как проститутки.

Стэнли Кубрик

Солдаты, вы сделали все, что могли, ради величия нашей нации! От нее осталась уже только одна половина.

Карел Чапек

Репутация державы точнее всего определяется суммой, которую она способна взять в долг.

Уинстон Черчилль

Сегодня самый верный признак могущества — не способность начинать войны, а способность предотвращать их.

Энн О'Хэр Маккормик

Народы, которым человечество обязано больше всего, жили в небольших государствах — Израиле, Афинах, Флоренции, елизаветинской Англии.

Уильям Индж

Моя нация, по счастью, слишком мала, чтобы делать большие глупости.

Хендрик Лоренц, голландский физик

ВЕЛИКИЕ ЛЮДИ

См. также «Гений»

Великих мужей рождают не матери, а Плутархи.

Станислав Ежи Лец

Успех — вот что создает великих людей.

Наполеон I

Почему он кажется великим? Ты меришь его вместе с подставкой.

Сенека

Каждый способен на что-то великое. К сожалению, не каждому удалось в этом помешать.

Веслав Брудзиньский

Знаменитые люди делятся на две категории: одних человечество не хочет забыть, других — не может.

Владислав Гжещик

Великие должны наклонять небо к людям, не снижая его уровня.

Станислав Ежи Лец

Поголовье великих людей растет быстрее, чем поголовье крупного рогатого скота, хотя спрос на говядину значительно выше.

Даниель Пассент

Привилегия великих людей — взирать на катастрофы с балкона.

Жюль Жирарден

Не будь вы таким великом человеком, вы бы были занудой.

Жена Уильяма Гладстона — мужу

Все великое совершили люди двух типов: гениальные, которые знали, что это выполнимо, и абсолютно тупые, которые даже не знали, что это невыполнимо.

NN

Пример чистоты нравов Александра Великого куда реже склоняет людей к воздержанности, нежели пример его пьянства — к распущенности. Совсем не зазорно быть менее добродетельным, чем он, и простительно быть столь же порочным. Нам мнится, не такие уж мы обычные распутники, если те же пороки были свойственны и великим людям.

Блез Паскаль

Им кажутся особенно развратными великие люди просто потому, что мало кому известны биографии остальных.

Григорий Ландау

У настоящего Колумба должно быть два яйца.

Станислав Ежи Лец

Александр III Македонский известен под именем Александра Великого, потому что он убил самое большое число самого разного сорта людей по сравнению с любым другим человеком его времени.

Уилл Каппи

Фридрих Великий имеет большие заслуги перед немецкой литературой; между прочим, ту, что свои стихи он издал по-французски.

Генрих Гейне

Если бы генерал Бонапарт остался поручиком артиллерии, он и поныне был бы императором.

Анри Мунье в 1856 г.

Дешевые издания великих книг могут быть прекрасны, но дешевые издания великих людей совершенно невыносимы.

Оскар Уайльд

Каждому любопытны слабости великих людей. Каждый не прочь поглазеть на историю сквозь замочную скважину.

Мариан Брандыс

Чем ближе мы соприкасаемся с великими людьми, тем более ясно видим, что они всего лишь люди. Они редко кажутся великими своим слугам.

Жан Лабрюйер

Нет героя для своего камердинера.

Анна-Мари де Корнель

Иные герои — герои только для своих камердинеров.

Марри Кемптон

ВЕРА

См. также «Атеизм. Неверие», «Бог», «Религия»

Сущность всякой веры состоит в том, что она придает жизни такой смысл, который не уничтожается смертью.

Лев Толстой

Смысл веры не в том, чтобы поселиться на небесах, а в том, чтобы поселить небеса в себе.

Томас Харди

Вера состоит в том, что мы верим всему, чего не видим; а наградой за веру является возможность увидеть то, во что мы верим.

Августин Блаженный

Вера существует для верующих, а не для богов.

Лешек Кумор

Знание — принудительно, вера — свободна.

Николай Бердяев

Верить — значит отказываться понимать.

Поль Бурже

Это достойно веры, ибо нелепо.

Тертуллиан

Не проглатывай веры больше, чем можешь переварить.

Генри Брукс Адамс

Люди думают, что верить стоит лишь в нечто такое, во что трудно поверить.

Армиджер Беркли

Случайный визит в дом умалишенных показывает, что вера ничего не доказывает.

Генрих Гейне

Мудрость мира сего есть безумие перед Богом.

Апостол Павел —
1-е послание к коринфянам, 3, 19

Верующий, который не знает сомнений, не обратит в свою веру сомневающегося.

Мария Эбнер-Эшенбах

Верующий всегда чуть-чуть сомневается в своей вере; неверующий твердо уверен в своих сомнениях.

Хенрик Ягодзиньский

Как легко обратить в свою веру других, и как трудно обратить самого себя.

Оскар Уайльд

Люди никогда бы не стали верить в Бога, если бы им не разрешили верить в него неправильно.

Джордж Галифакс

Все под одним Богом ходим, хоть и не в одного веруем.

В. Даль.
«Пословицы русского народа»

Еще ни один Бог не пережил утраты верующих в него.

Станислав Ежи Лец

Он верующий, но где-то за подкладкой души мечтает, чтобы и над Богом была кассационная инстанция.

Станислав Ежи Лец

Я бы и уверовал в Бога, да смущает толпа посредников.

Эвгениуш Иваницкий

Мой мальчик, ты должен верить в Бога несмотря на все то, что тебе говорят священники.

Марго Асквит

Я не верю, я знаю.

Карл Юнг в ответ на вопрос, верит ли он в Бога

Критицизм может сделать тебя философом, но только вера может сделать тебя апостолом.

Мария Эбнер-Эшенбах

Мои знания пессимистичны, но моя вера оптимистична.

Альберт Швейцер

ВЕРНОСТЬ В ЛЮБВИ

См. также «Измена в любви»

Верность — это устранение конкуренции.

Хельмар Нар

Верность — это наказание за любовь.

Эва Радомская-Витек

Верность — самая страшная месть женщины мужчине.

Жак Боссюэ

В верности есть немного лени, немного страха, немного расчета, немного усталости, немного пассивности, а иногда даже немного верности.

Этьен Рей

Есть женщины, которые не любят мучить нескольких мужчин сразу и сосредотачиваются на одном: это верные женщины.

Альфред Капю

Непостоянство женщин, в которых я был влюблен, искупалось разве что адским постоянством женщин, влюбленных в меня.

Джордж Бернард Шоу

Я была от него без ума, а теперь даже смотреть на него не могу. Как непостоянны эти мужчины!

Анри Бек

Мы хранили верность друг другу целых сорок два года. Если бы моя жена об этом узнала, она бы меня застрелила.

Хенни Янгман

Юноша хочет хранить верность, да не хранит; старик и хотел бы изменить, да не может.

Оскар Уайльд

Ходячие фразы устаревают. Если, к примеру, сейчас сказать: «Она меняет мужчин как перчатки»,— это значило бы, что она верна одному.

Магдалена Самозванец

Лучше быть неверной, чем верной без желания быть.

Брижит Бардо

Я обещаю хранить тебе верность всю ночь напролет.

NN

Если встретишь верного мужа — попроси у него автограф.

Зофья Келян

ВЕРНОСТЬ. ПРЕДАННОСТЬ

Верность собаки прямо пропорциональна качеству корма и длине поводка.

Ян Збигнев Слоевский

Да, конечно, собака — образец верности. Но почему она должна служить нам примером? Ведь она верна человеку, а не другим собакам.

Карл Краус

Свидетельство о его безусловной верности было подписано обоими господами, которым он служил.

Веслав Брудзиньский

Что с того, что он верно служил одному господину? Его господин тем временем служил двум господам.

Веслав Брудзиньский

Хранил верность в разных местах на всякий случай.

Геннадий Малкин

Я не могу хранить верность флагу, если не знаю, в чьих он руках.

Питер Устинов

Он был верным знаменосцем. Сжимал в руках древко, не отвлекаясь ничем, даже сменой цветов на полотнище.

Станислав Ежи Лец

ВЕЧНОСТЬ

Вечность есть играющее дитя, которое расставляет шашки: царство над миром принадлежит ребенку.

Гераклит

Вечность не есть сумма времени.

Кароль Бунш

Время — движущийся образ неподвижной вечности.

Жан Жак Руссо

Вечность есть образ, созданный из времени.

Хорхе Луис Борхес

Вечность влюблена в творения времени.

Уильям Блейк

Время — деньги, за которые мы должны купить вечность.

Хосемария де Балангер

Вечность — временное решение. Пока не определится начало и конец.

Станислав Ежи Лец

Жизнь — это вечность в миниатюре.

Ралф Эмерсон

Вечность тянется очень долго, особенно под конец.

Янина Ипохорская

Раньше и вечность была долговечнее.

Станислав Ежи Лец

Ничто так не торопит, как вечность.

Владимир Колечицкий

Нет ничего вечного, увы, кроме вечности.

Поль Фор

Неизбежность смерти отчасти смягчается тем, что мы не знаем, когда она настигнет нас; в этой неопределенности есть нечто от бесконечности и того, что мы называем вечностью.

Жан Лабрюйер

Средний человек, не знающий, что делать со своей жизнью, мечтает еще об одной, которая длилась бы вечно.

Анатоль Франс

По смерти я предпочел бы превратиться в ничто. Ни одно представление, даже самое лучшее, не может нравиться целую вечность.

Генри Луис Менкен

ВЗГЛЯДЫ. УБЕЖДЕНИЯ

См. также «Идеи. Идеология», «Принципы», «Собственное мнение»

Убеждения — это наши собственные мнения; предрассудки — убеждения других.

Леонард Луис Левинсон

Убеждения, не подкрепленные доводами, свидетельствуют о том, что у вас есть своя позиция.

Хенрик Ягодзиньский

Наши взгляды как наши часы: все они показывают разное время, но каждый верит только своим.

Александр Поп

Ничто так не мешает видеть, как точка зрения.

Дон-Аминадо

Только покойники и дураки никогда не меняют взглядов.

Джеймс Рассел Лоуэлл

Покойники легко меняют политические взгляды.

Станислав Ежи Лец

Отсутствие мыслей не мешает быть единомышленниками.

Александр Фюрстенберг

Расхождение взглядов может служить превосходной общей платформой.

Лешек Кумор

Общая платформа — идеальное поле битвы.

Станислав Ежи Лец

Смена караула иногда происходит внутри часовых.

Веслав Брудзиньский

С какого-нибудь амвона тебя все равно предадут анафеме.

«Пшекруй»

ВЗЯТКА

От получки до получки — тяжело. От взятки до взятки — еще тяжелее.

Леонид Крайнов-Рытов

Всем взял — умом, талантом, а кое с кого и деньгами.

Эмиль Кроткий

Порядочный человек берет взятку в одном-единственном случае — когда предоставляется случай.

Габриэль Лауб

Чтобы не запачкать рук, иногда нужно положить на ладонь банкноту.

Станислав Ежи Лец

Дали взятку — и восторжествовала законность.

Александр Фюрстенберг

Размеры моей благодарности будут безграничны в пределах разумного.

Семен Альтов

Скажи мне, с чем ты пришел, и я скажу тебе, с чем ты уйдешь.

Вячеслав Чернышев

Не бери взяток ни за какие деньги.

Василий Туренко в уточненной редакции

Дали на лапу — подставь другую.

Яцек Вейрох

Нет ничего ошибочнее, чем мысль, что казнями можно регулировать цены или отучить от взяточничества.

Владимир Короленко

Чтобы уберечь от коррупции государственный сектор, пришлось упразднить частный; чтобы уберечь от коррупции учреждения, пришлось бы упразднить людей.

Стефан Гарчиньский

ВИНА И КАРА

См. также «Наказание»

Нет в мире виноватых.

Лев Толстой, вслед за Шекспиром

Иногда лишь кара пробуждает чувство вины.

Лешек Кумор

Возмездие преследует каждого, но мало кого догоняет.

Мария Эбнер-Эшенбах

Лучше выбирать виноватых, чем разыскивать.

Марсель Паньоль

Если нам есть в чем себя упрекнуть, мы всегда отыщем виновных.

Хенрик Ягодзиньский

Если виноватых нет, их назначают.

Александр Лебедь

Грустно быть козлом отпущения среди ослов.

«Пшекруй»

Когда все виноваты, то все правы.

Нивель де ла Шоссе

«Кто из вас без вины, пусть первый бросит камень». Ловушка. Тогда он уже не будет без вины.

Станислав Ежи Лец

Они поделились: один взял на себя вину, другой — покаяние.

Веслав Брудзиньский

Несправедливость победителей заслоняет вину побежденных.

Ханс Хабе

«Ты умираешь безвинно»,— говорила Сократу жена; он возразил: «А ты бы хотела, чтобы заслуженно?»

Диоген Лаэртский

Бывает, что наказание порождает вину.

Станислав Ежи Лец

ВКУС

См. также «Прекрасное. Красота. Эстетика»

Вкус — это эстетическая совесть.

Жан Поль

Вкус — это способность оценить не пробуя.

Геннадий Малкин

Вкус — одна из семи смертных добродетелей.

Жюль Ренар

О вкусах не спорят.

Афоризм средневековых схоластов

О вкусах не спорят: из-за вкусов бранятся, скандалят и ругаются.

Гилберт Честертон

Наше самолюбие больше страдает, когда порицают наши вкусы, чем когда осуждают наши взгляды.

Франсуа Ларошфуко

У меня непритязательный вкус: мне вполне достаточно самого лучшего.

Оскар Уайльд

Тот, кто постоянно задается вопросом: «А это в хорошем вкусе?» — наверняка обладает плохим вкусом.

Джо Ортон

Если вы не уверены в своем вкусе, знайте: он у вас есть.

Уистен Хью Оден

Никогда не критикуйте американцев. Они обладают самым лучшим вкусом, какой только можно купить за деньги.

Майлз Кингтон

Автор может совершить самоубийство, целясь во вкусы публики.

Станислав Ежи Лец

У Сен-Лорана изумительный вкус. Чем больше он подражает мне, тем лучший вкус он обнаруживает.

Коко Шанель

Безобразный не потому безобразен, что у него плохой вкус.

Лешек Кумор

Вкусы меняются столь же часто, сколь редко меняются склонности.

Франсуа Ларошфуко

ВЛАСТЬ

См. также «Государство», «Порядок — анархия», «Правительство»

Власть — это наркотик, без которого политики не могут жить и который они покупают у избирателей за деньги самих избирателей.

Ричард Нидем

Путь от богатства к власти менее предосудителен, чем от власти к богатству.

Тадеуш Котарбиньский

Всякая законная власть есть плод узурпации.

Максим Дюкан

Власть развращает, абсолютная власть развращает абсолютно.

Джон Актон

Власть развращает, а отсутствие власти развращает абсолютно.

Эдлай Стивенсон

Всякая власть великолепна, а абсолютная власть абсолютно великолепна.

Кеннет Тайнан

Если абсолютная власть развращает абсолютно, то как же быть с Господом Богом?

Джордж Дакон

Свобода тоже развращает, а абсолютная свобода развращает абсолютно.

Гертруда Химмельфарб

Власть теряет все свое очарование, если ею не злоупотреблять.

Поль Валери

Всякая власть есть непрерывный заговор.

Оноре Бальзак

Власть — самое сильное возбуждающее средство.

Генри Киссинджер

Власть одним ударяет в голову, других ударяет по голове.

Юзеф Кусьмерек

Кресло власти сработано не по мерке головы.

Станислав Ежи Лец

Самые непослушные из управляемых становятся самыми суровыми правителями.

Ален (Эмиль-Огюст Шартье)

Я бы хотел жить в обществе, которое пользуется поддержкой власти.

Януш Васильковский

Чтобы власть стала сильнее, следует ее ограничить.

Людвиг Берне

Друг у власти — потерянный друг.

Генри Брукс Адамс

Цель власти — власть.

Джордж Оруэлл

Вы обладаете властью, если другие думают, что вы обладаете властью.

Уич Фаулер

Тайна власти состоит в том, чтобы знать: другие еще трусливее нас.

Людвиг Берне

Ошеломляй и властвуй.

Лоренс Питер

Не нужно скрывать своих возвышенных чувств, например, своей любви к власти.

Януш Васильковский

О власти или хорошо, или правду.

Геннадий Малкин

Всё в нашей власти! — если во власти все наши.

Максим Звонарев

Всякая власть исходит от народа. И никогда уже к нему не возвращается.

Габриэль Лауб

ВНЕШНОСТЬ. НАРУЖНОСТЬ

См. также «Диета и лишний вес», «Зеркало», «Косметика. Макияж», «Красота», «Лицо», «Прическа», «Фотография»

По внешнему виду не судят только самые непроницательные люди.

Оскар Уайльд

Он походил на картинку из модного журнала, где тщательно вырисована каждая складка костюма, а лицо только намечено пунктиром.

Эмиль Кроткий

Когда женщина ярка, она чаще всего к тому же еще и шумлива.

Григорий Ландау

Чем меньше у женщины грудь, тем больше ума. Но почему это так, неизвестно.

Крис Кляйнке

Недостаточную глубину мысли женщина восполняет иными глубинами.

Юзеф Мацеевский

Внешность бывает обманчива, что у многих написано на лице.

Борис Замятин

Никто не верит, что он выглядит на все свои годы.

Эдгар Хау

Будь поосторожнее с зеркалом, не то увидишь собственное лицо.

Мечислав Шарган

Бог — юморист. Если не верите, посмотрите на себя в зеркало.

Кен Олсон

Подошел к зеркалу и увидел обратную сторону медали.

Влодзимеж Счисловский

Надпись на зеркале: «Другие не лучше».

Александр Дашевский

ВНЕШНЯЯ ПОЛИТИКА

См. также «Границы», «Дипломатия», «Мир. Миротворчество», «Третий мир»

Внешняя политика есть имитация войны другими средствами.

Жан Франсуа Ревель

Главный принцип моей внешней политики — хорошее правление внутри страны.

Уильям Гладстон

Мы не должны отдавать панамцам Панамский канал. В конце концов, мы украли его честно и справедливо.

С. Хаякава

Лозунг нынешней американской внешней политики: не повышай голоса и держи наготове большой кошелек.

NN

Из-за чего, собственно, столько претензий к Пилату? Из-за того, что он не стал вмешиваться во внутренние дела чужой страны?

Веслав Брудзиньский

Слава богу, что между Китаем и Польшей существует буферное государство.

Ходячая польская фраза времен «культурной революции» в КНР

Людям Запада часто трудно смириться с существованием других сторон света.

Лешек Кумор

ВОДКА

См. также «Выпивка»

Водка губит народ, но одному человеку ничего не сделает.

Юлиан Тувим, со ссылкой на варшавского извозчика

Водку следует пить только в двух случаях: когда есть закуска и когда ее нет.

Леопольд Стафф

Новое платье действует на женщину, как четыре стопки водки на мужчину.

Янина Ипохорская

Говорят, Христос превращал воду в вино. Современные опыты с водкой дают гораздо лучшие результаты.

Хенрик Ягодзиньский

Государственные харчи человека унифицируют, но государственная водка выявляет немало его индивидуальных черт.

Станислав Ежи Лец

Водка пьет людей до дна.

Рышард Мотас

На дне рюмки водка крепче.

Юзеф Булатович

Люди отвыкнут от водки, как только получат столь же вредный наркотик по той же цене.

«Пшекруй»

ВОЖДИ И ДИКТАТОРЫ

См. также «Тоталитаризм. Тирания. Деспотия»

Кого безумцы хотят погубить, того они превращают в бога.

Бернард Левин о Мао Цзэдуне

И Мессии с нетерпением ждут своего прихода.

Станислав Ежи Лец

В эпохи народного подъема пророки бывают вождями; в эпохи упадка — вожди становятся пророками.

Григорий Ландау

Вести народ легче, чем сдвинуть его с места.

Дэвид Финк

Для спасения государства достаточно одного великого человека.

Вольтер

Народ, который может быть спасен лишь однимединственным человеком, заслуживает кнута.

Иоганн Зейме

Когда страна летит под откос, за рулем должен быть человек, который вовремя нажмет на газ.

Джонатан Линн и Энтони Джей

Правитель: Я вам приказываю, чтобы вы мне платили, а вы мне платите, чтобы я вам приказывал.

Карел Чапек

Если имеется подходящий народ, можно сделаться вождем народа.

Дон-Аминадо

Большая часть тиранов вышла, собственно говоря, из демагогов, которые приобрели доверие народа тем, что клеветали на знатных.

Аристотель

Когда появляется тиран, он вырастает как ставленник народа.

Платон

Есть люди, которые всегда идут в первых рядах; в случае успеха они объявляют себя вождями, в случае поражения — говорят, что их гнали вперёд как заложников.

Веслав Брудзиньский

Я их вождь и поэтому должен идти за ними.

Александр Огюст Ледрю-Роллен

У диктаторов нет силы — у них есть насилие.

Станислав Ежи Лец

Кто не заботится о лошадях, должен позаботиться о хорошем кнуте.

Владислав Гжещик

Горе диктаторам, поверившим, что они не диктаторы!

Станислав Ежи Лец

Порой достаточно одному-единственному человеку закрыть глаза, чтобы у миллионов глаза открылись.

Богуслав Войнар

Желания мои весьма скромны. Портреты главы государства не должны превышать размер почтовой марки.

Владимир Набоков

Каждый тиран должен знать размер своей шеи.

Влодзимеж Счисловский

Давайте выкрикивать здравицы, а вдруг кто-нибудь выйдет на какой-нибудь балкон.

Станислав Ежи Лец

ВОЗМОЖНОЕ И НЕВОЗМОЖНОЕ

Единственный способ определить границы возможного — выйти за эти границы.

Артур Кларк

Человек может все, но не больше.

Константин Мелихан

Если что-либо тебе не по силам, то не решай еще, что оно вообще невозможно для человека. Но если что-нибудь возможно для человека и свойственно ему, то считай, что оно доступно и тебе.

Марк Аврелий

Нет ничего невозможного для человека, который не должен делать этого сам.

А. Х. Уэйлер

Нет ничего невозможного для женщины, которая умеет расплакаться в нужный момент перед нужным мужчиной.

У. Нокер

Если это возможно, это уже сделано; если это невозможно, это будет сделано.

Шарль Александр Калонн,
генеральный контролер
финансов, —
Марии Антуанетте в 1785 г.

Трудные задачи выполняем немедленно, невозможные — чуть погодя.

Девиз ВВС США

Я слишком большой скептик, чтобы отрицать возможность чего бы то ни было.

Томас Гексли

Когда нет ничего надежного, нет ничего невозможного.

Маргарет Драббл

Хочешь получить максимум — требуй невозможного.

NN

Нет ничего конфузнее, чем видеть, как шеф делает то, что, по вашему уверению, сделать было никак невозможно.

NN

Обещай только невозможное, и тебе не в чем будет себя упрекнуть.

Жак Деваль

Пессимист видит трудности при каждой возможности; оптимист в каждой трудности видит возможности.

Уинстон Черчилль

Творец новых невозможностей.

Кароль Ижиковский

ВОЗРАСТ

См. также «Молодость», «Зрелость», «Старость»

Четыре возраста человека: младенчество, детство, юность, старение.

Арт Линклеттер

Мы вступаем в различные возрасты нашей жизни, точно новорожденные, не имея за плечами никакого опыта, сколько бы нам ни было лет.

Франсуа Ларошфуко

Три возраста человека: молодость, средний возраст и «Вы сегодня чудесно выглядите!».

Кардинал Франсис Спеллман

Жизнь делится на три части: когда ты веришь в Санта-Клауса, когда ты не веришь в Санта-Клауса и когда ты уже сам Санта-Клаус.

Боб Филлипс

Возраст — мерзкая вещь, и с каждым годом она становится все хуже.

Диана Купер

Во всяком возрасте свои гадости.

Анри Батай

Привыкнуть к своему возрасту было бы очень легко, если бы он не менялся так часто.

Жанна Голоногова

Меня ужасает не мой возраст, а возраст моих ровесников.

NN

Не знаю, сколько ей лет, но выглядит она старше.

Янина Ипохорская

Сколько бы вам было лет, если бы вы не знали, сколько вам лет?

Уэйн Дайер

Внутри себя все мы одного возраста.

Гертруда Стайн

Как ни печально, но лет через десять-пятнадцать даже самые красивые женщины станут старше на пять лет.

NN

Секрет вечной молодости состоит в том, чтобы жить добродетельно, есть медленно и лгать насчет своего возраста.

Люсиль Болл

Во всем есть хорошая сторона: как бы ты ни был стар, ты моложе, чем будешь когда-либо.

«Ридерс дайджест»

Он уже дожил до того опасного возраста, когда все женщины кажутся привлекательными.

NN

Когда ваши друзья начинают удивляться, как вы молодо выглядите, это верный знак того, что вы постарели.

Вашингтон Ирвинг

Кто постоянно скрывает свои лета, тот, наконец, и сам начинает думать, что он так молод, как хочет казаться.

Жан Лабрюйер

Не скрывай свой возраст, а то тебе дадут больше.

Константин Мелихан

Средний возраст — это когда еще веришь, что завтра будешь чувствовать себя лучше.

Лоренс Питер

Средний возраст — это когда еще можешь делать все то же, что и раньше, но предпочитаешь не делать.

NN

Каждому кажется, что он достиг сорокалетия слишком рано.

NN

Сорок — старость молодости; пятьдесят — молодость старости.

Виктор Гюго

Старость начинаешь понимать после сорока, и тогда же перестаешь понимать молодость.

Казимеж Брандыс

Если мужчина и женщина одного возраста, женщина всегда выглядит чуть старше, потому что ей на десять лет больше.

Саша́ Гитри

Мужчине столько лет, на сколько он себя чувствует, женщине столько, на сколько она выглядит.

Мортимер Коллинз

Мужчина настолько молод, насколько чувствует его женщина.

Граучо Маркс

Это глупости, будто женщине столько лет, на сколько она выглядит. Женщине столько лет, сколько она говорит.

Янина Ипохорская

Женщина не перестает говорить о своем возрасте и никогда его не называет.

Жюль Ренар

Ничто так не старит женщину, как ее возраст.

Дон-Аминадо

Чтобы узнать мой возраст, вам придется меня распилить и сосчитать слои.

«Пшекруй»

Я родилась 30 января, но выгляжу гораздо моложе.

Янина Ипохорская

Единственное, что женщина помнит твердо, — это возраст других женщин.

NN

Тридцать — лучший возраст для сорокалетней женщины.

«Пшекруй»

Все женщины молоды, но некоторые моложе других.

Марсель Ашар

К сожалению, женщиной неопределенного возраста можно быть до определенного возраста.

Семен Альтов

Каждая женщина имеет тот возраст, какого заслуживает.

Коко Шанель

Пересчитай свои годы на деньги, и ты увидишь, как это мало.

Магдалена Самозванец

Нельзя доверять женщине, которая не скрывает свой возраст. Такая женщина не постесняется сказать все что угодно.

Оскар Уайльд

Если женщина признается тебе в своем возрасте, значит, она уже из него вышла.

Янина Ипохорская

Женщина стареет на год раз в три года.

Морис Доннэ

Годы, которые женщина отнимает от своего возраста, не потеряны: она прибавляет их к возрасту других женщин.

Диана де Пуатье

Не только не говори, сколько тебе лет, но даже не говори, на сколько ты выглядишь!

Янина Ипохорская

ВОЙНА

См. также «Армия и военные», «Мир. Миротворчество»

Ни для какого другого дела мужчины не объединяются так быстро, как для убийства других мужчин.

Сьюзен Гласпелл

Война была бы пикником, если бы не вши и дизентерия.

Маргарет Митчелл

На войне все просто, но самое простое в высшей степени трудно.

Карл Клаузевиц

Война состоит из непредусмотренных событий.

Наполеон I

Перед сражением каждый план хорош, после сражения каждый план плох.

Владислав Гжещик

Ни один план не переживает встречи с противником.

Хельмут фон Мольтке

Война — это травматическая эпидемия.

Николай Пирогов

Война есть продолжение политики другими средствами.

Карл Клаузевиц

Расцвет военных наук возможен только в мирное время.

Дон-Аминадо

Война — всего лишь трусливое бегство от проблем мирного времени.

Томас Манн

Война — способ развязывания зубами политического узла, который не поддается языку.

Амброз Бирс

Нам говорят, что война — это убийство. Нет: это самоубийство.

Рамсей Макдонналд

Война — это по большей части каталог грубых ошибок.

Уинстон Черчилль

Война — это серия катастроф, ведущих к победе.

Жорж Клемансо

В войне не бывает второго приза для проигравших.

Омар Брэдли

В войне не бывает выигравших — только проигравшие.

Артур Невилл Чемберлен

Если бы наши солдаты понимали, из-за чего мы воюем, нельзя было бы вести ни одной войны.

Фридрих Великий

В гражданской войне всякая победа есть поражение.

Лукан

Всякая война между европейцами есть гражданская война.

Виктор Гюго

Я не знаю ни одного народа, который обогатился бы вследствие победы.

Вольтер

Если б исход войны можно было предвидеть, прекратились бы всякие войны.

Кароль Бунш

Как управляется мир и разгораются войны? Дипломаты лгут журналистам и верят своей же лжи, читая ее в газетах.

Карл Краус

Старики объявляют войну, а умирать идут молодые.

Герберт Гувер

Войну начинают не военные. Войну начинают политики.

Генерал Уильям Уэстморланд

Войны начинаются в умах людей.

Из преамбулы Устава ЮНЕСКО

Война закончена лишь тогда, когда похоронен последний солдат.

Александр Суворов

Война не кончается, она отдыхает.

Уршула Ко́зел

Война не может быть справедливой, потому что воевать справедливо нельзя, даже если воюешь за справедливость.

Тадеуш Котарбиньский

Есть справедливые войны, но нет справедливых войск.

Андре Мальро

Только победители решают, в чем состояли военные преступления.

Гари Уиллс

По-настоящему война никому не нужна, но многим нужна ненависть.

Макс Фриш

Либо войны выйдут из моды, либо люди.

Бакминстер Фаллер

Либо человечество покончит с войной, либо война покончит с человечеством.

Джон Кеннеди

Холодная война: нелегкое сосуществование вместо легкого несуществования.

Джудит Бич
в уточненной редакции

Первой жертвой войны становится правда.

Джонсон Хайрам

В военное время правда столь драгоценна, что ее должны охранять караулы лжи.

Уинстон Черчилль

Муравей: «Не я воюю. Воюет муравейник».

Карел Чапек

Многие идут на войну лишь потому, что не хотят быть героями.

Том Стоппард

Самое ужасное, не считая проигранного сражения, это выигранное сражение.

Герцог Веллингтон

Если мы проиграем эту войну, я начну другую под фамилией моей жены.

Моше Даян во время
Шестидневной войны 1967 г.

Выиграть войну так же невозможно, как невозможно выиграть землетрясение.

Джаннетт Ранкин

Война стала роскошью, которую могут себе позволить лишь малые нации.

Ханна Арендт

Войны начинают, когда хотят, но кончают — когда могут.

Никколо Макиавелли

В первый день войны и в первый день мира мы еще не верим, что это правда.

NN

Смерть павших на поле брани в молодости ощущается тем болезненнее, чем дольше живут их ровесники.

Владислав Гжегорчик

Для воевавших война никогда не кончается.

Курцио Малапарте

Эта война положит конец войнам. И следующая — тоже.

Дэвид Ллойд Джордж

Фолклендская война была дракой двух лысых из-за расчески.

Хорхе Луис Борхес

Войны подобны судебной тяжбе, где судебные издержки превышают спорную сумму.

Люк де Вовенарг

Вечный мир воцарится, если заставить победителя оплачивать все расходы.

Эван Эсар

Когда-нибудь объявят войну, и никто не придет.

Карл Сэндберг

Любая война популярна в течение первых тридцати дней.

Артур Шлезингер

Целью войны является мир.

Аристотель

Самый быстрый способ окончить войну — проиграть ее.

Джордж Оруэлл

Война слишком важное дело, чтобы доверять ее военным.

Жорж Клемансо

Пролог XX века — пороховой завод. Эпилог — барак Красного Креста.

Василий Ключевский

Ветеранов Третьей мировой не будет.

Уолтер Мондейл

ВООБРАЖЕНИЕ

См. также «Вымысел и фантазия»

Воображение правит миром.

Наполеон I

Богатство ассоциаций не всегда свидетельствует о богатстве воображения.

Кароль Ижиковский

Многие путают свое воображение со своей памятью.

Генри Уилер Шоу

Все мы — герои своих романов.

Мэри Маккарти

Факты воображения.

Станислав Ежи Лец

Если б не наше воображение, в объятиях горничной мы были бы так же счастливы, как в объятиях герцогини.

Сэмюэл Джонсон

Мужчины даже не подозревают, скольким они обязаны воображению женщин.

Янина Ипохорская

Оставим красивых женщин людям без воображения.

Марсель Пруст

Воображение? Его больше всего у онанистов.

Станислав Ежи Лец

ВОРОВСТВО

См. также «Преступление. Преступность»

Крикни: «Вор!» — и все обернутся. Крикни: «Человек!» — и никто ухом не поведет.

Влодзимеж Счисловский

У моего брата необычная профессия: он находит вещи раньше, чем люди успевают их потерять.

Франк Карсон

Ныне люди таковы: унеси что с чужого двора — вором назовут.

В. Даль.
«Пословицы русского народа»

Магазинные воры редко бывают настолько богаты, чтобы диагностировать у них клептоманию.

Хектор Бриз

Контролируемая клептомания — занятие весьма доходное.

NN

Знай, с кем красть: а вдруг тебе с ним и сидеть?

Мечислав Шарган

Не кради во время испытательного срока!

Циприан Черник

Во всех странах железные дороги для передвижения служат, а у нас сверх того и для воровства.

Михаил Салтыков-Щедрин

ВОСКРЕСЕНИЕ. РЕИНКАРНАЦИЯ

См. также «Бессмертие», «Душа и тело», «Жизнь после смерти»

Чтобы начать новую жизнь с понедельника, надо дожить до Воскресения.

Борис Крутиер

Об умерших говори только хорошее. Они еще могут воскреснуть.

Веслав Брудзиньский

Наверно, каждый хотел бы воскреснуть хотя бы одним чином выше.

Станислав Ежи Лец

Когда читаешь эпитафии, кажется, что спасти мир можно, только воскресив мертвых и похоронив живых.

Пол Элдридж

Жить надо дольше. И чаще.

Казимеж Сломиньский

Что такое смерть? Либо конец, либо переселенье. Я не боюсь перестать быть — ведь это все равно что не быть совсем; я не боюсь переселяться — ведь нигде не буду я в такой тесноте.

Сенека

Я прошел через сансару многих рождений. Рожденье вновь и вновь — горестно.

Будда

Помните ли, что было с вами в первый год вашей жизни? — Не помню, говорите вы. — Ну что же мудреного, что вы не помните, что было с вами прежде вашего рождения?

Петр Чаадаев

Реинкарнация — последний шанс для осла.

Циприан Черник

ВОСПИТАНИЕ ДЕТЕЙ

См. также «Дети и родители», «Наказание», «Пример»

Воспитание есть усвоение хороших привычек.

Платон

Детей воспитывать трудно, потому что ничто человеческое им не чуждо.

NN

Все мы рождаемся милыми, чистыми и непосредственными; поэтому мы должны быть воспитаны, чтобы стать полноценными членами общества.

Джудит Мартин

Для воспитания юных умов полезнее всего бесполезное.

Жорж Дюамель

Лучший способ сделать детей хорошими — это сделать их счастливыми.

Оскар Уайльд

Лучшее, что мы можем дать нашим детям, — это научить их любить себя.

Луиза Хей

До женитьбы у меня было шесть теорий относительно воспитания детей; теперь у меня шестеро детей и ни одной теории.

Джон Уилмот

Как воспитывать детей, знает каждый, за исключением тех, у кого они есть.

Патрик О'Рурк

Цель воспитания — научить наших детей обходиться без нас.

Эрнст Легуве

Было время, когда от детей не ожидали ничего, кроме послушания; теперь от них ожидают всего, кроме послушания.

Анатоль Бройяр

Родители уже не воспитывают детей — они финансируют их.

«Пшекруй»

Товарищи воспитывают гораздо лучше, чем родители, ибо им не свойственна жалость.

Андре Моруа

Первая проблема родителей — научить детей, как вести себя в приличном обществе; вторая — найти это приличное общество.

Роберт Орбен

От чужих детей мы требуем, чтобы они вели себя так, как должны были бы вести себя мы.

NN

Когда говоришь с детьми, у них в одно ухо влетает, в другое вылетает. Потому что между ушами нет ничего.

Роберт Орбен

В воспитании детей главное, чтобы они этого не замечали.

NN

Воспитывать — значит вырабатывать невосприимчивость к телевидению.

Маршалл Маклюэн

С детьми не было бы никаких проблем, если б им нужно было рубить деревья, чтобы обеспечить энергией телевизор.

Билл Вон

Люблю детей, особенно плачущих: их обычно уводят немедленно.

Нэнси Митфорд

Воспитанию хорошо поддаются лишь те, кто не нуждается в воспитании.

NN

Тот, кто не помнит совершенно ясно собственного детства, — плохой воспитатель.

Мария Эбнер-Эшенбах

Чтобы изменить человека, нужно начинать с его бабушки.

Виктор Гюго

Воспитатель сам должен быть воспитан.

Карл Маркс

Самовоспитание — труднейшая разновидность самообслуживания.

Эвгениуш Коркош

Сколько человека ни воспитывай, он все равно хочет жить хорошо.

Борис Замятин

Детям нужны не поучения, а примеры.

Жозеф Жубер

Детей надо баловать — тогда из них вырастают настоящие разбойники.

Евгений Шварц

Не заставляй детей ронять слезы слишком часто, иначе им будет нечего уронить над твоей могилой.

Пифагор

Ребенок больше всего нуждается в вашей любви как раз тогда, когда он меньше всего ее заслуживает.

Эрма Бомбек

Не делайте из ребенка кумира: когда он вырастет, то потребует жертв.

Пьер Буаст

С этим мальчиком будьте поласковее: вы имеете дело с крайне чувствительным, легко возбудимым гаденышем.

«L. & N. Magazin»

Если ребенок не будет чувствовать, что ваш дом принадлежит и ему тоже, он сделает своим домом улицу.

Надин де Ротшильд

Прежде чем корить сынишку за то, что его карманы набиты всяким хламом, загляни сперва в свою сумочку.

Неизвестная американка

Ваши дети научатся писать быстрее, если разрешить им писать на незастывшем цементе.

NN

Если хочешь, чтобы твои дети наконец повзрослели, постарайся повзрослеть первой.

Неизвестная американка

ВРАЖДА. ВРАГИ

См. также «Ненависть», «Прощение»

Враг занимает больше места в наших мыслях, чем друг — в нашем сердце.

Альфред Бужар

Среди ненавистных качеств врага не последнее место занимают его достоинства.

Жан Ростан

Это просто возмутительно, что наши враги имеют наглость иметь достоинства.

Лешек Кумор

Если достаточно долго сидеть на берегу реки, ты увидишь проплывающий по ней труп врага.

Китайское изречение

Наши вчерашние противники стали милыми сегодняшними воспоминаниями.

Кароль Ижиковский

Лично я всегда делюсь своими огорчениями с врагами. Только они по-настоящему меня слушают.

Роберт Орбен

Настоящий враг тебя не покинет.

Станислав Ежи Лец

Враги — отличное стимулирующее средство.

Кэтрин Хепберн

Суждения наших врагов о нас ближе к истине, чем наши собственные.

Франсуа Ларошфуко

Любите врагов ваших, благословляйте проклинающих вас, благотворите ненавидящим вас и молитесь за обижающих вас и гонящих вас.

Евангелие от Матфея, 5, 44

Если враг твой голоден, накорми его; если жаждет, напой его: ибо, делая сие, ты соберешь ему на голову горящие уголья.

Апостол Павел —
Послание к римлянам, 12, 20

Врагов я забрасываю цветами — в гробу.

Сальвадор Дали

Нельзя смотреть на врага с омерзением — а вдруг понадобится его сожрать?

Станислав Ежи Лец

Подсознательно мы делим врагов на съедобных и несъедобных.

«Пшекруй»

Беспричинная вражда — самая упорная.

Жан Франсуа де Рец

Могло быть хуже. Твой враг мог быть твоим другом.

Станислав Ежи Лец

ВРАЧИ

См. также «Диагноз», «Медицина», «Хирург. Операция»

В медицине главным лекарством является сам врач.

Антоний Кэмпиньский

В могущество врачей верят только здоровые.

Альфред Конар

Если больному после разговора с врачом не стало легче, то это не врач.

Владимир Бехтерев

Советы врача еще никого не вылечили, но все-таки это какое-то развлечение для пациента.

Янина Ипохорская

Чем лучше врач, тем больше он знает бесполезных лекарств.

Бенджамин Франклин

Врач, который не берет платы, не заслуживает ее.

Талмуд («Гемара»)

Одно из преимуществ бедности: врач вылечит вас быстрее.

Франк Хаббард

Мой врач дал мне шесть месяцев жизни. Но когда я не заплатил по счету, он дал мне еще шесть.

Уолтер Мэтхо

Одни врачи сообщают больным плохие новости с глазу на глаз, другие предпочитают послать счет по почте.

NN

Врачей ненавидят либо из убеждения, либо из скупости.

Мария Эбнер-Эшенбах

Странное дело: я всегда могу разобрать счет, который выписал врач, и никогда не могу разобрать рецепт.

Финли Питер Данн

Чем опытней врач, тем неразборчивей почерк.

NN

Врач-специалист — это медик, который приучил своих пациентов болеть только в приемные дни.

NN

Лучшая медицинская специальность — дерматология. Пациенты не станут будить вас среди ночи, никогда не умрут от своей болезни и никогда не поправятся.

Мартин Фишер

Иные врачи двадцать лет кряду делают одни и те же ошибки и называют это клиническим опытом.

Ноуа Фэбрикант

Врач не может стать по-настоящему хорошим врачом, пока не убьет одного или двух пациентов.

Индийское изречение

Оптимистическая ложь до такой степени необходима в медицине, что врач, неспособный искренне лгать, выбрал не ту профессию.

Джордж Бернард Шоу

От врачей и учителей требуют чуда, а если чудо свершится — никто не удивляется.

Мария Эбнер-Эшенбах

Репутацию врачу создают знаменитости, умершие под его наблюдением.

Джордж Бернард Шоу

«Вы слышали — мистер Смит умер». — «Да, но какие доктора его лечили!»

NN

Шарлатан — это лжеврач, отправляющий вас на тот свет, тогда как настоящий врач дает вам умереть своей смертью.

Жан Лабрюйер

Хороший врач спасет если не от болезни, то хотя бы от плохого врача.

Жан Поль

Если вы думаете, что время — лучший лекарь, значит, вы никогда не сидели в приемной врача.

NN

Мало записаться на прием к врачу — надо до него еще дожить.

Константин Мелихан

Врачи удивляются, как при таком лечении больные еще живы. Больные удивляются, как при такой зарплате врачи еще живы.

Михаил Жванецкий

Врачи в лучшем случае знают кое-что о болезнях, но в здоровье они совершенно не разбираются.

Прентис Малфорд

ВРЕМЕНА ГОДА

См. также «Погода. Синоптики»

Прелесть весны познается только зимою, и, сидя у печки, сочиняешь самые лучшие майские песни.

Генрих Гейне

Весна — растворитель зимы.

Людвик Ежи Керн

Если стул встает вместе с вами, значит, на дворе лето.

Уолтер Уинчелл

Лето: сезон, слишком жаркий, чтобы делать то, для чего зимой было слишком холодно.

NN

Лето: время года, когда матерям необходимо терпение учителей.

NN

Август — месяц, когда в автобусе невозможно открыть окно, которое нельзя было закрыть в декабре.

Леонард Луис Левинсон

Солнце — золото бедняков.

Натали Клиффорд Барни

Чем ближе зима, тем больше мы похожи на свое фото на паспорте.

«Пшекруй»

Каждую зиму я удивляюсь, как можно жить не в городе, и каждую весну начинаю это понимать.

Пол Палмер

ВРЕМЯ

См. также «Вечность»,
«Сегодня — завтра — вчера», «Часы», «Эпоха»

Что же такое время? Если никто меня об этом не спрашивает, я знаю, что такое время; если бы я захотел объяснить спрашивающему — нет, не знаю.

Августин Блаженный

Время — движущееся подобие вечности.

Платон

Время — выдумка смертных.

Влодзимеж Завадский

Время — лучший учитель, но, к сожалению, оно убивает своих учеников.

Гектор Берлиоз

Время приближается медленно, а уходит быстро.

Владислав Гжещик

Время вечно, а мы проходим.

Моисей Сафир

Когда Бог создавал время, он создал его достаточно.

Ирландская пословица

Время и до нас, и после нас не наше. Ты заброшен в одну точку; растягивай ее — но до каких пор?

Сенека

Сколько бы мы ни старались, жизнь бежит быстрее нас, а если мы еще медлим, она проносится, словно и не была нашей, и, хотя кончается в последний день, уходит от нас ежедневно.

Сенека

Если бы мы стали быстрее времени, мы могли бы стать медленнее жизни.

Станислав Ежи Лец

Сколько времени ни теряешь, а лет все прибавляется.

Эмиль Кроткий

Время — ткань, из которой состоит жизнь.

Бенджамин Франклин

Праздный человек есть животное, поедающее время.

Адриан Декурсель

Люди часто не знают, что делать с временем, но оно-то знает, что делать с людьми.

Магдалена Самозванец

Чем больше времени, тем больше дел.

Сирил Норткот Паркинсон

Не превышай скорости 24 часа в сутки.

Хуго Штейнхаус
в уточненной редакции

Пока мы думаем, как убить время, нас убивает время.

Альфонс Алле

Время отнимает больше всего, но дает все.

Владислав Гжегорчик

У нас было бы вдоволь времени, если бы его не существовало.

Станислав Ежи Лец

Время обладает просто исключительным даром убеждения.

Юзеф Булатович

Время — те же деньги, но деньги лучше.

А. Бердичевский и А. Климов

Время — потеря денег.

Оскар Уайльд

Время и деньги большей частью взаимозаменяемы.

Уинстон Черчилль

Вам всегда будет не хватать либо времени, либо денег.

«Закон технологии Лернера»

Только женщина может временно остановить время.

Юзеф Булатович

Чем красивее женщина, тем быстрее пролетают время и деньги.

Максим Звонарев

В этом мире ничем нельзя обладать по-настоящему: вещи недостаточно долговечны, и мы недостаточно долговечны.

Саймон Тагуэлл

Время делится со смертью по справедливости: себе — всю жизнь, ей — всю вечность.

Владислав Гжегорчик

Все ранят, последняя [минута] убивает.

Надпись на старинных башенных часах

Когда бьет последний час, не время подводить стрелки.

Веслав Брудзиньский

В настоящей бомбе с часовым механизмом взрывчатым веществом является время.

Станислав Ежи Лец

ВЫБОР ИЗ ДВУХ ЗОЛ

См. также «Добро и зло»

Из двух зол выбирай меньшее.

Видоизмененный Аристотель

Столько на свете зол, а выбирать дают только из двух.

Владимир Колечицкий

С годами из двух зол выбираешь все меньшее и меньшее.

Семен Альтов

Из двух зол обычно выбирают то, которое легче причинить.

Данил Рудый

Из двух зол я всегда выбирала то, которого раньше не пробовала.

Мэй Уэст

Из двух зол выбирай более смазливое.

Кэролайн Уэллс

Пессимист, оказавшись перед выбором из двух зол, выбирает оба.

Оскар Уайльд

Из двух зол будь меньшим.

Амброз Бирс

Меньшее зло, как правило, долговечнее.

Веслав Брудзиньский

Большее зло всегда прячется за меньшим.

Владислав Гжегорчик

Если из двух зол можно выбирать, то это уже неплохо.

Константин Мелихан

Вы говорите, из двух зол? Тоже мне ассортимент!

Веслав Брудзиньский

Все на выборы из двух зол!

Борис Крутиер

ВЫБОРЫ

См. также «Большинство — меньшинство», «Пропаганда»

Голосование не определяет хода событий. Голосование решает, кто будет определять ход событий.

Джордж Уилл

Голосование — осуществление права свободного гражданина валять дурака и губить свою родину.

Амброз Бирс

Нельзя все время обманывать всех, да и не нужно: одного раза в четыре года вполне достаточно.

NN

Выборы — единственная гонка, в которой выигрывает большинство участников.

Лоренс Питер

Выборы проводятся для того, чтобы узнать, чей предвыборный прогноз оказался точнее.

Роберт Орбен

Каждый имеет право на ошибку, а чтобы каждый мог этим правом воспользоваться, проводятся выборы.

NN

Отдав свой голос, мы затем лишаемся голоса; это вполне логично.

Ежи Лещинский

Глядя на лица политиков-кандидатов, радуйся, что только один из них победит.

NN

После выборов и после женитьбы редко получаешь то, что хотел.

Уилл Роджерс

Обычно после любого голосования руки опускаются.

Владимир Зуев

Избирательный бюллетень сильнее пули.

Авраам Линкольн

Плохие власти выбираются хорошими гражданами, которые не голосуют.

Джордж Джин Нейтан

Половина всех избирателей не голосует, и, как правило, не та половина.

NN

Если погода плохая, количество избирателей, пришедших на выборы, уменьшается. Если погода хорошая, количество избирателей, пришедших на выборы, уменьшается.

«Правило преподобного Чичестера» в расширенном виде

Коней на переправе не меняют.

Авраам Линкольн, избиравшийся на второй президентский срок в разгар Гражданской войны в США (1864 г.)

Коней на переправе не меняют, а ослов можно и нужно менять.

Александр Лебедь

Нет труднее задачи, чем выиграть выборы, не доказав всем и каждому, что ты недостоин победы.

Эдлай Стивенсон

Электорат — одноразовый народ.

Акрам Муртазаев

Электорат не выбирают.

А. Рогов

Вы выиграли выборы, а я — подсчет голосов.

Анастасио Сомоса, президент Никарагуа с 1936 г.

Говорить с политиком о выборах — все равно что беседовать с лошадью о скачках.

Максим Звонарев

Грустная сторона выступлений политических шутов: их иногда избирают.

«Трибюн»

Результат выборов, как правило, неутешителен, но что мешает нам насладиться процессом?

Виктор Корнилов

Путем голосования можно стать правителем, но не сапожником.

Кароль Бунш

Деньги и глупость дают наибольшие шансы на победу в выборах.

«Правило Уолтона»

Рейган выиграл выборы, потому что его противником был Джимми Картер. Если бы Рейган баллотировался без противника, он проиграл бы.

Морт Сал

И тайным голосованием можно обнаружить явную глупость.

Дон-Аминадо

Мы умнее тех, кого выбираем.

Михаил Жванецкий

Предвыборная кампания Уоррена Гардинга, девятого президента США, проходила под лозунгом «Возврат к нормальному положению». Если, как полагают скептики, коррупция в правительстве есть дело нормальное, то администрация Гардинга свои предвыборные обещания выполнила.

Лоренс Питер

Когда я вступил в должность президента, больше всего меня поразило то, что дела действительно были так плохи, как мы утверждали.

Джон Кеннеди

Мне нужно, чтобы ни один избиратель не мог подтереться клочком бумаги, на котором бы не было моего изображения.

Линдон Джонсон

Избирательная кампания — это промежуток между выборами.

NN

От своих кандидатов мы не ожидаем ничего хорошего, но надеемся на лучшее.

NN

Любой гражданин, способный убить два года на избирательную кампанию, чтобы стать президентом, не должен быть допущен к государственной деятельности.

Дэвид Бродер

Ничто так не портит ваше прошлое, как согласие выдвинуть свою кандидатуру на выборах.

NN

Если один кандидат получает бесплатное время на телевидении, его оппонент требует столько же времени, чтобы все отрицать.

NN

Политическая зрелость — это когда вы голосуете так же, как я.

Эдлай Стивенсон

Никогда столько не лгут, как во время войны, после охоты и до выборов.

Отто фон Бисмарк

Честный политик — тот, кому руководитель его избирательной кампании не говорит, как он выиграл выборы.

Джерри Робинсон

На любом языке существует около 10 тысяч ненужных слов, и большую часть из них можно использовать при написании предвыборной платформы.

NN

Плох тот депутат, который не хочет стать кандидатом.

Сергей Скотников

Твоя избирательная кампания будет гораздо успешнее и приятнее, если целовать только тех девочек, которые уже могут голосовать.

Некий мичиганский политик

ВЫМЫСЕЛ И ФАНТАЗИЯ

См. также «Воображение», «Правда и ложь»

Если бы он запачкал брюки разными красками, он не стал бы лгать вам по этому поводу, но все же создал бы впечатление, что испачкался, скатываясь с радуги.

Марк Твен

В поэтическом произведении предпочтительнее вероятное невозможное, чем невероятное, хотя и возможное.

Аристотель

Человек может поверить в невозможное, но никогда не поверит в неправдоподобное.

Оскар Уайльд

Правда необычнее вымысла, потому что вымысел обязан держаться в рамках правдоподобия, а правда — нет.

Марк Твен

Истории рассказывают не потому, что они правдивы, а потому, что это хорошие истории.

Джон Махаффи

Кто не способен придумывать небылицы, у того один выход — рассказывать были.

Люк де Вовенарг

Человек всегда лишь эпигон героев собственных фантазий.

Станислав Ежи Лец

Реальность расточительна, но вымысел должен быть лаконичным.

Крейг Рейн

Хочется сказать художнику: не лги — выдумывай!

Станислав Ежи Лец

Ложь расположена ниже правды, художественный вымысел — выше.

Хуго Штейнхаус

Рассказ, всеми отвергаемый в том месте, где он впервые был пущен в обращение, будет считаться достоверным на расстоянии тысячи миль оттуда.

Дэвид Юм

Фантастическое составляет сущность действительности.

Федор Достоевский

Во владениях лжи умирает фантазия.

Станислав Ежи Лец

Фантазия не строит воздушных замков, она перестраивает в воздушные замки бараки.

Карл Краус

ВЫПИВКА

См. также «Водка», «Пьянство. Алкоголизм», «Рестораны и забегаловки», «Тост. Брудершафт», «Трезвенники»

Влечение к выпивке, в отличие от влечения к женщине, со временем переходит в хроническое состояние.

Хораций Сафрин

Алкоголь — это анестезия, позволяющая перенести операцию под названием жизнь.

Джордж Бернард Шоу

Не хлебом единым жив человек. Нужно что-то и выпить.

«Пшекруй»

Реальность — это иллюзия, вызываемая отсутствием алкоголя.

Н. Ф. Симпсон

Каждый должен иметь какие-то дурные привычки, чтобы было от чего отказаться, если здоровье ухудшится.

Франклин П. Джонс

Забавно, что большинство мужчин гордятся двумя вещами, которые любой мужчина может делать в точности так же: напиваться и зачинать сыновей.

Гертруда Стайн

Штопор питает надежды закупоренных бутылок.

Антоний Регульский

Найти на лужайке штопор — удача гораздо большая, чем найти четырехконечный листик клевера. Но многим ли это удалось?

«Пшекруй»

Когда мы охотились в Африке, мы потеряли штопор и несколько дней жили только на воде и еде.

Уильям Клод Филдс

Я бы с удовольствием пригласил вас зайти и выпить, но боюсь, что вы согласитесь.

Из американского фильма «Женщина на взморье»

Благодаря телефону можно поговорить со знакомым, не предлагая ему выпить.

Фран Лебовиц

Я пью, чтобы другие люди стали интереснее.

Джордж Джин Нейтан

Я пью, чтобы забыть, что я пью.

Джо Льюис

Оптимист: человек, утверждающий, что бутылка наполовину полна, когда на самом деле она наполовину пуста.

Леонард Луис Левинсон

Шутки кончились — начинается лестница.

Болеслав Венява-Длугошевский, выходя из ресторана в подпитии

Я извлек из выпивки больше, чем выпивка из меня.

Уинстон Черчилль

Если почитать все, что пишут о диете, видишь, что у едоков куда больше проблем, чем у выпивох.

NN

Труд — проклятие пьющего класса.

Оскар Уайльд

Я был влюблен в одну блондинку, и она пристрастила меня к спиртному. А я ее так ни разу и не поблагодарил.

Уильям Клод Филдс

Еще одна рюмка, и я окажусь под хозяином.

Дороти Паркер

Ей нравились только непьющие, а она нравилась только пьяным.

Константин Мелихан

Наши отношения с женщинами складываются прекрасно, если они складываются. Женщин, которые не складываются, мы бросаем.

Михаил Жванецкий

Любовь движет миром, да, но виски вращает его вдвое быстрее.

Комптон Макензи

Пиры устроиваются для удовольствия, и вино веселит жизнь.

Екклесиаст, 10, 19

Ненавижу тех, кто помнит, что было на пиру.

Лукиан из Самосаты

Вино — самый здоровый и гигиеничный из напитков.

Луи Пастер

Красное вино — напиток для мальчишек, портвейн — для мужчин; но тот, кто стремится быть героем, должен пить бренди.

Сэмюэл Джонсон

Виски — самое популярное из всех средств, которые не помогают от простуды.

Джерри Вейл

Я умею себя контролировать и до завтрака никогда не возьму в рот ничего более крепкого, чем джин.

Уильям Клод Филдс

Вечеринка с коктейлями: сборище, где люди смешивают коктейли, а коктейли смешивают людей.

NN

Вечеринка с коктейлями: место, где вы встречаете старых друзей, которых видите первый раз в жизни.

Мак Бенофф

Вечеринка с коктейлями: место, где можно встретить людей, которые пьют так много, что вы не можете вспомнить их имена.

Космо Сардо

Алкоголь в малых дозах безвреден в любом количестве.

Михаил Жванецкий

Для одних жизнь начинается после сорока, для других — после ста грамм.

Леонард Джевецкий

— Я пью не больше ста граммов, но, выпив сто грамм, я становлюсь другим человеком, а этот другой пьет очень много.

Эмиль Кроткий

Умный пьет до тех пор, пока ему не станет хорошо, а дурак — до тех пор, пока ему не станет плохо.

Константин Мелихан

Никогда не знаешь, что выпил лишнюю рюмку, до тех пор, пока не выпил ее.

Жорж Куртелин

Можно отказаться от первой рюмки, но не от второй.

Людвиг Берне

Одна рюмка — в самый раз, две — слишком много, три — недостаточно.

NN

Чтобы напиться до безобразия, мне теперь хватает одной рюмки. Не могу только запомнить, тринадцатой или четырнадцатой.

Джордж Бернс

Средство от похмелья: выжать сок из двух бутылок виски...

Эдди Кондон

Пить стал меньше, но чаще.

Гинряры

Надо знать меру. Ну, выпил одну, выпил другую, ну, литр, ну, два. Но зачем же напиваться?

Армейский фольклор

Ничто не дается нам так дешево и не ценится так дорого, как клятва: «Завязал!»

И. Доронин

Возможно, самый дешевый способ вылечить мужчину от пьянства — подарить ему машину.

Рышард Подлевский

ВЫСШАЯ ШКОЛА

См. также «Образование», «Профессора», «Учителя и ученики», «Экзамены»

Согласно статистике, высшее образование увеличивает мой многолетний доход на круглую сумму, которую я трачу на то, чтобы дать своему сыну высшее образование.

Билл Вон

Если, по-вашему, образование обходится слишком дорого, испробуйте невежество.

Дерек Бок

Мы посылаем своих детей в колледж потому, что сами учились в колледже, — или же потому, что сами там никогда не учились.

Л. Л. Хендрен

Отдать сына в колледж — все равно что сдать белье в прачечную. Вы получаете то, что отдали, но часто в совершенно неузнаваемом виде.

NN

Люди с высшим образованием, но без среднего.

Виктор Ардов

Университет: место, куда богатые посылают своих сыновей, не проявивших способностей к бизнесу.

Франк Хаббард

Совершенно необразованный человек может разве что обчистить товарный вагон, а выпускник университета может украсть целую железную дорогу.

Теодор Рузвельт

Университет развивает все способности, в том числе — глупость.

Антон Чехов

Чтобы ничего не делать, надо очень много учиться.

Александр Коротко

Стипендия необходима, но недостаточна.

Сергей Скотников

Не верил ни в заочное обучение, ни в загробную жизнь.

Эмиль Кроткий

Больше — значит хуже.

Кингсли Эмис
о распространении высшего образования

Нельзя не удивляться стране, где бомбы умнее выпускников высшей школы. Бомбы хотя бы могут найти на карте Ирак.

Уитни Браун

Культура есть орудие университетских профессоров для производства профессоров, которые тоже будут производить профессоров.

Симона Вейль

Чем менее конкретно название учебного курса, тем меньше ты на этом курсе узнаёшь. Чем конкретнее название учебного курса, тем меньше он тебе пригодится позднее.

«Указание Ромингера»

Даже если знания отпускаются бесплатно, приходить надо со своей тарой.

NN

Диплом учебного заведения: документ, удостоверяющий, что у тебя был шанс чему-нибудь научиться.

Янина Ипохорская

Диплом позволяет ошибаться значительно увереннее.

Антон Лигов

Кто умеет, делает. Кто не умеет, учит. Кто не умеет учить, становится деканом.

Томас Л. Мартин

Мой декан был настолько лишен чувства юмора, что это замечали даже другие деканы.

Лоренс Питер

Г

ГАДАНИЕ. ЯСНОВИДЕНИЕ

См. также «Астрология», «Суеверие»

То, что гадалка видит у человека на ладони, обычно написано у него на лице.

Константин Мелихан

Не следует верить гадалкам, которые пользуются научными методами.

Станислав Ежи Лец

Страшен не сон, а его толкование.

Александр Климов

Только агенты по страхованию жизни совершенно точно могут сказать, что вас ожидает.

NN

Чтобы прослыть ясновидцем, предсказывай будущее на сто лет вперед. Чтобы прослыть глупцом, предсказывай его на завтра.

Дон-Аминадо

Ясновидящие меняют сферу приложения своего мастерства: прошлое иногда предсказать труднее, чем будущее.

Веслав Брудзиньский

Увидев как-то прорицателя, который за плату предсказывал будущее кому угодно, Демонакт сказал: «Я не понимаю, за что ты берешь деньги: ведь если ты можешь изменять предначертанное — сколько бы ты ни потребовал, этого все равно будет мало; если же все свершится так, как угодно божеству,— к чему вообще твои пророчества?»

Лукиан из Самосаты

ГАЗЕТЫ

См. также «Журналистика», «Новости»

Газета — первый черновик истории.

Филип Грэм

Окно в мир можно закрыть газетой.

Станислав Ежи Лец

Нация, которая ведет беседу сама с собой, — вот что такое хорошая газета.

Артур Миллер

Есть мысли мужские, женские и неопределенного рода. Последние — не дети двух первых. Обычно их подбрасывают завернутыми в газету.

Станислав Ежи Лец

Газета приучает читателя размышлять о том, чего он не знает, и знать то, что не понимает.

Василий Ключевский

Газеты всегда возбуждают любопытство и никогда его не оправдывают.

Чарлз Лэм

Газета, выходя чрезвычайно быстро, интересна даже своими просчетами; энциклопедия же, выходя чрезвычайно медленно, не интересна даже своими открытиями.

Гилберт Честертон

Все, что нужно для издания ежедневной газеты, — это честолюбие, честность и 10 000 000 долларов.

Генри Морган

В газетах можно уже прочитать все, но трудно узнать о чем-нибудь.

Веслав Малицкий

Чтобы писать для газет, не нужно никакой квалификации, но чтобы их читать, нужно в совершенстве знать вещи, мир и людей.

Хуго Штейнхаус

Никогда не следует хорошо говорить о себе. Следует это печатать.

Жюль Валле

Министр не должен жаловаться на газеты и даже читать их. Он должен их писать.

Шарль де Голль

Если бы пришлось выбирать: иметь правительство без газет или газеты без правительства, — я бы не раздумывая выбрал второе.

Томас Джефферсон

Там, где газеты не свободны печатать всякую чушь, люди у власти свободны делать всякую чушь.

Видоизмененный Луи Террнуар

Никогда не печатай в газете того, чего не может понять твоя служанка.

Джозеф Пулитцер

Боевой листок должен быть боевым листком, ведь это же боевой листок!

Армейский фольклор

Колонка в газете — ежеутренний заменитель бессмертия.

Эрнест Хемингуэй

Постоянная колонка в газете — все равно что регулярный стул по заказу.

Малколм Маггеридж

В газетах нет ни слова правды. Потому-то их и читают.

Бенджамин Дизраэли

Все, что пишут в газетах, абсолютная правда, за исключением тех редких происшествий, которые вам довелось наблюдать лично.

Эрвин Ноулл

Есть люди, которые не верят даже прогнозам государственного метеорологического института, если не прочтут их в своей газете.

Карел Чапек

В детстве он пережил сотрясение мозга и с тех пор верил всему, что пишут в воскресных газетах.

Джордж Эйд

Вы должны верить всему, что прочтете в газетах, если так для вас интереснее.

Роуз Маколи

Оптимист — это человек, который еще не читал утреннюю газету.

NN

Не дай нам бог дожить до того дня, когда все будет так плохо, как об этом пишут газеты.

Уилл Роджерс

Я обычно читаю между враками.

Гудман Эйс

Черным по белому: так выглядит в наше время ложь.

Карл Краус

Для старого Рокфеллера издавали специальную газету, заполненную вымышленными новостями. Некоторые страны в состоянии издавать такие газеты не только для миллиардеров, но для всего населения.

Станислав Ежи Лец

Газетные объявления содержат больше правды о том, что происходит в стране, чем газетные передовицы.

Генри Уорд Бичер

Честность для газеты то же самое, что добродетель для женщины.

Джозеф Пулитцер

Честность для газеты — что добродетель для женщины; но газета всегда может напечатать опровержение.

Эдлай Стивенсон

Печать — это бумажная совесть.

Малколм Маггеридж

Ни одна уважающая себя рыба не позволит, чтобы ее завернули в эту газету.

Майк Ройко о чикагской «Сан таймс», купленной газетным магнатом Рупертом Мердоком

Поскольку газет почти никто не читает, честный человек может писать для газет.

Крозе

Газета — естественный враг книги, как шлюха — естественный враг порядочной женщины.

Братья Гонкур

Человек, который ничего не читает, образованнее того, кто не читает ничего, кроме газет.

Томас Джефферсон

Газета больше радуется об одном грешнике, который перерезал горло своей возлюбленной, нежели о девяноста девяти праведниках, которые вступили в брак и живут долго и счастливо.

Алан Патрик Херберт

Люди хотят читать газеты, а не прокламации.

Херберт Венер

Унция эмоций стоит тонны фактов.

Джон Джунор

Не бойтесь пропустить ляп, читателю это даже может понравиться.

Уильям Рандолф Херст,
газетный магнат

Никогда не верь зеркалам и газетам.

Джон Осборн

ГЕНЕРАЛЫ

См. также «Армия и военные»

Генерал — это ефрейтор, которого много раз повышали в звании.

Габриэль Лауб

Почти каждый генерал начинает с солдата и лишь потом берется за офицеров.

Богуслав Войнар

Почему генералы такие тупые? Потому что их набирают среди полковников.

Жан Кокто

Генералы — поразительный случай задержки в развитии. Кто из нас в пять лет не мечтал быть генералом?

Питер Устинов

Дети и генералы любят пугать других.

Войцех Жукровский

Небо, усеянное звездами, всегда уподоблю груди заслуженного генерала.

Козьма Прутков

Ничто так не поднимает боевой дух, как мертвый генерал.

Джон Мастерс

Генералы всегда готовятся к прошлой войне.

Уинстон Черчилль

ГЕНИЙ

См. также «Великие люди», «Классика и классики», «Талант и бездарность»

Гений — это талант умершего человека.

Эдмон Гонкур

Талант — это то, чем вы обладаете; гений — то, что владеет вами.

Малколм Каули

Гений стреляет в цель, которую не видит никто, — и попадает.

NN

Гений — человек с талантом и прилежанием человека без таланта.

Габриэль Лауб

Таланту только в счастливые минуты удается составить из точек линию, которую гений проводит одним росчерком пера.

Мария Эбнер-Эшенбах

Гений — это талант изобретения того, чему нельзя учить или научиться.

Иммануил Кант

Гений: человек, способный решать проблемы, о которых вы и не знали, способом, который вам непонятен.

Ф. Кернан

Талант работает, гений творит.

Роберт Шуман

Моцарт потому и стал Моцартом, что работал гораздо больше, чем Сальери. Эта работа доставляла Моцарту удовольствие.

Варлам Шаламов

Каждый ребенок отчасти гений, а каждый гений отчасти ребенок.

Артур Шопенгауэр

В практической жизни от гения проку не больше, чем от телескопа в театре.

Артур Шопенгауэр

Все возражают против того, что я гений, хотя никто еще так меня не назвал.

Орсон Уэллс

От гениальности до тривиальности только один шаг.

Станислав Виткевич

Функция гения заключается в том, чтобы доставлять мысли, которые через двадцать лет станут достояньем кретинов.

Луи Арагон

Бога ради, не пишите такой чепухи, иначе я возомню себя гением!

Кароль Ижиковский

Ничто так не портит хорошую вечеринку, как гений.

Эльза Максуэлл

На детях гениев природа отдыхает.

Старинное изречение

Природа отдыхает на детях гениев, а дети гениев — на родителях.

Геннадий Малкин

Фабрики гениев есть, но нет поставок сырья.

Станислав Ежи Лец

В проблеске гениальности видишь свою бездарность.

Станислав Ежи Лец

Гений как золото: множество людей пишут о том и другом, не имея ни того ни другого.

Чарлз Калеб Колтон

ГЕРМАНИЯ И НЕМЦЫ

О немцах я более хорошего, нежели дурного мнения, но вместе с тем не могу не признать за ними один (и весьма крупный) недостаток — их слишком много.

Вольтер

Война — национальная индустрия Пруссии.

Оноре Мирабо

Первая добродетель германцев — известная верность, несколько неуклюжая, но трогательно великодушная верность. Немец бьется даже за самое неправое дело, раз он получил задаток или хоть спьяну обещал свое содействие.

Генрих Гейне

То хорошо у нас, немцев, что никто еще не безумен настолько, чтобы не найти еще более безумного, который поймет его.

Генрих Гейне

Мы, немцы, должны быть хорошими организаторами. Нам не хватит смекалки, чтобы импровизировать.

Ханс Кляйн,
начальник пресс-бюро
Мюнхенской олимпиады

Французское безумие далеко не так безумно, как немецкое, ибо в последнем, как сказал бы Полоний, есть система.

Генрих Гейне

У англичан больше мнений, чем мыслей. У нас, немцев, наоборот, так много мыслей, что мы не успеваем даже составить себе мнение.

Генрих Гейне

Англичанин изобрел спорт, немец — физкультуру.

Томас Нидеррейтер

Германия — наше отечество, объединенная Европа — наше будущее.

Гельмут Коль в 1990 г.

ГЕРОИ

См. также «Жертва. Самопожертвование», «Мужество. Храбрость»

Героизм — это род смерти, а не образ жизни.

Габриэль Лауб

Поклонение героям наиболее развито там, где наименее развито уважение к человеческой свободе.

Герберт Спенсер

Культ героев в Америке развит необычайно, а герои всегда выбираются среди уголовников.

Оскар Уайльд

Нет героев без зрителей.

Андре Мальро

Спектакли истории дешевы: массовый герой получает ставку статиста.

Станислав Ежи Лец

Будь у героев время подумать, героизма вовсе бы не было.

Питер Устинов

Несчастна страна, у которой нет героев.

Пьер Буаст

Несчастна страна, которая нуждается в героях.

Бертольт Брехт

Лучше умереть стоя, чем жить на коленях.

Долорес Ибаррури

Лучше есть траву стоя, чем бифштекс на коленях.

Анонимный никарагуанский повстанец

Подвергаться смерти для того, чтобы жить в истории, — значит заплатить жизнью за каплю чернил.

Аксель Оксеншерна

Иногда окупается даже героизм.

Корнель Макушиньский

Обесценивается все, что в избытке, даже героизм.

Кароль Бунш

Герой делает то, что можно сделать. Другие этого не делают.

Ромен Роллан

В жизни всегда есть место подвигу. Надо только быть подальше от этого места.

Геннадий Степаненко

В жизни всегда есть место подвигу, но не всегда есть место герою.

Константин Кушнер

Кто пережил трагедию, не был ее героем.

Станислав Ежи Лец

В настоящей трагедии гибнет не герой — гибнет хор.

Иосиф Бродский

Герои нужны в минуту опасности, в остальное время герои опасны.

Габриэль Лауб

Когда война кончается, из укрытий вылезают герои.

Юзеф Булатович

Каждый герой в конце концов становится занудой.

Ралф Эмерсон

Когда уходят герои, на арену выходят клоуны.

Генрих Гейне

ГЛУПОСТЬ

См. также «Умные и дураки»

Есть только две бесконечные вещи: Вселенная и глупость. Хотя насчет Вселенной я не вполне уверен.

Приписывается
Альберту Эйнштейну

Ахиллесова пята нередко укрыта в голове.

Лешек Кумор

Какую бы глупость вы ни придумали, всегда найдется человек, который эту глупость сделает.

NN

Покажите мне смысл — и я совершу какую угодно глупость.

Хенрик Ягодзиньский

Кс. находит какое-то сочинение глупым. — Чем вы это докажете? — Помилуйте, — простодушно уверяет он,— да я мог бы так написать.

Александр Пушкин

Откровенная глупость может быть неотразима в женщинах.

Айрис Мердок

Чем реже открываешь рот, тем меньше слышишь глупостей.

Михаил Генин

Всякой глупости свое время.

Виктор Жемчужников

Самые лучшие мысли приходят по глупости.

Карел Чапек

Самый быстрый способ обратить на себя внимание — сказать или сделать глупость.

NN

Прежде чем сказать глупость — подумайте!

Семен Альтов

Самый непобедимый человек — это тот, кому не страшно быть глупым.

Василий Ключевский

Дурак, сделав глупость, потом оправдывается, что это было его долгом.

Видоизмененный Джордж Бернард Шоу

Телеграфный столб никогда не поймет принцип действия телеграфа.

Лех Собеский

ГНЕВ. ВОЗМУЩЕНИЕ

См. также «Брань. Матерщина»

Впадать в гнев — значит вымещать на себе ошибки другого.

Александр Поп

У глупого тотчас же выкажется гнев его, а благоразумный скрывает оскорбление.

Притчи, 12, 16

Бойся гнева терпеливого человека.

Джон Драйден

Мы все закипаем при разных температурах.

Ралф Эмерсон

Смело выходи из себя, если другого выхода нет.

Януш Васильковский

Выходя из себя, не хлопай словами.

Мариан Карчмарчик

Умейте так хлопнуть дверью, чтобы никто не слышал.

Константин Елисеев

Лучшее лекарство против гнева — отсрочка.

Сенека

Если ты разгневан, то, прежде чем говорить, сосчитай до десяти; если сильно разгневан — до ста.

Томас Джефферсон

Если ты разгневан, сосчитай до десяти, а уж потом говори; если сильно разгневан, сосчитай до ста и ничего не скажи.

NN

Если ты разгневан, сосчитай до четырех; если сильно разгневан, выругайся.

Марк Твен

Если б я знал, на что я так зол, я бы не был так зол.

Миньон Маклофлин

ГОЛЛИВУД

См. также «Кино»

Голливуд — самая большая в мире игрушечная железная дорога.

Орсон Уэллс

Голливуд — это место, где провинциалы из штата Айова принимают друг друга за кинозвезд.

Фред Аллен

Голливуд — это прогулка по сточной канаве в лодке со стеклянным дном.

Уилсон Мизнер

В Голливуде аристократом считается каждый, кто знает своих предков до второго колена.

Денни Кей

Если остановиться в Беверли Хиллс на достаточно долгое время, вы превращаетесь в «Мерседес».

Дастин Хоффман

Если бы мои книги были немного хуже, меня бы не пригласили в Голливуд; а если бы они были немного лучше, мне не пришлось бы ехать туда.

Реймонд Чандлер

В Голливуде на писателя смотрят как на первый черновик человеческого существа.

Франк Дефорд

То, что я вычеркнул, мне не нравится. То, что я не вычеркнул, меня не удовлетворяет.

Кинопродюсер Сесил Де Милль о киносценарии

Плакат в витрине книжного магазина: «Купи этот превосходный роман, пока Голливуд не успел его загубить».

NN

Голливуд покупает хорошую историю о плохой девушке и делает из нее плохую историю о хорошей девушке.

Неизвестный американец

Голливуд — это место, где все фильмы имеют хороший конец, а все браки — плохой.

NN

В Голливуде вечный треугольник состоит из актера, его жены и его самого.

Неизвестный американец

Брак в Голливуде считают счастливым, если муж любит свою жену даже больше, чем чужую.

NN

В Голливуде, если жена вашего знакомого выглядит как совершенно новая женщина, так оно, скорее всего, и есть.

Дин Мартин

ГОЛОД И ЖАЖДА

См. также «Еда»

Ничто так не притупляет голод, как жажда.

Семен Альтов

Голод — лучший повар.

Старинная пословица

Голод — плохой повар.

Бертольт Брехт

Голод: аппетит, обостренный настолько, что им можно убить других.

Станислав Ежи Лец

Аппетит приходит во время еды — особенно если едите не вы.

Ян Климек

Аппетит приходит во время еды, но не уходит во время голода.

Станислав Ежи Лец

Не забывайте, что «Отче наш» начинается с просьбы о хлебе насущном. Трудно хвалить Господа и любить ближнего на пустой желудок.

Вудро Вильсон

Когда затягиваешь пояс, желудок становится ближе к сердцу.

Доминик Опольский

В борьбе между сердцем и головой в конце концов побеждает желудок.

Станислав Ежи Лец

ГОЛОС И СЛУХ

См. также «Певцы»

Голос — второе лицо.

Жерар Боэ

На свете нет зрелища прекраснее, чем прекрасное лицо, и нет музыки слаще, чем звук любимого голоса.

Жан Лабрюйер

Нет музыки слаще, чем ангельские голоса ребятишек, если не особенно вслушиваться в произносимые ими слова.

Логан Пирсолл Смит

Пластинки нашей молодости хрипят нашим голосом.

Станислав Ежи Лец

Чем выше голос, тем ниже интеллект.

Эрнест Ньюмен

Невинность и голос рано или поздно теряют.

Ежи Вальдорф

Чем слабее слух певца, тем громче должны быть аплодисменты.

Михаил Генин

Я знал субъекта с абсолютно фальшивым слухом; и если бы он еще подвел под него теорию, то, несомненно, сделал бы эпоху в истории музыки.

Станислав Ежи Лец

Валаамова ослица заговорила человеческим голосом. Иным актерам стоило бы последовать ее примеру.

Станислав Ежи Лец

Все-таки жаль немого кино. Какое удовольствие было видеть, как женщина открывает рот, а голоса не слышно.

Чарлз Чаплин

ГОРДОСТЬ

См. также «Самооценка. Вера в себя»

Есть три разряда людей: высокомерные, гордые и другие. Других я еще никогда не встречал.

Огюст Детёф

Быть щедрым — значит давать больше, чем можешь; быть гордым — значит брать меньше, чем нужно.

Халиль Джебран

Ложной может быть скромность, но не гордость.

Жюль Ренар

Гордящиеся своим смирением горды тем, что они не горды.

Роберт Бартон

Гордость как бы прибавляет людям росту, тщеславие лишь раздувает их.

Никола Шамфор

Тщеславие — это гордость других людей.

Сашá Гитри

Гордость — это роскошь, которую влюбленная женщина не может себе позволить.

Клэр Люс

Всем можно гордиться, даже отсутствием гордости, как от всего можно одуреть, даже от собственного ума.

Василий Ключевский

Самая дешевая гордость — это гордость национальная.

Артур Шопенгауэр

ГОРЕ. НЕСЧАСТЬЕ

См. также «Грусть. Печаль», «Жалобы», «Неприятности. Огорчения»

Все мы, хотим того или нет, — участники огромной лотереи несчастий.

Антоний Слонимский

Никто не бывает несчастен только от внешних причин.

Сенека

Каждый несчастен настолько, насколько полагает себя несчастным.

Сенека

Беды обычно приходят парами — пара за парой, пара за парой, пара за парой...

«Следствие Кона из закона Мерфи»

Многие катастрофы случились точно по расписанию.

Веслав Брудзиньский

Несчастья бывают двух видов: во-первых, наши собственные неудачи, во-вторых, удачи других.

Амброз Бирс

Несчастье ближнего утешает нас в наших несчастьях.

Лукиан из Самосаты

За всю свою жизнь я ни разу не встречал человека, который не снес бы горестей ближнего как истинный христианин.

Александр Поп

Чужие драмы всегда невыносимо банальны.

Оскар Уайльд

В чем разница между несчастным случаем и несчастьем? Если, скажем, сэр Гладстон свалится в Темзу, это будет несчастный случай. Но если его оттуда вытащат, это уже будет несчастье.

Приписывается
Бенджамину Дизраэли

Несчастье тяжелее всего тогда, когда дело, казалось бы, можно еще поправить.

Кароль Ижиковский

Мы навлекаем на себя несчастья, которым уделяем слишком много внимания.

Жорж Санд

Несчастье, как и набожность, может войти в привычку.

Грэм Грин

Люди, верящие в свои достоинства, считают долгом быть несчастными, дабы убедить таким образом и других и себя в том, что судьба еще не воздала им по заслугам.

Франсуа Ларошфуко

Если людям нечем хвастаться, они хвастаются своими несчастьями.

Артуро Граф

Больше всего человек обижается, если ставят под сомнение его чувство юмора или же его право быть несчастливым.

Синклер Льюис

Если ты несчастлив, лучше плакать в такси, чем в трамвае.

Марсель Райх-Раницкий

Если вы способны смеяться над своими бедами, у вас всегда будет над чем посмеяться.

NN

ГОРОДА

См. также «Архитектура», «Столица — провинция»

Первый сад создал Бог, а первый город — Каин.

Эйбрахам Каули

Машины расплодили пригороды и убили город.

Сирил Норткот Паркинсон

Города нужно строить в деревне, где воздух гораздо лучше.

Анри Мурье

Уединение нужно искать в больших городах.

Рене Декарт

Париж — это населенное одиночество.

Франсуа Мориак

Женева — самый большой маленький город в мире.

«Пшекруй»

Лондон — чудесное место для жизни, если вы можете уехать из него.

Артур Бальфур

Нью-Йорк — город, где человеку мало проку от автомобиля и хороших манер.

Миньон Маклофлин

Нью-Йорк: город, где каждый бунтует, но никто не отчаивается.

Гарри Хершфилд

Лос-Анджелес: семьдесят два пригорода в поисках города.

Дороти Паркер

Лос-Анджелес: место, где о приходе весны узнаешь по тому, что смог зеленеет.

NN

Венеция — все равно что коробка шоколадных конфет с ликером, съеденная за один присест.

Трумэн Капоте

Венеция была бы чудесным городом, если ее осушить.

Приписывается Улиссу Гранту

ГОСТИ. ГОСТЕПРИИМСТВО

См. также «День рождения. Именины»

Нет в жизни звука более захватывающего, чем стук в дверь.

Чарлз Лэм

До близких далеко, до далеких близко, — вот и ходишь к далеким.

Эмиль Кроткий

Всегда приятно не прийти туда, где тебя ждут.

Оскар Уайльд

Каждая хозяйка знает, что в доме гость замечает не то, что она делает, а то, чего она не делает.

Марсилин Кокс

Всякий прием, собственно, устраивается для тех, кого нам вовсе не хочется на него приглашать.

Эдвард Йокель

Это был незабываемый ужин: вода лилась как шампанское.

Уильям Эвартс

Когда человек приходит в гости, он тратит время хозяев, а не свое.

Оскар Уайльд

До свиданья: слово, которое лишь немногие способны уложить в двадцать слов.

Тони Петтито

Гость: человек, который думает, что, если он встал, он уже ушел.

Леонард Луис Левинсон

Гость иногда за три дня увидит в доме больше, чем хозяин за целый год.

Юрий Крижанич

На именинах разговор по-настоящему оживляется лишь после ухода по меньшей мере двоих гостей.

Янина Ипохорская

Собака: существо, которое облаивает вошедшего гостя, тогда как человек — гостя ушедшего.

Магдалена Самозванец

Просто удивительно, как милы с вами люди, когда они знают, что вы скоро уедете.

Майкл Арлен

Если б не гости, всякий дом стал бы могилой.

Халиль Джебран

Дурак прогонит гостя. Умный попросит взаймы.

Александр Фюрстенберг

Что за радость ходить в гости, если тебе говорят: «Будьте, как дома»?

Доминик Опольский

В гостях хорошо, а дома... лучше и не вспоминать.

Никита Богословский

Гость должен вести себя так, чтобы хозяин чувствовал себя как дома.

«Пшекруй»

Если к гостям относиться, как к членам семьи, они не засиживаются.

Г. Амурова

Чем у хозяйки больше самообладания, тем она гостеприимнее.

Дон-Аминадо

Никогда не путай выдержку с гостеприимством.

NN

Видные люди в гостях не засиживаются.

Марианна Мур

На каждой вечеринке есть два разряда гостей: одни хотят пораньше уйти, другие — подольше остаться. Вся трудность в том, что обычно они состоят в браке между собой.

Энн Ландерс

Нет ничего обиднее, чем когда тебя не приглашают на вечеринку, на которую ты ни за что не пошел бы.

Билл Вон

Даже если мои вечерние гости не могут видеть часы, они должны прочитать время по моему лицу.

Ралф Эмерсон

ГОСТИНИЦЫ

См. также «Сервис»

Любой святой мог творить чудеса, но лишь немногие из них смогли бы содержать гостиницу.

Марк Твен

Каждый хотел бы, чтобы в отеле его обслуживали как дома, а дома — как в отеле.

NN

Я не из тех, кто мечтает вернуться на лоно природы; я из тех, кто мечтает вернуться в лоно отеля.

Фран Лебовиц

Швейцарцы возводят премилые пейзажи вокруг своих отелей.

Джордж Майкс

Когда-то это был хороший отель, но ведь и я когда-то был хорошим мальчиком.

Марк Твен

ГОСУДАРСТВО

См. также «Власть», «Конституция», «Порядок — анархия», «Правительство»

Государство существует не для того, чтобы превращать земную жизнь в рай, а для того, чтобы помешать ей окончательно превратиться в ад.

Николай Бердяев

Государство получило технические возможности, до которых оно не доросло ни нравственно, ни интеллектуально, — и экспериментирует с ними, как режиссеры на заре немого кино.

Кароль Ижиковский

Государственный корабль — единственный, который дает течь на самом верху.

Джеймс Рестон

Нет на свете государства свободнее нашего, которое, наслаждаясь либеральными политическими учреждениями, повинуется вместе с тем малейшему указанию власти.

Козьма Прутков

Пока есть государство, нет свободы. Когда будет свобода, не будет государства.

Владимир Ленин

Если бы природа имела столько законов, как государство, сам Господь не в состоянии был бы управлять ею.

Людвиг Берне

Когда в государстве смута — возникают «верноподданные».

Лао-цзы

Когда в Поднебесной много запретов, народ беднеет.

Лао-цзы

Когда народ много знает, им трудно управлять.

Лао-цзы

Государство — это я.

Людовик XIV

Государство — это не я!

Аркадий Давидович

ГРАНИЦЫ

См. также «Внешняя политика»

Граница — воображаемая линия между двумя государствами, отделяющая воображаемые права одного от воображаемых прав другого.

Амброз Бирс

Границы установлены для того, чтобы было из-за чего воевать.

Кароль Буниш

«За что ты меня убиваешь?» — «Как за что? Друг, да ведь ты живешь на том берегу реки! Живи ты на этом, я и впрямь совершил бы неправое дело, злодейство, если бы тебя убил. Но ты живешь по ту сторону, значит, мое дело правое, и я совершил подвиг!»

Блез Паскаль

Политические карты раскрашиваются кровью.

Акрам Муртазаев

Любовь к родине не знает чужих границ.

Станислав Ежи Лец

СССР с кем хочет, с тем и граничит.

NN

Я не жадный — я хочу только ту землю, которая примыкает к моей.

Некий американский фермер

ГРЕХ

См. также «Десять заповедей», «Добро и зло», «Искушение», «Исповедь», «Раскаяние. Покаяние», «Святые и грешники», «Совесть»

Большая разница, не хочет человек грешить или не умеет.

Сенека

Мы живем так, что внезапно увидеть нас — значит поймать с поличным.

Сенека

Страшен не грех, но бесстыдство после греха.

Иоанн Златоуст

После смерти нас встречают два вопроса. Злой ангел спрашивает: «Как он жил?», милосердный Создатель спрашивает: «Как он умер?» Творец берет последнюю слезу умирающего и погашает ею все грехи, записанные на его жизненной таблице.

Моисей Сафир

Если бы все мы исповедались друг другу в своих грехах, то посмеялись бы над тем, сколь мало у нас выдумки. Если бы все мы раскрыли свои добродетели, то посмеялись бы над тем же.

Халиль Джебран

Первородный грех был источником славы Божьей — небывалого роста числа верующих.

Станислав Ежи Лец

Абсурд — это грех без Бога.

Жан Поль Сартр

Грехи бывают разного обряда.

Станислав Ежи Лец

Христианство много сделало для любви, объявив ее грехом.

Анатоль Франс

Когда умножился грех, стала преизобиловать благодать.

Апостол Павел —
Послание к римлянам, 5, 20

Для чистых все чисто.

Апостол Павел —
Послание к Титу, 1, 15

Не спеши обращать грешников прежде, чем они согрешат.

Веслав Брудзиньский

Хуже всего грехи, не доведенные до конца.

Александр Земный

Грех сотворен человеком, но вкус у него божественный.

Мэй Уэст

Во всем, что касается грехов, следует тщательно следить за модой.

Видоизмененная Лилиан Хеллман

Состояние невинности заключает в себе зародыши всех будущих грехов.

Александр Арну

Что может быть невинней первого греха?

Александр Жуков

Жаль, что пить воду не грех. А то какой вкусной она бы казалась!

Георг Лихтенберг

Грех, совершенный ради нас, не может быть тяжким.

Лешек Кумор

Все оригинальные мысли и оригинальные грехи случились до вашего рождения с людьми, которых вы не имели возможности знать.

Фран Лебовиц

Грех предаваться унынию, когда есть другие грехи.

Геннадий Малкин

Люди не смогли даже выдумать восьмого смертного греха.

Теофиль Готье

Люди наказываются не за грехи, а наказываются самими грехами. И это самое тяжелое и самое верное наказание.

Лев Толстой

ГРУСТЬ. ПЕЧАЛЬ

См. также «Неприятности. Огорчения», «Слезы»

Грусть достаточна сама по себе, но чтобы получить от нее настоящее удовольствие, нужно поделиться ею с другими.

Марк Твен

Печали, как и дети, лучше растут, когда их лелеют.

Кэролайн Холланд

Скорбь — это один из видов праздности.

Сэмюэл Джонсон

Веселые люди делают больше глупостей, нежели грустные, но грустные делают бо́льшие глупости.

Эвальд Христиан Клейст

Когда грустишь в одиночку, зеркало удваивает одиночество.

Альфред Кинг

Малая печаль красноречива, великая безмолвна.

Сенека

Когда я счастлива, мне хочется плакать, но когда я грустна, мне не хочется смеяться. Поэтому лучше, я полагаю, быть счастливой. Так вы получаете два ощущения по цене одного.

Лили Томлин

ГУМАНИЗМ

См. также «Человечество»

Материалисту остается только вера в человека.

Лешек Кумор

Вера в человека имеет свои ереси и расколы.

Лешек Кумор

Разумеется, человека можно любить, — если знаешь его не слишком близко.

Чарлз Буковски

Он считал себя гуманистом, поскольку взирал на мир с сочувственным омерзением.

Веслав Брудзиньский

Когда рассказывали сальные анекдоты деятели Возрождения — это называлось гуманизмом.

Андрей Петрилин

Клоп исповедует антропоцентризм.

Лешек Кумор

Хочешь обнять весь мир — купи глобус.

Михаил Генин

А может быть, наши представления о человеке слишком антропоморфны?

Станислав Ежи Лец

Гуманизм переживет человеческий род!

Станислав Ежи Лец

Д

ДЕВУШКИ

См. также «Женщины»

Будущее девушки — не в руках ее матери.

Джордж Бернард Шоу

Девочки быстрее учатся чувствовать, чем мальчики — мыслить.

Вольтер

Женщина созревает, когда мужчина еще только проклевывается.

Войцех Бартошевский

В пятнадцать лет девушка ненавидит мужчин и с удовольствием поубивала бы всех. А два года спустя озирается: не уцелел ли случайно один.

Тадеуш Гицгер

Розы хороши, пока свежи шипы.

Леонид Леонидов

Прежде девушки краснели, когда их стыдили; а нынче стыдятся, когда краснеют.

Морис Шевалье

Если бы юноши знали о девушках то, что знают их матери, мир был бы полон холостяков.

Янина Ипохорская

Благоприятные ветры могут, самое большее, задрать юбку у проходящей мимо девушки.

Станислав Ежи Лец

В колледже девушка четыре года учится тому, как вести себя в хорошем обществе, а всю остальную жизнь пытается найти это общество.

Американское изречение

Одни девушки могут заполучить любого мужчину, который им нравится; другим нравится любой мужчина, которого они могут заполучить.

NN

Либо — либо! Девушка не может быть одновременно и муравьем, и стрекозкой!

Янина Ипохорская

Мир полон чужих девушек.

Хенрик Ягодзиньский

Некоторые люди обладают способностью казаться глупыми, прежде чем они обнаружат ум. У девушек этот дар встречается особенно часто.

Георг Лихтенберг

Не то тревожит мать, что́ знают молодые девушки, а то, откуда они это узнали.

Янина Ипохорская

При виде девушек сразу чувствовал себя подлецом.

Геннадий Малкин

Две самые полезные книги для девушки — кухонная книга матери и чековая книжка отца.

Американское изречение

Девушка должна быть в постели не позднее восьми вечера, чтобы до одиннадцати вернуться домой.

Карел Хаек

Хорошенькая девушка может носить почти все или почти ничего.

NN

Нынешние девушки носят на себе не меньше одежды, чем их бабушки, — но не одновременно.

NN

Девушка, которая носит застежки-молнии, не должна жить одна.

Джон ван Друтен

Девушка, умеющая готовить, может найти мужчину, умеющего есть.

NN

Если у девушки все остальное в порядке, она тоже может быть умной.

Янина Ипохорская

Девушка должна знать все. Но уже ничего сверх этого.

Янина Ипохорская

У неопытных девушек можно многому научиться.

Джованни Казанова

Не жди, девица, любви с заложенными ногами.

Станислав Ежи Лец

Старайся быть самой молодой девушкой своего возраста.

Рената Шуман-Фикус

В Ирландии у девушки имеется выбор между вечной девственностью и вечной беременностью.

Джордж Мур

Девушка с будущим должна избегать мужчин с прошлым.

NN

ДЕДЫ И ВНУКИ

Венец стариков — сыновья сыновей.

Притчи, 17, 6

Когда мы, наконец, можем позволить себе иметь детей, у нас уже внуки.

«Пшекруй»

Меня не тревожит, что я уже дедушка, плохо лишь то, что женат я на бабушке.

Граучо Маркс

Дети бывают плохими или хорошими, но внуки всегда изумительны.

Людвик Хиршфельд

Детей иметь не следует, но внуков — непременно.

Гор Видал

Дедушка: человек, достающий из кармана фотографию внука быстрее, чем ковбой выхватывает свой револьвер.

Неизвестный американец

Это великолепные золотые часы на цепочке. Я горжусь ими. Их продал мне мой дедушка, когда лежал на смертном одре.

Вуди Аллен

Если деды и внуки так легко находят общий язык, то это потому, что у них общие враги.

Сэм Левенсон

ДЕМОКРАТИЯ

См. также «Большинство — меньшинство», «Выборы», «Оппозиция», «Парламент»

Демократия есть механизм, гарантирующий, что нами управляют не лучше, чем мы того заслуживаем.

Джордж Бернард Шоу

Демократия — наихудшая форма правления, если не считать всех остальных.

Уинстон Черчилль

Демократия — это процесс, в ходе которого люди свободно выбирают козла отпущения.

Лоренс Питер

Демократия — это право делать неправильный выбор.

Джон Патрик

Демократия: не ограниченная никакими законами и опирающаяся на прямое насилие власть демократов.

Григорий Точкин

Демократия спотыкается на каждом шагу по дороге к правильному решению, вместо того чтобы прямо и без запинок идти в тупик.

Лоренс Питер

Демократия — нахождение приближенных решений неразрешимых задач.

Рейнхольд Нибур

Демократия предполагает, что заурядные люди обладают совершенно незаурядными способностями.

У. Форстер

Демократия — это теория, согласно которой простые люди знают, чего хотят, и должны получить это без всякого снисхождения.

Генри Луис Менкен

Демократия — слишком хорошая вещь, чтобы делить ее с кем бы то ни было.

Найджел Рис

Демократия не может стать выше уровня того человеческого материала, из которого составлены ее избиратели.

Джордж Бернард Шоу

Демократия — это периодически возобновляемое допущение, что большая половина граждан права в течение большей половины времени.

Э. Б. Уайт

Демократия — это форма правления, при которой каждый получает то, чего заслуживает большинство.

Джеймс Дейл Дэвидсон

Полная демократия: нет человека настолько незначительного, чтобы он не мог навредить другому.

Габриэль Лауб

Демократия — это когда власти уже не назначаются горсткой развращенных, а выбираются невежественным большинством.

Джордж Бернард Шоу

Если мужик может стать королем, не думай, что в королевстве уже демократия.

Вудро Вильсон

При демократии одна партия все свои силы тратит на то, чтобы доказать, что другая неспособна управлять страной, — и обычно обеим удается то и другое.

Генри Луис Менкен

Демократия — всего лишь мечта, как Аркадия, Санта-Клаус и рай.

Генри Луис Менкен

Демократия есть одурачивание народа при помощи народа ради блага народа.

Оскар Уайльд

Демократия есть искусство управления цирком изнутри обезьяньей клетки.

Генри Луис Менкен

Демократия — это режим, при котором можно говорить все, что думаешь, даже если ты ничего не думаешь.

Лоренс Питер

Демократия: говоришь, что хочешь, делаешь, что велят.

Джон Берри

Демократия — это прежде всего процедура.

Английское изречение

Демократия ведет счет по головам, вместо того чтобы бить по ним.

Лоренс Питер

При демократии дураки имеют право голосовать, при диктатуре — править.

Бертран Рассел

Демократия не значит: «Я так же хорош, как и вы»; демократия значит: «Вы так же хороши, как и я».

Теодор Паркер

Равенство — сущность демократии и наибольшая угроза для демократии.

Михал Комар

Демократия — это лучший способ закрепить неравенство.

Геннадий Малкин

Демократия — политическая система, при которой каждый имеет право быть своим собственным угнетателем.

Джеймс Рассел Лоуэлл

Из демократии рождается тирания.

Платон

Лучшее лекарство от болезней демократии — больше демократии.

Алфред Э. Смит

Сказать, что лучшее лекарство от болезней демократии — больше демократии, все равно что сказать: лучшее лекарство от преступности — больше преступлений.

Генри Луис Менкен

Способность людей устанавливать законы делает демократию возможной, а склонность людей обходить законы делает демократию необходимой.

Рейнхольд Нибур

Ничто так не способствует развитию демократии, как ее отсутствие.

Михаил Генин

Демократия умирает не из-за слабости законов, а из-за слабости демократов.

Видоизмененный
Дитер Латтман

В демократии честный политик может быть терпим, только если он очень глуп. Ибо лишь очень глупый человек может искренне разделять предрассудки большей половины нации.

Бертран Рассел

Самый популярный человек в демократии — не самый демократический, а самый деспотический человек.

Генри Луис Менкен

Демократия правит плохо, зато мало.

Анатоль Франс

ДЕНЬ РОЖДЕНИЯ. ИМЕНИНЫ

См. также «Гости. Гостеприимство», «Подарки»

Что сделать с человеком, который первым стал праздновать день рождения? Убить — мало.

Марк Твен

Только дурак может праздновать годы приближения смерти.

Джордж Бернард Шоу

Средний возраст: когда все, что вы хотите получить в день рождения, — это чтобы вам не напоминали о нем.

NN

Память — это то, что подсказывает нам, что вчера был день рождения нашей жены.

Марио Рокко

Самый надежный способ запомнить день рождения жены — забыть его хотя бы однажды.

Джозеф Коссман

Хороший муж никогда не помнит возраст своей жены, но всегда помнит ее день рождения.

Жак Одиберти

Хуже нет, чем стареть в одиночку. Моя жена уже седьмой год не отмечает свой день рождения.

Роберт Орбен

Именины устраиваются для того, чтобы наши знакомые могли избавиться от ненужных вещей, которые они получили на собственные именины.

NN

Такт: умение сообщить гостям, что день рождения уже четыре часа как закончился.

Янина Ипохорская

Дни рождения — вещь приятная, но в больших дозах смертельная.

NN

ДЕНЬГИ

См. также «Бедность», «Богатство», «Инфляция», «Любовь и деньги», «Политика и деньги»

Человеку не нужно ничего сверх того, что ему дала природа. За исключением денег.

Юзеф Бестер

Деньги — это чеканенная свобода.

NN

Деньги не имеют значения — пока они у вас есть.

Джонни Миллер

Деньги нужны даже для того, чтобы без них обходиться.

Оноре Бальзак

Деньги, конечно, не панацея, но очень хорошо помогают против бедности.

NN

Деньги — очень полезная штука. Они позволяют не делать того, чего ты не любишь делать, а я не люблю делать почти ничего.

Граучо Маркс

Деньги — это праздник, который всегда с тобой.

Александр Нилин

Если у вас нет денег, вы все время думаете о деньгах. Если у вас есть деньги, вы думаете уже только о деньгах.

Пол Гетти

Деньги стоят слишком дорого.

Ралф Эмерсон

Деньги не пахнут.

Император Веспасиан,
обложивший налогом
общественные отхожие места

Деньги не пахнут, потому что их отмывают.

Юрий Беляйчев

Деньги неудобны лишь тем, что их нельзя использовать больше одного раза.

NN

Деньги рождают деньги.

Томас Фуллер

Человек может долго жить на деньги, которых ждет.

Уильям Фолкнер

О жизни и деньгах начинают думать, когда они приходят к концу.

Эмиль Кроткий

За деньги нельзя купить друзей, но можно завязать немало интересных знакомств.

NN

Чем больше у тебя денег, тем больше знакомых, с которыми ничто тебя не связывает, кроме денег.

Теннесси Уильямс

Когда человек говорит, что деньги могут все, знайте: у него их нет и никогда не было.

Эдгар Хау

Есть вещи важнее денег, но без денег эти вещи не купишь.

Проспер Мериме

Не следует говорить о деньгах с людьми, у которых их гораздо больше, чем у тебя, или гораздо меньше.

Кэтрин Уайтхорн

Если известно, о чем идет речь, то все ясно. Если не известно, о чем идет речь, то речь идет о деньгах.

NN

Нельзя иметь все сразу, поэтому начни с малого — с денег.

Видоизмененный
Януш Васильковский

Лучше полезть в карман за словом, чем за деньгами.

Владимир Брынцалов, миллионер

Деньги приносят малую толику счастья. Но потом они уже приносят только еще больше денег.

Нейл Саймон

Если ты несчастлив, лучше плакать в такси, чем в трамвае.

Марсель Райх-Раницкий

Многие потеряли здоровье, пытаясь заработать все деньги, которые можно заработать; а потом потеряли все деньги, пытаясь вернуть здоровье.

NN

Деньги должны оборачиваться. Чем быстрее тратишь, тем больше получаешь.

Петр Капица

Считать деньги в чужом кармане нехорошо, но интересно.

Леонид Крайнов-Рытов

Деньги — лучший подарок. Все остальное стоит слишком дорого.

NN

Если деньги — все, что вам нужно, то это все, что вы получите.

NN

ДЕСЯТЬ ЗАПОВЕДЕЙ

См. также «Грех», «Добро и зло», «Нравственность. Этика. Мораль»

Моисей: изобретатель десяти наиболее часто нарушаемых законов.

Леонард Луис Левинсон

Десять заповедей лишь потому так лаконичны, ясны и понятны, что были написаны без помощи советников и экспертов.

Шарль де Голль

Если бы Бог был либералом, вместо десяти заповедей мы имели бы десять предложений.

Малколм Брэдбери

На каждом шагу надписи: «Не плевать!», «Не сорить!», «Не шуметь», «Не ехать по левой стороне!» Не видел я только надписи: «Не убивать!» А может, подействовало бы?

Станислав Ежи Лец

С тех пор как десять заповедей появились в печати, каждый знает, какие у него возможности.

Владислав Катажиньский

Только десять заповедей, а какой репертуар грехов!

Юлиуш Вонтроба

Ад — место, где десять заповедей преследуются по закону.

Генри Луис Менкен

ДЕСЯТЬ заповедей даны для того, чтобы выбрать из них несколько и следовать им.

«Пшекруй»

Что бы ни говорили о десяти заповедях, утешительно сознавать, что их только десять.

Генри Луис Менкен

Если вы не испытываете желания преступить хоть одну из десяти заповедей, значит, с вами что-то не так.

Гилберт Честертон

Если бы каждый следовал десяти заповедям, было бы просто не о чем говорить.

NN

В наше время место десяти заповедей заняли правила дорожного движения — и нарушают их так же часто.

Илона Бодден

ДЕТИ И РОДИТЕЛИ

См. также «Воспитание детей», «Мать», «Наследственность», «Отцы и дети», «Пример»

Ребенок рождает родителей.

Станислав Ежи Лец

Родители — настолько простые устройства, что ими могут управлять даже дети.

NN

Родители — это кость, на которой дети точат свои зубы.

Питер Устинов

Родители: то, что дети изнашивают быстрее, чем ботинки.

NN

Родитель: должность, требующая бесконечного терпения, чтобы ее исполнять, и не требующая никакого терпения, чтобы ее получить.

Леонард Луис Левинсон

Вот уж кому не следовало бы иметь детей, так это родителям.

Сэмюэл Батлер

Родители достаются нам, когда они уже слишком стары, чтобы исправить их дурные привычки.

NN

Большинство из нас становятся родителями, еще не перестав быть детьми.

Миньон Маклофлин

Первую половину жизни нам отравляют родители, вторую — дети.

Кларенс Дарроу

Если бы только родители могли себе представить, как они надоедают своим детям!

Джордж Бернард Шоу

Мужчины любят женщин, женщины любят детей, дети любят хомячков, хомячки никого не любят.

Эйлис Эллис

Честный ребенок любит не папу с мамой, а трубочки с кремом.

Дон-Аминадо

Мы слишком сильно любим своих детей и слишком мало — своих родителей.

Альфред Конар

Мы всегда выдумываем наших детей.

Вальдемар Лысяк

Когда имеешь дело с пятилетним ребенком, главная опасность заключается в том, что очень скоро сама начинаешь говорить как пятилетняя.

Джин Керр

Дети редко перевирают наши слова. Они удивительно точно повторяют все то, чего нам не следовало говорить.

NN

Травить детей — это жестоко. Но ведь что-нибудь надо же с ними делать!

Даниил Хармс

Ни один ребенок не может опозорить родителей так, как родитель — ребенка.

Ян Курчаб

Он никогда не был любимчиком у своей матери — а был он единственным ребенком в семье.

Томас Бергер

Дети позорят нас, когда на людях ведут себя так, как мы ведем себя дома.

NN

Дети всегда старше родителей: возраст отцов приплюсован к их возрасту.

Борис Парамонов

Любопытно: с каждым поколением дети все хуже, а родители все лучше; отсюда следует, что из все более плохих детей вырастают все более хорошие родители.

Веслав Брудзиньский

Брак — это многолетний героический труд отца и матери, поднимающих на ноги своих детей.

Джордж Бернард Шоу

Непросто поставить детей на ноги — особенно ранним утром.

NN

Когда ребенок подрос, для родителей самое время научиться стоять на собственных ногах.

Франсис Хоуп

Сходи посмотри, что там делает эта малышка, и вели ей немедленно перестать.

Журнал «Панч», 1872 год

Небьющаяся игрушка — это игрушка, которой ребенок может разбить все свои остальные игрушки.

Бейтс Каунти

Дьявольское отродье — это ребенок, который ведет себя, как ваш собственный, но родился в семье соседа.

NN

Даже дьявол у себя в аду хотел бы иметь вежливых и послушных ангелочков.

Владислав Гжегорчик

С этим мальчиком будьте поласковее: вы имеете дело с крайне чувствительным, легко возбудимым гаденышем.

«L. & N. Magazin»

Каждый сынишка относится к разряду тех мальчиков, с которыми мать запрещает ему играть.

NN

Если ребенок вдруг стал послушным, мать пугается не на шутку — уж не помирать ли он собрался.

Ралф Эмерсон

Когда малыш дома, у матери от него болит шея; а когда он на улице, у нее болит сердце.

NN

С мальчиками вечно беда. Одни еле двигаются, так что хочется плакать; другие настолько шустры, что ты действительно плачешь.

NN

Слишком послушные сыновья никогда не достигают многого.

Абрахам Брилл

По-настоящему начинаешь беспокоиться за своего мальчика лишь тогда, когда он, уходя, закрывает за собой дверь совершенно бесшумно.

NN

Нет двух одинаковых детей — особенно если один из них ваш.

NN

Ребенок — единственная вещь в доме, которую приходится стирать вручную.

NN

У детей деньги бывают чаще, чем у родителей, потому что у детей есть родители, а у родителей, как правило, родителей уже нет.

Хенрик Ягодзиньский

Если вы хотите научить своих детей воровать, заставьте их подольше выпрашивать все, что вы им даете.

Генри Уилер Шоу

Когда до моих родителей наконец дошло, что меня похитили, они не медлили ни минуты и сразу же сдали внаем мою комнату.

Вуди Аллен

Статистика разводов показывает, что родители убегают из дома гораздо чаще, чем дети.

NN

Брошенные дети часто живут с родителями.

NN

Дети всего внимательнее слушают тогда, когда говорят не с ними.

Элеонора Рузвельт

Учи своих детей молчать. Говорить они научатся сами.

Бенджамин Франклин

Преимущество большой семьи заключается в том, что по крайней мере один ребенок, возможно, не пойдет по стопам остальных.

NN

Все в этом мире уравновешивается. Возможно, у других дела идут лучше, чем у нас, зато их дети намного хуже.

NN

ДЕТСТВО

См. также «Подростки»

Когда кругом все удивительно, ничто не вызывает удивления; это и есть детство.

Антуан де Ривароль

Чудеса случаются только в детстве.

Владислав Гжегорчик

От пятилетнего ребенка до меня только шаг. От новорожденного до меня страшное расстояние.

Лев Толстой

Младенец: громкий шум на одном конце и никакого чувства ответственности на другом.

Приписывается Роналду Арбатнотту Ноксу

Громче всего человек кричит о себе, когда он в пеленках; потом понемногу сбавляет тон.

Хораций Сафрин

Забавы взрослых называются делом, у детей они тоже дело.

Августин Блаженный

Плоды для нас вкуснее всего, когда они на исходе; дети красивей всего, когда кончается детство.

Сенека

Детство — счастливейшие годы жизни, но только не для детей.

Майкл Муркок

Детство — это свет в начале туннеля.

Дмитрий Пашков

Дети — наше утешение в старости, и помогают быстрее ее достичь.

Лайонел Кауфман

У детей нет ни прошлого, ни будущего, зато, в отличие от нас, взрослых, они умеют пользоваться настоящим.

Жан Лабрюйер

Дети дерзки, привередливы, вспыльчивы, завистливы, любопытны, своекорыстны, ленивы, легкомысленны, трусливы, невоздержанны, лживы и скрытны; они легко разражаются смехом или слезами, по пустякам предаются неумеренной радости или горькой печали, не выносят боли и любят ее причинять, — они уже люди.

Жан Лабрюйер

Детей нет, есть люди.

Януш Корчак

Не удивительно, что люди так ужасны, если им приходится начинать жизнь детьми.

Кингсли Эмис

Мальчик кричит: «Нельзя! Двое на одного!» Он ведь не знает, что только так и будет.

Рамон Гомес де ла Серна

Каждый ребенок — художник. Трудность в том, чтобы остаться художником, выйдя из детского возраста.

Пабло Пикассо

Кому он нужен — такой младенец, устами которого глаголет истина?

Леонид Леонидов

Любовь — последняя и самая тяжелая детская болезнь.

NN

Взрослые — это состарившиеся дети.

Теодор Сус Гайзел

Смог бы мальчик, которым вы были, гордиться таким мужчиной, как вы?

Лоренс Питер

Вырастая, мы чаще всего становимся теми самыми мужчинами, от которых мать велела нам держаться подальше.

Брендан Франсис

Когда ребенок вырастает, он многое перестает понимать.

Александр Кулич

Юноша становится взрослым, когда он наконец понимает, что взрослых не существует.

Жильбер Сесброн

Трудное детство никогда не кончается.

Ежи Урбан

ДЖЕНТЛЬМЕНЫ

См. также «Благородство. Великодушие», «Леди», «Манеры. Воспитанность. Этикет»

Джентльмен — это человек, который никогда не оскорбит ближнего непреднамеренно.

Оскар Уайльд

Джентльмен — это человек, обладающий всеми качествами святого, кроме святости.

Хью Кингсмилл

Джентльмен — это тот, кто остается джентльменом, даже имея дело с неджентльменом.

«Пшекруй»

Джентльмен — это человек, совершающий поступки, недостойные джентльмена, но так, как это может сделать только джентльмен.

Б. Честер

Джентльмен — мужчина, который поднимает платочек, уроненный девушкой, даже если девушка не слишком красива.

NN

Джентльмен, пригласив к себе девушку, чтобы показать ей коллекцию марок, показывает ей коллекцию марок.

NN

Джентльмен — это человек, который говорит правду по меньшей мере в тридцати случаях из ста.

Генри Луис Менкен

Если джентльмен расходится с правдой, он приподнимает шляпу.

«Пшекруй»

Джентльмен должен уметь описать красоту Лоллобриджиды, не описывая руками дуг.

Мариан Эйле

Джентльмен никогда не ест. Он только завтракает, обедает и ужинает.

Коул Портер

Джентльмены не говорят о деньгах — джентльмены имеют деньги.

NN

Он не джентльмен — он одевается слишком хорошо.

Бертран Рассел о британском премьер-министре Антони Идене

Джентльмен — мужчина, которого ты еще не узнала как следует.

Ядвига Рутковская

Джентльмен — не более чем терпеливый волк.

Хенриетта Тайаркс

Джентльмен никогда не ударит женщину без повода.

Генри Луис Менкен

Джентльмен никогда не ударит женщину, не сняв шляпу.

Фред Аллен

Джентльмен никогда не ударит свою жену в присутствии леди.

NN

Рыцарство — благороднейшее свойство мужчины, проявляющееся в его отношениях с женщиной, которая ему не жена.

NN

Джентльмен всегда уступит даме, если вопрос не касается женитьбы.

Геннадий Малкин

Настоящий джентльмен — это человек, который с вами приветлив и вежлив, даже если ничего вам не продает.

NN

Настоящий джентльмен — это человек, который может играть на волынке, но не играет.

Томас Бичем

Человек, утверждающий, что он знает женщин, — не джентльмен.

Джордж Бернард Шоу

Это такая грязная работа, что ее должны выполнять джентльмены.

Премьер-министр Польши
Тадеуш Мазовецкий —
кандидату на пост
замминистра внутренних дел

Джентльмены предпочитают блондинок, но женятся на брюнетках.

Анита Лус

Джентльмены предпочитают блондинок, особенно если они женаты на брюнетках.

NN

Бог — джентльмен. Он благосклонен к блондинкам.

Джо Ортон

Джентльмены предпочитают облигации.

Эндрю Меллон, финансист

Истинный джентльмен, как бы он ни был беден, никогда не унизится до какой-либо полезной работы.

Джордж Майкс

Единственное безусловное правило состоит в том, что человек, постоянно рассуждающий о джентльменстве, наверняка не является джентльменом.

Роберт Сертиз

ДИАГНОЗ

См. также «Болезни», «Врачи»

Одна из самых распространенных болезней — ставить диагноз.

Карл Краус

Мы не знаем, для чего мы живем; а врачи к тому же не знают, от чего мы умираем.

Хенрик Ягодзиньский

Наши болезни все те же, что и тысячи лет назад, но врачи подыскали им более дорогие названия.

NN

Это выдающийся врач: он выдумал несколько болезней и даже сумел широко их распространить.

Станислав Ежи Лец

Если врач знает название вашей болезни, это еще не значит, что он знает, что это такое.

Артур Блох

Врач из хорошего общества для каждого своего пациента изобретает особую болезнь.

Элиас Канетти

Медицина — это искусство делать выводы о симптомах болезни на основании причин смерти.

Эжен Ионеско

Легче бывает поставить больного на ноги, чем поставить диагноз.

Тадеуш Гицгер

Объявление в приемной врача: «Просим пациентов не обмениваться симптомами. Это очень затрудняет диагноз».

NN

Диагностика достигла таких успехов, что здоровых людей практически не осталось.

Бертран Рассел

Скептик: человек, способный прочитать статью о новой болезни и не найти у себя ни одного симптома этой болезни.

NN

Время — лучший врач и всегда патологоанатом.

Геннадий Малкин

Смерть причину найдет.

Латинская пословица

Умрешь ты не потому, что хвораешь, а потому, что живешь.

Сенека

ДИЕТА И ЛИШНИЙ ВЕС

См. также «Еда»

Тело — багаж, который несешь всю жизнь. Чем он тяжелее, тем короче путешествие.

Арнолд Глазгоу

Толстяки живут меньше. Но едят дольше.

Станислав Ежи Лец

Толстяку можно доверять — он просто не способен унизиться.

NN

Треть американцев хочет похудеть, треть — прибавить в весе, а треть еще не взвешивалась.

Джон Стейнбек

Чтобы быстро похудеть, надо стать полненькой.

Геннадий Малкин

Нет толстых женщин, но у некоторых женщин недостаточный рост для их веса.

NN

Ну конечно, я располнела! После рождения я весила только 3 кг!

«Пшекруй»

Когда ты наконец весишь ровно столько, сколько тебе хотелось бы весить, — хочется разместить этот вес по-другому.

Янина Ипохорская

Хорошего человека не может быть слишком много.

NN

Одни садятся на диету, чтобы сохранить стройную фигуру, другие — чтобы сохранить стройного мужа.

Жанна Голоногова

Моя жена стала ходить к диетологу и за два месяца сбросила 300 долларов.

Роберт Орбен

Я сидел на диете 14 дней и потерял всего две недели.

Тоти Филдс

Она села на диету и вскоре заметила, что стала дольше жить.

Владимир Терентьев

Я не собираюсь уморить себя голодом ради того, чтобы прожить чуть-чуть дольше.

Айрин Питер

Хороших диет не бывает.

Надин де Ротшильд

Никогда не ешь больше, чем можешь поднять.

Генри Бирд

Что бы еще такое съесть, чтобы похудеть?

NN

Женщин напрасно считают пустыми. В этом нас убеждает стрелка домашних весов.

«Пшекруй»

Нынешние женщины скрывают вес, а не возраст.

Ратмир Тумановский

Честная женщина — это женщина, которая никогда не лжет, если, разумеется, речь не идет о ее возрасте, ее весе и заработках ее мужа.

NN

Взгляд одной женщины на другую напоминает контроль багажа на таможне.

Янина Ипохорская

Если женщина весит 140 фунтов, самое большое для нее удовольствие — увидеть женщину, которая весит 150.

Хелен Роуленд

Все, что мне нравится, либо противозаконно, либо безнравственно, либо ведет к ожирению.

Александр Вулкотт

Чтобы по-настоящему похудеть, достаточно отказаться от трех вещей — завтрака, обеда и ужина.

Франк Ллойд Райт

Если хочешь похудеть, ешь все, но ничего не глотай.

Гарри Сиком

Лучший способ сбросить вес — есть сколько хочется того, чего вы терпеть не можете.

NN

Если хочешь выглядеть молодой и стройной, держись поближе к старым и толстым.

Джим Исон

Массаж — лучшее средство похудеть, особенно для массажиста.

NN

Девичью фигуру легче всего сохранить в памяти.

Жанна Голоногова

Людей без лишнего веса больше всего на кладбище.

Биверли Силлз

ДИПЛОМАТИЯ

См. также «Внешняя политика»,
«Мир. Миротворчество», «Переговоры»

Дипломатия — это вопрос выживания в будущем столетии. Политика — вопрос выживания до следующей пятницы.

Джонатан Линн и Энтони Джей

Дипломатия есть искусство обуздывать силу.

Генри Киссинджер

Всякая дипломатия есть продолжение войны другими средствами.

Чжоу Эньлай

Там, где кончается дипломатия, начинается война.

Поливиос Димитракопулос

Дипломатия — патриотическое искусство лгать ради блага своей родины.

Амброз Бирс

Дипломатия есть не что иное, как полиция в парадной форме.

Пьер Буаст

Дипломат — человек, умеющий скрыть больше, чем знает.

Геннадий Малкин

Дипломат: человек, который дважды подумает, прежде чем ничего не сказать.

Алекс Дрейер

Дипломат всегда знает, что спросить, когда не знает, что ответить.

Константин Мелихан

Хороший дипломат всегда помнит, что он должен забыть.

Гарольд Макмиллан

Если дипломат говорит «да», это значит: «может быть»; если он говорит «может быть», это значит «нет»; а если он говорит «нет», значит, он не дипломат.

NN

Профессия дипломата сродни профессии фокусника. Обоим необходимы высокие котелки, и спрятанные там сюрпризы все до единого известны остальным дипломатам и фокусникам.

Уилл Роджерс

На следующей неделе не может быть никакого кризиса. Календарь моих встреч уже целиком заполнен.

Генри Киссинджер

Не признавая кого-либо де-юре, мы тем самым признаем его де-факто.

Хуго Штейнхаус

Самым прочным элементом международных соглашений по-прежнему остается бумага.

Питер Устинов

ДИРЕКТОР

См. также «Секретарша»,
«Начальники и подчиненные»

Директор знает, начальник умеет, референт делает.

Болеслав Пашковский

Директор — такой же человек, как все остальные, только он об этом не знает.

Реймонд Чандлер

Вечеринка в офисе не означает, как думают некоторые, что директор получает возможность поцеловать девушку, разносящую чай. Напротив: это девушка, разносящая чай, получает шанс поцеловать директора (сколь ни странно это желание для каждого, кто видел директора близко).

Кэтрин Уайтхорн

— Директор на минуту вышел. Позвоните через час.

Эмиль Кроткий

Нельзя вечно поддакивать. Если директор говорит «нет», ты тоже решительно скажи «нет!».

«Пшекруй»

Если директор сказал: «Мы с вами, по всей вероятности, не сработаемся»,— постарайтесь уговорить его не оставлять свой пост.

Марк Богуславский

ДИССЕРТАЦИЯ И УЧЕНАЯ СТЕПЕНЬ

См. также «Научная работа. Научные публикации»,
«Ученые»

Нельзя останавливаться на достигнутом — надо делать из него диссертацию.

Геннадий Костовецкий
и Олег Попов

Диссертация среднего доктора философии есть не что иное, как перетаскивание костей с одного кладбища на другое.

Джеймс Франк Доуби

Ученые диссертации, имеющие двух оппонентов и ни одного читателя.

Василий Ключевский

Инквизиция: учреждение, некогда занимавшееся аттестацией научных сотрудников (Гал. Галилей, Дж. Бруно и др.).

Максим Звонарев

Ученый совет: корпорация, к которой перешли функции инквизиции по аттестации научных сотрудников. Подобно инквизиции, избегает пролития крови. Все прочие традиции инквизиционного процесса также бережно сохраняются.

Максим Звонарев

Тема диссертации: «Человек в истории человечества».

Станислав Ежи Лец

Исторические диссертации — навоз историографии.

М. Путинковский

Ученое звание? Гомо сапиенс.

Видоизмененный
Григорий Яблонский

Защитив диссертацию, можно подумать и о науке.

Болеслав Вольтер

Не пора ли защищать науку от тех, кто защитил диссертацию?

Михаил Френкель

ДНЕВНИК

Дневник — подневная запись тех поступков и мыслей, о которых записывающий может вспомнить не краснея.

Амброз Бирс

Если вам понадобится подвергнуть молодого человека тяжелому и мучительному наказанию, возьмите с него слово, что он в течение года будет вести дневник.

Марк Твен

Хорошие девушки ведут дневники; у плохих девушек на это нет времени.

Таллула Банкхед

Я никогда не путешествую без своего дневника, ведь нужно иметь под рукой что-нибудь сенсационное для чтения в поезде.

Оскар Уайльд

Удивительно, сколько всего случается, если вести дневник каждый день; а если пропустишь месяц, кажется, не было ничего, о чем стоит писать.

О. Дуглас

Человек, который ведет дневник, многое делает лишь для того, чтобы было что записать.

Кристиан Фридрих Геббель

Вести дневник, всматриваться в самого себя, — верный способ исказить себя до неузнаваемости.

Поль Клодель

Он не закончил своего дневника. Он довел его лишь до момента своей смерти.

Станислав Ежи Лец

ДОБРО И ЗЛО

См. также «Грех», «Десять заповедей», «Нравственность. Этика. Мораль»

Когда в Поднебесной узнали, что красота — это красота, появилось и уродство. Когда узнали, что добро — это добро, появилось и зло.

Лао-цзы

Количество добра в природе равняется количеству зла.

Жан Батист Робинэ

Половина следствий хороших намерений оказывается злом. Половина следствий дурных намерений оказывается добром.

Марк Твен

Ты должен делать добро из зла, потому что его больше не из чего делать.

Роберт Пенн Уоренн

Добро существует там, где его постоянно творят.

Владислав Гжещик

Обратная сторона хорошего — дурное; замечательно, что такова же и обратная сторона дурного.

Григорий Ландау

Что бы делало твое добро, если бы не существовало зла?

Воланд
в «Мастере и Маргарите»
Михаила Булгакова

И не делать ли нам зло, чтобы вышло добро, как некоторые злословят на нас и говорят, будто мы так учим?

Апостол Павел —
Послание к римлянам, 3, 8

Если бы добра на свете было так мало, как говорят, зло не бросалось бы так ярко в глаза.

Владислав Гжещик

Доброго, которого хочу, не делаю, а злое, которого не хочу, делаю.

Апостол Павел —
Послание к римлянам, 7, 19

Зло никогда не спит, и к тому же часто просыпается.

Владислав Гжещик

Зло, как правило, мстит за себя, но добро не обязательно вознаграждается. Зло гораздо последовательнее.

Кароль Ижиковский

А Я говорю вам: не противься злому. Но кто ударит тебя в правую щеку твою, обрати к нему и другую.

Евангелие от Матфея, 5, 39

Не будь побежден злом, но побеждай зло добром.

Апостол Павел —
Послание к римлянам, 12, 21

Люди всегда дурны, пока их не принудит к добру необходимость.

Никколо Макиавелли

Добро должно быть с кулаками.

Станислав Куняев

Добро должно быть с кулаками — если у него нет более современного оружия.

Валерий Серегин

Дай кулаки добру, так зло сразу же объявит себя добром.

Владимир Голобородько

Добро по указу — не добро.

Иван Тургенев

Никогда не приписывай человеческой зловредности того, что можно объяснить глупостью.

«Бритва Ханлона»

Кто не замечает зла — глуп, кто не замечает добра — несчастен.

Ежи Плудовский

Будем учиться — может быть, после смерти из нас вырастет древо познания добра и зла.

Станислав Ежи Лец

В чем заключается добродетель? В целомудрии? Нет, отвечу я, потому что вымер бы род человеческий. В брачном сожительстве? Нет, в воздержании больше добродетели. В том, чтобы не убивать? Нет, потому что нарушился бы всякий порядок и злодеи поубивали бы праведных. В том, чтобы убивать? Нет, убийство уничтожает живую тварь. Наша истина и наше добро только отчасти истина и добро, и они запятнаны злом и ложью.

Блез Паскаль

Граница между светом и тенью — ты.

Станислав Ежи Лец

ДОБРЫЕ ДЕЛА

См. также «Альтруизм — эгоизм», «Благотворительность», «Любовь к ближнему»

Ни одного дня без доброго дела!

Роберт Баден-Поуэлл (лозунг скаутского движения)

Ни одно доброе дело не остается безнаказанным.

Томас Брукс

Лучший способ не делать дурного — делать благое, потому что в этом мире нет ничего труднее, чем пытаться вовсе ничего не делать.

Джон Клэр

Легче зажечь одну маленькую свечу, чем клясть темноту.

Конфуций

Мы хорошо помним добрые дела, особенно свои собственные.

NN

Чтобы поверить в добро, надо начать делать его.

Лев Толстой

Делать добро легче, чем быть добрым.

Жорж Вольфром

Не упускайте случая делать добро — если это не грозит вам большим ущербом. Не упускайте случая выпить — ни при каких обстоятельствах.

Марк Твен

Ради денег Мирабо готов на все — даже на доброе дело.

Антуан де Ривароль

«Прежде чем умереть, я бы хотел сделать что-то большое и чистое». — «Тогда пойдите и вымойте слона».

Джон Б. Мортон

ДОВЕРИЕ И НЕДОВЕРИЕ

Доверие рождает доверие.

Мориц Фердинанд Шмальц

Доверяй лишь тем, кто может потерять столько же, сколько ты сам.

«Правило Брейлека»

Умные люди знают, что можно верить лишь половине того, что нам говорят. Но только очень умные знают, какой именно половине.

«Пшекруй»

Человеку надо верить, даже когда он говорит правду.

Борис Крутиер

Если бы люди не верили друг другу, им пришлось бы жить по средствам.

Герберт Прокноу

Тех, кому верят, проверяют те, кому доверяют.

Юрий Мезенко

Доверие нужно завоевать, доверенных можно купить.

Веслав Чермак-Новина

На человека можно рассчитывать, начиная от определенной суммы.

Мечислав Шарган

Мы не доверяем людям либо потому, что не знаем их, либо потому, что знаем их чересчур хорошо.

NN

Он уже знал себя достаточно хорошо, чтобы не доверять другим.

Веслав Малицкий

Доверчивость — мать недоверия.

Адриан Декурсель

Кто начинает с того, что всем верит, кончает тем, что каждого считает плутом.

Кристиан Фридрих Геббель

Основная добродетель гражданина есть недоверие.

Максимилиан Робеспьер

Здоровое недоверие — хорошая основа для совместной работы.

Иосиф Сталин

Недоверчивость — мудрость дурака.

Джордж Бернард Шоу

Недоверие есть проявление робости.

Поль Клодель

Недоверие как метод выигрывает; недоверие как принцип проигрывает.

Тадеуш Бохеньский

Рыба, которая в каждом червяке видит крючок, долго не проживет.

Збигнев Холодюк

Никогда не верь первому встречному, например, самому себе.

Януш Васильковский

Доверяй слову больше, чем бумаге! А бумаге — больше, чем человеку!

Михаил Генин

Не доверяй тому, кто сам никому не доверяет.

Артуро Граф

ДОГМА. ДОГМАТИЗМ

Догма — это попытка создать палку об одном конце.

Данил Рудый

Старую догму не выучишь новым трюкам.

Дороти Паркер

Догма есть не что иное, как прямой запрет мыслить.

Людвиг Фейербах

Если в этих книгах говорится то же, что в Коране, они излишни; а если другое — они вредны.

Так будто бы сказал халиф
Омар, приказывая сжечь свитки
Александрийской библиотеки

Тоталитарное государство устанавливает неопровержимые догмы и меняет их со дня на день.

Джордж Оруэлл

Догматизм есть цельность духа; творящий — всегда догматичен, всегда дерзновенно избирающий и творящий избранное.

Николай Бердяев

Все творцы — догматики, образ и подобие Единого Творца — Догматика. Творчество и есть позитивный догматизм. Отрицательный же критицизм есть иссякание творчества.

Николай Бердяев

ДОКЛАД

См. также «Совещания и комитеты»

Доклад — это кратчайшее расстояние между двумя цитатами.

Эмиль Кроткий

Докладчик: человек, разговаривающий в чужих снах.

Уистен Хью Оден
в версии Янины Ипохорской

От недомолвок докладчик перешел прямо к намекам.

Александр Коротко

Дуракам нельзя давать делать доклады! Дураки должны выступать в прениях!

Виктор Ардов

ДОЛГ. ЧУВСТВО ДОЛГА

См. также «Удовольствие и обязанность»

Кто делает то, что может, делает то, что должен.

Мадлен де Скюдери

Долг — это то, чего в эту минуту не сделает никто, кроме вас.

Пенелопа Фицджеральд

Долг — это то, о чем думаешь с отвращением, делаешь с неохотой и чем потом долго хвалишься.

Неизвестный американец

Долг — это уважение к праву другого.

Иммануил Кант

Наш долг — это право, которое другие имеют на нас.

Фридрих Ницше

Когда человеку действительно стыдно того, что он сделал, он говорит, что это было его долгом.

Клод Верморель

Долг: все то, что наводит на нас скуку.

«Пшекруй»

Чувство долга — это как раз то, что мы хотим видеть в других.

Оскар Уайльд

На его лице выражалось спокойствие духа, вытекавшее из чувства неисполненного долга.

Хуго Штейнхаус
в уточненной редакции

Чаще всего забывают свой долг и свой зонтик.

Пьер Верон

Первый долг женщины — это угождать своей портнихе; в чем состоит ее второй долг, еще не открыто.

Оскар Уайльд

ДОЛГОЛЕТИЕ. ДОЛГОЖИТЕЛИ

См. также «Юбилей»

Чтобы стать долгожителем, нужно тщательно выбирать своих предков.

Бертран Рассел

Чтобы стать долгожителем, нужна уйма времени.

М. Вайсберг

Ничто так не приближает человека к смерти, как долголетие.

Дон-Аминадо

Женщины живут дольше мужчин, особенно вдовы.

Жорж Клемансо

До девяноста доживают только представители старшего поколения. У молодого силенки уже не те.

Янина Ипохорская

Своим здоровьем и долголетием я обязан тому, что я ни разу не прикоснулся ни к сигарете, ни к рюмке, ни к женщине, пока мне не стукнуло десять.

Джордж Мур

Если ты доживешь до ста лет, кто из твоих сверстников позавидует тебе?

Андрей Петрилин

Знай я, что доживу до такого возраста, я бы больше следил за собой.

Юби Блейк
в день своего столетия

Я не знал никого, кто дожил бы до ста лет и был бы интересен чем-либо еще, кроме этого.

Генри Уилер Шоу

И пьющие доживают до 120 лет. Но разве это жизнь?

Данил Рудый

Сын мой, не будем ставить пределов милосердию Божию!

Римский папа Лев XIII, в ответ
на пожелание ста лет жизни

Мафусаил жил 969 лет, но в 600 лет выглядел так молодо, что никто не давал ему больше 350-ти.

Альфред Сови

Мафусаил жил 969 лет. Вы, дорогие мальчики и девочки, в следующие десять лет увидите больше, чем видел Мафусаил за всю свою жизнь.

Марк Твен

Переживает других тот, кто не переживает из-за других.

Дмитрий Пашков

Каждый хочет жить долго, но никто не хочет стареть.

Джонатан Свифт; по другим источникам — Пьер Буаст

Часть американской мечты: жить долго и умереть молодым.

Эдгар Фрайденберг

Умеренность необходима во всем. Слишком много лет жизни вредит.

Генри Луис Менкен

Не пытайтесь жить вечно, у вас ничего не выйдет.

Джордж Бернард Шоу

Долго жить невыгодно.

«Коммерсантъ—Деньги»

ДОЛЖНОСТЬ

См. также «Начальство и подчиненные», «Кадровая политика», «Увольнение и отставка», «Чиновник»

Мы любим не человека, а его свойства. Не будем же издеваться над теми, кто требует, чтобы его уважали за чины и должности, ибо мы всегда любим человека за свойства, полученные им в недолгое владение.

Блез Паскаль

Человеку легче казаться достойным той должности, которую он не занимает, нежели той, в которой он состоит.

Франсуа Ларошфуко

Чем длиннее наименование должности, тем ниже ее ранг.

Джордж Макговерн
в редакции Хью Ревсона

Все люди устроены одинаково, а устраиваются поразному.

М. Хацернов

Получить должность труднее, чем удержаться на ней.

Лоренс Питер

Нет ничего более постоянного, чем временная должность в Вашингтоне.

Джордж Аллен

Искусство управления состоит в том, чтобы не позволять людям состариться в своей должности.

Наполеон I

У кого Аллах отнимает должность, тому он возвращает разум.

«Пшекруй»

Когда наконец он занял должность, на которой мог говорить все, что думает, он мог уже думать только о своей должности.

Габриэль Лауб

Поздравляя радующегося о полученном ранге, разумный человек поздравляет его не столько с рангом, сколько с тем, что получивший ранг толико оному радуется.

Козьма Прутков

На каждый ключевой пост есть своя отмычка.

Веслав Малицкий

Если тебя повысили в должности, считай, что тебя повысили в голосе.

Видоизмененный В. Якушев

ДОМ. ЖИЛЬЕ

См. также «Соседи»

Дом — это место, где человек свободен говорить и делать что хочет, потому что всем на него наплевать.

NN

Дом — это место, где женщина трудится в отсутствие мужчины, а мужчина отдыхает в присутствии женщины.

NN

Нет ничего лучше дома, если у вас нет денег, чтобы пойти куда-нибудь еще.

NN

Все, что мне нужно — это комната, где можно положить шляпу и нескольких друзей.

Дороти Паркер

Человек без адреса подозрителен, человек с двумя адресами — тем более.

Джордж Бернард Шоу

Можно быть поэтом и платить за квартиру.

Жюль Ренар

Квартира: помещение, в котором после выключения телевизора вы убеждаетесь, что слушали телевизор соседа.

Леонард Луис Левинсон

Один переезд равняется трем пожарам.

Бенджамин Франклин

Ремонт невозможно закончить, его можно только прекратить.

NN

Быть повсюду дома могут только короли, девки и воры.

Оноре Бальзак

У бездомных двери распахнуты настежь для каждого.

Станислав Ежи Лец

Ничто так не разделяет людей, как общее жилье.

Збигнев Холодюк

Больше всего домоседов среди тех, у кого нет своего угла.

Лешек Кумор

Тот, кто нигде не имеет дома, волен ехать куда угодно.

Эрих Мария Ремарк

ДОМАШНЕЕ ХОЗЯЙСТВО

См. также «Кулинария», «Чистота. Гигиена»

Брачную формулу о любви и верности давно пора заменить клятвой о готовности мыть посуду и выносить мусор.

Лешек Кумор

Быть матерью и домашней хозяйкой — достойный выбор для любой женщины, при условии, что это ЕЕ выбор.

Молли Ярд

Домашней хозяйке неоткуда вернуться домой, вот что хуже всего.

Патрисия Бэдуан

Домашняя работа — то, что замечаешь, когда жена перестает это делать.

Эван Эсар

У меня столько хлопот по дому, что если завтра со мной случится что-то ужасное, я смогу начать огорчаться не раньше, чем через две недели.

Неизвестная американка

Домашняя работа сама по себе не плоха — но бесчеловечно одинока.

Пэт Лауд

Сюжеты своих детективных романов я нахожу за мытьем посуды. Это такое дурацкое занятие, что поневоле приходит мысль об убийстве.

Агата Кристи

Согласно данным судебной статистики, еще ни одна жена не застрелила мужа в тот момент, когда он мыл посуду.

NN

Ничто не приводит домашнюю хозяйку в такое смущение, как знакомые, нагрянувшие к ней с внезапным визитом и нашедшие дом в обычном его состоянии.

NN

Ленивые и вследствие этого более хитроумные мужчины выдавали очередную машинку, как только возникала угроза, что их попросят помочь. Стоило только попросить мужчину помочь вымыть посуду — и тут же появилась автоматическая посудомойка.

Сирил Норткот Паркинсон

Современная техника настолько облегчила труд женщин, что у мужчин появилась уйма свободного времени.

Владислав Гжещик

Девиз эмансипации: каждой женщине — домохозяйку.

Вал. Девятый

Если существуют домашние хозяйки, значит, где-то должны быть и дикие.

В. Генин

Жены, которые содержат дом в образцовом порядке, — это жены, которые больше любят дом, чем мужа.

Янина Ипохорская

Ни одна женщина, глубоко и страстно любившая мужчину, не была, увы, хорошей домохозяйкой.

Дороти Карнеги,
жена Дейла Карнеги

Домашняя работа стремится заполнить все свободное время плюс еще полчаса.

Ширли Конран

Чем дороже кухонный комбайн, тем реже им пользуются.

NN

Лучшая домашняя техника — та, которую жена может починить сама.

NN

Отложи на завтра то, чего ты не обязана делать сегодня.

Дороти Паркер

ДОРОГИ

Благими намерениями вымощен ад и многие наши дороги.

Тадеуш Гицгер

Дороги на самом деле не ремонтируют, а только перемещают дорожные ямы, чтобы водителю было их труднее запомнить.

Херб Шрайнер

В России две напасти: дураки и дороги.

NN

В России нет дорог — только направления.

Приписывается Наполеону I,
а также Уинстону Черчиллю

Дорожные знаки могут превратить шоссе в лабиринт.

Станислав Ежи Лец

Если в пять вечера вы попали в дорожную пробку, лучшее, что вы можете сделать, — набраться терпения и постараться не попасть в шестичасовые новости.

NN

Если вы научились быстро разворачивать и складывать карту автомобильных дорог, вы без труда научитесь играть на аккордеоне.

NN

ДОХОДЫ И РАСХОДЫ

См. также «Бюджет», «Зарплата»,
«Стоимость жизни. Уровень жизни»

Важно не то, сколько ты зарабатываешь, а на кого тратишь.

«Пшекруй»

Как счастлив был бы мужчина, если бы он зарабатывал сумму, в которую, как полагает его жена, оценивают его заработки соседи!

Жорж Куртелин

Богатство — любой доход, который хотя бы на 100 долларов превышает годовой заработок мужа сестры вашей жены.

Генри Луис Менкен

Ничто так не деморализует, как скромный, но постоянный доход.

Эдмунд Уилсон

Долги — это то, без чего нельзя обойтись, если тратить столько, сколько, по мнению ваших друзей, вы зарабатываете.

NN

Акробат: человек, удерживающийся в границах своих доходов.

Жарко Петан

Бо́льшая часть людей предпочла бы зарабатывать деньги честным путем, если бы это не занимало столько времени.

NN

Живи по средствам, даже если для этого необходимо залезть в долги.

Генри Уилер Шоу

Если вы живете по средствам, окружающие начинают подозревать, что у вас есть и другие странности.

NN

Ума не приложу, зачем женщинам столько денег? Едят они мало, пьют мало, в карты не режутся, курят умеренно, и к тому же у них нет подружек, которых им приходится содержать.

Жак Тати

Концы с концами можно сводить без конца.

Леонид Леонидов

ДРАКА. РУКОПРИКЛАДСТВО

Иные бьют тревогу по мордам.

Мариан Карчмарчик

Если тебя ударили по лицу, подставь другое!

Геннадий Малкин

Он сохранил лицо. Изуродованным.

Уршула Зыбура

Лежачего не бьют, а терпеливо дожидаются, пока он встанет.

Дон-Аминадо

Мужчина — единственный самец, который бьет свою самку.

Жорж Куртелин

Печальные негритянские хоры:

«Как тебе не стыдно бить жену в воскресенье, когда для этого есть понедельник, вторник, среда, четверг, пятница и суббота.

Как тебе не стыдно пить водку в воскресенье, когда для этого есть понедельник, вторник...

Как тебе не стыдно...»

Илья Ильф

Не бей женщину, иначе потом ты от нее не отвяжешься.

Сашá Гитри

ДРУЖБА

Дружба есть равенство.

Пифагор

Бескорыстная дружба возможна только между людьми с одинаковыми доходами.

Пол Гетти, миллиардер

Чем богаче твои друзья, тем дороже это тебе обходится.

Элизабет Марбури

Дружба — это такое святое, сладостное, прочное и постоянное чувство, что его можно сохранить на всю жизнь, если, конечно, не пытаться просить денег взаймы.

Марк Твен

Дружба — это когда можно ни с того ни с сего приехать к человеку и поселиться у него.

Давид Самойлов

Друг: человек, который знает о вас все — и тем не менее любит вас.

Джон Аулер

Настоящий друг тот, кто может, как на духу, поведать вам о всех своих бедах, — но не делает этого.

NN

Господь даровал нам родных, но друзей мы, слава богу, вольны выбирать сами.

Этел Мамфорд

Если бы ты был другим человеком, хотел бы ты быть своим другом?

NN

Каждый хочет иметь друга, но никто не хочет быть другом.

Альфонс Карр

Вот тебе монетка — позвони всем своим друзьям.

Американское присловье

Друзья помогают нам жить и мешают работать.

Тадеуш Котарбиньский

Главный недостаток большинства наших друзей — их друзья.

NN

Никогда не судите о человеке по его друзьям. У Иуды они были безупречны.

Поль Валери

С такими друзьями враги не нужны.

Лоренс Питер

Людей обычно сближает сходство взглядов на третьих лиц и разделяет различие взглядов на собственную особу.

Збигнев Земецкий

Обсуждение слабостей и причуд наших общих друзей — великое удовольствие и цемент дружбы.

Уильям Гэзлитт

Дружба между женщинами — всего лишь пакт о ненападении.

Анри де Монтерлан

Против кого дружите?

Приписывается Анне Ахматовой или Фаине Раневской

В беседах друг с другом женщины имитируют дух товарищеской солидарности и той доверительной откровенности, какой они не позволяют себе с мужчинами. Но за этой видимостью дружбы — сколько бдительного недоверия, и как оно, признаться, оправданно.

Андре Моруа

Если две женщины, к которым мы равно питаем дружеские чувства, рассорились, то, даже не имея никакого касательства к причине их ссоры, нам все же не удается сохранить одинаково добрые отношения с той и другой: чаще всего приходится выбирать между ними или терять обеих.

Жан Лабрюйер

Дружба обыкновенно служит переходом от простого знакомства к вражде.

Василий Ключевский

ДУХОВЕНСТВО

См. также «Церковь»

Священник — представитель своей части неба на земле.

Геннадий Малкин

Архиепископ: христианский священник, достигший более высокого ранга, нежели Иисус Христос.

Генри Луис Менкен

Власть — от Бога, а иерархия — от власти.

Аркадий Давидович

Католический поп шествует так, словно небо — его полная собственность; протестантский же, напротив, ходит так, будто небо он взял в аренду.

Генрих Гейне

Верует ли духовенство в Бога? Оно не понимает этого вопроса, потому что оно служит Богу.

Василий Ключевский

Епископы не верят: они знают.

Эдвард Йокель

Один поклон жрецам значит больше, чем сто поклонов божеству.

Станислав Ежи Лец

Священники улыбаются стыдливой улыбкой. Возможно, они, представляя Господа Бога на земле, не лишены чувства юмора.

Юлиан Тувим

В пользу высоких качеств республики можно было бы привести то самое доказательство, которое Боккаччо приводит в пользу религии: она держится вопреки своим чиновникам.

Генрих Гейне

Разница между духовенством и другими русскими сословиями: здесь много пьяниц, там мало трезвых.

Василий Ключевский

Христос изгнал торгующих из храма. Торгующие поумнели и облачились в ризы.

Хораций Сафрин

Почему от священнослужителя требуют благочестия, когда врачу не вменяется в обязанность, леча других, самому быть здоровым?

Василий Ключевский

ДУША И ТЕЛО

См. также «Воскресение. Реинкарнация»

Человек — это душонка, обремененная трупом.

Эпиктет

Тела ваши суть храм живущего в вас Святаго Духа, Которого имеете вы от Бога, и вы не свои.

Апостол Павел —
1-е послание к коринфянам, 6, 19

Адам и Ева положили начало массовому производству человеческого тела, зато Авель и Каин — души.

Станислав Ежи Лец

Все труды человека — для рта его, а душа его не насыщается.

Екклесиаст, 6, 7

Есть режим для души, как есть режим для тела: надо уметь ему подчиниться.

Петр Чаадаев

Я всегда боялся тех, кто требовал власти над душами. Что они делают с телами?

Станислав Ежи Лец

Не бойтесь убивающих тело, души же не могущих убить; а бойтесь более того, кто может и душу и тело погубить в геенне.

Евангелие от Матфея, 10, 28

Откуда взяться гармонии между душой и телом, если душа всегда готова спасти себя ценой тела?

Станислав Ежи Лец

Фрейд из души сделал второе тело, здоровенный кусок плоти.

Кароль Ижиковский

Моя душа — убежденная католичка, но желудок, увы, протестант.

Эразм Роттердамский,
в ответ на упрек в том, что он
разговелся в Великий пост

Если у женщины ты будешь прежде всего искать душу, то у некоторых непременно найдешь и тело.

Юзеф Мацеевский

У нас так много слов для состояний души, и так мало — для состояний тела.

Жанна Моро

Боже, избавь меня от физических мук, с душевными я и сам как-нибудь справлюсь!

Альфред Капю

Какое коварство! Наши незримые души — узницы, и только грубая плоть бегает совершенно свободно.

Станислав Ежи Лец

Глаза — зеркало души. Только чтобы мухи не узнали об этом.

Станислав Ежи Лец

Человек состоит из тела, души и паспорта.

NN

Главный орган человеческого тела, незыблемая основа, на которой держится душа, — это кошелек.

Томас Карлейль

Обладает ли астральное тело душой?

Станислав Ежи Лец

Заботься о теле! Душа все равно бессмертна.

«Пшекруй»

ДЬЯВОЛ И ЧЕРТИ

См. также «Ад и рай»

Дьявол — джентльмен; он никогда не входит без приглашения.

Джон Линкольн

Дьявол не может быть безбожником.

Лешек Кумор

У дьявола нет ни одного оплачиваемого помощника, тогда как у Противной Стороны их миллион.

Марк Твен

Если дьявол — оппозиция Богу, то я за абсолютную монархию.

Юлиуш Вонтроба

Апология дьявола: следует помнить, что в этом деле выслушана только одна сторона. Господь написал все книги обоих Заветов.

Сэмюэл Батлер

Дьявол потирает руки хвостом.

Мечислав Шарган

Провидение наставило рога дьяволу.

Станислав Ежи Лец

Рога не мешают дьяволу носить самые разнообразные головные уборы.

Станислав Ежи Лец

Склонять ко греху — священная обязанность дьявола.

Артур Никольский

Бог и дьявол добились впечатляющих результатов благодаря специализации и разделению труда.

Сэмюэл Батлер

Сила дьявола в его ангельском терпении.

Станислав Ежи Лец

Обмануть дьявола — не грех.

Даниель Дефо

Дьявол еще может измениться. Когда-то он был ангелом и, может быть, продолжает эволюционировать.

Лоренс Питер

Дьяволы бывают двух видов: разжалованные ангелы и сделавшие карьеру люди.

Станислав Ежи Лец

Если дьявол заговорил ангельским голосом, это не значит, что он проходит мутацию.

Роберт Карпач

Наиболее выдающиеся дьяволы были родом из падших ангелов.

Мариан Карчмарчик

И черт под старость в монахи пошел.

В. Даль.
«Пословицы русского народа»

И коза сошла бы за дьявола, будь в ней хоть что-нибудь человеческое.

Станислав Ежи Лец

Русское духовенство всегда учило паству свою не познавать и любить Бога, а только бояться чертей, которых оно же и расплодило со своими попадьями.

Василий Ключевский

Иногда пригодились бы дьяволы для изгнания экзорцистов.

Лешек Кумор

Кто знает, может быть, дьявол упорхнул бы от нас, если бы его окрылили?

Станислав Ежи Лец

Когда Бог сотворил человека, нужда в Сатане отпала.

Кароль Бунш

Е

ЕВРЕИ

См. также «Антисемитизм», «Иудаизм»

Еврей — это тот, кого другие считают евреем.

Жан Поль Сартр

Кто еврей, а кто не еврей, решаю я.

Герман Геринг

Еврей таков же, как и всякий другой человек, только в большей степени.

Арнолд Форстер

Еврей — это то, что мы сделали из него.

Томас Маколей

Евреи добиваются превосходства лишь потому, что им отказано в равенстве.

Макс Нордау

Пессимизм — это роскошь, которую евреи не могут себе позволить.

Голда Меир

Еврей должен быть золотом, чтобы сойти за серебро.

Леон Харрисон

Еврей Фульд избран в парламент. Я очень рад этому; значит, равноправие евреев вполне осуществилось. Прежде только гениальный еврей мог пробиться в парламент; но если уж такая посредственность, как Фульд, пробивается, — значит, нет больше различий между евреями и неевреями.

Генрих Гейне

Где два еврея, там три мнения.

Старинное еврейское изречение

Я вам больше скажу: даже открытие Америки финансировали еврейские банкиры.

Мордехай Ричлер

Я знаю, откуда взялась легенда о еврейском богатстве. Евреи платят за все.

Станислав Ежи Лец

Евреи — народ пугливый. Девятнадцать веков христианской любви расстроили их нервы.

Изрейел Зангвилл

За все, что делает христианин, он отвечает лично. За все, что делает еврей, отвечают все евреи.

Анна Франк

Чтобы гарантировать ему мученичество, Бог родил своего сына евреем.

Станислав Ежи Лец

Единственные чехословаки — это евреи; все остальные либо чехи, либо словаки.

Шемариа Левин

По существу, среди всех «инородцев» в России — несмотря на все антисемитские вопли, — нет элемента, который мог бы легче, чем евреи, быть поставлен на службу российской государственности и ассимилирован с русской культурой.

Петр Струве

Если теория относительности подтвердится, то немцы скажут, что я немец, а французы — что я гражданин мира; но если мою теорию опровергнут, французы объявят меня немцем, а немцы — евреем.

Альберт Эйнштейн

Если ты живешь в Нью-Йорке, то, будь ты хоть сто раз католик, ты все равно еврей.

Ленни Брюс

Савл стал Павлом. Вечный удел апостолов. Вечный удел евреев. Евреи обычно меняют имена.

Станислав Ежи Лец

Каждая страна имеет таких евреев, каких заслуживает.

Карл Эмиль Францос

Что у меня общего с евреями? У меня едва ли есть что-нибудь общее с самим собой.

Франц Кафка

История, эта героическая родина во времени, сегодня уже не удовлетворяет евреев: они завоевали право на родину в пространстве.

Франц Кафка

ЕДА

См. также «Голод и жажда», «Диета и лишний вес», «Кулинария», «Рестораны и забегаловки»

Еда — существенная часть сбалансированной диеты.

Фран Лебовиц

Скажи мне, что ты ешь, и я скажу тебе, кто ты.

Ансельм Брийя-Саварен

При крупных неприятностях я отказываю себе во всем, кроме еды и питья.

Оскар Уайльд

Желудок просвещенного человека имеет лучшие качества доброго сердца: чувствительность и благодарность.

Александр Пушкин

Хороших желудков куда меньше, нежели хорошей пищи.

Люк де Вовенарг

В берлинском зоопарке на клетках надпись: «Не кормить и не дразнить». Если бы в клетках сидели мужчины, надпись была бы другая: «Кормить почаще, но не дразнить».

Магдалена Самозванец

Стол — единственное место, за которым мы не скучаем с первой же минуты.

Ансельм Брийя-Саварен

Никогда не спорь за обедом: тот, кто голоднее, всегда проигрывает.

NN

Лучше горчица после обеда, чем вместо.

Рышард Подлевский

Женщины едят за разговорами, мужчины разговаривают за едой.

Малькольм де Шазаль

Не откладывай до ужина того, что можешь съесть за обедом.

Александр Пушкин

Моя мать тридцать лет подавала на стол то, что осталось от обеда. Самого обеда никто никогда не видел.

Калвин Триллин

Сбалансированное питание в представлении детей: гамбургер в правой руке и гамбургер в левой.

NN

Вообще говоря, мои дети отказываются есть что бы то ни было, что не танцует по телевизору.

Эрма Бомбек

Тостер: прибор, позволяющий приготовлять два вида гренок по вашему вкусу — обгоревшие и недожаренные.

Видоизмененный Сэм Левенсон

Благодаря холодильнику мы теперь можем есть несвежие продукты.

Стефан Киселевский

Чем тверже масло, тем мягче хлеб.

«Правило Тиссена»

Все грибы съедобны, но некоторые только раз в жизни.

NN

Вы не поверите, но нынешний хлеб может храниться шесть месяцев — в вашем желудке.

Роберт Орбен

Обжора роет себе могилу зубами.

Английская пословица

Обжорство, слава богу, не тайный порок.

Орсон Уэллс

Гурман, который думает о калориях, все равно что блудодей, посматривающий на часы.

Джеймс Бирд

Много есть вредно, а мало — скучно.

А. Карабчиевский

Лучше есть много, но часто.

NN

Зачем есть? Чтобы снова хотеть есть.

Реймонд Чандлер

ЕСТЕСТВЕННОСТЬ И ПОЗА

См. также «Манеры. Воспитанность. Этикет»

Ничто так не мешает естественности, как желание казаться естественным.

Франсуа Ларошфуко

Юношам часто кажется, что они естественны, тогда как на самом деле они просто невоспитанны и грубы.

Франсуа Ларошфуко

Естественность — всего лишь поза, и к тому же самая раздражающая из всех, которые мне известны.

Оскар Уайльд

Обаяние — смесь естественности и кокетства.

Андре Моруа

Иные недовольны искусственным только потому, что предпочитают ему противоестественное.

Григорий Ландау

Чтобы быть естественным, необходимо уметь притворяться.

Оскар Уайльд

С той минуты, как человек встал на задние конечности, все является позой.

Станислав Ежи Лец

Поза мешает в жизни и помогает в смерти.

Хенрик Каден

ЖАДНОСТЬ

См. также «Скупость»

Мы рождаемся бесстрашными, доверчивыми и жадными, и большинство из нас остаются жадными.

Миньон Маклофлин

Я не жадный — я хочу только ту землю, которая примыкает к моей.

Некий американский фермер

При дележе 50:50 некоторые требуют для себя и двоеточие тоже.

Лоренс Питер

Богатство не уменьшает жадности.

Саллюстий

Чем непрактичнее человек, тем более падок он на мелкие выгоды.

Кароль Ижиковский

Подарите ему весь мир, и он потребует еще оберточную бумагу.

Жюльен де Фалкенаре

Капиталисты готовы продать нам веревку, на которой мы их повесим.

Приписывается Ленину

ЖАЛОБЫ

См. также «Неприятности. Огорчения»

Нам необходимы два разряда знакомых: те, кому можно жаловаться на жизнь, и те, перед кем можно хвастаться.

Логан Пирсолл Смит

Счастлив тот, у кого есть семья, где он может пожаловаться на свою семью.

Жюль Ренар

Все мы любим золотых рыбок. Так редко случается видеть рот, открытый не для того, чтобы жаловаться.

NN

Ты жалуешься, следовательно, ты не прав.

Анатолий Злобин

Хотите проверить свою память? Попробуйте вспомнить, на что вы жаловались ровно год назад.

Леонард Томас

Возьми свою жизнь в свои собственные руки, и что же получится? Сущий кошмар: не на кого пожаловаться.

Эрика Джонг

Жаловаться на жизнь поздно, если ты уже родился.

Борис Крутиер

Знай, читатель, что мудрость уменьшает жалобы, но не страдания!

Козьма Прутков

Самый презренный вид малодушия — это жалость к самому себе.

Марк Аврелий

Ничего не объяснять и ни на что не пенять!

Девиз Бенджамина Дизраэли

ЖЕЛАНИЯ

См. также «Необходимое и излишнее»

Желания — половина жизни; безразличие — половина смерти.

Халиль Джебран

Кто многого добивается, тому многого недостает.

Гораций

Человек на досуге думает себе о том и о сем, но все-таки чаще о том.

Славомир Мрожек

Мы всего боимся, как и положено смертным, и всего хотим, как будто награждены бессмертием.

Франсуа Ларошфуко

Мы хотим всем завладеть, как будто у нас есть время всем обладать.

Фридрих Великий

У него были грешные благие желания.

Станислав Ежи Лец

Наши поступки менее добры и менее порочны, чем наши желания.

Люк де Вовенарг

Многие домогаются места под солнцем. Но немногие помнят, что солнце заходит, как только мы это место добудем.

Карл Краус

Прежде чем сильно чего-то пожелать, следует осведомиться, очень ли счастлив нынешний обладатель желаемого.

Франсуа Ларошфуко

Количеством нужд дети превосходят взрослых, женщины — мужчин, больные — здоровых. Короче говоря, всегда и везде низшее нуждается в большем, чем высшее. Вот почему боги ни в чем не нуждаются, а те, кто всего ближе стоит к богам, имеют наименьшие потребности.

Лукиан из Самосаты

Свободен тот, кто не имеет желаний. К чему же тогда быть свободным?

Элиас Канетти

Когда ты наконец получаешь то, что хотела, оказывается, что это вовсе не то, чего ты хотела.

Гертруда Стайн

Если половина ваших желаний сбудется, у вас будет вдвое больше горестей.

NN

Если бы все человеческие желания исполнились, земля стала бы адом.

Пьер Буаст

Судьба дарует нам желаемое тогда, когда мы уже научились без него обходиться.

Кароль Ижиковский

Когда все есть, то ничего не надо.

В. Борисов

Если человеку ничего не надо, значит, у него чего-то не хватает.

Михаил Генин

Я отдал бы все, что у меня есть, за то, чего у меня нет.

NN

Наши желания всегда ограничены чьими-то возможностями.

И. Климович

Если нет того, что любишь, то полюбишь то, что есть.

Конрад Том

Кто не доволен тем, что имеет, тот не был бы доволен и тем, что хотел бы иметь.

Бертольд Ауэрбах

А желающие — не хотят!

Приписывается
Михаилу Зощенко

ЖЕЛЕЗНАЯ ДОРОГА

См. также «Путешествия»

Железнодорожный билет возбуждает больше надежд, чем лотерейный.

Поль Моран

Сначала вбивают столб с табличкой опоздания поездов, потом к нему пристраивают железнодорожную станцию.

Влада Булатович-Виб

Во всех странах железные дороги для передвижения служат, а у нас сверх того и для воровства.

Михаил Салтыков-Щедрин

Следующий поезд отошел десять минут назад.

Журнал «Панч», 1871 г.

Опоздавший на поезд: «Лучше поздно, чем никогда!»

«Пшекруй»

Обратный билет должен стоить дороже: можно, в конце концов, не поехать, но нужно вернуться.

Альфонс Алле

Поезда ночами свистят так жалобно, словно заблудились в пути.

Рамон Гомес де ла Серна

ЖЕНСКАЯ ИНТУИЦИЯ

Интуиция: поразительное чутье, которое подсказывает женщине, что она права, независимо от того, права она или нет.

«Methodist Recorder»

Интуиция — это уступка, которую логика делает нетерпению.

Рита Мэй Браун

Интуиция — искусство чтения чистых страниц.

Станислав Лучко

Если у женщин столько интуиции, почему они все время о чем-то спрашивают?

NN

Женская интуиция — результат миллионов лет недумания.

Руперт Хьюз

У женщин просто удивительная интуиция. Они замечают все, кроме очевидных вещей.

Оскар Уайльд

То, что принято считать женской интуицией, в действительности является мужским простодушием.

Джордж Джин Нейтан

Нужна ли женщине какая-то особенная интуиция, чтобы знать, чего хочет мужчина?

Томас О. Хоббс

Интуиция дана женщине для того, чтобы угадывать у мужчины намерения, о которых он не догадывается.

Жан Делакур

Интуиция женщины тем безошибочнее, чем прозрачнее намерения мужчины.

Видоизмененный
Джордж Джин Нейтан

То, что ныне называется женской интуицией, раньше называлось подозрительностью.

NN

ЖЕНСКАЯ ЭМАНСИПАЦИЯ. ФЕМИНИЗМ

Все люди — сестры.

Феминистский лозунг

Мужчинам — их права, и не больше того; женщинам — их права, и не меньше того.

Сьюзен Энтони

Мужчины имеют столь же преувеличенное представление о своих правах, как женщины — о своем бесправии.

Эдгар Хау

Я стала феминисткой, чтобы не стать мазохисткой.

Салли Кемптон

Женщины — большинство, которое существует на правах меньшинства.

Лиза Кремер

Политическое влияние женщин в стране днем очень низкое.

Михаил Жванецкий

Любое дело женщине приходится делать вдвое лучше мужчины, чтобы заслужить хотя бы половинное уважение. К счастью, это нетрудно.

Шарлотта Уиттон

Женщины, которые добиваются равенства с мужчинами, недостаточно честолюбивы.

Тимоти Лири

Эти эмансипантки меня просто бесят. Они забираются на ящики из-под мыла и заявляют, что женщины умнее мужчин. Это правда, но об этом надо помалкивать, иначе нам придется закрывать лавочку.

Анита Лус

Мужчины втайне побаиваются, что женщины, если вдруг дать им возможность, поведут себя так, как вели себя с ними.

Эва Файджс

Свободная женщина та, которая считает нормальным секс до замужества, и работу — после.

Глория Стайнем

Меня называют феминисткой всякий раз, когда я говорю что-нибудь такое, что не соответствует роли домашнего половика или проститутки.

Дейм Ребекка Уэст

Женщины обладают не меньшими способностями совершать ошибки.

Лоренс Питер

«Права женщин» — это обязанности мужчин.

Карл Краус

Я бы охотно признал, что женщины выше нас, если бы это могло выбить у них из головы мысль, что они нам равны.

Сашá Гитри

Женщины, говоря отвлеченно, имеют равные с нами права, но в их интересах не пользоваться этими правами.

Талейран

У женщин остались только права. Раньше у них были привилегии.

Ян Лехонь

Раньше учтивый мужчина уступал женщине место в автобусе. Сегодня высшее проявление вежливости — уступить женщине свое рабочее место.

Патрик О'Рурк

Теория равноправия практически неприменима. Реформаторы могут добиться поголовного искоренения джентльменов, однако женщина по-прежнему хочет, чтобы с ней обращались, как с леди.

Сирил Норткот Паркинсон

Девиз эмансипации: каждой женщине — домохозяйку.

Вал. Девятый

Существует немного профессий, в которых необходимы пенис либо вагина. Все остальные профессии должны быть открыты для всех.

Флоринс Кеннеди

Нет такого дела, с которым мужчина не справился бы лучше, чем женщина, кроме деторождения... хотя и это следовало бы предоставить мужчинам.

Джордж Элиот
(Мэри Энн Эванс)

Женщина может сделать все то же, что и мужчина, кроме одного: обмочить стену стоя.

Колетт

Если женщина станет товарищем, вполне возможно, что ей по-товарищески дадут коленкой под зад.

Гилберт Честертон

Эмансипация означает равный статус разных ролей.

Арианна Стасинопулос

Не знаю, почему женщины требуют всего того, что есть у мужчин. Ведь у женщин, среди прочего, есть мужчины.

Коко Шанель

Несмотря на эмансипацию, наши жены все еще умнее нас.

Юрий Шанин

Женщина без мужчины — все равно что рыбка без зонтика.

Глория Стайнем

Некоторые из нас стали мужчинами, за которых мы хотели бы выйти замуж.

Глория Стайнем

Независимая женщина — это женщина, которая не нашла никого, кто хотел бы зависеть от нее.

Сашá Гитри

Нынешним женщинам не составляет труда вести себя по-мужски; но им очень редко удается вести себя по-джентльменски.

Комптон Макензи

Если вы поймали мужчину, дайте ему пинка.

Лозунг австралийских феминисток

Что может быть хуже, чем мир, которым управляют мужчины? Разве что мир, которым управляют женщины.

Нэнси Астор

ЖЕНЩИНЫ

См. также «Блондинки, брюнетки», «Девушки», «Леди», «Мужчины и женщины», «Подруги»

Женщина — это приглашение к счастью.

Шарль Бодлер

Женщина — это человеческое существо, которое одевается, болтает и раздевается.

Вольтер

Женщина — одновременно яблоко и змея.

Генрих Гейне

Женщина царствует, но не управляет.

Дельфина Жирарден

Быть женщиной очень трудно уже потому, что в основном приходится иметь дело с мужчинами.

Джозеф Конрад

Женщиной не рождаются, ею становятся.

Симона де Бовуар

Женщина веками играла роль зеркала, наделенного волшебным и обманчивым свойством: отраженная в нем фигура мужчины была вдвое больше натуральной величины.

Вирджиния Вулф

Женщина — *вторая* ошибка Бога.

Фридрих Ницше

Чего хочет женщина, того хочет Бог.

Французская пословица

Все от Бога, за исключением женщины.

Итальянская пословица

С точки зрения биологии, если что-нибудь вас кусает, оно, скорее всего, женского пола.

Скотт Круз

Женщин надо принимать со всеми нашими недостатками.

Аркадий Давидович

Надо уметь часто повиноваться женщине, чтобы иметь иногда право ею повелевать.

Виктор Гюго

Если вы хотите узнать, что на самом деле думает женщина, смотрите на нее, но не слушайте.

Оскар Уайльд

Если женщина отвечает на твой вопрос — не верь ей; если молчит — не верь ей тем более.

Корнель Макушиньский

Не требуйте от женщин правдивости, пока вы воспитываете их в уверенности, что главная цель их жизни — нравиться.

Мария Эбнер-Эшенбах

Незнакомка — женщина, с которой можно прожить всю жизнь.

Геннадий Малкин

Окончательное решение женщины редко бывает последним.

NN

Женщина, которая ценит себя слишком низко, сбивает цену всех женщин.

Нелли Макклaнг

Женщины как шахматисты — жертвуют с целью победы.

Сергей Скотников

Женщины — это возбуждающе-отравляющий элемент, без которого женщинам еще труднее обойтись, чем мужчинам.

Магдалена Самозванец

Каждая женщина считает себя незаменимой и полагает, что могла бы легко заменить любую другую.

Питигрилли

Женщина женщину всегда оценит по заслугам, тем более две женщины — третью.

Богдан Чешко

Мне было бы легче примирить всю Европу, чем нескольких женщин.

Людовик XIV

Если женщине нравится другая женщина, она с ней сердечна; а если не нравится — сердечна вдвойне.

Эрвин Кобб

Мнение мужчин о достоинствах какой-нибудь женщины редко совпадает с мнением женщин: их интересы слишком различны. Те милые повадки, те бесчисленные ужимки, которые так нравятся мужчинам и зажигают в них страсть, отталкивают женщин, рождая в них неприязнь и отвращение.

Жан Лабрюйер

Как бы плохо мужчины ни думали о женщинах, любая женщина думает о них еще хуже.

Никола Шамфор

Так как писать умели главным образом мужчины, все несчастья на свете были приписаны женщинам.

Сэмюэл Джонсон

Мужчины, которые отзываются плохо о женщинах, обычно имеют в виду лишь одну.

Реми де Гурмон

И нашел я, что горче смерти женщина, потому что она — сеть, и сердце ее — силки, руки ее — оковы.

Екклесиаст, 7, 26

Повиснет на шее женщина — и тебе уже легче.

Владислав Гжещик

Можно представить себе человечество, состоящее из одних только женщин, но нельзя представить себе человечество, состоящее из одних мужчин.

Жан Ростан

Только женщина может временно остановить время.

Юзеф Булатович

Обожаю женщин, но терпеть не могу их общества.

Анри де Монтерлан

Женщины мастерски владеют искусством перевязывать раны — почти так же, как искусством наносить раны.

Барбе д'Орвиль

Женщины и вороны нападают стаей.

Казимеж Тетмайер

Женщины не прощают нам наших ошибок — и даже своих собственных.

Альфред Капю

Я не разбираюсь в женщинах и отличаю их от мужчин только по их полу.

Станислав Ежи Лец

Женщины не следуют дурным советам — они их опережают.

Абель Эрман

Все в руках человека, а человек в руках женщины.

Александр Фюрстенберг

Мысли и женщины вместе не приходят.

Михаил Жванецкий

Женщина как дамская сумочка — в ней нельзя найти то, чего ищешь.

Рышард Дорода

Женщины для меня как слоны: смотреть на них — удовольствие, но свой слон мне не нужен.

Уильям Клод Филдс

Женщина — что оконная занавеска. Узор миленький, но мира уже не увидишь.

Хенрик Хорош

Есть два способа командовать женщиной, но никто их не знает.

Франк Хаббард

ЖЕРТВА. САМОПОЖЕРТВОВАНИЕ

См. также «Альтруизм — эгоизм», «Герои», «Мученичество»

Ум гибнет от противоречий, а сердце ими питается. Можно ненавидеть человека, как подлеца, а можно умереть за него, как за ближнего.

Василий Ключевский

О многих жертвах после жалеют — уменьшает ли это их ценность?

Кароль Ижиковский

Самопожертвование дает нам возможность жертвовать другими без угрызений совести.

Джордж Бернард Шоу

Жалости заслуживают не те, кто приносит жертву, а те, кого приносят в жертву.

Элизабет Боуэн

Жертва — сапоги всмятку.

Николай Чернышевский

Обойти трудность при помощи жертвы, вместо того чтобы преодолеть, победить ее, — неэтично. Такая жертва — отступное, и только.

Кароль Ижиковский

Если вы начинаете с самопожертвования ради тех, кого любите, то закончите ненавистью к тем, кому принесли себя в жертву.

Джордж Бернард Шоу

Не смешивай жертвы с авансом.

Григорий Ландау

Неумение себя защитить не принимай за готовность собой пожертвовать.

Григорий Ландау

Если тебя обещают поместить на алтарь, спроси: в качестве божества или жертвы?

Мариан Карчмарчик

Кто готов принести жертву, всегда найдет подходящий алтарь.

Лешек Кумор

Милости хочу, а не жертвы.

Евангелие от Матфея, 9, 12

Искусство требовать жертв.

С. Альт

ЖЕСТОКОСТЬ

См. также «Сентиментальность»

Жестокость, как всякое зло, не нуждается в мотивации; ей нужен лишь повод.

Джордж Элиот

Жажда наслаждений делает жестоким.

Пьер Буаст

Трусость — мать жестокости.

Мишель Монтень

Жаждешь крови? Стань гнидой.

Станислав Ежи Лец

Отвращение к кровопролитию нужно иметь в крови.

Станислав Ежи Лец

Если приходится выбирать между неправдой и грубостью, выбери грубость; но если приходится выбирать между неправдой и жестокостью, выбери неправду.

Мария Эбнер-Эшенбах

Кого лучше встретить в лесу: доброго волка или жестокого зайца?

Антоний Ходоровский

ЖИВОПИСЬ

См. также «Искусство и художник», «Музей»

Неважно, насколько плохо вы рисуете, до тех пор, пока вы рисуете плохо не так, как другие.

Джордж Мур

Художник пишет не то, что видит, а то, что будут видеть другие.

Поль Валери

Начинающего художника понимают лишь несколько человек. Знаменитого — еще меньше.

Пабло Пикассо

Картина, которую хвалят больше, чем десять процентов публики, подлежит сожжению.

Джордж Бернард Шоу

Во фразе: «Картины Пикассо — это мазня» — о Пикассо не сказано ничего, зато о говорящем — все.

Жан Кокто

Разве Рафаэль не был бы гением живописи, если бы он, на беду, родился без рук?

Готхольд Лессинг

Лессинг говорит: «Если Рафаэлю отрезать руки, он все же останется живописцем». Точно так же мы могли бы сказать: «Если господину** отрезать голову, он все же остался бы живописцем», — он продолжал бы писать и без головы, и никто бы не заметил, что головы у него и вовсе нет.

Генрих Гейне

Он полагает, что неплохо разбирается в живописи, потому что совершенно не разбирается в музыке.

«Пшекруй»

Каждый художник, который изображает небо зеленым, а траву голубой, должен быть подвергнут стерилизации.

Адольф Гитлер

То, что я слышу, не имеет значения; важно то, что я вижу, особенно когда закрываю глаза.

Джоржо ди Чирико,
художник-сюрреалист

Когда я пишу картины, я чувствую себя сумасшедшим. Единственное различие между мною и сумасшедшим в том, что я не сумасшедший.

Сальвадор Дали

Хороший художник способен нарисовать бегуна без ног.

Карл Краус

Этот художник имеет прекрасное будущее за собой.

Некий французский критик

Один художник разобрал свою модель на части.

Станислав Ежи Лец

Я ничего не имею против беспредметной живописи, лишь бы был виден субъект художника.

Станислав Ежи Лец

Картины покупают не потому, что они нравятся; напротив, картины нравятся, потому что их покупают.

Жорж Фейдо

Написать картину может последний дурак, а вот продать ее только умный сумеет.

Сэмюэл Батлер

Писать картины — профессия, продавать их — искусство.

Анри Жоансон

С определенного момента картина становится только фоном для подписи художника.

Лешек Кумор

Художник — это человек, который пишет то, что можно продать. А хороший художник — это человек, который продает то, что пишет.

Пабло Пикассо

Если бы люди знали о живописи столько, сколько знаю я, они бы не покупали моих картин.

Эдвин Ландсир

Любитель — это человек, вынужденный где-то работать, чтобы иметь возможность писать картины. А профессионал — это человек, который имеет возможность писать картины, потому что у него есть работающая жена.

Бен Шан

Бесстыжий художник — это субъект, который, прикинувшись соблазнителем, заманивает девушку в свою мастерскую и там ее пишет.

Карл Краус

В картинной галерее было столько исторических личностей на конях, что можно было подумать, будто историю делают на лошадях.

Эмиль Кроткий

Вздыбленные лошади на картинах старых мастеров походят на кенгуру.

Марк Твен

Я напишу вас более похожим, чем вы есть.

Макс Либерман,
немецкий художник

Хороший портрет не тот, что похож на модель, а тот, что не похож ни на кого другого.

Жан Прево

Каждый раз, когда я пишу портрет, я теряю друга.

Джон Сарджент

Кокошка[1] нарисовал меня: знакомые не узнают, а незнакомые узнают.

Карл Краус

Пейзажист может работать спокойно — природа никогда не настаивает на сходстве.

Рамон Гомес де ла Серна

Легче попасть на небеса, чем написать их.

Ян Цыбис

Художник-примитивист — это любитель, чьи картины хорошо продаются.

Энн Мозес

Вы спрашиваете, милостивый государь, в каком учреждении было бы наиболее уместно поместить написанные вами картины. Могу ли я предложить вам приют для слепых?

Джеймс Уистлер

Современная живопись — это когда покупаешь картину, чтобы закрыть дыру в стене, и приходишь к выводу, что дыра выглядит лучше.

Роберт Орбен

В современном искусстве разобраться легко: что висит на стене — живопись; что можно увидеть сзади — скульптура.

NN

ЖИВОТНЫЕ

См. также «Собаки и кошки», «Цирк»

Лошадь — единственное животное, в которое можно забивать гвозди.

«Пшекруй»

Терпеть не могу лошадей: посередине они неудобны, а по краям опасны.

Уинстон Черчилль

---

[1] Оскар Кокошка (1886—1980) — австрийский художник.

Человека с лошадью объединяет кнут.

Ян Лехицкий

Об уме лошади лучше всего свидетельствует тот факт, что она боялась машин уже тогда, когда люди только смеялись над ними.

NN

Корова: существо, пережевывающее пейзаж.

Мечислав Шарган

Кролик — это цивилизованный заяц.

Антоний Регульский

Мышь: животное, путь которого усеян упавшими в обморок женщинами.

Сэмюэл Джонсон

С санитарной точки зрения голубь есть не что иное, как крыса с перьями.

Артур Бенлайн

Черепаха так медлительна, что ее совершенно справедливо назвали черепахой.

NN

Крокодил — существо, которому все время приходится выбирать: жизнь или кошелек.

Геннадий Костовецкий
и Олег Попов

У зевающего животного человеческое лицо.

Карл Краус

Почему следы звериных лап радуют нас больше, чем следы человеческих ног?

Тадеуш Гицгер

Животные — очень милые друзья: не задают вопросов и не критикуют.

Джордж Элиот

В раю животные говорили, значит, и думали, потому что говорить не думая — позднейшее нововведение людей.

Моисей Сафир

ЖИЗНЬ

См. также «Смысл жизни», «Судьба»

Жизнь как чужой язык: все говорят с акцентом.

Кристофер Морли

Жизнь есть сон, снящийся Богу.

Хорхе Луис Борхес

Жизнь — это эпидемическая болезнь, переносимая сексуальным путем.

NN

Жизнь что трамвай — с вагоновожатым не поразговариваешь.

Янина Ипохорская

Жизнь — нелегкое занятие, а труднее всего первые сто лет.

Уилсон Мизнер

Жизнь — это больница, где каждый пациент мечтает перебраться на другую кровать.

Шарль Бодлер

Жизнь — странствие, а не дом.

Феликс Фельдхайм

Жизнь — это вопрос времени.

В. Резников

Жизнь как депеша: коротка и полна ошибок.

Ханна Журк

Жизнь — вещь грубая. Ты вышел в долгий путь, — значит, где-нибудь и поскользнешься, и получишь пинок, и упадешь, и устанешь, и воскликнешь «умереть бы!» — и, стало быть, солжешь.

Сенека

Жизнь — это по большей части то, что происходит где-то в другом месте.

Алан Беннет

Жизнь — это то, что случается с нами, пока мы строим планы на будущее.

Томас Ла Манс

Жизнь как луковица: снимаешь слой за слоем, а под конец обнаруживаешь, что внутри ничего нет.

Джеймс Гиббонз Хьюнекер

Жизнь — игрушка настолько глупая, что ее дарят только младенцам.

Билл Манвилл

Жизнь — подарок, которого мы не просили.

Альфред Конар

Жизнь — мучение. Лучше бы совсем не родиться. Но такая удача выпадает одному человеку из тысячи.

Юлиан Тувим

Жизнь — это заглядывание в разные зеркала в поисках собственного лица.

Войцех Бартошевский

Жизнь: сделай свое дело и уходи!

Лешек Кумор

И жизнь — ребячьи забавы, только с настоящим реквизитом.

Станислав Ежи Лец

С точки зрения молодости жизнь есть бесконечное будущее; с точки зрения старости — очень короткое прошлое.

Артур Шопенгауэр

То, что мы называем жизнью, — обычно всего лишь список дел на сегодня.

«Пшекруй»

Жизнь большинства людей не столько сложна, сколько запутанна.

Раст Хиллс

Жизнь не так проста, как вы думаете. Она проще.

NN

Жизнь редко бывает настолько невыносимой, какой она должна была бы быть, судя по фактам.

Брукс Аткинсон

Жизнь возмутительна, когда о ней думаешь, и прекрасна, когда ею живешь.

Кароль Корд

Жизнь идет по кругу все ближе к горлу.

Станислав Ежи Лец

Каждый из нас считает свою жизнь фильмом, который не удался по вине режиссера.

Славомир Врублевский

В жизни вам ничего не обещано. С вами не заключали никакого контракта.

Чарлз Буковски

В одном не вправе мы жаловаться на жизнь: она никого не держит.

Сенека

В жизни все бывает, но не каждому достается.

Кирилл Кюдов

В жизни всякое бывает, но с годами все реже.

Борис Крутиер

Нашел свое место в жизни — жди, покуда оно освободится.

Михаил Генин

Жить легко очень трудно.

«Пшекруй»

Величайшее искусство жизни заключается в том, чтобы ставить поменьше, а выиграть побольше.

Сэмюэл Джонсон

Всю жизнь мы стараемся поставить поменьше и выиграть побольше, а потом говорим, что это жизнь нас обманула.

Антоний Лесьневский

Вы хотите быть честным по отношению к жизни? Но жизнь такая свинья, она все равно вас надует.

Кароль Ижиковский

В жизни можно полагаться только на себя самого. Да и то не советую.

Тристан Бернар

Если хочешь, чтобы жизнь тебе улыбнулась, сначала сам улыбнись жизни.

Джон Э. Смит

Оттого, что жизнь станет лучше, всем лучше не станет.

Борис Крутиер

Каждый человек рано или поздно выдумывает для себя историю, которую считает своей жизнью.

Макс Фриш

Человек всю жизнь не живет, а сочиняет себя, самосочиняется.

Федор Достоевский

Мы никогда не живем, а лишь располагаем жить.

Блез Паскаль

Жизнь занимает у людей слишком много времени.

Станислав Ежи Лец

Самое главное в нашей жизни чаще всего происходит в наше отсутствие.

Салман Рушди

Наша жизнь выглядит как набросок.

Жюль Ренар

Жизнь коротка, это понятно; но по сравнению с чем?

Андре Моруа

Человеческую жизнь нельзя, в сущности, назвать ни длинной, ни короткой, так как в сущности она именно и служит масштабом, которым мы измеряем все остальные сроки.

Артур Шопенгауэр

Живем только раз, зато до конца!

Геннадий Малкин

Жить вредно. От этого умирают.

Станислав Ежи Лец

Опыт учит нас, что умирают всегда другие.

Станислав Слонимский

Единственное, что делает жизнь возможной, это вечная, невыносимая неуверенность: незнание того, что случится дальше.

Урсула Ле Гуин

Если бы не жизнь, можно и не умирать.

Геннадий Малкин

Вместо жизни — здоровый образ жизни.

Михаил Жванецкий

Жить — значит только приготовляться к жизни. Мы умираем как раз тогда, когда могли бы начать по-настоящему. Но Высший Судия говорит: «Дудки! Это-то и была жизнь».

Кароль Ижиковский

Только мертвый для жизни готов.

Джимми Хендрикс

Мы дебютируем до самой смерти, да и смерть — тоже дебют.

Лешек Кумор

Что наша жизнь: не привыкнешь — подохнешь, не подохнешь — привыкнешь.

Михаил Жванецкий

Так жить нельзя, а по-другому мы не умеем.

Борис Крутиер

Фанфары грянут в конце похоронного марша.

Доминик Опольский

ЖИЗНЬ ПОСЛЕ СМЕРТИ

См. также «Бессмертие», «Воскресение. Реинкарнация»

Живешь только раз.

Иоганн Вольфганг Гёте

Живешь только раз, и даже в этом нельзя быть уверенным.

Марсель Ашар

Я твердо верю в жизнь после смерти. Но я уже не так уверена насчет жизни до смерти.

Эйлис Эллис

Почему у нас нет семидесяти жизней? Да ведь мы и одну не используем.

Уинифред Хоултби

Трудно жить после смерти. Иногда на это уходит целая жизнь.

Станислав Ежи Лец

Где мы будем после кончины? Там же, где покоятся нерожденные.

Сенека

Боюсь, что смерть лишит нас и загробной жизни.

Станислав Ежи Лец

ЖИТЕЙСКАЯ МУДРОСТЬ

В одну и ту же штанину нельзя попасть дважды.

Сергей Осташко

Все в наших руках, поэтому их нельзя опускать.

Коко Шанель

Все плохое приходит слишком рано, все хорошее — слишком поздно.

Кшиштоф Конколевский

Дай бог каждому, но не всякому.

Ю. Гимберис

Девяносто процентов чего бы то ни было — полная чушь.

Теодор Стерджон

Если не знаешь, как поступить, поступай порядочно.

NN

Если тебя считают верблюдом, плюй на всех.

Владимир Голобородько

Если человек говорит, что не хочет думать о чем-то, значит, он может думать только об этом.

Джон Стейнбек

Если человек здоровается с вами по нескольку раз в день, значит, он вас не замечает.

Александр Ботвинников

Золотое правило гласит, что нет золотых правил.

Джордж Бернард Шоу

Кто обеими ногами твердо стоит на земле, никогда не снимет штаны.

Карлтон Пирсон

Ласковое теля двух маток сосет — и потом из него выходит двойная отбивная.

Влодзимеж Счисловский

Локти кусают, когда руки коротки.

А. Халилова

Люди, которые нам нужны, всегда заняты больше нас.

Сергей Скотников

Надкусив яблоко, всегда приятней увидеть в нем целого червяка, чем половинку.

Мартти Ларни

Не борись с собой — все равно проиграешь.

Станислав Ежи Лец

Не на каждый пинок следует отвечать поклоном.

Анджей Урбаньчик

Не у каждого ноги достают до самой земли.

Янина Ипохорская

Невыносимых людей нет — есть узкие двери.

С. Альт

Недостаточно пролезть в игольное ушко, после этого надо еще доказать, что ты не верблюд.

Гелий Аронов

Норма — это то, что встречается лишь изредка.

Сомерсет Моэм

Один лишний палец всю руку портит.

«Пшекруй»

Одного яйца два раза не высидишь!

Козьма Прутков

Стоять на голове бесполезно, если не можешь стоять на ногах.

Мариан Карчмарчик

Так еще не было, чтоб никак не было.

Ярослав Гашек

Теряя голову, не теряй хотя бы лица.

Лешек Кумор

Только несказанное и стоит запомнить.

Дон-Аминадо

Утопающий обычно мутит воду.

Анджей Сток

Чтобы начать жизнь сначала, нужно вернуться на то место, откуда послали.

Борис Крутиер

ЖУРНАЛИСТИКА

См. также «Газеты», «Интервью и пресс-конференции», «Новости», «Общественное мнение», «Радио», «Телевидение»

Журналистика — профессия почти столь же древняя, как... словом, это вторая древнейшая профессия.

Роберт Сильвестр

Журналистика — это когда сообщают: «Лорд Джон умер»,— людям, которые и не знали, что лорд Джон жил.

Гилберт Честертон

Журналистика — это организованное злословие.

Оскар Уайльд

Журналистика: искусство объяснять другим то, чего сам не понимаешь.

Алфред Чарлз Нортклиф

Проза — это слова в наилучшем порядке; поэзия — наилучшие слова в наилучшем порядке; а журналистика — давно известные слова в давно известном порядке.

«Таймс»

Журналистика есть искусство превращения врагов в деньги.

Крейг Браун

Деньги — самое могущественное средство массовой коммуникации.

Роман Гожельский

Задача журналиста, ведущего скандальную хронику, заключается в том, чтобы писать о вещах, которые совершенно его не касаются.

Луис Кроненбергер

Если высказывание журналиста называют «неэтичным», можно быть почти уверенным, что оно правдиво.

Екатерина Деготь

ПЕРВАЯ АКСИОМА ЖУРНАЛИСТИКИ: К читателю обращайся как к умному человеку, но не забывай, что он идиот.

Максим Звонарев

Первое правило журналистики: не спорить с предрассудками читателя, а опираться на них.

Александр Коуберн

Журналисты пишут, потому что им нечего сказать; и им есть что сказать, потому что они пишут.

Карл Краус

Напишите о карманнике, судившемся тридцать раз, что он известный карманник-рецидивист — и он подаст на вас в суд за оскорбление личности, причем вы проиграете это дело.

Карел Чапек

В свое оправдание журналистика может сослаться на великий дарвиновский закон выживания заурряднейшего.

Оскар Уайльд

О светлом будущем заботятся политики, о светлом прошлом — историки, о светлом настоящем — журналисты.

Жарко Петан

Пресса полезна уже потому, что она учит нас не доверять прессе.

Сэмюэл Батлер

Мы, журналисты, говорим публике, куда прыгнула кошка. Дальше публика уже сама занимается кошкой.

Артур Сульцбергер,
издатель «Нью-Йорк таймс»

Прямо не хочется верить, что ложь существовала до изобретения книгопечатания.

Станислав Ежи Лец

Комментарии свободны, но факты священны.

Скотт Чарлз Престуич,
издатель «Манчестер гардиан»

Комментарии дешевы, но факты обходятся дорого.

Том Стоппард

Политический обозреватель — это тот, кто способен сформулировать интересы власть имущих.

Генри Киссинджер

С нетерпением ожидаю передовицы, которая начиналась бы: «В наши веселые времена...»

Габриэль Лауб

Журналисты несколько схожи с Данаевыми дочерьми, которых боги приговорили наполнять водой бездонную бочку.

Карел Чапек

Журналист — человек, обладающий даром ежедневно заполнять пустоту.

Дейм Ребекка Уэст

Журналист — это писатель, редактируемый своей газетой.

Адриан Декурсель

В 1870 году какого-то журналиста не захотели пустить через аванпосты. «Ах, так! — воскликнул он.— В таком случае мы не будем писать о войне».

Жюль Ренар

Здоровое общество перенесет даже нездоровую критику.

Жарко Петан

Число читательских откликов на статью обратно пропорционально важности затронутой темы.

Роберт Маркус

Спортивные полосы сообщают о человеческих достижениях, первая полоса — о человеческих катастрофах.

Эрл Уоррен

Многое можно сказать в защиту современной журналистики. Предоставляя голос необразованным людям, она знакомит нас с общественным невежеством.

Оскар Уайльд

Публицистика борется с обветшалыми предрассудками при помощи модных.

Болеслав Пашковский

Журналисты вовсе не интересуются известиями, которые сообщают, как официанты не имеют аппетита к блюдам, которые приносят.

Хуго Штейнхаус

Не иметь ни одной мысли и суметь ее выразить — вот как становишься журналистом.

Карл Краус

Просвещение распространилось настолько, что ныне можно читать, писать и публиковать, оставаясь неграмотным.

Хуго Штейнхаус

Если бы змей искушал Еву языком нынешних журналистов, мы и теперь бы жили в раю.

Х. А. Шерринг

В наши дни обеление совершается преимущественно с помощью чернил.

Джордж Прентис

Чернила на 99% состоят из воды.

«Пшекруй»

Как только вы начинаете писать то, что нравится всем, вы перестаете быть журналистом. С этой минуты вы работаете в шоу-бизнесе.

Франк Миллер-младший

З

ЗА И ПРОТИВ

См. также «Оппозиция», «Согласие и отказ»

Я за, и даже против.

Один из «законов Мерфи»
в версии Леха Валенсы

Нонконформист: «Я за все, что против, и против всего, что за».

Пьер Дак

В редакции: «Тут вот сообщение, что найдено средство против бубонной чумы. Вы не знаете — наша партия за чуму или против?»

Карел Чапек

— Руки вверх! Единогласно...

Тамара Клейман

Вы не имеете ничего против или вы против, потому что вы ничего не имеете?

Владимир Колечицкий

Одна пятая часть народа — против чего бы то ни было когда бы то ни было.

Роберт Кеннеди

— Так что проповедник говорил о грехе? — Он был против.

Ответ Калвина Кулиджа,
президента США

ЗАВИСТЬ

Зависть — самая искренняя форма лести.

Джон Коллинз

Зависть — сестра соревнования, следственно из хорошего роду.

Александр Пушкин

Человек готов на многое, чтобы пробудить любовь, но решится на все, чтобы вызвать зависть.

Марк Твен

Наша зависть всегда долговечнее чужого счастья, которому мы завидуем.

Франсуа Ларошфуко

Лучше быть предметом зависти, чем сострадания.

Геродот

По другой стороне ограды трава всегда зеленее.

Английская пословица

Люди готовы завидовать даже красивым похоронам.

Владислав Гжегорчик

Поздравления — самая изысканная форма зависти.

Юлиан Тувим

Популярные писатели обычно непопулярны среди писателей.

Мильор Фернандеш

Когда тебя все любят, то многим это не нравится.

Анатолий Рас

Тяжелее всего для завистника то, что ему никто не завидует.

Роже Мартен дю Гар

Я не завистлив. Я даже могу посетить могилу врага в Аллее Славы.

Станислав Ежи Лец

ЗАИМОДАВЦЫ И ДОЛЖНИКИ

См. также «Кредит»

Никого нельзя заставить полюбить вас или дать вам денег взаймы.

NN

Труднее всего вылезать из долгов и из теплой постели в холодное утро.

NN

Кто дает в долг, нищает; кто берет в долг, разоряется.

Андре Прево

Небольшой долг создает должника, долг побольше — врага.

Публилий Сир

Если у должника озноб, кредитора трясет лихорадка.

Александр Фредро

Если вы должны сто рублей — это ваша забота. Если вы должны миллион — это уже забота вашего кредитора.

NN

Если друг отказался дать вам взаймы 50 долларов, вероятно, он знает вас особенно близко.

Лоренс Питер

Одалживая деньги другу, теряешь друга и деньги.

Французское изречение

Люди растут, и долги вместе с ними.

Веслав Брудзиньский

Разница между капиталом и трудом: если ты одалживаешь кому-нибудь деньги — это капитал; если ты пытаешься получить их назад — это труд.

NN

Я не забываю о долгах, я только забываю их отдавать.

Янина Ипохорская

Лицо заимодавца всегда неприятно.

Французская поговорка

Острить и занимать деньги нужно внезапно.

Видоизмененный Генрих Гейне

У бедных просить легче, чем у богатых.

Антон Чехов

Охотнее дарят богатому, чем дают взаймы бедному.

Жан Пти-Сенн

Занимать деньги надо только у пессимистов. Они заранее знают, что им нс отдадут.

Тристан Бернар

Берите в долг только у тех людей, которые не помнят зла.

Михаил Генин

Как занять деньги без отдачи? Занять и не отдавать.

Давид Самойлов

Берите в долг по-крупному. Так дешевле.

«Коммерсантъ»

Если в нынешние времена вы не залезли в долги, вы, вероятно, занимаетесь чем-то противозаконным.

NN

ЗАКОН. ПРАВО

См. также «Конституция», «Полиция», «Суд и судьи»

За закон народ должен биться, как за городскую стену.

Гераклит

Свобода состоит в том, чтобы зависеть только от законов.

Вольтер

Есть тысяча способов быть очень дурным человеком, не нарушая ни одного закона.

Жермена де Сталь

Закон есть то, что мы разъясняем.

Поговорка древнеримских юристов

Не так страшен закон, как его толкуют.

Данил Рудый

У того, кто решит изучить все законы, не останется времени их нарушать.

Иоганн Вольфганг Гёте

Один человек плюс закон — уже большинство.

Калвин Кулидж

Собственность — вот дух законов.

Шарль Монтескье

Закон не гарантирует обеда, хотя гарантирует обеденный перерыв.

Веслав Брудзиньский

Закон есть закон, сколько бы его ни нарушали.

Данил Рудый

Известно, что закон обратной силы не имеет. Справедливо и обратное: закон и прямой силы не имеет.

Эдуард Скворцов

Уж лучше буква закона, чем его цифры.

Веслав Брудзиньский

Если по данному поводу нет закона, то он появится.

У. Гейтс

Новые законы создают и новые лазейки.

«Метапринцип Купера»

Бесполезные законы ослабляют законы необходимые.

Шарль Монтескье

Законы принимаются для того, чтобы доставлять неприятности гражданину, и чем больше от них неприятностей, тем дольше они сохраняются в своде законов.

Финли Питер Данн

И бесправие может быть кодифицированным.

Станислав Ежи Лец

В джунглях законов расцветает закон джунглей.

Яцек Вейрох

Исключительные законы — узаконенный деспотизм.

Пьер Буаст

Дайте мне шесть строчек, написанных рукой самого честного человека, и я найду в них что-нибудь, за что его можно повесить.

Кардинал Ришелье

Разумеется, законы для богатых не те, что для бедных; иначе кто бы пошел в бизнес?

Бартон Холидей

Закон как дышло, а дальше вы сами в этом отношении можете.

Роман Попкович,
депутат Госдумы

Нам никто не мешает перевыполнить наши законы.

Виктор Черномырдин

Незнание закона не освобождает от ответственности. А вот знание нередко освобождает.

Станислав Ежи Лец

Хорошие законы порождены дурными нравами.

Тацит

Когда множатся законы и указы, растут разбои и грабежи.

Лао-цзы

Закон защищает каждого, кто может нанять хорошего адвоката.

NN

Чтобы поступать справедливо, нужно знать очень немного, но чтобы с полным основанием творить несправедливость, нужно основательно изучить право.

Георг Лихтенберг

Правоведы — единственная категория людей, которым незнание законов ничем не грозит.

Иеремия Бентам, правовед

Мягким законам редко подчиняются, суровые — редко приводятся в исполнение.

Бенджамин Франклин

ЗАМУЖЕСТВО И ЖЕНИТЬБА

См. также «Брак», «Свадьба»

Есть два типа мужчин: одни молодые, симпатичные, с будущим; другие подумывают о женитьбе.

«Пшекруй»

Мужчине нужна жена, потому что не все на свете можно свалить на правительство.

Леонард Луис Левинсон

Для женитьбы нужны двое — одинокая девушка и озабоченная мать.

NN

Жениться стоит только на женщинах, которым нельзя доверять в браке.

Чезаре Павезе

Если все будут жениться на умных, то что же делать с красивыми?

Данил Рудый

Глупые женятся, а умные выходят замуж.

Константин Мелихан

Обычное дело: объясняешься в любви ангелу, а женишься на кухарке.

Магдалена Самозванец

Я всегда полагал, что каждая женщина должна быть замужем, но ни один мужчина не должен жениться.

Бенджамин Дизраэли

Женщина спешит с первым браком, боясь опоздать со вторым.

Аркадий Давидович

Ни один женатый мужчина не может считаться счастливым, если он вынужден пить джин худшего сорта, чем до женитьбы.

Генри Луис Менкен

Обручальное кольцо — первое звено цепи.

Жарко Петан

Медовый месяц заканчивается, когда домашние туфли мужу приносит собака, а ворчать начинает жена.

Сари Габор

О, если бы можно было поехать в свадебное путешествие одному!

Жюль Ренар

Выходя замуж, девушка меняет внимание многих мужчин на невнимание одного.

Хелен Роуленд

Добродетельная девица не гонится за женихами. Где это видано, чтобы мышеловка гналась за мышью?

Юлиан Тувим

Девушке подавай только мужа, а замужней подавай уже все.

Английское изречение

Замужняя женщина: женщина, у которой прекрасное будущее позади.

Амброз Бирс

ЗАПАДНИКИ, СЛАВЯНОФИЛЫ И ПОЧВЕННИКИ

См. также «Патриотизм», «Россия и русские»

Я западник и потому — националист. Я западник и потому — государственник.

Петр Струве

Чужой западноевропейский ум призван был нами, чтобы научить нас жить своим умом, но мы попытались заменить им свой ум.

Василий Ключевский

Славянофильство — история двух-трех гостиных в Москве и двух-трех дел в московской полиции.

Василий Ключевский

Даже искренне верующий славянофил все-таки остается внутренне чужд и непричастен народной вере. Он верит в народ и в его веру; но ведь народ верит не в самого себя и не в свою веру.

Владимир Соловьев

Славянофилы поклонялись русскому народу не потому, чтоб он действительно был воплощением христианского идеала, а напротив, они старались представить его себе и другим в таком идеальном свете потому, что уже поклонялись ему, каков бы он ни оказался: он был для них не по хорошему мил, а по милу хорош.

Владимир Соловьев

Говорят про Россию, что она не принадлежит ни к Европе, ни к Азии, что это особый мир. Пусть будет так. Но надо еще доказать, что человечество, помимо двух своих сторон, определяемых словами — Запад и Восток, обладает еще третьей стороной.

Петр Чаадаев

Русские уже благодаря размерам своей страны космополиты или, по крайней мере, на одну шестую космополиты, поскольку Россия занимает почти шестую часть всего населенного мира.

Генрих Гейне

Запад находится от России на расстоянии протянутой руки.

Акрам Муртазаев

Народники так умно рассуждают об основах своей жизни, что кажется, то, на чем они сидят, умнее того, чем они рассуждают о том.

Василий Ключевский

Сравнивают народ с растением, говорят о крепости корней, о глубине почвы. Забывают, что и растение, для того чтобы приносить цветы и плоды, должно не только держаться корнями в почве, но и подниматься над почвой, должно быть открыто для внешних чужих влияний, для росы и дождя, для свободного ветра и солнечных лучей.

Владимир Соловьев

Дубина: «А если бы вы знали, какие у меня корни!»

Карел Чапек

ЗАРПЛАТА

См. также «Деньги», «Доходы и расходы»

Заработная плата — мерило уважения, с которым общество относится к данной профессии.

Джонни Тиллмон

Мы ему переплачиваем, но он того стоит.

Сэмюэл Голдвин

Просто удивительно, насколько важна ваша работа, когда нужно отпроситься с нее, и насколько она маловажна, когда вы просите прибавки в зарплате.

Роберт Орбен

Мы хорошо знаем себе цену. Она всегда выше нашей зарплаты.

Данил Рудый

Ничто не дается нам так дорого и не ценится нами так дешево, как наша зарплата.

Борис Замятин

Время — деньги. Две недели — уже аванс.

Леонид Леонидов

Труднее всего — конец месяца, особенно последние 30 дней.

Альфонс Алле

Можно ли прожить на одну зарплату? Можно, если жить один день.

Константин Мелихан

Если на службе тебе не платят столько, сколько ты стоишь на самом деле, — твое счастье.

NN

Если человек ничего не делает за оклад, то сколько он сделает за пол-оклада?

Данил Рудый

Я человек с восемью язвами на четырехъязвенном жалованье.

Гарри Трумэн,
вслед за Стивеном Эрли

Пессимизм — это вопрос темперамента, оптимизм — вопрос жалованья.

Дон-Аминадо

Можно ли прокормить семью, служа примером?

Александр Ботвинников

Чтобы зарабатывать вдвое больше, нужно вдвое больше работать. Не вижу, в чем же тут выгода?

Янина Ипохорская

Чтобы заработать на жизнь, надо работать. Но чтобы разбогатеть, надо придумать что-то другое.

Альфонс Карр

Те, кто работает сидя, зарабатывают больше тех, кто работает стоя.

Огден Нэш

В иерархической системе оплата труда прямо пропорциональна привлекательности и легкости выполняемой работы.

NN

ВТОРАЯ АКСИОМА БЕРГЕРА:
Зарплата, спущенная на бюджетное учреждение, не уничтожается, не возникает из ничего и подчиняется закону сообщающихся сосудов.

Приписывается Якову Бергеру

Если вас не устраивает ваша зарплата, отдайте ее жене.

Олег Сеин

Семьи, в которых муж получает зарплату раз в неделю, ссорятся чаще, чем семьи, в которых муж получает зарплату раз в месяц.

«Пшекруй»

Кому много дано, с того много и вычтут.

Олег Сеин

Не служи двум господам за одну зарплату.

Веслав Брудзиньский

Не плата за службу обогащает человека, а связанные со службой денежные оказии.

Сэмюэл Пайпс (XVII в.)

Каждый, кто зарабатывает немного больше тебя, немного подозрителен.

«Пшекруй»

Каждый мечтает зарабатывать столько, сколько он тратит.

NN

ЗАСЛУГИ

См. также «Награды. Ордена»

Звания и титулы придуманы для тех, чьи заслуги перед страной бесспорны, но народу этой страны неизвестны.

Джордж Бернард Шоу

Я был бы рад воздать каждому по заслугам, да не всегда в кармане есть мелочь.

Лешек Кумор

Если б каждому по заслугам, то у некоторых знаки отличия должны быть не спереди, а сзади.

Борис Крутиер

Чем больше заслуг у вождя, тем большей обузой становится он после победы.

Кароль Бунш

Там, где двое дерутся, сразу оказываются трое героев и десять заслуженных ветеранов.

Владислав Гжещик

Проливал кровь? Указать, чью!

Владислав Пекарский

Не зазнавайся, даже если у тебя нет никаких заслуг.

Александр Кулич

ЗДОРОВЬЕ И САМОЧУВСТВИЕ

См. также «Болезни»

Здоровье — это эпизод между двумя болезнями.

Тед Капчук

Здоровый человек не тот, у которого ничего не болит, а тот, у которого каждый раз болит в другом месте.

Мишель Крестьен

Здоровые люди — это больные, которые еще не знают об этом.

Жюль Ромен

Если вам за пятьдесят, и вы только что проснулись, и у вас ничего не болит, значит, вы уже умерли.

Английское изречение

Каким бы ни было ваше здоровье, его хватит до конца жизни.

Л. Борисов

Если здоровье плохо — думай о чем-нибудь другом.

Эдуард Бенсон

Любой, кто способен утром выбраться из постели, находится в очень приличной форме. Спросите любого из тех, кто уже не способен.

NN

Если подниматься по лестнице не труднее, чем спускаться, — это молодость. Если спускаться не легче, чем подниматься, — это старость.

«Пшекруй»

Передышками нельзя пренебрегать: тяжелобольным временное улучшение заменяет здоровье.

Сенека

Здоровье не купишь, им можно только расплачиваться.

Сергей Крытый

Лучше быть здоровым, но богатым, чем бедным, но больным.

Видоизмененный Даниил Хармс
(по другим источникам —
Морис Синэ)

Лучше быть больным, но богатым, чем бедным, но больным.

Никита Богословский

ЗЕМЛЯ

См. также «Мир. Мироздание»

Чем дальше от Земли, тем она голубей.

Геннадий Малкин

Трудно идти совершенно прямо по земле, которая шарообразна.

Янина Ипохорская

Через пятьсот лет на Земле останутся только стоячие места.

Вернер фон Браун

Согласно авторитетным источникам, заповедь «Плодитесь и размножайтесь» была дана, когда население Земли состояло из двух человек.

Уильям Индж

Крайне важное сообщение относительно Космического Корабля Земля: к нему не приложено руководство по эксплуатации.

Бакминстер Фаллер

Не будем все сваливать на наше межзвездное положение.

Хенрик Ягодзиньский

Жить на Земле, возможно, дороговато, зато вы получаете ежегодный бесплатный круиз вокруг Солнца.

Эшли Брильянт

Когда мы до конца исследуем космос, окажется, что, будучи здесь, на земле, мы уже были в небе.

Станислав Ежи Лец

Боюсь, что земной шар — желтый дом Вселенной.

Вольтер

А что, если наша Земля — ад какой-то другой планеты?

Олдос Хаксли

ЗЕРКАЛО

См. также «Внешность. Наружность», «Лицо»

Миф нашей молодости разбивается о зеркало.

Антоний Регульский

Никогда не верь зеркалам и газетам.

Джон Осборн

Подошел к зеркалу и увидел обратную сторону медали.

Влодзимеж Счисловский

Чем больше зеркало, тем меньше человек.

Леопольд Новак

Когда грустишь в одиночку, зеркало усиливает одиночество.

«Пшекруй»

Мир в зеркале живет гораздо дешевле.

Славомир Врублевский

Зеркало смотрится в женщину.

Ксавье Форнере

Зеркало — совесть женщины; она ничего не делает, не посоветовавшись с ним.

Моисей Сафир

До чего же не похоже на правду то, что женщина видит в зеркале!

Янина Ипохорская

Зеркало успешно отражало ее попытки казаться красивой.

Эмиль Кроткий

Надпись на зеркале: «Другие не лучше».

Александр Дашевский

ЗЛОСЛОВИЕ. КЛЕВЕТА

См. также «Сплетни и слухи»

Мне неважно, что обо мне говорят за моей спиной, пока обо мне говорят неправду.

Авраам Линкольн

Хочешь знать, что говорят о тебе знакомые? Послушай, что они говорят о людях, которые лучше тебя.

Мария Эбнер-Эшенбах

Тот, кто швыряется грязью, теряет почву под ногами.

Эдлай Стивенсон

Есть оружие пострашней клеветы; это оружие — истина.

Талейран

Только правда оскорбительна.

Наполеон I

Клевещите, клевещите — что-нибудь да останется.

Фрэнсис Бэкон

Знакомые — это люди, на всякий случай называющие вас дураком. Хорошие знакомые уже могут рассказать о вас скверный анекдот. Друзьями же называются те, которые действительно знают о вас несколько настоящих гадостей.

Дон-Аминадо

Прощай тех, кто говорит о тебе плохо, но не тех, кто сообщает тебе об этом.

Янина Ипохорская

Если бы все знали, что все говорят обо всех, то все не разговаривали бы со всеми.

Габриэль Оното

Чем больше выпадает зубов, тем больнее человек кусается.

Джордж Прентис

Нужно вменить себе в правило никогда не распространять чужого злословия, пока не проверишь, насколько оно справедливо. Правда, тогда придется навсегда замолчать.

Андре Моруа

ЗНАКОМСТВО. ЗНАКОМЫЕ

См. также «Близкие люди», «Дружба», «Соседи»

Знакомый — человек, которого мы знаем достаточно хорошо, чтобы занимать у него деньги, но недостаточно хорошо, чтобы давать ему взаймы.

Амброз Бирс

Самая ужасная толпа, какую можно себе представить, состояла бы из одних знакомых.

Элиас Канетти

Если вы попадете в рай, вы удивитесь, встретив знакомых, которых вовсе не ожидали там встретить. Многие из них будут удивлены еще больше, встретив там вас.

NN

Чем больше у тебя денег, тем больше знакомых, с которыми ничто тебя не связывает, кроме денег.

Теннесси Уильямс

Вы его знаете? Я знаю его так хорошо, что не разговариваю с ним уже десять лет.

Оскар Уайльд

Вероятность встретить знакомых возрастает, если вы идете с персоной, знакомство с которой вам не хотелось бы афишировать.

«Принцип пересекающихся знакомых»

Как быстро стареют наши знакомые!

Юзеф Булатович

В конце концов из всего нашего интереса к знакомым и близким остается вопрос: «А он еще жив?»

Владислав Гжещик

ЗНАНИЕ

См. также «Информация. Информированность», «Наука», «Невежество»

Наши знания есть сумма того, чему мы научились, и того, что мы забыли.

Мария Эбнер-Эшенбах

Знания бывают двоякого рода: либо мы что-нибудь знаем, либо мы знаем, где найти сведения об этом.

Сэмюэл Джонсон

Где мудрость, утраченная нами ради знания? Где знание, утраченное нами ради сведений?

Томас Стернз Элиот

Некоторые вещи недоступны человеческому уму, но мы не знаем какие.

«Закон Джеффи»

Ты никогда не будешь знать достаточно, если не будешь знать больше, чем достаточно.

Уильям Блейк

Кто знает немного, любит повторять это немногое.

Томас Фуллер

Нет ничего нового под солнцем, но есть кое-что старое, чего мы не знаем.

Лоренс Питер

Если бы ты знал то, что знаю я, ты бы не мог знать того, что ты знаешь.

Поль Валери

Я знаю, что я ничего не знаю.

Сократ

Современный Сократ: я знаю, что другие ничего не знают.

Жарко Петан

Чтобы что-то узнать, нужно уже что-то знать.

Станислав Лем

Легче что-то знать, чем знать, откуда ты это знаешь.

Збышко Беднож

Чем больше я знаю, тем больше я знаю лишнего.

Андрей Кучаев

Старайся знать все о чем-нибудь и что-нибудь обо всем.

Генри Питер Брум

Никто не знает достаточно; слишком много знают слишком многие.

Мария Эбнер-Эшенбах

ЗРЕЛОСТЬ

Зрелость: возраст, когда мы все еще молоды, но с гораздо большим трудом.

Янина Ипохорская

Зрелость: возраст, когда ты уже достаточно стар, чтобы знать, чего не следует делать, и достаточно молод, чтобы это сделать.

Альбер Палле

Зрелость была бы лучшим временем нашей жизни, если бы у нас было время.

NN

Зрелый мужчина: существо, которое под елкой надеется найти красивую девушку, а находит галстук.

Янина Ипохорская

Молодежь нынче стала настолько зрелой, что сознательно затягивает стадию инфантилизма.

Лешек Кумор

ЗРЕНИЕ. ОЧКИ

Ничто так не отличает человека от животных, как очки.

Гарри У. Смитс

Для того, чтобы носить очки, мало быть умным, надо еще плохо видеть.

В. Дубинский

Близорукий встречает меньше знакомых, зато чаще раскланивается.

Славомир Врублевский

Бифокальные очки незаменимы для чтения во время рекламных пауз на телевидении.

Леонард Луис Левинсон

Темные очки защищают от солнца, но не от мужчин.

Янина Ипохорская

Морковь, безусловно, очень полезна для глаз. Вы когда-нибудь видели зайца в очках?

NN

ЗУБЫ. ЗУБНЫЕ ВРАЧИ

Зубы отправляются на тот свет первыми.

Янина Ипохорская

Тот, кто смеется последним, обычно не имеет переднего зуба.

«Пшекруй»

Потеря любовника, или мужа, или даже двух мужей восполнима; но потеря зуба — это настоящая катастрофа.

Хью Уилер

Многих людей считают доброжелательными, тогда как они всего лишь гордятся своими красивыми зубами.

Неизвестный американец

Если зубы как жемчуг, их дали поносить.

Геннадий Малкин

Новые зубы — это навсегда забытые старые.

Геннадий Малкин

Любовь побеждает все, кроме бедности и зубной боли.

Мэй Уэст

Зубная боль обычно начинается в ночь на субботу.

«Закон Джонсона и Лэрда»

— Есть плохая новость и хорошая новость. Плохая новость: у вас три дупла. Хорошая новость: ваш золотой зуб вырос в цене.

«Ридерс дайджест»

Если уж попал к зубному врачу, то стисни зубы — и терпи.

В. Осипов

Если дантист сказал: «Удалять!» — моли бога, чтобы тебе вырвали зуб, весь зуб, и ничего кроме зуба.

Неизвестный американец

И

ИГРА

Работа — это то, что человек обязан делать, а Игра — это то, чего он делать не обязан. Поэтому делать искусственные цветы или носить воду в решете есть работа, а сбивать кегли или восходить на Монблан — забава.

Марк Твен

Если мужчина говорит: «Это глупая детская игра»,— значит, это игра, в которой он проигрывает своей жене.

«Закон Эпперсона»

Выигравший никогда не скажет: «Это всего лишь игра».

Глория Коуплend

При равных шансах ты проигрываешь.

«Первый закон Тодда»

В играх без правил правила нужно знать особенно тщательно.

Александр Самойленко

Правила игры нужно знать, но лучше устанавливать их самому.

Анджей Сток

ИДЕАЛЫ. ИДЕАЛИЗМ

См. также «Цинизм»

О себе мы судим по своим идеалам; о других — по их поступкам.

Гарольд Николсон

Идеализм возрастает прямо пропорционально расстоянию до проблемы.

Джон Голсуорси

Идеалист — человек, который позволяет кормить себя красивыми словами, пусть они даже завернуты в самую грязную газетную бумагу.

Жарко Петан

Реформатор, для которого мир недостаточно хорош, в конце концов оказывается рядом с человеком, который недостаточно хорош для этого мира.

Джордж Бернард Шоу

Идеалы служат для шантажа. И благодаря шантажу живут.

Кароль Ижиковский

Идеал — это манера брюзжать.

Поль Валери

Пожалуйста, не употребляйте этого иностранного слова «идеал». Скажите просто, по-нашему: «ложь».

Генрик Ибсен

Умирают только за то, ради чего стоит жить.

Антуан де Сент-Экзюпери

ИДЕИ. ИДЕОЛОГИЯ

См. также «Взгляды. Убеждения», «Правда. Истина», «Предрассудки», «Утопия»

Не мы хватаем идею, идея хватает и гонит нас на арену, чтобы мы, как невольники-гладиаторы, сражались за нее. Так бывает со всяким истинным трибуном или апостолом.

Генрих Гейне

Ценность идеи не имеет ничего общего с искренностью ее глашатая.

Оскар Уайльд

Идеи иногда экспортируются, но куда чаще депортируются.

Артур Никольский

История идей — это история ошибок.

Алфред Уайтхед

Человечество мыслит по касательной к той кривой, по которой оно движется.

Григорий Ландау

Мало кто меняет убеждения — меняют идеологии.

Станислав Ежи Лец

Идеи тем проще овладевают массами, чем они проще.

Сергей Скотников

Идеи овладевают массами в извращенной форме.

Акрам Муртазаев

Практичную идею можно использовать и с правой, и с левой стороны.

Станислав Ежи Лец

Идеологи дискутируют монологами.

Жарко Петан

При оглашении идейного завещания главное — степень вменяемости наследников.

Веслав Брудзиньский

Если миф сталкивается с мифом, это в высшей степени реальное столкновение.

Станислав Ежи Лец

Вера — то, ради чего умирают; идеология — то, ради чего убивают.

Антони Бенн

После гибели идеи остаются трупы.

Симона Вейль

Человек готов умереть за идею — при условии, что видит ее не слишком ясно.

Пол Элдридж

Умереть за идею — это звучит неплохо, но почему бы не послать идею умереть за вас?

Перси Льюис

Легче умереть за идею, чем жить в соответствии с ней.

Альфред Адлер

Великие идеи безжалостны.

Анри де Монтерлан

Доктрины имеют то преимущество, что избавляют от необходимости думать.

Эдуар Эррио

Историки фальсифицируют прошлое, идеологи — будущее.

Жарко Петан

ИЗВИНЕНИЯ

Извиняться — закладывать фундамент для будущего проступка.

Амброз Бирс

Несколько извинений выглядят менее убедительно, чем одно.

Олдос Хаксли

Извинения — как выведенное пятно: что-то всегда остается.

Александр Фредро

Хам остается хамом, даже когда извиняется.

Ян Цыбис

Надменное извинение — еще одно оскорбление.

Гилберт Честертон

ИЗМЕНА В ЛЮБВИ

См. также «Верность в любви», «Ревность»

Неверность как смерть — она не знает нюансов.

Дельфина Жирарден

Любопытство — первая ступенька к измене.

Магдалена Самозванец

Я скучала — вот почему это началось. Он мне прискучил — вот почему это кончилось.

Александр Дюма-сын

Он любит ее больше, чем всех других, но ему нужны другие, чтобы в этом удостовериться.

Натали Клиффорд Барни

Он находил время, чтобы заниматься мною и чтобы изменять мне каждый день.

Коко Шанель
о своем втором любовнике

Настоящая любовь — единственная оказия для измены.

Ядвига Рутковская

Чтобы склонить мужчину к измене, достаточно выйти за него замуж.

Ежи Виттлин

Отчаявшись изменить мужа, изменяют мужу.

NN

Многие жены не изменяли бы мужьям, если бы знали более тонкий способ отомстить.

Юзеф Булатович

Рогатых мужей меньше, чем разочарованных жен.

Жак Дерваль

Обманутый муж всюду видит обманутых мужей.

Марсель Пруст

Женщина такое тонкое существо, что начинает жалеть тебя уже за несколько дней до своей измены.

Корнель Макушиньский

Мадемуазель де Соммери, будучи поймана своим любовником на месте преступления, храбро это отрицала, а когда тот стал горячиться, заявила: «Ах, я прекрасно вижу, что вы меня разлюбили; вы больше верите тому, что вы видите, чем тому, что я говорю».

Стендаль

Адюльтер приносит больше зла, чем брак — добра.

Оноре Бальзак

Я еще ни разу не видела пары, которая была бы счастлива в адюльтере.

Тамасин Дей-Льюис

Мужчина может иметь два, от силы три любовных романа на стороне, пока он женат. Больше — это уже обман.

Ив Монтан

Преступника неодолимо тянет на место преступления против супружеской верности.

Лешек Кумор

«Как следует вести себя,— спросил один мой знакомый,— застав у себя дома друга жены в постели с незнакомой женщиной?»

Станислав Ежи Лец

Супруг, который не обо всем рассказывает супруге, вероятно, считает, что то, чего она не знает, не может причинить ему боль.

Лео Берк

Моя жена говорит, что ее не волнует, чем я занимаюсь, когда я в отъезде, при условии, что это не доставляет мне удовольствия.

Ли Тревино

Подозревать женщин в неверности нас заставляют не их измены, а наши собственные.

Станислав Вапняк

Если жена тебе изменила, то радуйся, что она изменила тебе, а не отечеству.

Антон Чехов

Если жена тебе изменила, не спрашивай, в который раз, потому что это может поразить тебя по-настоящему.

Юзеф Булатович

Не врывайся к жене с криком: «Я все знаю!», а то она, чего доброго, спросит тебя, в каком году была битва при Трафальгаре.

«Пшекруй»

ИИСУС ХРИСТОС

См. также «Христианство»

Евангелие есть учение о Христе, а не учение Христа.

Николай Бердяев

Христос был не основателем религии, а религией.

Николай Бердяев

И если кто услышит Мои слова и не поверит, Я не сужу его: ибо Я пришел не судить мир, но спасти мир.

Евангелие от Иоанна, 12, 47

Жить нужно так, как если бы пришествие Христа ожидалось сегодня вечером.

Джимми Картер

Если бы Иисус Христос явился сегодня, никто бы не стал его распинать. Его бы пригласили к обеду, выслушали и от души посмеялись.

Томас Карлейль

Иисус взял двенадцать человек с самой низкой ступени бизнеса и создал из них организацию, завоевавшую мир.

Брюс Бартон, рекламный агент

Спаситель обрекает себя на повешение на человеческих шеях.

Станислав Ежи Лец

Нынешние Мессии не только не позволят себя распять, но сами готовы распинать других.

Януш Васильковский

ИЛЛЮЗИИ

См. также «Мечты и мечтатели»

Слова и иллюзии гибнут, факты остаются.

Дмитрий Писарев

Факты гибнут, иллюзии остаются.

Михаил Протопопов

За иллюзии расплачиваются действительностью.

Лешек Кумор

Эпоху можно считать законченной, когда истощились ее основополагающие иллюзии.

Артур Миллер

Наши иллюзии — самые прочные.

Виктор Корнилов

Я — идеалист без иллюзий.

Джон Кеннеди

Бескорыстным — иллюзии, корыстным — деньги, на которые можно купить иллюзии.

Войцех Верцех

Прочность карточного домика не зависит от количества козырей.

Лешек Кумор

Содержание воздушных замков обходится очень дорого.

Эдуард Булвер-Литтон

Воображаемый мир приносит вполне реальные выгоды, если заставить жить в нем других.

Веслав Брудзиньский

Иллюзии, как и зубы, теряются с возрастом.

Сидни Смит

Последняя иллюзия — вера в то, что ты уже потерял все иллюзии.

Морис Шаплен

Только новые заблуждения спасают нас от отчаяния после утраты старых.

Феликс Хвалибуг

Сколько бы мы ни платили за свои прекрасные иллюзии, мы не остаемся в убытке.

Мария Эбнер-Эшенбах

ИМЕНА

Имя человека — самый сладостный и самый важный для него звук на любом языке.

Дейл Карнеги

Нет такого обидного слова, которое не давалось бы в фамилию человеком.

Илья Ильф

Тот, кто на букву «Я», живет дольше — пока еще до него дойдет.

Михаил Жванецкий

У красивой женщины всегда красивое имя.

Юзеф Булатович

Самый простой и доступный способ смертельно оскорбить человека — переврать его отчество дважды подряд.

Максим Звонарев

Можно шутить с человеком, но нельзя шутить с его именем.

Марина Цветаева

После родственников самое неприятное — это однофамильцы.

Дон-Аминадо

— Вы не родственники? — Даже не однофамильцы.

Академик Александр Минц (физик) об академике Исааке Минце (идеологе)

Все великие люди носят имена улиц.

Сесар Бруто

ИНОСТРАННЫЕ ЯЗЫКИ

См. также: «Английский язык», «Перевод», «Словарь»

Кто не знает чужих языков, не знает ничего о своем.

Иоганн Вольфганг Гёте

У римлян ни за что не хватило бы времени на завоевание мира, если бы им пришлось сперва изучать латынь.

Генрих Гейне

Разговаривайте иногда на чужом языке, чтобы не забыть, как плохо вы его знаете.

Болеслав Пашковский

Он умел молчать на семи языках.

Фридрих Вольф

Владею русским со словарем, французским, хинди, испанским, банту и другими с переводчиком.

Владимир Колечицкий

Жизнь слишком коротка, чтобы изучать немецкий язык.

Ричард Порсон, английский филолог-классик

Только поляки способны за границей говорить на всех языках одновременно.

Станислав Дыгат

Я говорю на эсперанто так чисто, словно там родился.

Спайк Миллиган

Говорят, будто баски понимают друг друга, но, помоему, это враки.

Жюль Сезар Скалигер

ИНТЕЛЛЕКТУАЛЫ

См. также «Ум. Интеллект»

Интеллектуал: человек, который читает книги даже в хорошую погоду.

«Пшекруй»

Интеллектуал — человек слишком умный, чтобы понимать простейшие вещи.

NN

Интеллектуал: человек, которому требуется больше слов, чем нужно, для того, чтобы сказать больше, чем он знает.

Дуайт Эйзенхауэр

Интеллектуалы делятся на две категории: одни поклоняются интеллекту, другие им пользуются.

Гилберт Честертон

Маленькие дети имеют много общего с интеллектуалами. Их шум раздражает; их молчание подозрительно.

Габриэль Лауб

Интеллектуал — это человек, который верит, что идеи важнее, чем ценности; разумеется, его идеи и чужие ценности.

Джерald Бренан

Интеллектуалы как женщины — они бегут за военными.

Андре Мальро

Нет такого омерзительного политического течения, которое не нашло бы своих интеллектуалов.

Слободан Снайдер

Интеллектуальная засуха заливает нас потоком слов.

Станислав Ежи Лец

Высоколобый: человек, образованный не по уму.

Брандер Мэтьюс

Высоколобый: тот, кто считает, что на свете есть вещи интереснее, чем даже женщины.

Эдгар Уоллес

Яйцеголовый — это тот, кто обеими ногами прочно стоит в воздухе на обеих сторонах проблемы.

Стэнли Гарн

Яйцеголовые всех стран, объединяйтесь! Нам нечего терять, кроме своих желтков.

Эдлай Стивенсон

Я мыслю, следовательно, я на что-то существую.

Братья Тривзоровы

Будь я мыслителем, я бы не сидел всю жизнь согнувшись.

Геннадий Малкин

ИНТЕЛЛИГЕНТЫ

См. также «Образование»

Интеллигенция — это слой, который предохраняет от хамства.

Станислав Ежи Лец

Интеллигент — это паразит, вырабатывающий культуру.

Тадеуш Котарбиньский

Мандельштам писал: у интеллигента не биография, а список прочитанных книг. А у меня — непрочитанных.

Михаил Гаспаров

Звание ученого не лишает человека права называться интеллигентным человеком.

Л. А. Бридж

Интеллигент — это человек, думающий о людях лучше, чем они о нем.

Борис Крутиер

Интеллигенция есть ругательное слово.

Владимир Маяковский

Интеллигент! Ведь достаточно просто охаметь, чтобы избавиться от этого обидного прозвища.

Станислав Ежи Лец

Русская интеллигенция скоро почувствует себя в положении продавщицы конфет голодным людям.

Василий Ключевский

Полуинтеллигент: человек с высшим образованием, но без среднего.

NN

Что хуже: интеллигенты, пишущие для полуинтеллигентов, или полуинтеллигенты, пишущие для интеллигентов?

Веслав Брудзиньский

У меня нет телевизора, но я не интеллигент.

Неизвестный француз

Достаточно снизить уровень мышления, чтобы иные почувствовали почву под ногами.

Роберт Карпач

На сто умеющих читать приходится едва ли один умеющий думать.

Джон Рескин

Отсутствие денег не заменяет культуры.

Янина Ипохорская

ИНТЕРВЬЮ И ПРЕСС-КОНФЕРЕНЦИИ

См. также «Журналистика»

Интервью — это такой разговор, которого никогда не было.

Казимеж Бартошевич

На самом деле я не говорил ничего из того, что я говорил.

Йоги Берра

Нет комментариев. Но прошу меня не цитировать.

Дан Куэйл

Реальность не поспевает за комментариями.

Станислав Ежи Лец

Официальные разъяснения высказываний политиков часто труднее понять, чем сами эти высказывания.

Уиллард Гейлин

Некоторые наши сообщения даются со ссылкой на «источники, которые не могут быть названы». Никто не верит пресс-секретарю, но каждый верит безымянным источникам.

Рон Нессен, пресс-секретарь президента США

Опровержение — это попытка заменить сплетню ложью.

Роже Пейрефит

То, чего я не говорил, я никогда не опровергаю.

Брайан Малруни

Каждое интервью должно начинаться с напоминания: «Все, что вы скажете, может быть использовано против вас».

Максим Звонарев

Каждое ружье на всякий случай считай заряженным; каждый микрофон — включенным.

Анджей Вишневский

Никогда не отвечай на гипотетические вопросы.

Моше Аренс

Забросать вопросами проще простого, куда труднее попасть в цель.

Лешек Кумор

Рок-журналистика: парней, не умеющих говорить, интервьюируют парни, не умеющие писать, чтобы было что почитать парням, не умеющим читать.

Франк Заппа

Не задавай вопросов, и я не буду лгать.

Оливер Голдсмит

ИНТРИГИ

Давай по порядку: сперва ты подашь мне руку, потом я подставлю тебе ногу.

Влодзимеж Счисловский

Подставляя другому ногу, посмотри, на чем стоит твоя вторая нога.

Леопольд Новак

Человека легче всего съесть, когда он болен или уехал отдыхать.

Евгений Шварц

Охотнее всего человека съедают те, кто его не переваривает.

А. Карабчиевский

Не рой яму другому — он может использовать ее как фундамент.

Владимир Кафанов

Не рой другому яму, если можешь поручить это своему подчиненному.

Лазарь Лагин

Если ты очутился в яме, немедленно прекращай копать.

Денис Хили

ИНФАРКТ

Сердце очень хрупкая вещь: оно бьется.

Цаль Меламед

Не беспокойтесь о своем сердце, пока оно не остановилось.

Э. Б. Уайт

Болезни сердца нехороши тем, что первым симптомом часто бывает внезапная смерть.

Майкл Фелпс

Как хорошо, что человек не может идти за своим гробом! А то бы у него сердце не выдержало.

Леонард Джевецкий

Путь к инфаркту гораздо приятней, чем бег от него.

Геннадий Малкин

Благодаря оздоровительному бегу люди получают инфаркт в гораздо лучшем состоянии здоровья, чем раньше.

NN

ИНФЛЯЦИЯ

См. также «Деньги»,
«Уровень жизни. Стоимость жизни», «Цена»

Иметь небольшую инфляцию — все равно что быть немного беременной.

Приписывается
Франклину Рузвельту

Плохая монета вытесняет из обращения хорошую монету.

Томас Грешем (XVI в.)

Деньги портят человека, а инфляция портит деньги.

Борис Крутиер

Инфляция — единственная форма наказания без законного основания.

Милтон Фридман

Инфляция — это когда каждый настолько богат, что никто ничего не может себе позволить.

NN

Инфляция: быть бедным стоит уже на 20 процентов дороже.

NN

Вечное движение отрицают лишь те, кто никогда не видел гонки цен и зарплат в период инфляции.

Жан Делакур

Борьба парламента с инфляцией — все равно что борьба мафии с преступностью.

NN

У нас все больше рублей и все меньше денег.

NN

То не беда, если за рубль дают полрубля; а то будет беда, когда за рубль станут давать в морду.

Михаил Салтыков-Щедрин

Девальвация есть не что иное, как утаивание долгов.

Виктор Каннинг

В доброе старое время делать историю было гораздо дешевле.

NN

Если все думают, что цены поднимутся, цены поднимутся.

«Первый инфляционный закон»

Чем мягче валюта в данной стране, тем жестче туалетная бумага.

Джон Фаунтин

Нет ничего бесполезнее вчерашних газет и вчерашних ценников.

NN

ИНФОРМАЦИЯ. ИНФОРМИРОВАННОСТЬ

См. также «Знание»

1. Каждый может принять решение, располагая достаточной информацией.

2. Хороший руководитель способен принять решение, располагая недостаточной информацией.

3. Идеальный руководитель способен принять решение, не зная решительно ничего.

«Законы информации Спенсера»

ЧЕТЫРЕ ЗАКОНА ТЕОРИИ ИНФОРМАЦИИ:

1. Информация, которая у вас есть, не та, которую вам хотелось бы получить.

2. Информация, которую вам хотелось бы получить, не та, которая вам на самом деле нужна.

3. Информация, которая вам на самом деле нужна, вам недоступна.

4. Информация, которая в принципе вам доступна, стоит больше, чем вы можете за нее заплатить.

NN

Хорошо информированный человек — самый бесполезный зануда на свете.

Алфред Уайтхед

Каждый хочет, чтобы его информировали честно, беспристрастно, правдиво — и в полном соответствии с его взглядами.

Гилберт Честертон

Если ты все понимаешь, значит, тебе не обо всем говорят.

«Пшекруй»

Бывает информация из первых рук, высосанная из пальца.

Роберт Карпач

Чем менее точна информация, тем более бурно мы на нее реагируем.

«Замечание Уэдервакса»

Чем меньше мы знаем, тем больше подозреваем.

Генри Уилер Шоу

ИРОНИЯ

См. также «Остроумие», «Юмор»

Свобода начинается с иронии.

Виктор Гюго

Ирония — оружие слабых. Сильные мира сего не имеют прав на нее.

Хуго Штейнхаус

Ирония — это оскорбление, переодетое комплиментом.

Эдуард Уиппл

Ирония — последняя стадия разочарования.

Анатоль Франс

Ирония, не зная правды, учит тому, как без правды жить.

Петр Вайль и Александр Генис

Самоирония, отказ от иллюзий и предрассудков делают нас, быть может, свободнее, но не сильнее.

Анри Амьель

ИСКРЕННОСТЬ. ОТКРОВЕННОСТЬ

Все искренние чувства попросту плохо сыграны.

Александр Дюма-сын

Это слишком искренне, чтобы быть правдой.

Даниель Алеви

А по-моему, искренность — просто недостаток самообладания.

Янина Ипохорская

Даже семейные узы распались бы, если бы наши мысли были написаны у нас на лбу.

Мария Эбнер-Эшенбах

Нужно немало мужества, чтобы сказать то, что думают все.

Жорж Дюамель

Детская ложь и искренность взрослых — два недостатка, которые не прощаются.

Здислав Калэндкевич

Откровенность — вовсе не доверчивость, а только дурная привычка размышлять вслух.

Василий Ключевский

Искренность состоит не в том, чтобы говорить все, что думаешь, а в том, чтобы думать именно то, что говоришь.

Ипполит де Ливри

Человек, который говорит то, что думает, — конченный человек; а человек, который думает то, что говорит, — законченный идиот.

Рольф Хоххут

Наша искренность в немалой доле вызвана желанием поговорить о себе и выставить свои недостатки в благоприятном свете.

Франсуа Ларошфуко

Начинающий Иуда вкладывает в свой поцелуй много искреннего чувства.

Веслав Брудзиньский

Искренность в небольших дозах опасна; в больших — смертоносна.

Оскар Уайльд

Только не поймите меня правильно.

Александр Хазин

В наше время быть понятым значит попасть впросак.

Оскар Уайльд

Быть искренним — это искусство.

Кароль Ижиковский

Кто говорит безошибочно, тот говорит без убеждения: искренность неразлучна с ошибками.

Стефан Киселевский

Вы так невинны, что можете сказать совершенно страшные вещи.

Евгений Шварц

То, что говорится прямо, понимается хуже, чем намек.

Александр Перлюк

Столбу многое прощается за его прямоту.

Цаль Меламед

Что это: вспышка искренности или блевотина памяти?

Кароль Ижиковский

Прежде я говорил вам все, а теперь я ничего от вас не скрываю.

Пьер Бомарше

Мы, женщины, любим искренних мужчин, которые говорят о нас то, что мы думаем.

Дороти Паркер

Быть искренним — значит намеренно наступать другим на ноги.

Жюль Ренар

Я неискренен — даже сейчас, когда говорю вам это.

Жюль Ренар

Нам нравятся люди, которые смело говорят нам, что думают, при условии, что они думают так же, как мы.

Марк Твен

Слепой не скажет тебе спасибо за зеркало.

Томас Фуллер

Если хочешь узнать, что думает о тебе твой знакомый, разозли его.

Оливер Уэнделл Холмс-старший

Трудно говорить правду, если не знаешь, чего от тебя ждут.

Геннадий Малкин

Я думаю, мы должны говорить правду или хотя бы говорить то, что мы думаем.

Юрий Лужков

Сказать человеку в глаза всю правду порою больше, чем долг, — это удовольствие.

Оскар Уайльд

Правду в глаза лучше всего говорить на ухо.

Лех Навроцкий

Если человек вдруг станет говорить все, что он думает, ему не поверят. И будут правы. Что это за человек, который говорит все, что думает.

Андре Моруа

Не стоит обижаться на правду. Лучше ответить тем же.

Данил Рудый

ИСКУССТВО И ХУДОЖНИК

См. также «Классика и классики», «Меценатство», «Оригинальность. Новизна», «Талант и бездарность»

Искусство — природа человека; природа — искусство Бога.

Филип Бейли

Искусство — диалог, в котором собеседник молчит.

Григорий Ландау

Я знаю, что искусство совершенно необходимо, только не знаю зачем.

Жан Кокто

Искусство любят те, кому не удалась жизнь.

Василий Ключевский

Искусство начинается там, где начинается чуть-чуть.

Карл Брюллов

Господь Бог живет в деталях.

Аби Варбург

Искусство — это умение скрыть искусство.

Перефразированный Овидий

Искусство — это всегда ограничение. Смысл всякой картины в ее рамке.

Гилберт Честертон

Искусство не изображает видимое, но делает его видимым.

Пауль Клее

Искусство не могло бы жить даже без того человека, который мог бы обойтись без искусства.

Станислав Ежи Лец

Только искусство позволяет нам сказать даже то, чего мы не знаем.

Габриэль Лауб

Наука успокаивает, искусство же существует для того, чтобы не дать успокоиться.

Жорж Брак

В искусстве форма все, материал ничего не стоит. Штауб берет за фрак, сшитый из собственного сукна, столько же, сколько за фрак, сшитый из сукна заказчика. Он говорит, что требует плату за фасон, материю же дарит.

Генрих Гейне

Жизнь подражает Искусству в гораздо большей степени, чем Искусство подражает Жизни.

Оскар Уайльд

Лондонские туманы не существовали, пока их не открыло искусство.

Оскар Уайльд

Жить за счет искусства для искусства — вот истинное искусство.

Владислав Гжещик

Если это покупают, значит, это искусство.

Франк Ллойд Райт

Если кто-либо назвал что-либо искусством — это искусство.

Донал Джадд

Искусство должно быть холодным.

Арнольд Шенберг (по другим источникам — Игорь Стравинский)

Художественное течение побеждает только тогда, когда его берут на вооружение декораторы витрин.

Пабло Пикассо

Для искусства опасны не поджигатели, а пожарные.

Бернар Бюффе

На самом деле искусство отражает не жизнь, а зрителя.

Оскар Уайльд

Художника можно определить как невротика, который непрерывно лечится искусством.

Ли Симонсон

Творчество — это загадка, которую художник задает сам себе.

Станислав Ежи Лец

«Сначала думать, потом говорить» — девиз критики; «сначала говорить, а потом думать» — девиз творчества.

Эдуард Морган Форстер

Мало кто создает что-либо творческое после 35-летнего возраста. Причина этого в том, что мало кто создает что-либо творческое до 35-летнего возраста.

Джоэл Хилдебранд

Художник должен присутствовать в своем произведении, как Бог во вселенной: быть вездесущим и невидимым.

Гюстав Флобер

Есть произведения, которые создаются своей аудиторией.

Другие — сами создают свою аудиторию.

Поль Валери

Мастерство — это когда «что» и «как» приходят одновременно.

Всеволод Мейерхольд

Только прирожденный художник способен трудиться так, чтобы им стать.

Герцогиня Диана (Мари де Босак)

Каждый ребенок — художник. Трудность в том, чтобы остаться художником, выйдя из детского возраста.

Пабло Пикассо

Великий художник — это мертвый художник.

«Закон Тиссена»

Все имеют право меняться, даже художники.

Пабло Пикассо

Только ведущий аукциона может беспристрастно и одинаково восхищаться всеми школами искусства.

Оскар Уайльд

Карьера художника подобна карьере куртизанки: сначала для собственного удовольствия, потом для чужого, и наконец ради денег.

Марсель Ашар

Такова уж природа искусства: художник не может страдать в одиночку.

Ханс Келлер

Артист должен знать все о любви и научиться жить без нее.

Анна Павлова

Художник — лжец, но искусство — правда.

Андре Моруа

Художник — не особая разновидность человека, но каждый человек — особая разновидность художника.

Эрик Гилл

ИСКУШЕНИЕ

Я могу устоять против всего, кроме искушения.

Оскар Уайльд

Единственный способ отделаться от искушения — поддаться ему.

Оскар Уайльд

Есть несколько способов справиться с искушением; самый верный из них — трусость.

Марк Твен

Я никогда не противлюсь искушению, ибо знаю по опыту: то, что мне вредно, не искушает меня.

Джордж Бернард Шоу

Искушение — самый строгий экзаменатор нравственности.

Казимеж Хыла

Искушение — это духи, которые вдыхаешь до тех пор, пока не захочешь иметь весь флакон.

Жан Поль Бельмондо

С годами начинаешь называть искушением то, что прежде счел бы просто удачным случаем.

«Пшекруй»

Не пожелай жены ближнего твоего всуе.

Хенрик Сенкевич

Для светских женщин садовник — просто садовник, каменщик — просто каменщик. Для других, живущих более замкнутой жизнью, и садовник, и каменщик — мужчины. Не спастись от искушения тому, кто его боится.

Жан Лабрюйер

Никто не соблазнит дьявола делать добро.

Антоний Регульский

ИСПОВЕДЬ

См. также «Раскаяние. Покаяние»

Есть такие лестные для человека грехи, что исповедоваться в них значило бы впасть в грех тщеславия.

Софи Арну

Искренность исповедующегося небескорыстна.

Станислав Ежи Лец

Добровольно в своих грехах признаются только святые.

Борис Крутиер

На проповеди прихожане ловят каждое слово, доносящееся из исповедальни.

Веслав Брудзиньский

Охотней всего мы исповедуемся в грехах, которые служат предметом зависти.

Лешек Кумор

Исповеди замужних католичек — лучшее утешение исповедникам в их безбрачии.

Арман Салакру

У меня есть личная линия связи с Богом, и я все скажу ему в своей собственной спальне.

Мадонна

Он был бы не прочь исповедоваться в грехах, если б не тайна исповеди.

Веслав Брудзиньский

Реформа исповеди: попробуйте вспомнить только о добрых своих поступках!

Кароль Ижиковский

ИСТОРИЯ

См. также «Прошлое», «Русская история», «Средневековье», «Традиция», «Цивилизация и прогресс»

Философия изучает ошибочные взгляды людей, а история — их ошибочные поступки.

Филип Гедалла

История — это наука о том, чего уже нет и не будет.

Поль Валери

История — наука будущего.

Константин Кушнер

Будущее археологии лежит в руинах.

Эрих фон Деникен

Археологи выкапывают из земли историю, которую закопали политики.

Габриэль Лауб

История — как мясной паштет: лучше не вглядываться, как его приготовляют.

Олдос Хаксли

История — это союз между умершими, живыми и еще не родившимися.

Эдмунд Берк

История, собственно, не существует, существуют лишь биографии.

Ралф Эмерсон

Всемирная история — это всемирный суд.

Фридрих Шлегель

Нет ничего бесцельнее, как судить или лечить трупы: их велено только закапывать.

Василий Ключевский

Всемирная история есть сумма всего того, чего можно было бы избежать.

Бертран Рассел

Все в руках Господа, и только История ускользнула из-под Его контроля.

Збигнев Ежина

Все исторические законы имеют свой срок давности.

Мария Эбнер-Эшенбах

Во время гражданской войны история сводится к нулю, а география — к подворотне.

Дон-Аминадо

Самое оживленное движение часто наблюдается в тупиках истории.

Арнолд Тойнби

Всемирная история есть история побед людей над людьми.

Стефан Жеромский

История почти всегда приписывает отдельным личностям, а также правительствам больше комбинаций, чем у них на самом деле было.

Жермена де Сталь

Будем снисходительны к великим деяниям: они так редко бывают преднамеренными.

Андре Берте

Часы истории бьют когда попало.

Яцек Вейрох

Даже часы истории имеют своих часовщиков.

Богуслав Войнар

История — продукт выделений желез миллиона историков.

Джон Стейнбек

Даже боги не могут изменить прошлое.

Агафон

Бог не может изменить прошлое, но историки могут. И, должно быть, как раз потому, что иногда они оказывают эту услугу, Бог терпит их существование.

Сэмюэл Батлер

История — слишком серьезное дело, чтобы доверять ее историкам.

Йан Маклеод

Историк — это вспять обращенный пророк.

Фридрих Шлегель

Историк — это нередко журналист, обращенный вспять.

Карл Краус

Талант историка состоит в том, чтобы создать верное целое из частей, которые верны лишь наполовину.

Эрнест Ренан

Те, кто творит историю, часто заодно и фальсифицируют ее.

Веслав Брудзиньский

Надобно найти смысл и в бессмыслице: в этом неприятная обязанность историка, в умном деле найти смысл сумеет всякий философ.

Василий Ключевский

Первое, что необходимо историку, — это крепкая задница.

Людвик Базылев, историк

«Что скажет история?» — «История, сэр, солжет, как всегда».

Джордж Бернард Шоу

История начинается тогда, когда уже ничего невозможно проверить.

Вячеслав Верховский

После очищения истории ото лжи не обязательно остается правда, иногда — совсем ничего.

Станислав Ежи Лец

История повторяется.

Перефразированный Фукидид

История повторяется дважды — сначала в виде трагедии, потом в виде фарса.

Перефразированный Карл Маркс

История не повторяется; а если повторяется, то это уже социология.

NN

История повторяется, потому что не хватает историков с фантазией.

Станислав Ежи Лец

История вынуждена повторяться, потому что никто ее не слушает.

Лоренс Питер

История не повторяется — просто историки повторяют друг друга.

Клемент Ф. Роджерс

История учит, используя запрещенные педагогические приемы.

Веслав Брудзиньский

Уроки истории заключаются в том, что люди ничего не извлекают из уроков истории.

Олдос Хаксли, вслед за Гегелем

Илиада, Платон, Марафонская битва, Моисей, Венера Медицейская, Страсбургский собор, французская революция, Гегель, пароходы и т.д. — все это отдельные удачные мысли в творческом сне Бога. Но настанет час, и Бог проснется, протрет заспанные глаза, усмехнется — и наш мир растает без следа, да он, пожалуй, и не существовал вовсе.

Генрих Гейне

ИТАЛИЯ И ИТАЛЬЯНЦЫ

Бог создал Италию по замыслу Микеланджело.

Марк Твен

В Италии музыка стала нацией. У нас на севере дело обстоит совсем иначе; там музыка стала человеком и зовется Моцартом или Мейербером.

Генрих Гейне

Если в нотах написано «con amore», только итальянские оркестры действительно играют с любовью. Остальные играют так, словно все музыканты женаты.

Артуро Тосканини

Итальянская пища имеет лишь один недостаток: через пять-шесть дней ты уже опять голоден.

Джордж Миллер

Английский официант ждет распоряжений, исполняет их и никогда их не предвосхищает; если вы передумаете, он не выказывает ни удивления, ни недовольства. Итальянский официант заранее создает себе совершенно четкое представление о том, где вы будете сидеть и что есть, и если вы вздумаете обмануть его ожидания, он вас зарежет.

Джордж Бернард Шоу

Англичане рядом с итальянцами все, как один, напоминают статуи с отбитыми кончиками носов.

Генрих Гейне

Американец занимается делами, а в свободное время женщинами. Итальянец занимается женщинами, а в свободное время делами.

Сари Габор

ИУДАИЗМ

См. также «Евреи»

Очевидно, что Библия есть творение евреев, но не менее очевидно, что сами евреи есть творение Библии.

Джозеф Джейкобс

Евреи несли Библию сквозь века как свое переносное отечество.

Генрих Гейне

Талмуд есть еврейский католицизм.

Генрих Гейне

Быть может, мы — сыновья торговцев, но мы же — внуки пророков.

Хаим Вейцман

Пристать к Христу — задача для еврея слишком трудная: сможет ли он когда-нибудь уверовать в божественность другого еврея?

Генрих Гейне

Я воспитан в еврейской традиции, которая запрещает жениться на нееврейке, бриться в субботу вечером и, в особенности, брить женщину-нееврейку в субботу вечером.

Вуди Аллен

К

КАДРОВАЯ ПОЛИТИКА

См. также «Должность», «Увольнение и отставка»

Где взять нужного человека, чтобы узнать, в самом ли деле нужный человек находится на нужном месте?

Веслав Брудзиньский

Если два сотрудника всегда согласны друг с другом, один из них лишний.

Дэвид Махоуни

Если два человека одной профессии всегда согласны друг с другом — один из них лишний. Если два человека одной профессии никогда не согласны друг с другом — они оба лишние.

Даррил Занук

Скажи мне, что ты не умеешь делать, и я подумаю, кем тебя назначить.

Михаил Генин

Если каждый займет свое место, появится много вакансий.

Александр Кулич

Будь у меня кадры, я бы их тоже переставлял.

Михаил Жванецкий

Искусство управления состоит в том, чтобы не позволять людям состариться в своей должности.

Наполеон I

Лакейская — это питомник для будущих вельмож.

Шарль Монтескье

Чиновник множит подчиненных, но не соперников.

Сирил Норткот Паркинсон

С ним обращались как с запасным колесом автомобиля: считали необходимым, но держали сзади.

Эмиль Кроткий

Нет ничего более постоянного, чем временная должность в Вашингтоне.

Джордж Аллен

Нет человека настолько ненужного, чтобы он не был вдвойне не нужен где-то еще.

Веслав Брудзиньский

Совершенно бесполезных людей всегда можно заменить теми, кто был бы полезен совсем на другом месте.

Веслав Брудзиньский

Просто не представляю себе, как мы смогли бы без вас обойтись. Но мы попробуем.

Дэвид Фрост

Кладбища полны незаменимых людей.

Жорж Клемансо

Любого можно поставить на место, но не любого снять.

С. Крытый

Один ум хорошо, а два не положено по штатному расписанию.

Анатолий Рас

Следствием чистки в аду, вероятно, становится ссылка в рай.

Лешек Кумор

Тела расширяются от нагревания, а штаты — от сокращения.

Цаль Меламед

КАПИТАЛИЗМ

См. также «Бизнес», «Собственность», «Экономика»

Капитализм — это эксплуатация человека человеком, а коммунизм — наоборот.

NN

Врожденный порок капитализма — неравное распределение благ; врожденное достоинство социализма — равное распределение нищеты.

Уинстон Черчилль

Капитализм — это то, чем занимаются люди, если их оставить в покое.

Кеннет Мигоут

Капитализм без банкротства — все равно что христианство без преисподней.

Франк Борман

Капитализм существует благодаря женщинам. Если бы жены не тратили больше, чем зарабатывают мужья, все бы рухнуло.

NN

Родимые пятна капитализма... Где вы, родимые?

Тамара Клейман

Признаем же нашу некультурность и пойдем на выучку к капитализму.

Петр Струве в 1894 г.

Справедливость все-таки существует. Те, кто рисовал Запад самыми черными красками, теперь в наказание ездят туда.

Збигнев Земецкий

КАРТЫ. КАРТЕЖНИКИ

См. также «Азартные игры. Лотерея»

Не будучи в состоянии обмениваться мыслями, люди перебрасываются картами.

Артур Шопенгауэр

И первый после Бога бывает четвертым партнером в бридже.

Владислав Катажиньский

Пьяницы редко бывают забавными, если они не знают несколько хороших песен и не способны проиграть в покер кое-какую мелочь.

Карл Рузвельт

Игроку тяжелее всего не проигрыш, а то, что нельзя продолжать игру.

Жермена де Сталь

Чтобы выйти из-за игорного стола с тремя сотнями, нужно сесть за него с тремя тысячами.

NN

Играть не следует в двух случаях: когда вы не можете себе этого позволить и когда вы можете себе это позволить.

NN

Шулер: человек, исправляющий ошибки фортуны.

Старинное присловье

Шулер: человек, который никогда не играет ради собственного удовольствия.

Адриан Декурсель

Чудесное зрелище являет собой непоколебимая вера христианина, у которого на руках четыре туза.

Марк Твен

Судьба была к нему благосклонна, послав ему пять тузов.

Гарри Уилсон

Всегда играй честно, если все козыри у тебя на руках.

Оскар Уайльд

Если партнер говорит тебе, что выкладывает все карты на стол, прежде всего смотри на его рукава.

Лорд Хор-Белиша

Ставя все на одну карту, рассмотри хорошенько обе ее стороны.

Эвгениуш Коркош

Меня возмущает, что колода плохо перетасована, но лишь до тех пор, пока мне не придет хорошая карта.

Джонатан Свифт

Если даже с друзьями нельзя передергивать, зачем вообще садиться за бридж?

Марсель Паньоль

Нет такой женщины, которая смогла бы ужиться с мужем-игроком, — если только он не выигрывает каждый вечер.

Томас Дьюар

КАРЬЕРА

См. также «Должность»,
«Протекция. Покровительство», «Успех»

ПРАВИЛО БУРАВЧИКА: чтобы продвигаться, надо вертеться.

Александр Ратнер

Карьеру не сделаешь, карабкаясь по ступеням обшарпанной лестницы. Нужно оказаться в лифте в подходящей компании.

Збышек Крыгель

Невелика радость подниматься все выше, если попрежнему остаешься на лестнице.

Кристиан Фридрих Геббель

Выбирай: либо мышиная беготня, либо крысиные гонки.

Максим Звонарев

Крысиные гонки имеют тот недостаток, что даже в случае выигрыша ты остаешься крысой.

Лили Томлин

Бьется человек, выбивается в люди — и давай другими помыкать.

Джордж Бернард Шоу

Выйдешь в люди, заходи.

Василий Туренко

Вышел в люди — будь человеком!

Александр Самойленко

Он из той породы людей, которые входят в дверь вторыми, а выходят первыми.

Джонатан Линн и Энтони Джей

Дело не в том, чтобы быстро бегать, а в том, чтобы выбежать пораньше.

Франсуа Рабле

Перегоняя кого-либо, смотри: не пришлось бы от него убегать.

Станислав Ежи Лец

На своих ошибках учатся, на чужих — делают карьеру.

Александр Фюрстенберг

Есть люди, которые делают карьеру. И ничего больше.

Вольфганг Эшкер

Женщинам карьера дается труднее, ведь у них нет жены, которая толкала бы их вперед.

Янина Ипохорская

Карьера — чудесная вещь, но она никого не может согреть в холодную ночь.

Мэрилин Монро

Если в ранце ты носишь маршальский жезл, снабди ранец двойным дном.

Веслав Брудзиньский

Никогда не пробьется наверх тот, кто не делает того, что ему говорят, и тот, кто делает не больше того, что ему говорят.

Эндрю Карнеги

Далеко пойдет тот, кто вовремя уступает дорогу другим.

Эвгениуш Коркош

Есть много способов сделать карьеру, но самый верный из них — родиться в нужной семье.

Доналд Трамп

Лучший способ сделать карьеру — работать на того, кто делает карьеру.

Марион Келлог

Наверх стоит карабкаться хотя бы для того, чтобы посмотреть на людей сверху.

Франк Мур Колби

Он взобрался на самый верх — но в каком состоянии!

Альфред Капю

На самых высоких вершинах ничего не растет.

Юл Бриннер

Человек и вправду схож с обезьяной: чем выше залезет, тем заметнее голая задница.

Фрэнсис Бэкон

При падении единственным смягчающим обстоятельством обычно бывает собственный зад.

Владислав Гжещик

Все выше, выше и вы... ах!

Лоренс Питер

Чем выше поднимаешься, тем глубже увязаешь.

Лоренс Питер

Вверх лезут в той же позе, что и ползают.

Джонатан Свифт

Чем выше вы поднимаетесь, тем труднее другим понять, делаете вы свою работу или не делаете.

Аллан Коэн

Будь поучтивее с людьми, которых встречаешь, взбираясь наверх, — ты еще встретишься с ними, когда будешь спускаться.

Уилсон Мизнер

Утешительно думать, что даже самая большая шишка в конце концов упадет.

Артур Никольский

Чем ниже падаешь, тем меньше чувствуешь боль.

Станислав Ежи Лец

Падение слишком быстрое можно принять за полет.

Мария Эбнер-Эшенбах

Некоторые ступени карьеры ведут на виселицу.

Станислав Ежи Лец

КАЧЕСТВО

См. также «Реклама»

Не забывайте о качестве. Гроб, например, должен быть сделан так, чтобы его хватило на всю жизнь.

Курт Тухольский

Третий сорт ничуть не хуже первого.

Рекламное объявление в русской печати (1908 г.)

Если бы рекламодатели тратили на улучшение своей продукции те деньги, которые они тратят на рекламу, их продукция не нуждалась бы в рекламе.

Уилл Роджерс

Превосходное трудно улучшить, но ужасное нетрудно ухудшить.

«Пшекруй»

Количество дураков уменьшается, но качество их растет.

Михаил Генин

КИНО

См. также «Голливуд»

Фильм — это жизнь, с которой вывели пятна скуки.

Алфред Хичкок

Фильм — не кусок жизни, а кусок пирога.

Алфред Хичкок

Кино — искусство не для ученых, а для неграмотных.

Вернер Херцог

Фотография — это правда. А кино — это правда 24 кадра в секунду.

Жан-Люк Годар

Фильм должен начинаться с землетрясения, а потом напряжение должно нарастать.

Приписывается Алфреду Хичкоку

В фильме должно быть начало, середина и конец, — но не обязательно именно в этом порядке.

Жан-Люк Годар

Эти режиссеры вечно кусают руку, которая несет золотые яйца.

Сэмюэл Голдвин, кинопродюсер

Люди приходят в кино, чтобы разделить одну и ту же мечту.

Бернардо Бертолуччи

Я думал, что кинодрама — это когда героиня плачет. Я ошибался. Кинодрама — это когда плачут зрители.

Франк Капра

Все-таки жаль немого кино. Какое удовольствие было видеть, как женщина открывает рот, а голоса не слышно.

Чарлз Чаплин

Бедствием немого кино были ненужные надписи, бедствием нынешнего — ненужные диалоги.

Рене Клер

Звуковое кино открыло тишину.

Робер Брессон

Бывают удивительно своевременные изобретения. Например, широкоформатное кино появилось как раз тогда, когда актеры на экране стали большую часть времени проводить лежа.

Макс Фавелли

Добродетель нефотогенична.

Кёрк Дуглас

Сняться в плохом фильме — все равно что плюнуть в вечность.

Фаина Раневская

Кино состоит из экрана и множества кресел, которые нужно заполнить.

Алфред Хичкок

Продолжительность фильма определяется выносливостью мочевого пузыря обычного зрителя.

Алфред Хичкок

Попкорн — единственная область кинопромышленности, в которой хороший вкус все еще что-то значит.

Майк Барфилд

Кино не умрет, пока в кинотеатрах будет темно.

Сэмюэл Голдвин

КИНОАКТЕРЫ

Киноактер — не художник, а художественный объект.

Ричард Шикел

Киноактер — это привидение на простыне.

Р. Коннел

Кинозвезда — это человек, сидящий на сахарном троне под проливным дождем.

Марлон Брандо

Кинозвезды как скаковые лошади: каждый знает их имена, но попробуй они не послушать своих жокеев!

Макдоналд Харрис

Каждый хочет быть Кэри Грантом. Даже я хотел бы им быть.

Кэри Грант

Легче актеру стать ковбоем, чем ковбою актером.

Джон Форд

Четвертый раз смотрю этот фильм и должна вам сказать, что сегодня актеры играли как никогда.

Фаина Раневская

Ни один актер не переиграет в кадре ребенка или щенка.

Кинематографическая аксиома

Киноактеру большого ума не надо — посмотрите хотя бы на нашего последнего президента.

Шер (Черилин Саркисян)
о Рональде Рейгане в 1988 г.

Трезвым этого артиста видели только на экране.

Виктор Ардов

Раньше актрисы старались стать кинозвездами; теперь кинозвезды стараются стать актрисами.

Лоренс Оливье

Раньше женщины кормили грудью младенцев, теперь — кинопродюсеров.

Жан Кокто

Ей подвластна вся гамма чувств от А до Б.

Дороти Паркер
о Кэтрин Хепберн

Помни, что ты звезда. Никогда не выходи на улицу, не будучи одета как на бал, даже если ты вышла выбросить мусор.

Сесил Де Милль, кинопродюсер

Нет тяжелее работы, чем стараться выглядеть красивой с восьми утра до полуночи.

Брижит Бардо

У меня силиконовый бюст, а у половины Голливуда — искусственные лица.

Памела Андерсон

Все любовные сцены, которые начинаются на съемочной площадке, заканчиваются в гардеробной.

Алфред Хичкок

Я никогда не говорил, что все актеры — быдло. Я говорил, что с актерами следует обращаться, как с быдлом.

Алфред Хичкок

КЛАДБИЩЕ

См. также «Памятники», «Похороны»

Каждый человек — это мир, который с ним рождается и с ним умирает; под всякой могильной плитой лежит всемирная история.

Генрих Гейне

Знаком креста люди помечают список своего и чужого присутствия на Земле.

Казимеж Сломиньский

После смерти мы все земляки...

Вячеслав Верховский

Отец всегда говорил, что Килбаррак, неподалеку от Хаута, — самое здоровое кладбище в нашей стране. Там очень свежий морской воздух.

Брендан Бихан

Смысл надгробного памятника: «Прости, что при жизни мы не дали тебе хлеба, зато после смерти мы дали тебе камень».

Видоизмененный Моисей Сафир

А нужна ли кладбищенская ограда? Те, кто по ту ее сторону, выйти не могут; а те, кто по эту, вовсе туда не хотят!

Артур Бризбейн

Если бы Рузвельт был жив, он бы перевернулся в гробу.

Сэмюэл Голдвин

Он наконец нашел свое место в жизни на кладбище.

Мечислав Шарган

В каждом гробу есть будильник, и поставлен он на день Страшного суда.

Рамон Гомес де ла Серна

Смерть, помнишь ли ты свое первое кладбище?

Станислав Ежи Лец

КЛАССИКА И КЛАССИКИ

См. также «Писатели», «Слава. Известность»

Классика — то, что каждый считает нужным прочесть и никто не читает.

Марк Твен

Марк Твен мой любимый писатель, по трем причинам: он писал хорошо, он меня развлекает и он уже умер.

Эрнест Хемингуэй

Классик: автор, которого еще цитируют, но уже не читают.

Лоренс Оливье

Плох тот классик, которому ничего не приписывают.

Геннадий Малкин

Классиком мы называем человека, которого можно хвалить не читая.

Гилберт Честертон

Книги много выигрывают, если их не читают. Поглядите хотя бы на наших классиков.

Джордж Бернард Шоу

Ни один классик не сдал бы экзамена по собственным произведениям.

Болеслав Пашковский

Если ты хочешь быть впереди классиков — пиши предисловия к ним.

Эмиль Кроткий

КНИГИ

См. также «Библиотека. Библиофилы», «Опечатки», «Писатели», «Редактор и редактура», «Словарь», «Чтение и читатели»

Книга есть способ существования сериалов вне телевидения.

Леонард Луис Левинсон

Книги делятся на две половины: те, которых никто не читает, и те, которых никто не должен читать.

Генри Луис Менкен

В книгах мы жадно читаем о том, на что не обращаем внимания в жизни.

Эмиль Кроткий

Книги пишутся с помощью книг.

Пьер Буаст

Составлять много книг — конца не будет, и много читать — утомительно для тела.

Екклесиаст, 12, 12

Не надо читать много книг.

Мао Цзэдун

Самое большое влияние на человечество оказали книги, которых почти никто не читал.

Янина Ипохорская

Книги нужны, чтобы напоминать человеку, что его оригинальные мысли не так уж новы.

Авраам Линкольн

Когда выходит новая книга, я прочитываю старую.

Сэмюэл Роджерс

Эта не та книга, которую можно просто отложить в сторону. Ее следует зашвырнуть подальше со всей силой.

Дороти Паркер

Книги, не написанные мной, лучше, чем книги, написанные другими.

Сирил Конноли

Единственным недостатком хороших книг является то, что обычно они порождают много плохих.

Георг Лихтенберг

Британцы издавна питают пристрастие к плохим книгам, при условии, что они хорошо написаны.

Малколм Брэдбери

Рекомендовать кому-либо книгу — все равно что предлагать поносить ботинки, которые вам по ноге.

Кшиштоф Теодор Теплиц

В хорошей книге больше истин, чем хотел вложить в нее автор.

Мария Эбнер-Эшенбах

Во мне, а не в писаниях Монтеня содержится то, что я в них вычитываю.

Блез Паскаль

Мы, в сущности, учимся у тех книг, о которых не в состоянии судить. Автору книги, о которой мы можем судить, следовало бы учиться у нас.

Иоганн Вольфганг Гёте

Некоторые книги незаслуженно забываются, но нет ни одной, которую незаслуженно помнили бы.

Уистен Хью Оден

Одни покупают книги, другие крадут, а третьи выпрашивают у авторов на презентациях.

Джеймс Джефри Рош

Когда были деньги, я покупал книги, а когда денег не было — одежду и пищу.

Эразм Роттердамский

Есть книги, из которых можно узнать обо всем и ничего не понять.

Иоганн Вольфганг Гёте

Те, кто составляет сборники стихов или острот, подобны людям, которые угощаются вишнями или устрицами: сперва они выбирают лучшие, потом поглощают все подряд.

Никола Шамфор

Главное, чему учит нас чтение книг, — что лишь очень немногие книги заслуживают прочтения.

Генри Луис Менкен

Чем больше сегодня читаешь книг, тем сильней ощущение, что неграмотные ничего не теряют.

Уоррен Брабрук

Книги имеют свою судьбу смотря по тому, как их принимает читатель.

Теренциан Мавр

«Книги имеют свою судьбу...» Это значит, что книги, взятые для прочтения, обратно не возвращаются.

Дон-Аминадо

Самое лучшее в книге то, что она не обрывается на самом интересном месте для рекламной вставки.

NN

Обложка — самая увлекательная часть многих книг.

Неизвестный американец

Никогда не суди об обложке по ее книге.

Американская пословица

Оптимист: человек, который верит во все то, что читает на суперобложке новой книги.

«Милуоки джорнал»

До изобретения аннотаций на суперобложках автор был вынужден создавать себе имя писательским мастерством.

Лоренс Питер

Бестселлер: книга, которую хорошо раскупают потому, что она хорошо продавалась.

Дэниэл Бурстин

Чтобы писать легко продающиеся книги, нужно иметь легко продающиеся мозги.

Олдос Хаксли

Я сначала пишу предисловие, а книгу читаю потом, чтобы сохранить беспристрастность.

Сидни Смит

КОКЕТКИ

См. также «Флирт. Ухаживанье»

Кокетки умеют нравиться, но не умеют любить; вот почему их так любят мужчины.

Пьер Мариво

Кокетство — это искусство сделать первый шаг так, чтобы мужчине казалось, что это он его сделал.

Жорж Арман Массон

Кокетка — девица, которая предлагает себя без всякого намерения отдаться; недотрога — девица, которая не перестает отказывать вам в том, чего вы не намерены у нее просить.

Робер Мерль

Мужчины были бы гораздо смелее, если бы знали, что на уме у женщин; а женщины были бы гораздо кокетливее, если бы знали мужчин поближе.

Альфонс Карр

Люди восхищаются добродетелью, но покоряет их кокетство.

Мадам д'Арконвиль

Кокетка своим декольте объясняет то, что другие просто и без затей говорят ногами.

Янина Ипохорская

В кокетстве молодых девушек много садизма — говорят люди в возрасте.

Станислав Ежи Лец

Влюбленная кокетка: несчастный случай на производстве.

Лешек Кумор

Женщина, у которой один любовник, считает, что она совсем не кокетка; женщина, у которой несколько любовников, — что она всего лишь кокетка.

Жан Лабрюйер

Величайшее чудо любви в том, что она излечивает от кокетства.

Франсуа Ларошфуко

КОЛЛЕКТИВ. КОЛЛЕКТИВИЗМ

См. также «Народ», «Толпа»

Коллектив — это группа, к которой мы принадлежим. Клика — это группа, к которой мы не принадлежим.

NN

Я не верю в коллективную мудрость невежественных индивидов.

Томас Карлейль

Собрать стадо из баранов легко, трудно собрать стадо из кошек.

Сергей Капица

Удержалось бы в стаде стадное чувство, если бы не было паршивой овцы?

Лешек Кумор

Собаки — умные и добрые животные, но собрание их коллектива почему-то называется стаей.

Андрей Кнышев

Работа в команде очень важна. Она позволяет свалить вину на другого.

«Восьмое правило Финэйгла»

Грустно быть козлом отпущения среди ослов.

«Пшекруй»

Даже чтобы бороться за права личности, необходимо создать коллектив.

Тадеуш Котарбиньский

Объединяйтесь, люди! Смотрите: ноль — это ничто, но два ноля уже кое-что значат.

Станислав Ежи Лец

КОМЕДИЯ. КОМИКИ. КОНФЕРАНСЬЕ

См. также «Сатира», «Смех», «Цирк», «Шутки», «Юмор»

Комедия — это человек в таком положении, когда ему не до смеха.

Джерри Льюис

Трагедия — это когда я порезал себе палец. Комедия — когда вы провалились в открытый канализационный люк и сломали себе шею.

Мэл Брукс

Комик делает смешные вещи; хороший комик делает вещи смешными.

Бестер Китон

Величайший польский комик? Щекотливый вопрос. Нас несколько.

Кобеля, польский комик

Говорят, я стою 500 миллионов долларов. Будь это правдой, я бы не поехал во Вьетнам, а послал бы за ним.

Боб Хоуп, американский комик, выступавший во Вьетнаме перед американскими солдатами

Мои шутки знает наизусть вся Европа. Вот почему я рассказываю их в Америке.

Боб Хоуп

Зрительный зал начинает смеяться, как только начнут хохотать несколько зрителей. Вся трудность в том, чтобы рассмешить этих нескольких.

Марсель Ашар

Смех умолкает, когда эхо не отвечает.

Жюльен де Фалкенаре

Уолпол говорил о маршале де Ришелье: «Люди смеются, еще не зная, что он скажет, и правильно делают, ибо потом они наверняка смеяться не будут». Острота, применимая к большинству профессиональных остряков.

Андре Моруа

Конферансье приходят и уходят, а шутки остаются.

Ю. Андрюхин

КОМПЕТЕНТНОСТЬ

См. также «Опыт», «Специалисты», «Любители и профессионалы»

Человек компетентный — это тот, кто заблуждается по всем правилам.

Поль Валери

ЗАКОН ГАРДНЕРА: 85 процентов людей любой профессии некомпетентны.

Джон Гарднер

Компетентность есть способность обнаружить и удовлетворить личные вкусы начальства.

Лоренс Питер

Квалификация — то, что требуется от низших служащих. От высших служащих требуется отсутствие квалификаций.

Казимеж Бартошевич

Каждый служащий стремится достичь своего уровня некомпетентности, а вся полезная работа совершается теми, кто еще не достиг этого уровня.

Лоренс Питер

Равные возможности означают, что каждому в одинаковой мере предоставляется шанс стать некомпетентным.

Лоренс Питер

Тот, кто не разбирается ни в чем, может взяться за что угодно.

Станислав Ежи Лец

В большинстве иерархий сверхкомпетентность считается большим злом, чем некомпетентность.

Лоренс Питер

Компетентные работники, которые сами подают в отставку, встречаются чаще, чем некомпетентные, которых увольняют.

Лоренс Питер

Нет смысла спорить с человеком настолько тупым, что он даже не видит, что вы компетентнее.

Джон Ропер

КОМПЛЕКСЫ

См. также «Психоанализ»

Детский психолог начинает с изучения своих детских комплексов, а кончает изучением детских комплексов своих родителей и их родителей.

Лоренс Питер

Лечение комплексов может быть только комплексным.

Войцех Верцех

Чем меньше человек, тем больше комплексы.

«Пшекруй»

Туннели мучаются комплексами лабиринтов.

Мечислав Шарган

И у толпы бывают свои унаследованные фрейдистские комплексы.

Станислав Ежи Лец

Неправда, будто некоторые мои подруги страдают комплексом неполноценности. Никакого комплекса у них нет — они и в самом деле менее полноценны.

Янина Ипохорская

В комплексе неполноценности хуже всего то, что обычно им страдают не те, кому следовало бы.

Жан Дютур

КОМПЛИМЕНТЫ

См. также «Лесть», «Похвала»

Комплимент должен быть правдивее правды.

Хуго Штейнхаус

Что такое комплименты? То, что вы говорите, когда не знаете, что сказать.

Констанс Джонс

Женщину никогда нельзя обезоружить комплиментом, мужчину можно всегда.

Оскар Уайльд

Женщины, в своем большинстве, любят слушать правду, как бы она им ни льстила.

NN

Платья хорошеют от комплиментов.

Янина Ипохорская

Денег и комплиментов не может быть слишком много.

Сильвия Чиз

Всегда говори женщине, что она не такая, как другие, если хочешь получить от нее то же, что от других.

Уиндем Льюис

Даже наименее кокетливая женщина хотела бы, чтобы другую женщину хвалили за ее ум, а не за ее бедра.

Жорж Вольфром

Если ты скажешь девушке, что она красивее всех на свете, она может тебе не поверить. Но если ты скажешь, что она красивее Зоси, Яди, Хеленки и Баси, — она поверит мгновенно.

Янина Ипохорская

Если ты скажешь девушке, что она прекрасна, она, скорее всего, примет за правду и всю твою остальную ложь.

Неизвестный американец

КОМПЬЮТЕР И МЫСЛЯЩИЕ МАШИНЫ

См. также «Автоматизация»

Я думаю, на мировом рынке можно будет продать штук пять компьютеров.

Директор компании «IBM»
Томас Уотсон в 1943 г.

Компьютер имеет то преимущество перед мозгом, что им пользуются.

Габриэль Лауб

Человеку свойственно ошибаться, но для нечеловеческих ляпов нужен компьютер.

Пол Эрлих

За пару секунд компьютер успевает сделать ошибку таких размеров, что сотни людей трудятся над ней месяцами.

Мерл Мичем

Электронные мозги будут ошибаться гораздо точнее.

Габриэль Лауб

Компьютерная программа делает то, что вы приказали ей сделать, а не то, что вы хотели, чтобы она сделала.

«Третий закон Грира»

Если программа тебе понятна, значит, она уже устарела.

«Правило Биттона»

Если ты что-то записал в компьютерной памяти, запомни, где ты это записал.

Лео Бейзер

Если компьютерная программа удобна и эффективна, она непременно будет изменена.

NN

Мощность компьютера пропорциональна квадрату его цены. Чтобы сэкономить половину денег, вам нужна вчетверо большая мощность.

Херб Грош

Новейший компьютер — это компьютер, который либо вчера устарел, либо завтра появится.

Сидни Бреннер

Компьютер, как и каждый работник, подвержен действию Принципа Питера. Если он хорошо выполняет свою работу, его продвигают в должности и поручают ему все более ответственные дела, пока он не достигнет своего уровня некомпетентности.

Лоренс Питер

Машины должны работать. Люди должны думать.

Девиз компании «IBM»

ЭВМ не работала. Раньше этим занимался целый отдел.

А. Стасс

По почерку принтера можно судить о том, как нервничает компьютер.

Дмитрий Пашков

Опасность не в том, что компьютер однажды начнет мыслить, как человек, а в том, что человек однажды начнет мыслить, как компьютер.

Сидни Дж. Харрис

Почему тебя не пугает машина, которая в тысячу раз сильнее тебя, но ужасает мысль о машине, которая многократно превосходит тебя интеллектом?

Станислав Лем

Наш век гордится машинами, умеющими думать, и побаивается людей, проявляющих ту же способность.

Г. Мамфорд Джонс

Электронный мозг будет думать за нас точно так же, как электрический стул за нас умирает.

Станислав Ежи Лец

КОНЕЦ СВЕТА

См. также «Мир. Мироздание»

Если мне скажут, что завтра наступит конец света, то еще сегодня я посадил бы дерево.

Мартин Лютер

Какой у нас нынче этап конца света?

Мечислав Козловский

Конец света наступил вчера. Сегодня очередной дубль.

Беллами Гай

Вести о скором конце света ходят с самого его начала.

Анджей Урбаньчик

Минутка конца света будет короче, чем слово творения.

Станислав Ежи Лец

Возможно, наступит день, когда человек, предсказавший конец света, прославится на 15 секунд.

Лоренс Питер

Оптимисты верят в счастливый конец света.

Юрий Базылев

Для каждого предусмотрен его личный конец света.

Хенрик Ягодзиньский

Мир, вероятно, спасти уже не удастся, но отдельного человека всегда можно.

Иосиф Бродский

КОНКУРЕНЦИЯ

См. также «Корпорации и монополии», «Разорение и банкротство», «Экономика»

Конкуренция — это централизованное планирование, осуществляемое множеством самостоятельных индивидов.

Фридрих Хаек

Конкуренция обеспечивает наилучшее качество продуктов и развивает наихудшие качества людей.

Дэвид Сарнофф

Конкуренция — жизнь торговли и смерть торговцев.

Элберт Хаббард

Торговля не разорила еще ни одного народа.

Бенджамин Франклин

Нет ничего более благодатного для народа, чем свобода торговли, — и ничего более непопулярного.

Томас Маколей

Там, где нет конкуренции, спится лучше, но живется хуже.

NN

КОНСЕРВАТОРЫ И ЛИБЕРАЛЫ

См. также «Левые и правые», «Традиция»

Консерватизм — это почитание умершей революции.

Клинтон Росситер

Консерватизм — это сжигание мостов перед собой.

NN

Истинный консерватизм есть борьба вечности с временем, сопротивление нетленности гниению.

Николай Бердяев

У того, кто в шестнадцать лет не был либералом, нет сердца; у того, кто не стал консерватором к шестидесяти, нет головы.

Бенджамин Дизраэли

Консерватизм — явление сложное. Иные консерваторы только из консерватизма именуют себя коммунистами.

Габриэль Лауб

Ничто не может быть сделано впервые — таково убеждение настоящего консерватора.

Франк Вандерлип

Консерватор — это человек, который с надеждой смотрит в прошлое и сожалеет о будущем.

Леонард Луис Левинсон

Консерватор — государственный деятель, влюбленный в существующие непорядки, в отличие от либерала, стремящегося заменить их непорядками иного рода.

Амброз Бирс

Консерватор — это либерал, у которого есть внуки.

Лео Рокуэлл

Либералы чувствуют, что не заслуживают всего того, чем они владеют. Консерваторы чувствуют, что заслуживают всего, что ими украдено.

Морт Сал

Мы, либералы и прогрессисты, знаем, что бедняки равны с нами во всех отношениях, если не считать того, что они нам не ровня.

Лайонел Триллинг

Либерал может понять все, кроме людей, которые его не понимают.

NN

Либерал мечтает о переменах, которые ничем не угрожают его положению.

Стокли Кармайкл

Умеренный либерализм: нужна собаке свобода, но все-таки ее нужно на цепи держать.

Антон Чехов

Нет задачи более достойной истинного либерала, как с доверием ожидать дальнейших разъяснений.

Михаил Салтыков-Щедрин

Если бы Бог был либералом, вместо десяти заповедей мы имели бы десять предложений.

Малколм Брэдбери

КОНСТИТУЦИЯ

См. также «Государство»

Пишите коротко и неясно.

Наполеон I — составителям конституции

Чтобы она была еще хуже, конституцию постоянно следует улучшать.

Мечислав Шарган

В каждом творце конституции прячется утопист.

Франк Маньюэл

Где законы могут быть нарушены под предлогом общего спасения, там нет конституции.

Никола Мальбранш

Конституция государства должна быть такой, чтобы не нарушать конституцию гражданина.

Станислав Ежи Лец

Незаконное мы совершаем немедленно, неконституционное требует несколько больше времени.

Генри Киссинджер по поводу Уотергейтского скандала

Если согрешили, то давайте подведем конституционное русло.

Николай Рыжков, депутат Госдумы

КОРПОРАЦИИ И МОНОПОЛИИ

См. также «Бизнес», «Конкуренция»

Один американец — индивидуалист; двое американцев — фирма; трое американцев — монополия.

Джером Лоуренс

Что хорошо для «Дженерал моторс», хорошо для Америки.

Чарлз Вильсон (Уилсон), президент «Дженерал моторс»

Если не можешь одолеть конкурента — объединись с ним.

NN

Корпорация становится слишком большой, если требуется больше недели, чтобы сплетня перелетела из одного офиса в другой.

NN

Монополии — они потому и монополии, что естественные.

Евгений Ясин

Картель: шайка бизнесменов.

Леонард Луис Левинсон

Преступник: личность с хищническими инстинктами, не обладающая достаточным капиталом, чтобы основать корпорацию.

Говард Скотт

КОСМЕТИКА. МАКИЯЖ

См. также «Внешность. Наружность», «Прическа»

Самое главное — выглядеть совершенно естественно; но для этого нужно очень много косметики.

Калвин Клейн

Молодая красивая женщина — это чудо природы. Немолодая красивая женщина — это чудо искусства.

Янина Ипохорская

Дамская сумочка: доказательство, что деньги — это еще не все.

Леонард Луис Левинсон

Дамская сумочка — могила мужских иллюзий.

Хелен Роуленд

Я не уйду на покой, пока при мне мои ноги и моя косметичка.

Бетти Дейвис

Женщины обычно не так молоды, как они себя малюют.

Макс Бирбом

Почему девушки красятся как старухи, а старухи как девушки?

Рамон Гомес де ла Серна

Не так страшна женщина, как она себя малюет.

Александр Ботвинников

Моя жена все еще выглядит молодо, но теперь это занимает у нее лишние полчаса ежедневно.

«Пшекруй»

Маникюр — это реклама, педикюр — приятный сюрприз.

Янина Ипохорская

Говорят, во Франции женщины тратят на косметику больше, чем государство на армию. Но у них и побед больше.

Янина Ипохорская

Любовь — лучшая косметика. Но косметику купить легче.

Ив Сен-Лоран

Что невозможно скрыть, хотя бы припудри.

Янина Ипохорская

Чтобы выглядеть как богиня, нужно 20 минут. Но чтобы выглядеть естественно, нужно 3 часа.

Янина Ипохорская

Если ты думаешь, что твоя девушка употребляет слишком много косметики, значит, ты еще ни разу не видел ее без косметики.

NN

Нет некрасивых женщин, есть только ленивые.

Хелена Рубинштейн

Нет красивых женщин — есть некрасивые и хорошо накрашенные.

Перефразированный
Оскар Уайльд

КОСМОПОЛИТИЗМ

См. также «Патриотизм»

Я — гражданин мира.

Диоген Синопский

Для меня, как Антонина, град и отечество — Рим, как человека — мир. И только полезное этим двум градам есть благо для меня.

Марк Аврелий

Говорят, что я настоящий космополит: мне повсюду не по себе.

Штефан Визинци

Достаточно быть космополитом, чтобы оказаться чужим в любой точке современного мира.

Тадеуш Котарбиньский

За границей мне не нравится столько всего, что я там почти как дома.

Габриэль Лауб

Они хотят быть гражданами космоса, и клеймят позором космополитизм.

Станислав Ежи Лец

Война космополитов с интернационалистами.

Видоизмененный
Болеслав Пашковский

КОСМОС И КОСМОНАВТИКА

См. также «НЛО и братья по разуму»

В космосе ничего нс пропадает.

Станислав Лем

Каждый дурак знает, что до звезд не достать, а умные, не обращая внимания на дураков, пытаются.

Гарри Андерсон

Луна: то, что раньше нам обещали политики, а теперь обещают ученые.

Джек Ламберт

Мы будем блохами космоса, скачущими со звезды на звезду.

Станислав Ежи Лец

Меня ужасает вечное безмолвие этих пространств.

Блез Паскаль

Путь к звездам ведет через многолетнее заключение. Астронавтика пахнет тюрьмой.

Станислав Лем

Человек перенесет любые тяготы космических путешествий, кроме, пожалуй, их стоимости.

Л. Дюбридж

КРАСНОРЕЧИЕ

См. также «Литературный стиль», «Ораторы и речи», «Разговор»

Красноречие есть искусство выражать мысли других.

Эдуар Эррио

Красноречие — это искусство льстить с достоинством.

Шарль Ремюза

Главная цель красноречия — не дать говорить другим.

Луи Вермейль

Кошки не считают красноречивым любого, кто не может мяукать.

Мария Эбнер-Эшенбах

Уровень проповеди имеет мало общего с высотой амвона.

Веслав Брудзиньский

В искусстве укладывать максимум слов в самую крохотную мысль ему не было равных.

Авраам Линкольн об одном адвокате

Он всегда может двумя абзацами выразить любую фразу.

Служебная аттестация некоего американского офицера

Когда умный человек начинает фразу, мы не догадываемся, как он ее кончит. Когда фразу начинает дурак — конец мы знаем наверняка.

Александр Свентоховский

У них мысль не ведет за собой слов, а с трудом догоняет их.

Василий Ключевский

Если ты изложишь дело так ясно, что тебя сможет понять каждый, кто-нибудь обязательно не поймет.

Уилл Роджерс

В стране царила такая бедность, что жители говорили обрывками фраз.

Мечислав Шарган

Есть люди, которые говорят, говорят, говорят... пока наконец не найдут что сказать.

Сашá Гитри

Мужчины красноречивее женщин, но женщины обладают бóльшим даром убеждения.

Томас Рандолф

С возрастом красноречие женщин перемещается от ног к языку.

Лешек Кумор

КРАСОТА

См. также «Внешность. Наружность»

Красота есть лишь обещание счастья.

Стендаль

Сказано: красота — обещание счастья. Но нигде не сказано, что это обещание будет исполнено.

Поль-Жан Туле

Красота — это вечность, длящаяся мгновение.

Альбер Камю

Дистанция — душа красоты.

Симона Вейль

Добро нуждается в доказательствах, красоте они ни к чему.

Бернар Фонтенель

Красота выше гения, потому что не требует понимания.

Оскар Уайльд

Очарование — это красота в движении.

Готхольд Лессинг

Поддеть красивую женщину — дело не из простых, ведь она от ваших слов не подурнеет.

Уинстон Черчилль

У женщины есть только одна возможность быть красивой, но быть привлекательной есть сто тысяч возможностей.

Шарль Монтескье

Красота: сила, с помощью которой женщина очаровывает любовника и держит в страхе мужа.

Амброз Бирс

Красивая женщина лучше пусть будет чужой женой.

Магдалена Самозванец

Если мужчина слышит все, что говорит ему женщина, значит, она не красавица.

Генри Хаскинс

Красавица — это когда ноги идут к лицу.

Геннадий Малкин

Красивые женские ножки перевернули не одну страницу истории.

Французское изречение

Даже самые красивые ноги где-то заканчиваются.

Юлиан Тувим

Быть красивой легко; трудно лишь выглядеть красивой.

Франк О'Хара

Женщины красивее, чем они выглядят.

Габриэль Лауб

Чтобы быть красивой, недостаточно быть красивой.

Поль Рейналь

Не та красива, у которой хвалят руку или ногу, а та, у кого весь облик не позволит восхищаться отдельными чертами.

Сенека

Есть люди в стиле барокко: много красивых деталей, а в целом безвкусица.

Мария Эбнер-Эшенбах

Беладонна: в Италии — красивая женщина, в Англии — смертельный яд. Поразительный пример глубинного сходства двух языков.

Амброз Бирс

Под ангельскими чертами скрывалась женщина.

Геннадий Малкин

Первая девушка, с которой идешь в постель, всегда красива.

Уолтер Маттхо

При погашенной лампе все женщины красивы.

Плутарх

Красивым кажется все, на что смотришь с любовью.

Кристиан Моргенштерн

Глядя на красивую женщину, я не могу не влюбиться в нее, я от нее без ума. Это как удар молнии и длится столько же: мгновение.

Жюль Ренар

Красота гасит любовь, ибо несогласуемы созерцание и страсть. В красоту влюбляются только нечувствительные к красоте.

Григорий Ландау

Чрезвычайно красивые женщины вызывают не такое уж изумление при второй встрече.

Стендаль

Красота через три дня надоедает не меньше, чем добродетель.

Джордж Бернард Шоу

Красивых женщин причисляют сегодня к талантам их мужей.

Георг Лихтенберг

Некоторые женщины вовсе не красивы, а только так выглядят.

Карл Краус

Первое правило вежливости — быть красивой, или хотя бы не быть некрасивой.

Янина Ипохорская

Нет тяжелее работы, чем стараться выглядеть красивой с восьми утра до полуночи.

Брижит Бардо

Будь красивой и сиди молча. Первое легче.

Янина Ипохорская

Красивая женщина не должна быть слишком умна — это отвлекает внимание.

Марк Жильбер Соважон

У нее не больше ума, чем у розы.

Антуан де Ривароль
о своей любовнице

Красивым женщинам не адресуют жалоб — только претензии.

Феликс Райчак

История многих красивых женщин полна некрасивых историй.

Видоизмененный
Юзеф Булатович

Красота — дар возлюбленного.

Уильям Конгрив

Быть красивой и любимой — значит быть всего только женщиной. Быть некрасивой и уметь возбуждать любовь — значит быть принцессой.

Барбе д'Орвиль

Невзрачные женщины знают о мужчинах больше, чем красивые женщины.

Кэтрин Хепберн

Одна девушка может быть хорошенькой, но дюжина девушек — это всего лишь хор.

Фрэнсис Скотт Фицджеральд

Если женщина считает себя сексапильной — она сексапильна.

Берт Рейнолдс

Красота ослепляет, а слепого легко обокрасть.

Американское изречение

Нет некрасивых женщин — есть только женщины, не знающие, что они красивы.

Вивьен Ли

Моя тетка наставляла меня: «Помни, что наименее уродливая сестра считается фамильной красавицей».

Джордж Бернард Шоу

Когда-то я был красив и молод, теперь — только красив.

«Пшекруй»

Вы по-прежнему стройны, как клепсидра, но песок уже почти весь внизу.

Боб Хоуп

Как ни печально, но лет через десять-пятнадцать даже самые красивые женщины станут старше на пять лет.

NN

КРЕДИТ

См. также «Заимодавцы и должники», «Банки»

Кредит: оптимизм, дошедший до абсурда.

«Пшекруй»

Многие стали пессимистами, финансируя оптимистов.

Ч. Т. Джонс

Ваши дела процветают, если у вас достаточно денег, чтобы получить кредит в банке.

NN

Если бы получить кредит в банке было так просто, как утверждает реклама, никто бы не грабил банки.

Американское изречение

Хороший менеджер всегда берет оптимиста на должность сбытовика, и пессимиста — для работы в отделе кредитования.

NN

Если бы на Марсе была жизнь, они бы уже обратились к нам с просьбой о предоставлении займа.

Неизвестный американец

Деньги — кредитная карточка бедного человека.

Маршалл Маклюэн

КРИТИКА

См. также «Рецензия»

Критик — человек, продавший свой аппетит.

Кароль Ижиковский

Критик: человек, который ради куска хлеба отбивает аппетит у других.

«Пшекруй»

Критик — это человек, который пишет о том, что не любит.

NN

Критик — усыпляет хлороформом похвал, а потом оперирует.

Кароль Ижиковский

Критик пытается понять художника — увы, без взаимности.

Лешек Кумор

Критик — это человек, который умеет читать и учит этому других.

Шарль Сент-Бев

Критик призван просвещать читателя, художник призван просвещать критика.

Оскар Уайльд

Вы хотите узнать мое мнение о пьесе, когда я не знаю даже имени автора?

Джордж Бернард Шоу

Когда глаза критика отуманены слезами, его мнение не имеет значения.

Генрих Гейне

Критика может нас прикончить; мы не можем прикончить критику; поэтому лучше всего о ней забыть.

Рамон Гомес де ла Серна

Критиковать — значит доказывать автору, что он не сделал этого так, как сделал бы я, если б умел.

Карел Чапек

Вправе ли критик судить об омлете, если сам не может снести яйца?

Клейтон Росон

От критика требуют, чтобы он камни сделал удобоваримыми.

Кароль Ижиковский

Интерпретация — это месть интеллекта искусству.

Сьюзан Зонтаг

Писатели — инженеры человеческих душ, а инженеры писательских — критики.

Славомир Мрожек

Этому критику не хватает третьего уха и двух первых яиц.

Станислав Ежи Лец

От тлетворного влияния критиков не задохнулся еще ни один гений.

Сэмюэл Джонсон

КРИТИКА И САМОКРИТИКА

См. также «Самооценка. Вера в себя»

Конструктивная критика: когда я критикую вас. Деструктивная критика: когда вы критикуете меня.

NN

Критиковать может любой дурак, и многие из них именно этим и занимаются.

Сирил Гарбетт

Даже когда меня разобьет паралич, я буду критиковать чужую походку.

Жюль Ренар

Хочешь избежать критики — ничего не делай, ничего не говори и будь никем.

Элберт Хаббард

Никто никогда ничего бы не сделал, если б сперва опроверг все возражения.

Сэмюэл Джонсон

Следует воздерживаться в беседе от всяких критических, хотя бы и доброжелательных, замечаний: обидеть человека — легко, исправить же его — трудно, если не невозможно.

Артур Шопенгауэр

Лучший способ раскритиковать чужую работу — сделать ее лучше.

NN

Всякая самокритика — это скрытая похвала. Мы ругаем себя для того лишь, чтобы показать свою непредвзятость.

Сэмюэл Джонсон

Мы браним себя только для того, чтобы нас похвалили.

Франсуа Ларошфуко

Не надо в самокритике опускаться до хамства.

В. Усачев

Бить себя в грудь придумали для того, чтобы вывести из-под удара другую часть тела.

Циприан Черник

Мы перестаем бить себя в грудь, как только предоставляется случай бить кого-либо еще.

Роберт Карпач

КРОССВОРД

Это ложь, что газеты отучили нас думать. Разве они не публикуют кроссворды?

Габриэль Лауб

В неразвитых обществах наибольшие страсти вызывают власть, деньги и женщины; в развитых — деньги, власть и кроссворды.

Максим Звонарев

Газеты по мудрости своей предлагают читателям решать кроссворды, подобно тому как церковь по своей бесконечной предусмотрительности предписывала верующим перебирать четки. И то и другое — превосходное лекарство, с помощью которого человек избавляется от навязчивых мыслей, тяжелых дум и рефлексии — худшей из пыток.

Андре Моруа

Оптимист: человек, который заполняет кроссворд сразу чернилами.

Клемент Шортер

ПОСТУЛАТЫ ПАШКОВА:

1. В каждом кроссворде три слова остаются неразгаданными.

2. Если вы разгадали эти три слова, значит, неправильно разгаданы три других слова.

Дмитрий Пашков

Если мужчина говорит: «Это глупый кроссворд»,— значит, это кроссворд, который до конца решила его жена.

«Закон Эпперсона»
в измененной формулировке

КУЛИНАРИЯ

См. также «Домашнее хозяйство», «Еда»

Приготовление пищи — удовольствие, к сожалению, ежедневное.

Некая американская домохозяйка

Одно и то же блюдо никогда не бывает одно и то же.

Ален Лобро

Кулинария — это вопрос времени. В общем и целом, чем больше времени, тем лучше результат.

Джон Эрскин

Архитектор прикрывает свои ошибки плющом, хозяйка — майонезом.

NN

Брак — весьма справедливый общественный институт: муж должен ежедневно есть, жена должна ежедневно готовить.

Альберто Сорди

Плохо, если жена умеет готовить, но не хочет; еще хуже, если она не умеет, но хочет.

Роберт Фрост

Когда мужчина готовит, он никого не терпит рядом с собой. Но если готовит женщина, он то и дело лезет на кухню.

Люсиль Болл

Чтобы приготовить рагу из зайца, надо, как минимум, иметь кошку.

Владимир Масс и Михаил Червинский

Чеснока никогда не бывает чуть-чуть.

NN

Если ты готовишь себе все кашу да кашу, смени хотя бы горшок.

Веслав Малицкий

КУЛЬТУРА

См. также «Искусство и художник», «Массовая культура», «Политика и культура»

Культура — это приблизительно все то, что делаем мы и чего не делают обезьяны.

Лорд Раглан

Культура — это то, что остается, когда все остальное забыто.

Эдуар Эррио

Культура есть орудие университетских профессоров для производства университетских профессоров.

Симона Вейль

Культура — это лишь тоненькая яблочная кожура над раскаленным хаосом.

Фридрих Ницше

Культуру нельзя унаследовать, ее надо завоевать.

Андре Мальро

В культуре основанием служит вершина.

Григорий Ландау

Культура для многих первая потребность, которую не нужно удовлетворять.

Станислав Ежи Лец

Процент неграмотных — величина постоянная, только в наше время неграмотные умеют читать.

Альберто Моравиа

Культура начинается с запретов.

Юрий Лотман

Культура началась с фигового листка и кончается, когда фиговый листок отброшен.

Кристиан Фридрих Геббель

И культура имеет свою узаконенную проституцию: фестивали.

Мартин Кессель

Культура родилась из культа.

Николай Бердяев

Цивилизация — это власть над миром; культура — любовь к миру.

Антоний Кэмпиньский

Умирая, культура превращается в цивилизацию.

Освальд Шпенглер

Когда та или иная культура чувствует, что приходит ее конец, она посылает за священником.

Карл Краус

Небо религии заменили небом культуры. Но и оно — для избранных.

Анджей Бискупский

КУРЕНИЕ

Сначала Бог создал мужчину. Потом создал женщину. Потом Богу стало жалко мужчину, и он дал ему табак.

Марк Твен

Я видела многих мужчин, обративших свое золото в дым, но вы первый, кто обратил дым в золото.

Елизавета I — Уолтеру Рали,
который привез табак
из Америки в Англию

Курение позволяет верить, что ты что-то делаешь, когда ты ничего не делаешь.

Ралф Эмерсон

Капля никотина убивает пять минут рабочего времени.

Ратмир Тумановский

Отчеты медиков еще никого не заставили бросить курить, но многим испортили удовольствие от курения.

NN

Теперь уже с полной достоверностью доказано, что курение — одна из главных причин статистики.

Флетчер Кнебель

Я курю от десяти до пятнадцати сигар в день. В моем возрасте нужно себя ограничивать.

Джордж Барнс

Я взял себе за правило никогда не курить больше одной сигареты одновременно.

Марк Твен

Я взял себе за правило никогда не курить во сне и никогда не воздерживаться от курения, когда я не сплю.

Марк Твен

Не кури в постели: пепел, который придется потом подметать, может оказаться твоим собственным.

Джек Бернет

Никогда не курите чужие сигары под предлогом, что вы не курите.

Саша́ Гитри

Время выкуривания одной сигареты прямо пропорционально интенсивности протестов со стороны некурящих.

Рэй Дауэн

Терпимости можно учиться у курящих. Еще ни один курящий не жаловался на то, что некурящий не курит.

Сандро Пертини

Сигара может послужить хорошим суррогатом мысли.

Артур Шопенгауэр

Трубка дает умному человеку возможность подумать, а дураку — подержать что-то во рту.

«Парадокс Тришмена»

Если вы думаете, что никотин не влияет на голос женщины, попробуйте стряхнуть пепел на ковер.

Жан Ришар

Начинаешь курить, чтобы доказать, что ты мужчина. Потом пытаешься бросить курить, чтобы доказать, что ты мужчина.

Жорж Сименон

Отвыкнуть от некурения довольно легко.

Лешек Кумор

Бросить курить легче сегодня, чем завтра.

NN

Как выпьешь, кажется, что бросишь курить.

Геннадий Малкин

Нет ничего легче, чем бросить курить, — я уже тридцать раз бросал.

Марк Твен

Теперь столько пишут о вреде курения, что я твердо решил бросить читать.

Джозеф Каттен

Л

ЛЕВЫЕ И ПРАВЫЕ

См. также «Консерваторы и либералы», «Радикалы»

«Бег на левизну» есть бег по кругу, в котором крайняя левая и крайняя правая точки совпадают.

Александр Изгоев

Сердце мудрого — на правую сторону, а сердце глупого — на левую.

Екклесиаст, 10, 2

Средний путь — самый безопасный.

Овидий

Середина улицы с двусторонним движением меньше всего подходит для езды. А обе крайности, правая и левая, — в сточной канаве.

Дуайт Эйзенхауэр

Эпоху обгоняют по левому ряду.

Лешек Кумор

Левее здравого смысла.

Георгий Плеханов

Нужно быть правым, оставаясь левым.

Тадеуш Котарбиньский

Правее них только стена.

Рандолф Черчилль
об английских консерваторах

Тот, кто смог бы доказать свое происхождение от Спартака, сегодня уж точно не был бы лидером левых, но украшением римской аристократии.

Станислав Ежи Лец

Я не из правого и не из левого лагеря. Я из концлагеря.

Владимир Буковский

ЛЕГЕНДЫ

См. также «Мифы»

Легенда: ложь, обладающая респектабельностью, присущей почтенному возрасту.

Лоренс Питер

Легенда — приемная дочь истории.

Эрике Понсела

Слабая память поколений упрочает легенды.

Станислав Ежи Лец

Нетрудно понять, почему легенда заслужила большее уважение, чем история. Легенду творит вся деревня — книгу пишет одинокий сумасшедший.

Гилберт Честертон

Сплетня — всего лишь сплетня; две сплетни — уже легенда.

Владислав Гжегорчик

Молчание творит легенды.

Питер Грант

ЛЕДИ

См. также «Джентльмены»

Леди — это не джентльмен.

Джордж Б. Кэбелл

Леди — это женщина, которая делает мужчину похожим на джентльмена.

Рассел Лайнз

Леди: женщина, которая никогда не покажет свое нижнее белье непреднамеренно.

Лилиан Дей

Театральный герой верит, что каждая женщина — леди, а театральный злодей полагает, что каждая леди — женщина.

Джордж Джин Нейтан

Одна знатная дама на шестидесятом году жизни имела любовником молодого человека темного происхождения. Она говаривала своей наперснице: «В глазах мещанина герцогине никогда не бывает больше тридцати». И была права.

Санак де Мейян

Светская женщина: женщина, которая никогда не испытывает ни чувства жары, ни чувства холода, и никогда не бывает голодной или усталой.

Герцогиня де Сабан

Если дама говорит «нет», это значит «может быть»; если она говорит «может быть», это значит «да»; а если она говорит «да», это не дама.

Французское изречение

ЛЕКАРСТВА И ЛЕЧЕБНЫЕ ПРОЦЕДУРЫ

См. также «Болезни»

Лекарство: вещество, которое, будучи введено в крысу, дает научный отчет или статью.

NN

Иные лекарства опасней самих болезней.

Сенека

Лекарства действуют медленнее, чем болезни.

Тацит

Безнадежные болезни требуют безнадежных лекарств.

Английское изречение

Сильные средства — слабое утешение.

Геннадий Малкин

Если изобретут лекарство, изобретут и болезнь.

Лешек Кумор

Если против какой-нибудь болезни предлагается очень много средств, это значит, что болезнь неизлечима.

Антон Чехов

Начинающий врач выписывает по двадцать лекарств для каждой болезни; опытный врач — одно лекарство на двадцать болезней.

Уильям Ослер

Нет лекарства от всех болезней, но есть болезни от всех лекарств.

*«Медичны кадры», газета
Киевского мединститута*

Самые эффективные средства — это те, которые еще не применялись.

Геннадий Малкин

Даже воду пить неприятно, если ее прописал врач.

NN

Лечение — это противоборство организма и заработка.

Геннадий Малкин

Побочным эффектом некоторых новейших лекарств бывает полное разорение.

NN

Тот, кто лечится по медицинскому справочнику, рискует умереть от опечатки.

Видоизмененный Кристиан Фридрих Геббель

От чего умер ваш дядя? — Он вместо 15 капель Боткина, как прописал доктор, принял 16.

Антон Чехов

Не стоит выздоровление путать с бессмертием.

Геннадий Малкин

ЛЕНЬ

См. также «Работа — безделье», «Труд»

Лентяй: человек, который не делает вид, что работает.

Альфонс Алле

Мы охотнее признаемся в лености, чем в других наших недостатках; мы внушили себе, что она, не нанося большого ущерба прочим достоинствам, лишь умеряет их проявление.

Франсуа Ларошфуко

Каждый из нас лентяй — или надеется стать им.

Сэмюэл Джонсон

Люди ленивы настолько, насколько могут себе позволить, и почти никогда — настолько, насколько им бы хотелось.

NN

Насладиться ленью по-настоящему может лишь тот, у кого есть куча совершенно неотложных дел.

Джером Джером

Высокий лентяй кажется еще ленивее.

Тристан Бернар

Особенно трудную задачу перепоручи лентяю — он найдет более легкое решение.

«Закон Хлади»

Если ты ленив и упорен, ты непременно чего-нибудь добьешься.

Жорж Фейдо

ЛЕСТЬ

См. также «Комплименты», «Похвала»

Льстить — значит говорить человеку именно то, что он о себе думает.

Дейл Карнеги

Похвалу дают в долг, а лесть дарят.

Сэмюэл Джонсон

Людям льстит уже то, что их считают достойными лести.

Джордж Бернард Шоу

Как бы ни была груба лесть, в ней непременно по крайней мере половина кажется правдою.

Федор Достоевский

Иногда людям кажется, что они ненавидят лесть, в то время как им ненавистна лишь та или иная ее форма.

Франсуа Ларошфуко

Встречаются люди, невосприимчивые к грубой лести.

Лешек Кумор

Если бы мы не льстили себе сами, нас не портила бы чужая лесть.

Франсуа Ларошфуко

Лесть, как и сигарета, безвредна, если не слишком затягиваться.

Эдлай Стивенсон

Если не знаете, как польстить человеку, скажите ему, что он не из тех, кого можно обмануть лестью.

Неизвестный американец

Дурак льстит себе самому, умный льстит дураку.

Эдуард Булвер-Литтон

Искусные льстецы обычно не менее искусные клеветники.

Наполеон I

Мужчины без ежедневной порции лести гибнут.

Магдалена Самозванец

Женщина, как правило, питает искреннее отвращение к лести, особенно если ее объектом является другая женщина.

NN

Если вы льстите женщине, необходима некоторая тонкость. Но с мужчиной это необязательно: он заранее верит каждому комплименту.

Алан Эйкборн

ЛИТЕРАТУРА

См. также «Книги», «Критика», «Писатели», «Плагиат», «Поэзия и проза», «Научная фантастика», «Цитаты»

Литература — это управляемое сновидение.

Хорхе Луис Борхес

Литература — это новости, которые не устаревают.

Эзра Паунд

В чем разница между журналистикой и литературой? Журналистику не стоит читать, а литературу не читают.

Оскар Уайльд

Правду сказать, мы знаем жизнь только по литературе. Разумеется, за исключением тех, кто не знает литературы.

Станислав Ежи Лец

Нужно очень много истории, чтобы получилось немного литературы.

Генри Джеймс

Литература была бы совсем неплохим занятием, если б не надо было писать.

Константы Ильдефонс Галчиньский

Опасность, горшая, чем снобизм, — когда литература становится насущным хлебом и необходимостью.

Кароль Ижиковский

Литература — русский коллективный невроз.

Борис Парамонов

Наша литература резко делится на великую и плохую.

Андрей Битов

Для детей нужно писать так же, как для взрослых, только еще лучше.

Перефразированный Константин Станиславский

Для взрослых надо писать так же, как для детей, только еще хуже.

Еф. Борисов

Чем сложнее действие, тем проще персонажи.

Карел Чапек

В созданиях всех великих поэтов, в сущности, нет второстепенных персонажей, каждое действующее лицо есть на своем месте главный герой.

Генрих Гейне

Настоящие писатели встречают своих героев лишь после того, как те уже созданы.

Элиас Канетти

Литературное течение составляют пять или шесть человек, которые живут в одном городе и сердечно ненавидят друг друга.

Джордж Мур

Всего сильнее влияют не те, за кем идут, а те, против кого идут.

Григорий Ландау

То, что писатель хочет сказать, он должен не говорить, а писать.

Эрнест Хемингуэй

Эссе — разновидность литературы, позволяющая сказать почти все почти ни о чем.

Олдос Хаксли

Реклама — самая интересная и самая трудная форма современной литературы.

Олдос Хаксли

К развлекательной литературе относятся примерно так же, как к проституции: осуждают, но пользуются.

Кароль Ижиковский

Столкнувшись с неудобочитаемостью, начинаешь ценить неграмотность.

Яцек Вейрох

Печально, что литературное произведение не может жить дольше, чем существующий мир.

Станислав Ежи Лец

ЛИТЕРАТУРНЫЙ СТИЛЬ

Стиль — это человек.

Дионисий Галикарнасский,
а за ним Жорж Луи Бюффон

Удивительна сила сопротивления, которое оказывает человеку бумага.

Ян Мыслэк

Фразы сочиняют за неимением мыслей.

Жан Кондорсе

Хорошая проза подобна айсбергу, семь восьмых которого скрыто под водой.

Перефразированный
Эрнест Хемингуэй

Слишком гладко причесанный стиль лысеет.

Мартин Гарсо

Без повторений нет глубины.

Григорий Ландау

Следует писать так, как говоришь, и не говорить так, как пишешь.

Шарль Сент-Бев

Пиши так, как говоришь, — если, конечно, говоришь хорошо.

Жюль Ренар

Кто пишет, как говорит, пишет плохо, как бы хорошо он ни говорил.

Жорж Луи Бюффон

Ясный стиль — вежливость литератора.

Жюль Ренар

Кто ясно мыслит, ясно излагает.

Никола Буало

Смутно пишут о том, что смутно себе представляют.

Михаил Ломоносов

У тех, кто пишет ясно, есть читатели, а у тех, кто пишет темно, — комментаторы.

Альбер Камю

Некоторые книги были бы гораздо более ясными, если бы их не старались делать столь ясными.

Иммануил Кант

Вычеркивайте все восклицательные знаки. Ставить восклицательный знак — все равно что смеяться собственной шутке.

Фрэнсис Скотт Фицджеральд

Перечитывайте написанное, и если вам попадется особенно изысканный оборот, вычеркивайте его.

Сэмюэл Джонсон

Мой язык — уличная девка, которой я возвращаю девственность.

Карл Краус

И в стиле встречаются четырехконечные листики клевера — их я предпочитаю цветочкам.

Кароль Ижиковский

Иначе расставленные слова приобретают другой смысл; иначе расставленные мысли производят другое впечатление.

Блез Паскаль

Нужное слово в нужном месте — вот наиболее точное определение стиля.

Джонатан Свифт

Синоним используется вместо слова, которое вы хотели написать, но не знаете, как оно пишется.

Берт Бачарач

Самый подходящий момент начать статью наступает, когда вы ее успешно закончили. К этому времени вам становится ясно, что именно вы хотите сказать.

Марк Твен

Беда тех, кто пишет быстро, в том, что они не могут писать кратко.

Вальтер Скотт

Я могу писать лучше любого, кто пишет быстрее меня, и быстрее любого, кто пишет лучше меня.

А. Дж. Либлинг

Будем кратки. Мир перенаселен словами.

Станислав Ежи Лец

Из двух слов следует выбирать меньшее.

Поль Валери

Хороший рассказ должен быть краток, плохой — еще короче.

Эмиль Кроткий

Краткость — сестра таланта.

Антон Чехов

Краткость — сестра таланта, но мачеха гонорара.

А. Свободин

Стиль — это простой способ говорить сложные вещи.

Жан Кокто

Писать просто и ясно так же трудно, как быть искренним и добрым.

Сомерсет Моэм

Плавают разными стилями, тонут — одним.

Эміль Кроткий

ЛИЦЕМЕРИЕ. ДВУЛИЧИЕ

Лицемерие — это дань уважения, которую порок платит добродетели.

Франсуа Ларошфуко

Лицемер — это человек, который... но кто же не лицемер?

Дон Маркис

Мы так привыкли притворяться перед другими, что под конец начинаем притворяться перед собой.

Франсуа Ларошфуко

Надеюсь, вы не ведете двойной жизни, прикидываясь беспутным, когда вы на самом деле добродетельны. Это было бы лицемерием.

Оскар Уайльд

Лицемер: человек, который убил обоих родителей и просит о снисхождении, ссылаясь на то, что он сирота.

Авраам Линкольн

Вы правы, он не двуличен; но его единственное лицо так отвратительно!

Чарлз Перси Сноу

Маскарад устраивают для того, чтобы каждый мог показать свое лицо.

Иван Иванюк

Опомнись! Срывая маску, ты только сдерешь у него кожу с лица.

Кароль Ижиковский

Если слишком долго носить маску, на ней отпечатаются морщины лица.

Лешек Кумор

Самая радужная жизнь — у хамелеонов.

Войцех Бартошевский

Припертого к стене хамелеона не отличишь от стены.

Доминик Опольский

Когда хамелеон у власти, цвета меняет окружение.

Станислав Ежи Лец

ЛИЦО

См. также «Внешность. Наружность», «Зеркало»

У него было типично британское лицо. Такое лицо, стоит его однажды увидеть, потом уже не запомнишь.

Оскар Уайльд

В пятьдесят каждый из нас имеет такое лицо, какого заслуживает.

Джордж Оруэлл

Ничто так не старит, как лицо.

Семен Альтов

Мужчина должен иметь голову на плечах, а женщина — лицо.

Вячеслав Верховский

Лицо у нее было очень подходящее для выступлений по радио.

Эмиль Кроткий

Это милое личико у нее от отца. Он хирург-косметолог.

Граучо Маркс

Ее лицо выглядело так, словно износило два тела.

NN

Если видишь женщину голой достаточно долго, опять начинаешь обращать внимание на ее лицо.

Генри Миллер

ЛОВЕЛАСЫ И БАБНИКИ

См. также «Флирт. Ухаживанье»

Сердцееды пожирают девиц, как спелые яблочки, а их сердца выплевывают, как косточки.

Магдалена Самозванец

Влюбившийся сердцеед подобен заразившемуся врачу. Профессиональный риск.

Карл Краус

Детородный орган — средоточие всех удовольствий.

«Упанишады»

Репутация мужчины определяется не его мужскими достоинствами, а представлением женщин о его мужских достоинствах.

Кароль Теплиц

Соблазнителем называют мужчину, которому женщина не может и не хочет сопротивляться.

Северин Барбаг

В чем секрет моего успеха у женщин? Со служанкой я веду себя как с дамой, а с дамой — как со служанкой.

Джордж Браммел

Мужчины, которые относятся к женщинам с наибольшим почтением, редко пользуются у них наибольшим успехом.

Джозеф Аддисон

Донжуан может покорить каждую? Что за ребячество! На самом деле он просто не способен ни одной отказать.

Тадеуш Бой-Желеньский

Многие из тех, кто считает себя донжуанами, — всего только фавны.

Мария Эбнер-Эшенбах

Если у женщины дрожит рука, то, может быть, потому, что она сдерживает желание отвесить тебе пощечину.

Юзеф Булатович

Я долго остаюсь под впечатлением, которое я произвел на женщину.

Карл Краус

Сколько же времени и сил должен потратить мужчина, чтобы воспользоваться минутной слабостью женщины!

Константин Мелихан

Повесе, чтобы соблазнить женщину, нужно больше тонкого понимания людей, чем Бисмарку, чтобы одурачить Европу.

Василий Ключевский

Вопреки обычному представлению, труднее всего покорить глупую женщину — потому что на нее ничто не производит впечатления.

Джанни Мондуцци

Женщины как револьверы — опасны только в руках новичка.

Жак Мартен

В любви, как и в спорте, статус любителя должен тщательно охраняться.

Роберт Грейвз

Мужчину интересуют женщины с прошлым: он надеется, что история повторится.

Мэй Уэст

Нет ничего тяжелее легких связей.

Эмиль Кроткий

Когда мужчинс плохо, он ищет женщину, а когда ему хорошо, он ищет еще одну.

Константин Мелихан

Бабники редко думают сразу о целой бабе.

Ежи Карецкий

Тот, кто меняет женщин, как перчатки, обычно довольствуется бывшими в употреблении.

Хенрик Хорош

Из двух зол выбирай более смазливое.

Кэролайн Уэллс

Только исследовав многих женщин, мужчина может понять себя.

Владислав Гжещик

Знатоки женщин редко склонны к оптимизму.

Джордж Бернард Шоу

Женщины, не бойтесь мышей, — бойтесь котов!

Иоанна Вилиньская

ЛОГИКА

Логика есть анатомия мышления.

Джон Локк

Логика — это нравственность мысли и речи.

Ян Лукасевич

Логика — это искусство ошибаться с полной достоверностью.

Джозеф Вуд Кратч

Логика — смирительная рубашка фантазии.

Хельмар Нар

Логика — это комод, в котором хранится полезная утварь и очень много ненужной.

Чарлз Калеб Колтон

Лучшая защита от логики — невежество.

Келог Олбран

Глупость обычно бывает логична.

Хуго Штейнхаус

Всякое обобщение ложно, включая и это.

NN

Если окажется, что наша логика неверна, все науки станут поэзией.

Станислав Ежи Лец

Было бы крайне нелогично руководствоваться в жизни только логикой.

Лешек Кумор

Если логика говорит вам, что жизнь — пустая случайность, пошлите к черту не жизнь, а логику.

Шайра Милгром

ЛОЖЬ И ЛЖЕЦЫ

См. также «Вымысел и фантазия», «Правда и ложь»

Ложь бывает четырех видов: ложь, наглая ложь, статистика и цитирование.

NN

Не следует беззастенчиво лгать; но иногда необходима уклончивость.

Маргарет Тэтчер

Верь только половине того, что видишь, и ничему из того, что слышишь.

Английская пословица

Половина всей лжи, которую приходится слышать, это неправда.

Янина Ипохорская

Лгать — значит признавать превосходство того, кому вы лжете.

Сэмюэл Батлер

Ложь чаще проистекает от безразличия, чем от притворства.

Андре Моруа

ЗОЛОТОЕ ПРАВИЛО: Лги о других так, как ты хотел бы, чтобы они лгали о тебе.

NN

Не выношу, когда на мою ложь отвечают ложью. Это нечестная конкуренция.

«Пшекруй»

Преувеличение есть ложь людей благовоспитанных.

Жозеф де Местр

Есть умы столь лживые, что даже истина, высказанная ими, становится ложью.

Петр Чаадаев

У лжи короткие ноги, но длинные руки.

Михал Хофман

У лжи ноги короткие, зато неутомимые.

Лех Навроцкий

У лжи короткие ноги, но часто очень милое личико.

М. Путинковский

Лгут прежде всего тем, кого любят.

Надин де Ротшильд

Лгать можно только любимой женщине и полицейскому, всем остальным нужно говорить правду.

Джек Николсон

Женщины с легкостью лгут, говоря о своих чувствах, а мужчины с еще большей легкостью говорят правду.

Жан Лабрюйер

Если мужчина никогда не лжет женщине, значит, ему наплевать на ее чувства.

Олин Миллер

Не говори ему, что он лжет, а то он начнет говорить правду.

Иоанна Вилиньская

Никто не станет врать, если никто не слушает.

Джеймс Битти

Все лгут, но это не имеет значения, потому что никто никого не слушает.

«Закон Либермана»

Чем грандиознее ложь, тем легче ей готовы поверить.

Адольф Гитлер

Я не похож на Вашингтона: мои принципы выше и величественнее. Вашингтон просто не мог лгать. Я могу, но воздерживаюсь.

Марк Твен

Казалось бы, ложь — дело простое и доступное каждому, а между тем ни разу мне не приходилось видеть лжеца, который удачно соврал бы три раза кряду.

Джонатан Свифт

Лучший лжец тот, кто способен растянуть минимальное количество лжи на максимально долгое время.

Сэмюэл Батлер

Лжецу нужна хорошая память.

Квинтилиан

Мы лжем громче, когда лжем себе.

Эрик Хоффер

ЛЫСИНА

Я не лысый, но это уже висит на волоске.

«Пшекруй»

Лысина не порок, а свидетельство мудрости.

Латинское изречение

Из двух совершенно одинаково умных людей лысый умнее.

«Пшекруй»

Походил на Сократа — лысиной и женой.

Эмиль Кроткий

Отпустил бороду и облысел — закон сохранения материи.

Рамон Гомес де ла Серна

Не тревожься, что выпадают волосы, — взамен вырастают рога.

NN

Я верю в равенство. Лысые мужчины должны жениться на лысых женщинах.

Фиона Питт-Кетли

Потеряв один волос, еще не становишься лысым; потеряв второй волос — тоже; когда же начинается лысина?

Евбулид из Милета

Может, и правда, что лысина — признак мужской потенции, но она уменьшает ваши возможности доказать это.

Роберт Орбен

Лысые могут заигрывать с невысокими.

Янина Ипохорская

С тех пор как я увидел изображения нашего старого, почтенного Господа Бога в виде пожилого господина с лысиной, я окончательно потерял веру в любые, даже самые лучшие средства для выращивания волос.

Станислав Ежи Лец

ЛЮБИТЕЛИ И ПРОФЕССИОНАЛЫ

См. также «Компетентность», «Профессия», «Специалисты»

Любитель живет надеждами; профессионал работает.

Гарсон Кейнин

Профессионал — человек, который может делать свою работу, когда она ему не по душе. Любитель — человек, который не может делать свою работу, когда она ему по душе.

Джеймс Эгейт

Профессионалы строят «Титаник», любители — Ноев ковчег.

NN

Всегда найдутся любители посмеяться над профессионалами.

С. Крытый

Дилетант не умеет говорить: «Я не умею», а все остальное он умеет.

Адольф Йончик

Любитель: человек, который всегда готов поделиться своей неопытностью.

Леонард Луис Левинсон
(по мотивам Оскара Уайльда)

Невежество сближало людей. Профессионализм их разделяет.

Болеслав Пашковский

ЛЮБОВНИКИ И ЛЮБОВНИЦЫ

Муж — это то, что осталось от любовника после удаления нерва.

Хелен Роуленд

Любовник — второе разочарование замужней женщины.

NN

Любовник: жертва номер два.

Генри Луис Менкен

Легче быть любовником, чем мужем, ибо труднее быть остроумным каждый день, чем шутить от случая к случаю.

Оноре Бальзак

Любовники тщательно скрывают свои недостатки; супруги слишком часто выказывают их друг перед другом.

Пьер Буаст

Любовник может быть воздушным созданием, но муж — существо из плоти и крови.

Эми Леви

Женщине доставляет больше удовольствия делать из нас дураков, чем любовников.

Джон Уилмот

В тех кругах, в которых я вращаюсь, переспать с женщиной — недостаточный повод для того, чтобы быть ей представленным.

Вирджиния Маклауд

Забыть друг о друге могут только любовники, любившие недостаточно сильно, чтобы возненавидеть друг друга.

Эрнест Хемингуэй

Она меняла возлюбленных, как перчатки. Перчаток она никогда не меняла.

Эмиль Кроткий

Чем больше любовников, тем больше разочарований.

Луиза де Вильморен

Многие парни хороши в постели, а поговорить, почитай, и не с кем.

Линда Барнс

Все отвергнутые любовники должны иметь право на вторую попытку — с кем-нибудь другим.

Мэй Уэст

Даже перед тем как открыть шкаф, сперва постучи.

Янина Ипохорская

В шкаф не прячется только тот любовник, который сам как шкаф.

Константин Мелихан

Избавиться от любовницы очень просто: достаточно жениться на ней.

Леон Гозлан

Когда вы женитесь на своей любовнице, вы создаете новое рабочее место.

Джеймс Голдсмит

Из лучших любовниц выходят самые плохие жены. Но самые плохие жены, увы, никогда не бывают лучшими любовницами.

Лех Конопиньский

Трудно быть страстным любовником в присутствии собственной жены.

Феликс Райчак

Друг мужа всегда враг жены, если только он ей не любовник.

Магдалена Самозванец

В девяти случаях из десяти любовника жены больше всех ненавидит сама жена.

Гилберт Честертон

Поскреби любовника, и ты найдешь врага.

Дороти Паркер

ЛЮБОВЬ

См. также «Верность в любви», «Измена в любви», «Платоническая любовь», «Разлука и ожидание», «Ревность», «Флирт. Ухаживанье»

Любовь — это эгоизм вдвоем.

Перефразированная
Жермена де Сталь

Любовь — это взаимное святотатство.

Кароль Ижиковский

Любовь — это попытка мужчины удовлетвориться одной-единственной женщиной.

Поль Жеральди

Любовь — это краткий промежуток времени, когда лицо противоположного пола точно такого же мнения о нас, как и мы сами.

Магдалена Самозванец

Любовь — это награда, полученная без заслуг.

Рикарда Хух

Любовь — не жалобный стон далекой скрипки, а торжествующий скрип кроватных пружин.

Сидни Перлмен

Любовь — это способ услышать «Дорогой» или «Дорогая» после занятий сексом.

Джулиан Барнс

Любовь — это торжество воображения над интеллектом.

Генри Луис Менкен

Любовь — это все. И это все, что мы знаем о ней.

Эмили Дикинсон

Любовь — последняя и самая тяжелая детская болезнь.

NN

Может, любовь и вправду болезнь, но, увы, не заразная.

Жарко Петан

Любить — это не значит смотреть друг на друга, любить — значит вместе смотреть в одном направлении.

Антуан де Сент-Экзюпери

Любить — значит вместе смотреть в одном направлении? Возможно, но только, если смотрят не в телевизор.

Жильбер Сесброн

Любить — значит перестать сравнивать.

Бернар Грассе

Любить — значит видеть чудо, невидимое для других.

Франсуа Мориак

Любовь — самая лучшая косметика.

Джина Лоллобриджида

Любовь — лучшая косметика. Но косметику купить легче.

Ив Сен-Лоран

Любовь — это зубная боль в сердце.

Видоизмененный Генрих Гейне

Любовь — это самый проверенный способ преодолеть чувство стыда.

Зигмунд Фрейд

Любовь — это игра в карты, в которой блефуют оба: один, чтобы выиграть, другой, чтобы не проиграть.

Анри Ренье

Истинная любовь похожа на привидение: все о ней говорят, но мало кто ее видел.

Франсуа Ларошфуко

С любовью случилось то же, что с привидениями: с тех пор как в них перестали верить, они уже никому не показываются.

Магдалена Самозванец

В ревматизм и в настоящую любовь не верят до первого приступа.

Мария Эбнер-Эшенбах

Не полюбив, нельзя прийти к мысли, что любви не бывает.

Александр Кулич

Если не любишь слишком, значит, любишь недостаточно.

Луи де Петье

В любви недостаточно даже «слишком».

Пьер Бомарше

Любовь переносит и прощает все, но ничего не пропускает. Она радуется малости, но требует всего.

Клайв Льюис

Любовь основана на заблуждении, будто одна женщина отличается от другой.

Генри Луис Менкен

Любовь выдумали трубадуры в XI веке.

Грэм Грин

В любви существуют лишь две вещи: тела и слова.

Джойс Кэрол Оутс

Алтари любви обычно изготовляются из матрацев.

Веслав Тшаскальский

Любовь иногда приходит слишком внезапно и не застает нас в неглиже.

Станислав Ежи Лец

Любовь, которая ежедневно не возрождается, ежедневно умирает.

Халиль Джебран

Когда люди не сходятся в главном, они расходятся из-за пустяков.

Дон-Аминадо

Если вы думаете, что женщины не взрываются, попробуйте бросить одну из них.

Джералд Либерман

Если двое любят друг друга, это не может кончиться счастливо.

Эрнест Хемингуэй

Тот, кто был счастлив в любви, не имеет о ней никакого понятия.

Жан Ануй

Каждый мечтает получить такую любовь, которой он не заслуживает.

Лешек Кумор

Если любовь ничего не требует, то лишь потому, что она, как ей кажется, уже обладает всем.

Владислав Гжещик

Не могу жить ни с тобой, ни без тебя.

Марциал

Без тебя мне почти так же плохо, как с тобой.

Стивен Бишоп

Как ни приятна любовь, все же ее внешние проявления доставляют нам больше радости, чем она сама.

Франсуа Ларошфуко

Ты ничего не понимаешь, если говоришь любимой женщине: «Пойми!»

Лешек Кумор

Прежде любовные интриги были увлекательно таинственны, теперь они увлекательно скандальны.

Никола Шамфор

В светском обществе очень любят рассуждать о любви, ибо сия материя, интересная и сама по себе, нерасторжимо связана со злоречием и почти всегда составляет его подоплеку.

Клод Кребийон

Нужно иметь что-то общее, чтобы понимать друг друга, и чем-то отличаться, чтобы любить друг друга.

Поль Жеральди

Уважение и любовь — капиталы, которые обязательно нужно куда-нибудь поместить. Поэтому их обычно уступают в кредит.

Кароль Ижиковский

В любви нет победителей, есть потерпевшие.

Веселин Георгиев

Ты спрашиваешь, любит ли она? Не любит. Если б любила, ты бы не спрашивал.

Лех Якуб

В любви как в медицине: плохонький врач втрое любезнее.

Винцентий Стысь

Нельзя по-настоящему полюбить человека, с которым никогда не смеешься.

Агнес Репплайер

Очень трудно влюбиться сразу и без памяти, если на тебе кухонный фартук.

Юзеф Келера

Как бы тщательно двое ни выбирали друг друга, они никогда не могут быть всем друг для друга.

Дорис Лессинг

Чтобы сохранить любовь, нужно что-то еще, кроме любви.

Натаньел Бранден
и Диверс Бранден

Я всегда говорил, что женщина должна быть как хороший фильм ужасов: чем больше места остается воображению, тем лучше.

Алфред Хичкок

Легче любить воспоминания, чем живого человека.

Пьер Ла Мюр

Любовь вечна, меняются только возлюбленные.

Мартин Кэрол

Первой любовью называется всякая любовь, до которой были лишь увлечения.

Давид Самойлов

Всегда возвращаются к первой любви.

Шарль Этьен

«Всегда возвращаются к первой любви». Может быть. Но каждый раз с другой целью.

Станислав Ежи Лец

Мы мысленно возвращаемся к первой любви, чтобы покончить с последней.

Лешек Кумор

Мы всегда верим, что наша первая любовь — последняя, а наша последняя любовь — первая.

Джордж Уайт-Мелвилл

Кто не забудет своей первой любви, не узнает последней.

Давид Бурлюк

Нетрудно понять любовь с первого взгляда; но как объяснить любовь людей, которые годами видят друг друга?

Лоренс Питер

В любви с первого взгляда всего удивительней то, что она случается с людьми, которые видят друг друга годами.

Жан Ануй

Мне никогда не нравились мужчины, в которых я была влюблена, и я никогда не была влюблена в мужчин, которые мне нравились.

Фанни Брайс

Мера любви — любовь без меры.

Видоизмененный
Франциск Салезский

Любовь без границ накладывает на человека ужасно много ограничений.

Мечислав Станцлик

Из всех вечных вещей любовь длится короче всего.

Жан Батист Мольер

Чтобы любовь была вечной, равнодушие должно быть взаимным.

Дон-Аминадо

Между капризом, увлечением и любовью до гроба разница только в том, что каприз длится несколько дольше.

Оскар Уайльд

Вечная любовь знакома только влюбленным.

Владислав Гжещик

Вечная любовь: около шести месяцев.

Янина Ипохорская

Любовь овцы к волку длится до последнего вздоха.

Юзеф Булатович

Чтобы отдать себя целиком, нужно себя уничтожить.

Виолетта Ледюк

Трудно упасть на колени перед женщиной, которая уже сидит на них.

Лешек Кумор

Настоящая великая страсть встречается ныне довольно редко. Это привилегия людей, которым больше нечего делать.

Оскар Уайльд

Возвышенная любовь требует досуга.

Андре Моруа

Если бы я тебя любил, если бы ты меня любила, — как бы мы друг друга любили!

Поль Жеральди

Постоянно обожаемая женщина теряет чувство реальности.

Зыгмунт Калужиньский

Безграничная любовь развращает безгранично.

Жанна Голоногова

Как только любовь отдает все, она кончает банкротством.

Кристиан Фридрих Геббель

Разлюбив, не плачешь. Плачешь, когда разлюбили тебя.

Карла Лэйн

Нет утраты болезненней и кратковременней, чем утрата любимой женщины.

Люк де Вовенарг

Он уже не любит эту женщину, любимую десять лет назад. Еще бы! И она не та, и он не тот. Он был молод, она тоже; теперь она совсем другая. Ту, прежнюю, он, быть может, все еще любил бы.

Блез Паскаль

Только некрасивая женщина способна любить по-настоящему, потому что не влюблена в себя.

Корнель Макушиньский

Одинаково трудно угодить и тому, кто любит очень сильно, и тому, кто уже совсем не любит.

Франсуа Ларошфуко

Я ей не прощаю того, что я любил ее.

Антон Чехов

Любовь заставляет поверить в то, в чем больше всего следует сомневаться.

Поль Жеральди

Говорят, что ложь убивает любовь. Но откровенность убивает ее быстрее.

Абель Эрман

Когда тебя любят, не сомневаешься ни в чем. Когда любишь сам, во всем сомневаешься.

Колетт

Чтобы быть любимой, лучше всего быть красивой. Но чтобы быть красивой, нужно быть любимой.

Франсуаза Саган

Я люблю и любима. Увы, это не один и тот же человек.

Янина Ипохорская

Мы добиваемся любви других, чтобы иметь лишний повод любить себя.

Дени Дидро

Так легко быть любимым, так трудно любить.

Фрэнсис Скотт Фицджеральд

Трагедия не в том, что любовь проходит; трагедия — это любовь, которая не проходит.

Ширли Хаззард

Любовь рождается из ничего и умирает из-за всего.

Альфонс Карр

В любви, как и в природе, первые холода чувствительнее всего.

Пьер Буаст

Мы перестаем любить себя, когда перестают любить нас.

Жермена де Сталь

Когда вспоминаешь о том времени, когда ты любил, кажется, что с тех пор больше уже ничего не случилось.

Франсуа Мориак

Что устраняет силу тяготения? Сила привычки.

Станислав Ежи Лец

Она отдалась ему, но не хотела взять себя обратно.

Станислав Ежи Лец

Любовь как ртуть: можно удержать ее в открытой ладони, но не в сжатой руке.

Дороти Паркер

Любите женщину такой, какой вы ее сделали, или сделайте ее такой, какой вы ее любите.

Хуана де ла Крус

Любовь должна прощать все грехи, только не грех против любви.

Оскар Уайльд

Достаточно было одному мужчине влюбиться в женщину, чтобы мир стал таким, каков есть.

Вольтер

Женщина, которую любят больше всего, не всегда та, которую хотелось бы любить больше всего.

Анри Ренье

Никогда не спрашивайте человека, за что он вас любит: стоит ему над этим задуматься, как может оказаться, что любить вас и не за что.

Константин Мелихан

Не стремись быть всегда правым по отношению к тому, кого любишь.

Жан Итье

Никогда не говори женщине, что ты недостоин ее любви; она сама это знает.

NN

ЛЕКАРСТВА ОТ ЛЮБВИ:
1. Не встречайтесь с ним, не звоните и не пишите ему.
2. Более легкий способ: узнайте его поближе.

Уэнди Коуп

Лекарство от любви: брак.

Антоний Унеховский

Возраст — лучшее лекарство от любви.

Михаил Генин

Сильнее смерти бывает любовь; бывает ли она и сильнее жизни?

Григорий Ландау

ЛЮБОВЬ И ДЕНЬГИ

Бесплатной любви не бывает.

«Принцип красного фонаря»

В любви бесплатная только луна.

«Пшекруй»

Любовь — это океан чувств, отовсюду окруженный расходами.

Томас Дьюар

Деньги играют в любви второстепенную роль — всего лишь роль платежного средства.

Станислав Ежи Лец

Иметь на содержании порядочную женщину — признак высокого социального статуса.

Дороти Сейерз

Когда мужчины разговаривают о деньгах, они думают о женщинах.

Аркадий Давидович

Трудно не оценить платную любовь. Ее цена обычно известна заранее.

Станислав Ежи Лец

За деньги нельзя купить любовь, но можно улучшить исходные позиции для торга.

Лоренс Питер

Каждый мужчина мечтает содержать женщину на ее средства.

Магдалена Самозванец

Есть два испытания счастливого брака: богатство и бедность.

NN

Люди со средствами думают, что главное в жизни — любовь; бедняки знают точно, что главное — деньги.

Джералд Бренан

К числу эрогенных зон следует отнести и бумажник.

Лешек Кумор

Увидев упавший женский платочек, подумай, достаточно ли ты состоятелен, чтобы его поднять.

Мечислав Козловский

Есть женщины, которые говорят, что не примут от вас ни сантима. Вот они-то вас и разоряют.

Сашá Гитри

Не бывает великих страстей без денежных затруднений.

Янина Ипохорская

Женщина может сделать миллионером любого мужчину-миллиардера.

Чарлз Чаплин

В пустую женщину можно вложить много денег.

Станислав Ежи Лец

Дороже всего обходятся непродажные женщины.

Франсуа Мориак

Купи собаку. Это единственный способ купить любовь за деньги.

«Пшекруй»

ЛЮБОВЬ МУЖСКАЯ И ЖЕНСКАЯ

В любви женщины профессионалы, а мужчины любители.

Франсуа Трюффо

Женщины благодарны за любовь, мужчины требуют благодарности.

Хенрик Каден

Большинство мужчин просят доказательств любви, которые, по их мнению, рассеивают все сомнения; для женщин, к несчастью, не существует таких доказательств.

Стендаль

Мужчина уже наполовину влюблен в каждую женщину, которая слушает, как он говорит.

Фрэнсис Бэкон

Мужчины любят глазами, женщины любят ушами.

Сари Габор

Пустота засасывает. Вот почему мужчину влечет к женщине.

Натали Клиффорд Барни

Нас редко привязывает к женщине то, чем она нас привлекла.

Джон Коллинз

Мужчина может любить двух женщин, но лишь до тех пор, пока одна из них не поймет, в чем дело.

Колетт

Гораздо легче любить всех женщин, чем одну-единственную.

Этьен Рей

Когда мы уверены в любви какой-нибудь женщины, нас интересует степень ее красоты; когда мы сомневаемся в ее сердце, нам некогда думать о ее лице.

Стендаль

Если женщина любила глухого, который ее бил, а потом слепого, который ее обокрал, то следующей ее любовью будет глухонемой.

Жак Деваль

Нет более несчастного существа, чем фетишист, который тоскует по женской туфельке, а вынужден иметь дело со всей женщиной.

Карл Краус

Женщины любят побежденных, но изменяют им с победителями.

Теннесси Уильямс

Женщины — это садистки; они истязают нас муками, которые мы им причиняем.

Станислав Ежи Лец

Женщину мучит не тирания мужчины, а его равнодушие.

Жюль Мишле

Ад вымощен мужскими откровениями по женской части.

Магдалена Самозванец

Не принимай всерьез слово «люблю». Оно значит не больше, чем возглас «готов» на стартовой черте.

Магдалена Самозванец

Женщина слабее всего, когда любит, и сильнее всего — когда любима.

Эрих Остерфельд

Женщина не хочет, чтобы говорили о ее амурных делах, но хочет, чтобы все знали, что она любима.

Андре Моруа

Если женщина тебя любит, то, в сущности, тот, кого она любит, — не ты. Но тот, кого она больше не любит, — именно ты.

Поль Жеральди

Для мужчины нет ничего досаднее, чем обещание любить его «всегда», в то время как он предпочел бы быть любимым недели две или три.

Хелен Роуленд

Наша главная ошибка не в том, что мы верим, будто женщины нас любят, а в том, что мы верим, будто мы их любим.

Сашá Гитри

Женщина никогда не считает очень умным мужчину, который в нее влюблен.

Поль Леотод

Любимая женщина — та, которой можно причинить большс страданий.

Этьен Рей

Мужчина может быть счастлив с любой женщиной, если только он не влюблен в нее.

Оскар Уайльд

Женщина всегда пожертвует собой, если предоставить ей для этого подходящий случай. Это ее любимый способ доставить себе удовольствие.

Сомерсет Моэм

Женщина всегда сочувствует ране, которую нанесла не она.

Жан Ануй

Женщины любят не героев, а победителей.

Робер Бове

Ничто так не вредит роману, как чувство юмора в женщине или недостаток его в мужчине.

Оскар Уайльд

Мужчина, окончательно разочаровавшийся в женщинах, пробует еще раз.

Лешек Кумор

После несчастной любви мужчина остается холостяком, женщина — выходит замуж.

NN

ЛЮБОВЬ К БЛИЖНЕМУ

См. также «Альтруизм — эгоизм»

Не любящий брата своего, которого видит, как может любить Бога, Которого не видит?

Апостол Иоанн —
1-е соборное послание, 4, 20

Мы достаточно религиозны, чтобы ненавидеть друг друга, но недостаточно религиозны, чтобы любить друг друга.

Джонатан Свифт

Если я говорю языками человеческими и ангельскими, а любви не имею, то я — медь звенящая, или кимвал звучащий.

Апостол Павел —
1-е послание к коринфянам, 13, 1

Люби ближнего твоего, как самого себя.

Библия — Левит, 19, 18

Возлюби ближнего, как самого себя, но не будь близок с кем попало.

Луис Бил

Я хочу любить ближнего не потому, что он — я, а именно потому, что он — не я. Я хочу любить мир не как зеркало, в котором мне нравится мое отражение, а как женщину, потому что она совсем другая.

Гилберт Честертон

Любите, пожалуй, своего ближнего как самого себя. Но прежде всего будьте такими, которые любят самих себя.

Фридрих Ницше

Нельзя возлюбить другого, как себя, но можно невзлюбить себя, как другого.

Михаил Гаспаров

Легко любить дальних, но не так-то легко полюбить ближних.

Мать Тереза

Любить ближнего было бы куда легче, если бы этот ближний не был так близок.

Норман Мейлер

Ближний — тот, кого нам предписано любить паче самого себя и который делает все, чтобы заставить нас ослушаться.

Амброз Бирс

Чтобы любить людей, нужно делать им добро; но чтобы их уважать, нужно их избегать.

Моисей Сафир

Любите врагов ваших, благословляйте проклинающих вас.

Евангелие от Матфея, 5, 44

Прежде чем возлюбить своих врагов, попробуйте хоть немного лучше относиться к своим друзьям.

Эдгар Хау

Я вас ненавижу! Вы не даете себя возлюбить.

Станислав Ежи Лец

ЛЮБОПЫТСТВО

См. также «Секреты и тайны», «Сплетни и слухи»

Чем тоньше лед, тем больше всем хочется убедиться, выдержит ли он.

Генри Уилер Шоу

Наберите команду плыть в рай и попробуйте сделать стоянку в аду на какие-нибудь два с половиной часа, просто чтобы взять угля, и будь я проклят, если какой-нибудь сукин сын не останется на берегу.

Марк Твен

Скажи человеку, что на небе 978 301 246 569 987 звезд, и он поверит. Но повесь табличку «Свежевыкрашено», и он непременно потрогает пальцем.

Приписывается
Джорджу Бернарду Шоу

Заглядыванье в чужие окна свидетельствует о крайней степени одиночества.

Мечислав Шарган

Больше всего люди интересуются тем, что их совершенно не касается.

Джордж Бернард Шоу

Это совершенно неважно. Вот почему это так интересно.

Агата Кристи

Мы любим обозревать те границы, которые не хотим преступать.

Сэмюэл Джонсон

Знаете ли вы, как велико женское любопытство? Оно почти не уступает мужскому.

Оскар Уайльд

Жены внимательнее всего слушают нас тогда, когда мы разговариваем с другой женщиной.

Анри Торе

Высшая степень смущения: два взгляда, встретившиеся в замочной скважине.

NN

ЛЮДИ

См. также «Близкие люди», «Великие люди», «Человек»

Люди подобны цветам — четыре миллиарда нарциссов.

Уршула Зыбура

Общего у людей только одно: все они разные.

Роберт Зенд

Для человека заурядного все люди на одно лицо.

Блез Паскаль

Большая часть людей друг друга заслуживает.

«Закон Ширли»

Возвращаясь из Олимпии, на вопрос, много ли там было народу, Диоген ответил: «Народу много, а людей немного».

Диоген Лаэртский

Иногда встречаешь таких людей, что начинаешь чувствовать себя человеком.

Семен Альтов

Человеческий род, к которому принадлежат столь многие из моих читателей...

Гилберт Честертон

Разбираюсь ли я в людях? Только в 2711-ти.

Станислав Ежи Лец

Я знаю людей, которых Господь, вероятно, высосал из пальца.

Мечислав Шарган

Наука сделала нас богами раньше, чем мы научились быть людьми.

Жан Ростан

Если учесть, до какой степени люди дурны, нельзя не удивляться, как хорошо они себя ведут.

Сальвадор де Мадарьяга

Люди растут. Можно даже встретить человека в натуральную величину.

Веслав Брудзиньский

Будь люди по-настоящему велики, на свете было бы много места.

Станислав Ежи Лец

Все люди зануды, кроме тех случаев, когда мы в них нуждаемся.

Оливер Уэнделл Холмс-старший

Такие люди, как я, делают меня мизантропом.

Жюль Ренар

Самые большие свиньи обычно требуют от людей, чтобы они были ангелами.

Юлиан Тувим

Среди людей больше кровопийцев, чем доноров.

Ежи Лещинский

Я знаю людей, но как хочется верить, что я ошибаюсь!

Г. Х. Кул

Кто из людей презирает людей, должен презирать и самого себя, потому презирать людей вправе только животные.

Василий Ключевский

Все люди делятся на два разряда: тех, кто имеет привычку делить всех людей на два разряда, и тех, кто не имеет такой привычки.

Роберт Бенчли

Не приклеивай людей к этикеткам!

Лешек Кумор

ЛЮДОЕДЫ

Людоед: человек, который любит своего ближнего в соусе.

Жан Риго

Людоед: человек, который вместо меню требует официанта.

Джек Бенни

Кук, высадившись на остров, смотрел на людоедов как на антропологический экспонат, а те на него — как на жаркое.

Кароль Ижиковский

Людоеды питаются почти исключительно каннибалами.

Лех Конопиньский

Людоеды сетуют на обилие черствых людей.

Александр Кулич

Людоед не пренебрегает человеком.

Станислав Ежи Лец

Если тебя съели, значит, ты был нужен людям.

Данил Рудый

Бывают минуты, когда отсутствие людоедов ощущается крайне болезненно.

Альфонс Алле

Считать ли это прогрессом, если людоед научился пользоваться ножом и вилкой?

Станислав Ежи Лец

Людоед — предтеча движения за охрану среды.

Славиан Троцкий

А может, под властью людоедов была бы надежда на запретный сезон охоты на людей?

Станислав Ежи Лец

М

МАНЕРЫ. ВОСПИТАННОСТЬ. ЭТИКЕТ

См. также «Вежливость», «Джентльмены», «Естественность и поза», «Такт. Тактичность»

Чтобы добиться успеха в этом мире, одной глупости недостаточно — к ней еще нужны хорошие манеры.

Вольтер

Хорошие манеры — лучшая защита от плохих манер тех, кто нас окружает.

Филип Честерфилд

Есть две мирные формы насилия: закон и приличия.

Иоганн Вольфганг Гёте

Хорошее воспитание — это когда другим хорошо.

Приписывается Вл. Немировичу-Данченко

Хорошее воспитание — это способность переносить плохое воспитание других.

«Пшекруй»

Больше слез было пролито из-за невоспитанности мужчин, чем из-за их безнравственности.

Хелен Хатауэй

Хорошие манеры состоят из мелких самопожертвований.

Ралф Эмерсон

Хорошие манеры — это ум, образованность, вкус и стиль, смешанные настолько искусно, что вам уже не нужны ум, образованность, вкус и стиль.

Патрик О'Рурк

Хорошие манеры: искусство правильно делать то, чего вообще-то делать нельзя.

NN

Дурные манеры: есть без ножа и разговаривать вилкой.

Леонард Луис Левинсон

Хорошие манеры трудно сохранить в бедности.

Лилиан Хеллман

Учебники хорошего тона учат, как должны вести себя с нами другие.

Ядвига Рутковская

Один мой муж был из хорошего общества, а двое других из Америки.

Тексас Гинен

Сколько ни учи своих детей хорошим манерам, они все-таки ведут себя так, как отец с матерью.

NN

Этикет — когда ведешь себя чуточку лучше, чем это совершенно необходимо.

Уилл Каппи

Обеденный этикет, вероятно, придумали люди, не знавшие чувства голода.

NN

Мода существует для женщин, которым недостает вкуса, этикет — для женщин, которым недостает воспитания.

Мария, королева Румынии

Теперь хорошее воспитание — только помеха. Оно закрывает перед вами слишком много дверей.

Оскар Уайльд

МАРКСИЗМ

См. также «Социализм и коммунизм»

Две системы подозрений: фрейдизм и марксизм.

Кароль Ижиковский

Не может быть классовой истины, но может быть классовая ложь.

Николай Бердяев

Все студенты экономического факультета должны изучать марксизм, подобно тому как студенты-медики изучают венерические болезни.

Ч. К. Грант

Русский коммунизм — незаконное детище Карла Маркса и Екатерины Великой.

Клемент Эттли

Я знаю только одно: что я не марксист.

Карл Маркс

«Марк и Спенсер» победили Маркса и Энгельса.

Маргарет Тэтчер

МАССОВАЯ КУЛЬТУРА

См. также «Культура», «Рок- и поп-музыка», «Телевидение»

Массовая культура: противоречие в определении.

NN

Массовая культура — обезболивающее средство, анальгетик, а не наркотик.

Станислав Лем

Массовым должен быть читатель, а не искусство.

Станислав Ежи Лец

Популярное искусство ценно не по пользе, которую оно приносит, а по вреду, от которого спасает, доставляя менее грубое развлечение.

Василий Ключевский

Радио и телевидение фабрикуют больших людей для маленьких человечков.

Жильбер Сесброн

ЗАКОН КИТМЕНА: Чистый бред имеет тенденцию вытеснять с телеэкрана бред обыкновенный.

Марвин Китмен

Если фильм имеет успех, это бизнес. Если фильм не имеет успеха, это искусство.

Карло Понти

Хороший любовный роман должен быть написан плохо.

Карел Чапек

Поп-музыка нужна для того, чтобы нести в народ мысли, слишком глупые даже для телевизионных ток-шоу.

NN

Концерт на стадионе — это искусство или спорт?

А. Рубан

Если такова первая двадцатка хит-парада, страшно представить себе, как звучат последние пять номеров.

Ч. Стрит

Одни говорят: «На уровне», другие: «На дне». Что ж, и те и другие правы — при таком мелководье.

Станислав Ежи Лец

МАТЕМАТИКА

Между духом и материей посредничает математика.

Хуго Штейнхаус

Подобно тому как все искусства тяготеют к музыке, все науки стремятся к математике.

Джордж Сантаяна

Он стал поэтом — для математика у него не хватало фантазии.

Давид Гильберт
об одном из своих учеников

Чистая математика — это такой предмет, где мы не знаем, о чем мы говорим, и не знаем, истинно ли то, что мы говорим.

Бертран Рассел

Из дома реальности легко забрести в лес математики, но лишь немногие способны вернуться обратно.

Хуго Штейнхаус

В математике нет символов для неясных мыслей.

Анри Пуанкаре

Мы не можем понять эту формулу, и мы не знаем, что она значит, но мы доказали ее и поэтому знаем, что она должна быть достоверной.

Некий профессор математики
об одной из теорем Л. Эйлера

Законы математики, имеющие какое-либо отношение к реальному миру, ненадежны; а надежные математические законы не имеют отношения к реальному миру.

Альберт Эйнштейн

Если тебе трудно сразу понять всю бесконечность, постарайся понять ее хотя бы наполовину.

Славомир Врублевский

Арифметику невозможно понять, в нее приходится верить.

Мария Кунцевич

Аксиома — это истина, на которую не хватило доказательств.

В. Хмурый

«Если... то...» — если это не математика, то это шантаж.

Хенрик Ягодзиньский

Значение синуса в военное время может достигать четырех.

Армейский фольклор

Любая формула, включенная в книгу, уменьшает число ее покупателей вдвое.

Стивен Хокинг

МАТЬ

См. также «Воспитание детей», «Дети и родители»

Господь не может поспеть всюду одновременно, и поэтому он создал матерей.

NN

Решиться обзавестись ребенком — дело нешуточное. Это значит решиться на то, чтобы твое сердце отныне и навсегда разгуливало вне твоего тела.

Элизабет Стоун

Матери как полицейские — всегда предчувствуют самое худшее.

Марио Пьюзо

Никто не может понять ребенка так неправильно, как его мать.

Норман Дуглас

Все матери имеют один физический недостаток: у них только две руки.

NN

Моя мать умерла за пять лет до того, как я поняла, что очень люблю ее.

Лилиан Хеллман

Я люблю всех своих детей, но некоторые из них мне не нравятся.

*Лилиан Картер,
мать президента США
Джимми Картера*

Летние лагеря для детей — лучший отдых для матери.

Элизабет Клингер

Почти всякая мать смущена, если ее ребенок лжет при посторонних, — и готова провалиться сквозь землю, если он говорит правду.

NN

Каждая мать должна выкроить для себя несколько минут свободного времени, чтобы вымыть посуду.

NN

Если вы никогда не знали, что такое ненависть собственного ребенка, значит, вы никогда не были матерью.

Бетти Дейвис

Заботливость — это когда думают о других. Пример: одна женщина застрелила мужа из лука, чтобы только не разбудить детей.

Янина Ипохорская

Отцы лгут, уверяя, будто делают карьеру ради своих сыновей. Им стыдно признаться, что они ее делают для своих мам.

Болеслав Пашковский

МЕДИЦИНА

См. также «Болезни», «Больница», «Врачи», «Лекарства и лечебные процедуры»

Прежде магию путали с медициной; ныне медицину путают с магией.

Томас Сас

Медицина: кошелек и жизнь.

Карл Краус

Врачу вовсе не обязательно верить в медицину — больной верит в нее за двоих.

Жорж Элгози

Цель медицины заключается в том, чтобы люди умирали настолько молодыми, насколько это возможно.

Эрнст Уиндер

Медицина заставляет нас умирать продолжительнее и мучительнее.

Плутарх

Медицинская наука добавляет годы жизни, но не добавляет жизни годам.

NN

Поликлиника: ускоренные курсы по обмену опытом между больными.

Сильвия Чиз

Чтобы у нас болеть, надо иметь лошадиное здоровье.

Лион Измайлов

Иных уж нет, а тех долечат.

Борис Брайнин

МЕМУАРЫ И БИОГРАФИИ

См. также «Память», «Прошлое»

Если вы думаете, что в прошлом уже ничего нельзя изменить, значит, вы еще не начали писать свои мемуары.

Т. Галин

Мемуары нередко повествуют о жизни, которую мемуарист хотел бы прожить.

Лешек Кумор

Описание жизни человека, выдуманное им самим, является подлинным.

Станислав Ежи Лец

Мемуары: публичная исповедь в грехах своих ближних.

NN

И умершие лгут — устами живых.

Станислав Ежи Лец

Мемуары и филантропия прикрывают множество грехов.

NN

Раньше зарабатывали на жизнь, публикуя свои мемуары; теперь зарабатывают еще больше, угрожая публикацией мемуаров.

Питер Устинов

В человеческой жизни есть перерывы. В автобиографиях.

Станислав Ежи Лец

Автобиография — редкостная возможность рассказать всю правду о наших знакомых.

Филип Гедалла

Автобиография — хуже всего оплачиваемая разновидность художественного вымысла.

Том Стоппард

Из автобиографии о ее авторе нельзя узнать ничего плохого, за исключением состояния его памяти.

Франклин П. Джонс

Из всех видов художественной прозы наименьшее доверие вызывают объявления о продаже недвижимости и мемуары.

Донал Хенахан

Секрет истины: просто кто долго живет, кто кого перемемуарит.

Варлам Шаламов

Хорошо написанная биография так же редка, как и хорошо прожитая жизнь.

Томас Карлейль

Читая биографию, помните, что правда никогда не годится к опубликованию.

Джордж Бернард Шоу

Сегодня у каждого великого человека есть ученики, а его биографию обычно пишет Иуда.

Оскар Уайльд

Биограф — это лжец, приводящий в порядок ложь своего героя.

Видоизмененный
Александр Свентоховский

Хуже всего зануды с интересной биографией.

Веслав Брудзиньский

МЕСТЬ

См. также «Обида. Оскорбление»

Око за око, зуб за зуб.

Левит, 24, 20

Первый товарообмен: око за око, зуб за зуб.

Юрий Мезенко

Око за око — и скоро весь мир ослепнет.

Граффити (Лондон)

И за око выбьем мы два ока, а за зуб всю челюсть разобьем.

Из песни позднего сталинизма

Многие начинают мстить раньше, чем их успели обидеть.

Веслав Брудзиньский

Я перед ним виноват, следовательно, я должен ему отомстить.

Федор Достоевский

Мстить за обиду — значит лишать себя удовольствия сетовать на несправедливость.

Чезаре Павезе

Мстить — едва ли не то же самое, что кусать собаку, которая укусила тебя.

Остин О'Малли

Прежде чем начать мстить, выкопай две могилы.

NN

Холодная месть приятней всего на вкус.

Итальянская пословица

Снятую голову не награждают пощечинами.

Кароль Бунш

Сладчайшая месть — это прощение.

Исраэл Фридман

МЕЦЕНАТСТВО

Искусство требует пожертвования.

Донат Мечик

Лошади и поэты должны быть сыты, но не закормлены.

Карл IX, французский король

Буржуй — не меценат старого времени; он содержит и подкармливает искусство — но так, что оно живет им самим, как жук в навозе.

Кароль Ижиковский

В Европе, если у богатой женщины роман с дирижером, она рожает ему ребенка; в Америке она покупает ему оркестр.

Эдгар Варес

МЕЧТЫ И МЕЧТАТЕЛИ

См. также «Иллюзии»

Мечты — самый дешевый способ исполнения желаний.

Веслав Чермак-Новина

Мечты — воспоминания о будущем.

Григорий Ландау

Мечтать можно даже о том, о чем нельзя думать.

Геннадий Малкин

В наших мечтах мы имеем таких женщин, о которых другие и мечтать-то не смеют.

Аркадий Давидович

Если мечтаешь о радуге, будь готова попасть под дождь.

Долли Партон

Уж если мечтать, так ни в чем себе не отказывая.

Данил Рудый

Мечтатели одиноки.

Эрма Бомбек

Мечты слабых — бегство от действительности, мечты сильных формируют действительность.

Юзеф Бестер

Мечтатель сильнее всего ощущает реальность: слишком часто он падает с неба на землю.

Кароль Ижиковский

Мечты — поэтический способ думать ни о чем.

«Пшекруй»

Кошка мечтала о крыльях: ей хотелось попробовать летучих мышей.

Эмиль Кроткий

Каждая женщина мечтает иметь узкую ногу, а жить на широкую.

Юлиан Тувим

Каждый мужчина мечтает содержать женщину на ее средства.

Магдалена Самозванец

Каждый мужчина мечтает о женщине, которая пленит его своим благородством и возвышенностью чувств, а также о другой женщине, которая поможет ему об этом забыть.

Хелен Роуленд

Каждый мужчина мечтает о женщине, которую он мог бы любить, уважать и обманывать.

Жанна Голоногова

Принцы мечтают о Золушках-замарашках. В сказках.

Лешек Кумор

Даже из мечты можно сварить варенье, если добавить фруктов и сахару.

Станислав Ежи Лец

МИНИСТРЫ

См. также «Правительство»

Короли знают о делах своих министров не больше, чем рогоносцы о делах своих жен.

Вольтер

Как общество рассуждает, так им и управляют. Его право — говорить глупости, право министров — делать глупости.

Никола Шамфор

Для министра опаснее сказать глупость, нежели сделать.

Жан Франсуа де Рец

Я вскарабкался на верхушку намыленного столба.

Бенджамин Дизраэли
после вступления в должность
премьер-министра

Министры падают как бутерброды — обычно лицом книзу.

Людвиг Берне

Либерал может сделаться министром, но из этого еще не следует, что он будет либеральным министром.

Вильгельм Гумбольдт

Он лжет так, как если бы все еще оставался первым министром.

Анри Рошфор
о воспоминаниях Эмиля Оливье

Я не порицаю своих министров за то, что они чересчур много говорят, при условии, что они делают то, что я говорю.

Маргарет Тэтчер

Он решительнее всех в нерешительности и сильнее всех в слабости.

Уинстон Черчилль о Стэнли
Болдуине, троекратном
премьер-министре
Великобритании

Антони Иден — лучший премьер-министр из тех, что у нас имеются.

Ричард Батлер

МИР. МИРОЗДАНИЕ

См. также «Земля», «Конец света»

Мир не просто удивительнее, чем мы себе представляем, — он удивительнее, чем мы можем себе представить.

Джон Бердон Холдейн

Не только ежедневно новое солнце, но солнце постоянно обновляется.

Гераклит

Не считая краешка текущего мгновения, весь мир состоит из того, что не существует.

Кароль Ижиковский

Мир не существует, а поминутно творится заново. Его непрерывность — плод нехватки воображения.

Станислав Ежи Лец

Господь создал все из ничего, но материал все время чувствуется.

Поль Валери

Создать мир легче, чем понять его.

Анатоль Франс

Случись мне присутствовать при сотворении мира, я бы дал кое-какие советы по части лучшего устройства мироздания.

Альфонс Мудрый,
король Кастилии, —
по поводу астрономической
системы Птолемея

Господь сотворил мир и сбежал.

Кароль Ижиковский

Самое непостижимое в мире — то, что он постижим.

Альберт Эйнштейн

Если мир материален, значит — чего нет, того нет.

Данил Рудый

Вселенная — это мысль Бога.

Фридрих Шиллер

А может быть, весь окружающий мир — лишь потемкинская деревня в ожидании ревизии какого-то демиурга?

Станислав Ежи Лец

Весь мир — театр, но труппа никуда не годится.

Оскар Уайльд

Не смотри на мир слишком трезво, а то сопьешься.

Веслав Брудзиньский

Мир не враждебен и не дружественен по отношению к нам, а просто-напросто безразличен.

Джон Холмс

Все на свете функционально, а особенно то, что решительно ничему не служит.

Станислав Ежи Лец

Остановите мир, я сойду.

Энтони Ньюли

МИР. МИРОТВОРЧЕСТВО

См. также «Война»

Мир — это промежуток между двумя войнами.

Жан Жироду

Гораздо легче выиграть войну, чем мир.

Жорж Клемансо

Скажем войне: иди себе с миром!

Хенрик Ягодзиньский

У мира не меньше побед, чем у войны, но куда меньше памятников.

Франк Хаббард

Хочешь мира — готовься к войне.

Вегетий

Хочешь мира — блюди справедливость.

Надпись на Дворце мира в Гааге

Покупать у врага мир — значит снабжать его средствами для новой войны.

Жан Жак Руссо

Мы добьемся мира, даже если для этого нам придется воевать.

Дуайт Эйзенхауэр

Мы будем бороться за мир так, что не останется камня на камне.

NN

Как сохранить мир — это военная тайна.

Жарко Петан

Мир — это когда стреляют где-то в другом месте.

Габриэль Лауб

«Мир» — этого когда ни в кого не стреляют и никого не убивают. «Справедливый мир» — это когда наша сторона получила то, чего добивалась.

Билл Молдин

Я не верю, что Россия хочет войны. Она хочет плодов войны.

Уинстон Черчилль в 1946 г.

Мирному сосуществованию можно противопоставить военное несуществование.

Джонатан Линн и Энтони Джей

Никакая чужая жертва во имя мира не может считаться слишком большой.

Карел Чапек

Похоже, все теперь курят трубку мира. Но не все затягиваются.

«Пшекруй»

Трубка мира годится, чтобы устроить дымовую завесу.

Влодзимеж Счисловский

Гарантия мира: закопать топор войны вместе с врагом.

Станислав Ежи Лец

Никто никогда не забывает, где он закопал топор войны.

Франк Хаббард

Хитрый дерется, пока мудрый уступает.

Карел Чапек

Где двое мирятся, третий оказывается в дураках.

Кароль Ижиковский

Лучше разбирать спор между своими врагами, чем между друзьями, — ибо заведомо после этого один из друзей станет твоим врагом, а один из врагов — другом.

Биант

Примирение с врагами говорит лишь об усталости от борьбы, о боязни поражения и о желании занять более выгодную позицию.

Франсуа Ларошфуко

Миротворец кормит крокодила в надежде на то, что крокодил съест его последним.

Уинстон Черчилль

Все-таки прогресс существует: вместо военного насилия — насилие без войны.

Карел Чапек

Этот безумный, безумный, безумный, безумный, безумный мир победит войну!

Вагрич Бахчанян

МИФЫ

См. также «Легенды»

Миф определяет сознание.

Станислав Ежи Лец

Мифы — это коллективные сны наяву; а сны наяву — индивидуальные мифы.

Эдуард Далберг

История — это правда, которая становится ложью. Миф — это ложь, которая становится правдой.

Жан Кокто

Мифология — совокупность первоначальных верований народа о его происхождении, древнейшей истории, героях, богах и пр., в отличие от достоверных сведений, выдуманных впоследствии.

Амброз Бирс

Мифология — это то, во что верят взрослые, фольклор — то, что рассказывают детям, а религия — то и другое.

Сидрик Уитман

Миф — это религия, в которую никто уже больше не верит.

Джеймс Файблман

Творите мифы о себе — боги делали то же самое.

Станислав Ежи Лец

Каждый миф есть одна из версий правды.

Маргарет Атвуд

Помните: в каждом мифе есть зернышко истины, которое снова может стать нашим хлебом насущным.

Станислав Ежи Лец

МОДА

См. также «Вкус», «Одежда»

Мода — это то, что выходит из моды.

Коко Шанель

Мода — это когда всем нравится то, о чем известно, что оно всем нравится.

NN

Мода — это управляемая эпидемия.

Джордж Бернард Шоу

Одно из очарований моды в том, что она ничему не служит.

Франсуаза Жиро

Мода — настолько невыносимая разновидность уродства, что приходится менять ее каждые полгода.

Оскар Уайльд

Сделавшись общей, мода переживает себя.

Мария Эбнер-Эшенбах

Мода проходит, стиль остается.

Коко Шанель

Моду можно купить. Стиль необходимо иметь.

Эдна Вулмен Чейз

Костюм ее был еще не вполне модным, но уже достаточно неудобным.

Эмиль Кроткий

Дураки выдумывают моду, а умные поневоле ей следуют.

Сэмюэл Батлер

Я всегда следую за модой, но издалека.

Жан Файяр

Все новое поначалу кажется невозможным. А все-таки потом мы это на себя надеваем.

Янина Ипохорская

Чтобы содержимое не приедалось, нужно почаще менять упаковку. Поэтому женщины с удовольствием подчиняются моде.

Ноуэл Ковард

Женская мода всегда была самым дорогим способом упаковки.

Амброз Бирс

Цена: последний крик женской моды.

Э. Банфилл

Ты вправе мыслить иначе, чем твоя эпоха, но не вправе одеваться иначе.

Мария Эбнер-Эшенбах

Женщина хочет одеваться так, как другие, и страдает, если действительно одета так, как другие.

Лешек Кумор

Манекены всегда поспевают за модой.

Лешек Кумор

Если ваш муж начал следить за модой, начинайте следить за мужем.

Константин Мелихан

Люди увлекаются не модой, а теми немногими, кто ее создает.

Коко Шанель

Нарушение моды королями становится модой для их подданных.

Эмиль Кроткий

Среди королей моды немало голых королей.

Видоизмененный Юрий Мезенко

Диктаторы моды тоже иногда ошибаются, но всегда найдутся миллионы женщин, которые охотно за это заплатят.

Барбра Стрейзанд

МОЛИТВА

См. также «Бог», «Вера», «Чудо»

Боги или безвластны, или же властны. Если они безвластны, то зачем ты молишься им? Если же они властны, то не лучше ли молиться о том, чтобы не бояться ничего, не желать ничего, не огорчаться ничем, нежели о наличности или отсутствии чего-либо?

Марк Аврелий

Надеяться на Бога есть единственный способ в него верить, и потому кто не молится, тот не верит.

Петр Чаадаев

Пифагор запрещает молиться о себе, потому что в чем наша польза, мы не знаем.

Диоген Лаэртский

Все события на свете — ответы на молитвы, в том смысле, что Господь учитывает все наши истинные нужды. Все молитвы услышаны, хотя и не все исполнены.

Клайв Льюис

Молитва должна оставаться без ответа, иначе она перестает быть молитвой и становится перепиской.

Оскар Уайльд

Для молитвы достаточно нескольких слов, иначе религия становится литературой.

Феликс Райчак

Никто не лжет, когда молится.

Марк Твен

Одной молитвой опровергаем другую. Желания у нас в разладе с желаниями.

Сенека

Господи, дай мне спокойствие принять то, чего я не могу изменить, дай мне мужество изменить то, что я могу изменить, и дай мне мудрость отличить одно от другого.

Фридрих Кристоф Этингер

Господи, если ты есть, спаси мою душу, если она у меня есть!

Английский солдат перед битвой под Бленхаймом (1704)

Всякая молитва сводится на следующее: «Великий Боже, сделай, чтобы дважды два — не было четыре».

Иван Тургенев

В своих молитвах мы просим изменить обстоятельства, и почти никогда — себя.

NN

Бог один, да молельщики не одинаковы.

В. Даль.
«Пословицы русского народа»

Не следует думать, будто молитва — только обращение к Богу. Очень часто молитва — это выслушивание того, что Бог говорит нам.

Кардинал Стефан Вышиньский

Порой хочется молиться о существовании Бога!

Станислав Ежи Лец

Не нужно иметь веру, чтобы молиться; нужно молиться, чтобы обрести веру.

Франсуа Мориак

Молиться — домогаться, чтобы законы Вселенной были отменены ради одного, и притом явно недостойного просителя.

Амброз Бирс

Если бы бог внимал молитвам людей, то скоро все люди погибли бы, постоянно желая зла друг другу.

Эпикур

Не спеши говорить «аминь», если не слышал, о чем молился твой ближний.

Веслав Малицкий

Не проси ближних молиться за твою душу. Преисподняя не возвращает долгов.

Веслав Малицкий

Если вы хотите разозлить человека, скажите, что будете молиться за него.

Эдгар Хау

Мы обращаемся к Богу лишь для того, чтобы получить невозможное.

Альбер Камю

Чем ленивее и глупее человек, тем чаще он беспокоит Бога.

Аркадий Давидович

Всегда обращайся к чужим богам. Они выслушают тебя вне очереди.

Станислав Ежи Лец

Господь отвечает на все молитвы, но на некоторые молитвы он отвечает «Нет».

Алистэр Кук

Смысл молитвы — в готовности получить отказ.

Джордж Сантаяна

Если ты говоришь с Богом — это молитва, а если Бог говорит с тобой — это вдохновение.

NN

Если вы говорите с Богом, это молитва; а если Бог говорит с вами, это шизофрения.

Томас Сас

Богохульство дает облегчение, какого не может дать даже молитва.

Марк Твен

МОЛОДОСТЬ

См. также «Возраст»

Молодость — недостаток, который быстро проходит.

Иоганн Вольфганг Гёте

Молодость — большой недостаток для того, кто уже немолод.

Александр Дюма-отец

В каждом возрасте свои прелести, но в молодости еще и чужие.

Геннадий Малкин

Первые двадцать лет — самая длинная половина жизни.

Роберт Саути

В молодости мы горы сворачиваем, а потом пытаемся выбраться из-под них.

Казимеж Хыла

По-настоящему молод лишь тот, кто мечтает стать старше.

Владислав Гжещик

Молодость была бы идеальным состоянием, если бы наступала чуть позже.

Герберт Асквит

Можно впасть в детство, но не в юность.

NN

Молодость — самая старая традиция Америки, ей уже триста лет.

Оскар Уайльд

Только молодость получает больше, чем тратит.

Владислав Гжегорчик

Человек молод, когда он еще не боится делать глупости.

Петр Капица

Кто в 16 лет не революционер, тому в 30 лет не хватит отваги, чтобы быть начальником пожарной команды.

Андре Моруа

Если бы молодость знала, если бы старость могла!

Анри Эстьен

Если бы молодость знала, она бы и в старости могла.

Данил Рудый

Молодость ушла к другому.

Михаил Генин

Молодость упрекают за самомнение: дескать, она полагает, будто мир начался с нее. Но старость еще чаще думает, что мир кончается вместе с нею.

Кристиан Фридрих Геббель

Стариков, которые по каждому случаю тянут: «Вот в наше время...» — порицают, и справедливо. Но еще хуже, когда молодежь бубнит то же самое о современности.

Кароль Ижиковский

Миром правят молодые — когда состарятся.

Джордж Бернард Шоу

Молодые смотрят вперед, старики — назад, а остальные изумленно вращают глазами.

NN

Что мне больше всего не нравится у молодых, так это то, что я уже к ним не принадлежу.

Бадди Эбсен

Молодость дается лишь раз. Потом для глупостей нужно подыскивать какое-нибудь другое оправдание.

NN

МОЛЧАНИЕ

См. также «Разговор», «Согласие и отказ»

Умением говорить выделяются люди из мира животных; умением молчать выделяется человек из мира людей.

Григорий Ландау

Молчание — золото, но бывает, что и серебреник.

Збигнев Земецкий

Молчание — золото, за которое покупается чужое молчание.

Лех Конопиньский

Молчание — такой интересный предмет, что о нем можно говорить часами.

Жюль Ромен

Молчание — один из наиболее трудно опровергаемых аргументов.

Генри Уилер Шоу

Не люблю собеседников, которые то и дело прерывают мои рассуждения своим молчанием.

Лешек Кумор

Безмыслие редко бывает безмолвно.

Говард У. Ньютон

Он умеет так интересно молчать, что все ждут, чтобы он наконец заговорил.

Славиан Троцкий

Ты молчишь лучше, чем говоришь.

Талмуд

Как трудно молчать, когда тебя не спрашивают.

Михаил Генин

Молчун ошибается редко. Только если заговорит.

Владислав Гжещик

И глупец, когда молчит, может показаться мудрым.

Притчи, 17, 28

Сначала трижды подумай, а потом промолчи.

Анри Ренье

Их молчание — громкий крик.

Цицерон

Молчание нужно слышать в его контексте.

Станислав Ежи Лец

Женщина молча страдает от того, что ей не с кем поговорить.

NN

Женщины иногда молчат, но только не тогда, когда им нечего сказать.

Поль Содэ

Женщины любят молчаливых мужчин. Они думают, что те их слушают.

Сашá Гитри

Почаще не говори ничего.

NN

МОРЕ. МОРЕПЛАВАНИЕ

Странствовать по морю необходимо; жить не так уж необходимо.

Помпей Великий

Море? Я люблю его до безумия, сидя на пляже.

Дуглас Джерролд

Люблю трансатлантические суда. Это роскошные больницы для здоровых людей.

Сальвадор Дали

Мы, моряки, трудимся ради денег, как лошади, и тратим их, как ослы.

Тобайас Смоллетт

Капитан на своем корабле — первый после Бога, потому что ему не позволено брать на корабль жену.

Янина Ипохорская

Во флоте Карла II были джентльмены и моряки, но моряки не были джентльменами, а джентльмены — моряками.

Томас Маколей

Все реки текут в море, но море не переполняется.

Екклесиаст, 1, 7

Если море не переполняется, то лишь потому, что Провидение позаботилось снабдить океанские воды губками.

Альфонс Алле

МУЖЕСТВО. ХРАБРОСТЬ

См. также «Герои», «Осторожность и риск», «Страх», «Трусость»

Храбрость — это когда только вы знаете, как вы боитесь.

Франклин П. Джонс

Храбрость: сильнейшее желание жить, принявшее форму готовности умереть.

Гилберт Честертон

Герой не храбрее обычного человека, но сохраняет храбрость на пять минут дольше.

Ралф Эмерсон

Страх придает смелости.

Латинская поговорка

Двое храбрее втрое.

Владислав Гжещик

Люди способны вынести почти все, что угодно, если у них нет выбора. Мужество — когда у вас есть выбор.

Терри Андерсон

Быть мужественным и быть правым — не то же самое.

Януш Васильковский

Когда Господь хочет наказать зайца, он дает ему храбрость.

Г. Амурова

Если вы спокойны, когда все вокруг теряют голову, возможно, вы недооцениваете серьезности ситуации.

Надпись на судах ВМФ США

МУЖЧИНЫ

См. также «Ловеласы и бабники», «Холостяки»

Мужчина — существо, противоположное по полу женщине.

«Толковый словарь»
С. И. Ожегова

Мужчина — единственный самец, который бьет свою самку.

Жорж Куртелин

Все мужчины одинаковы, но некоторые из них одинаковее.

Ноуэл Ковард

Все мужчины одинаковы, только зарплата у них разная.

М. Аршевский

Женщины знают, что мужчины не так глупы, как принято думать, — они глупее.

Поль-Жан Туле

Мужчины обычно не слушают того, что им говоришь, — они прислушиваются к тому, что собираются сказать сами.

Ванда Блоньская

Мужчины что мыльные пузыри: первый всегда неудачен, второй уже лучше, но только третий по-настоящему красив и радужен.

Мария
Павликовская-Ясножевская

Собаки и мужчины больше всего любят спать.

Магдалена Самозванец

Лучший способ заставить мужчину сделать что-либо — намекнуть ему, что он уже староват для таких дел.

Ширли Маклейн

Мужчина не думает о себе лишь в те минуты, когда он уверен, что кто-то другой думает только о нем.

Луиза Леблан

Мужчины питают искреннее уважение ко всему, что наводит скуку.

Мэрилин Монро

Мужчины как дети: любят, чтобы их водили за руку, но считали большими.

Татьяна Скобелева

Дом мужчины — его крепость, но только снаружи. Внутри это чаще всего детская комната.

Клэр Люс

Разница между мужчиной и мальчиком заключается в стоимости их игрушек.

«Liberace»

Нельзя сомневаться: чем могущественнее мужчина, тем он сексапильнее.

Анджи Дикинсон

Как всякий мужчина, я ношу при себе орудие насилия.

Анджей Керн

Есть мужчины, с которыми я бы могла провести вечность. Но не жизнь.

Кэтлин Норрис

МУЖЧИНЫ И ЖЕНЩИНЫ

См. также «Женская эмансипация. Феминизм», «Флирт. Ухаживанье»

Женщины способны на все, мужчины — на все остальное.

Анри Ренье

Слабый пол силен ввиду слабости сильного пола к слабому полу.

«Пшекруй»

Кто знает женщин, жалеет мужчин; но тот, кто знает мужчин, готов извинить женщин.

Альбер Турнье

Мужчина и женщина — две стороны одной медали.

Ян Стэнпень

От рождения до смерти мужчина остается дитятей женщины, которому постоянно от нее что-то нужно и который никогда ей ничего не дает, разве только подержать и сохранить что-нибудь, что может пригодиться ему самому.

Джордж Бернард Шоу

Мужчины ведут игру, а женщины знают счет.

Роджер Уоддис

Мужчины создают законы, женщины — нравы.

Франсуа Гибер

Мужчины говорят о женщинах, что им вздумается, а женщины делают с мужчинами, что им вздумается.

Софья Сегюр

Настоящий мужчина всегда добьется того, что хочет женщина.

Геннадий Малкин

Мужчины обнажают свою душу, как женщины — тело, постепенно и лишь после упорной борьбы.

Андре Моруа

Каждый мужчина, которого я встречала, хотел меня защитить. Не могу понять, от чего.

Мэй Уэст

Мужчины умеют ненавидеть; женщины — только испытывать отвращение. Последнее гораздо страшнее.

Анри Ренье

Мужчина озабочен тем, что о нем думают; для женщины важнее, что о ней говорят.

Теодор Готлиб Гиппель

Мужчина ищет кого-нибудь, перед кем он мог бы гордиться; женщина ищет плечо, к которому она бы могла прислониться.

Генри Луис Менкен

Мужчина занимается женщиной, как химик своей лабораторией: он наблюдает в ней непонятные ему процессы, которые сам же и производит.

Василий Ключевский

Мужчина слушает ушами, женщина глазами, первый — чтобы понять, что ему говорят, вторая — чтобы понравиться тому, кто с ней говорит.

Василий Ключевский

Мужчина берет и забывает; женщина дает и прощает.

Х. Томпсон

Мужчины живут забыванием, женщины — памятью.

Томас Стернз Элиот

Все рассуждения мужчин не стоят одного чувства женщины.

Вольтер

Мужчины всегда правы, а женщины никогда не ошибаются.

Эльзасское изречение

Мужчина размышляет, а женщина дает ему повод для этого.

Эрике Понсела

Сила мужчины — в том, *что* он говорит; сила женщины — в том, что она *говорит*.

Лешек Кумор

Большинство мужчин любят лесть вследствие скромного мнения о себе, большинство женщин — по противоположной причине.

Джонатан Свифт

Женщины являют собой триумф материи над духом, а мужчины — триумф духа над моралью.

Оскар Уайльд

Аморальность мужчины берет верх над безнравственностью женщины.

Карл Краус

В наше время нельзя прожить с мужчиной и полугода, чтобы тебя не объявили невестой.

Брижит Бардо

Нет твердокаменных женщин, но есть мягкотелые мужчины.

Рэкуэл Уэлч

Женщины не более нравственны, чем мужчины, но меньше испорчены властью.

Глория Стайнем

Кто на горячую бабу дует — на холодной ошпарится.

Магдалена Самозванец

Если у тебя нет женщины, значит, у кого-то их две.

Аркадий Давидович

Женщины не любят смешливых мужчин, а мужчины — остроумных женщин.

Хуго Штейнхаус

Женщины думают, что все мужчины одинаковы, и в этом их сила; мужчины думают, что все женщины разные,— это их губит.

Рамон Гомес де ла Серна

Женщины без мужского общества блекнут, а мужчины без женского глупеют.

Антон Чехов

Женщины находятся в гораздо более выгодном положении, чем мужчины: для них существует больше запретов.

Оскар Уайльд

Мужчинам живется гораздо лучше, чем женщинам. Во-первых, они женятся позже; во-вторых, умирают раньше.

Генри Луис Менкен

Женщины бо́льшие оптимистки, чем мужчины, оттого они и живут дольше.

Янина Ипохорская

Женщина хочет многого от одного, мужчина — одного от многих.

NN

Женщина лучше мужчины понимает детей, но мужчина больше ребенок, чем женщина.

Фридрих Ницше

Мало какая женщина согласна признать свой возраст; мало какой мужчина ведет себя соответственно своему возрасту.

NN

Я вовсе не говорю, что женщины не глупы, ведь они сотворены по образу и подобию мужчины.

Джордж Элиот
(Мэри Энн Эванс)

Мужчины любят ставить женщину на пьедестал, чтобы потом дать ей пинка. Без пьедестала удовольствие было бы уже не то.

Клэр Люс

Для умной женщины мужчины — не проблема; для умной женщины мужчины — решение.

Сари Габор

Женщины в своем большинстве считают мужчин негодяями и мерзавцами, но пока не нашли им подходящей замены.

Элизабет Тейлор

Беседуя с начальником, мужчина учится втягивать голову в плечи, беседуя с женщиной — учится подбирать живот.

Элси Аттенхофер

Иные мужчины лгут так же часто, как женщины, но ни один не лжет так же быстро.

Перефразированный
Малькольм де Шазаль

Настоящего мужчину видно по женщине.

Владислав Гжещик

Мне нравятся только два типа мужчин: наши и иностранцы.

Мэй Уэст

Неважно, сколько мужчин было в моей жизни, — важно, сколько жизни было в моих мужчинах.

Мэй Уэст

Женская добродетель — величайшее мужское изобретение.

Корнелия Скиннер

Женская добродетель и впрямь должна быть велика: ведь ее должно хватить на двоих.

Мария, королева Румынии

Если беседуют двое мужчин, они говорят о себе. Если беседуют две женщины, они говорят о третьей.

Янина Ипохорская

Если женщине нечего сказать мужчине, она должна сказать это коротко.

Янина Ипохорская

Женщина должна быть настолько умна, чтобы нравиться глупым мужчинам, и настолько вульгарна, чтобы нравиться умным.

Жанна Моро

Я вовсе не говорю, что женщины не глупы, ведь они сотворены по образу и подобию мужчины.

Джордж Элиот
(Мэри Энн Эванс)

Женщина должна выглядеть настолько умной, чтобы ее глупость оказалась приятным сюрпризом.

Карл Краус

Мужчина, если бы и смог понять, что думает женщина, все равно не поверил бы.

Дороти Паркер

Мужчины только делают вид, будто не понимают женщин. Это им дешевле обходится.

Янина Ипохорская

Мужчина входит в жизнь женщины и устраивает в ней свою собственную.

Луиза Леблан

Мужчины приходят и уходят, а некоторые еще и остаются.

Тамара Клейман

Величайшее несчастье женщины — мужчина ее жизни.

Мария Нуровская

Мужчина настолько молод, насколько чувствует его женщина.

Граучо Маркс

Ничто так не старит мужчину, как жизнь с одной и той же женщиной.

Норман Дуглас

Я полагаю, что взрослая женщина — существо физиологически полигамное, но эмоционально моногамное, тогда как взрослый мужчина — существо эмоционально полигамное, но физиологически моногамное.

Алан Брайен

Самые невыносимые люди — это мужчины, считающие себя гениальными, и женщины, считающие себя неотразимыми.

Анри Аселен

Оставьте трех мужчин вместе после обеда, и вы можете быть уверены, что разговор зайдет о женщинах и что заведет его тот из них, кто постарше.

Александр Дюма-сын

Что бы стало с могуществом женщин, если бы не мужское тщеславие?

Мария Эбнер-Эшенбах

Да здравствует мужчина! При желании он может добиться всего на свете. Да здравствует женщина! При желании она может добиться любого мужчины.

Джордж Эйд

Мужчин и женщин объединяет только одно: те и другие предпочитают общество мужчин.

Майкл Дуглас

Я предпочитаю мужчин с будущим, а женщин — с прошлым.

Оскар Уайльд

Как силен был бы мужчина, если бы Господь сотворил его из ребра Евы!

Мечислав Шарган

Как умны были бы женщины, если бы обладали всем тем разумом, который мужчины из-за них потеряли!

Юлиан Тувим

Женщины, особенно прошедшие мужскую школу, очень хорошо знают, что разговоры о высоких предметах — разговорами, а что нужно мужчине тело и все то, что выставляет его в самом обманчивом, но привлекательном свете; и это самое и делается.

Лев Толстой

Если бы женщины не были тщеславны, они могли бы научиться этому у мужчин.

Пауль Хайзе

Если анекдот — оружие слабого, ясно, почему мужчины насочиняли столько анекдотов о женщинах.

Лешек Кумор

Женщины не любят робких мужчин. Кошки не любят осторожных крыс.

Генри Луис Менкен

Воображение женщин богаче нашего; это устроено для того, чтобы они могли восхищаться нами.

Арнолд Глазгоу

Внутри полов больше различий, чем между полами.

Айви Комптон-Барнетт

Между полами нет никаких различий, которые не проистекали бы из воспитания.

Никола Шамфор

«В конце концов, различие между мужчиной и женщиной невелико». — «Да здравствует это маленькое различие!»

NN

Идеальный подарок мужчине, у которого все есть, — женщина, которая знает, что со всем этим делать.

NN

С женщиной не так плохо, как хорошо без нее.

Владислав Пекарский

Нет на свете мужчины, который знал бы о женщинах больше, чем я, — а я ничего о них не знаю.

Сеймур Хикс

Когда мужчина начинает понимать женщин, он уже не представляет интереса как мужчина.

Рекс Мобли

Мужчины раздражаются, когда их понимают неправильно, а когда их понимают правильно — приходят в ярость.

Эдгар Солтус

Тому, кто ни во что не верит, все-таки нужна женщина, которая верила бы в него.

Ойген Розеншток-Хесси

Идеальных женщин так же мало, как идеальных мужчин, но встречаешь их чаще.

Хильдегарда Кнеф

Женщины слишком не доверяют мужчинам вообще и слишком доверяют им в частности.

Гюстав Флобер

Близость с женщиной восхитительна, но ее присутствие невыносимо.

Альбер Гинон

Если мужчина дает женщине все, что она просит, значит, она просит слишком мало.

NN

Найти работу легче всего тогда, когда у тебя уже есть работа; точно так же мужчину легче всего найти тогда, когда у тебя уже есть один.

Пэйдж Митчелл

Когда мужчине плохо, он ищет женщину, а когда ему хорошо, он ищет еще одну.

Константин Мелихан

Если женщина идет по неверной дорожке, мужчина следует в правильном направлении вслед за ней.

Мэй Уэст

Почему женщины гораздо больше интересуют мужчин, чем мужчины — женщин?

Вирджиния Вулф

МУЖЬЯ И ЖЕНЫ

См. также «Брак», «Вдовцы и вдовы»

Вступая в брак, мужчина и женщина становятся одним человеком — вопрос только, которым.

Генри Луис Менкен

Сочетаются два человека, а результат — два раза по полчеловека.

Уэйн Дайер

Брак можно считать идеальным, если жена — сокровище, а муж — сокровищница.

NN

Большая часть мужчин требует от своих жен достоинств, которых сами они не стоят.

Лев Толстой

Счастливая пара: он делает то, чего она хочет, и она делает то, чего она хочет.

Петер Альтенберг

Многие супружеские пары выглядят так, словно они познакомились по брачному объявлению.

Рамон Гомес де ла Серна

Супружество требует самой изощренной неискренности, какая только возможна между двумя людьми.

Вики Баум

Брак бывает двух видов: когда муж цитирует жену и когда жена цитирует мужа.

Клиффорд Одетс

В чем секрет нашего долгого брака? Как бы мы ни были заняты, два раза в неделю мы выбираемся в ресторан. Свечи на столике, ужин, приятная музыка, танцы. Она ужинает в ресторане по четвергам, я — по пятницам.

Хенни Янгман

Мы спим в разных комнатах, мы ужинаем в разное время, мы проводим свой отпуск врозь, — словом, мы делаем все, чтобы сохранить наш брак.

Родни Дейнджерфилд

Любящая жена сделает для мужа все, за одним исключением: она никогда не перестанет критиковать его и воспитывать.

Джон Пристли

Друзья тебя любят, каким ты есть; жена тебя любит и хочет сделать из тебя другого человека.

Гилберт Честертон

Мы любим свою собаку и не хотим, чтобы она менялась к лучшему; а в людях, которых мы любим, нам многое хочется изменить.

Надин де Ротшильд

Моя жена делает со мной, что хочет; она даже сделала из меня академика.

Жак Ансело,
член Французской академии

После сорока лет мужчины женаты на своих привычках, среди которых жена — лишь один из пунктов длинного перечня, к тому же не самый важный.

Джордж Мередит

Иные супруги ведут себя как пара слепцов, из которых каждый не видит что-то другое.

Ирена Конти

От меня ушли четыре жены, потому что я по ошибке принимал их за свою мать.

Кэри Грант

В библейские времена мужчина мог иметь столько жен, сколько мог содержать. Точь-в-точь как сегодня.

Эбигайл Ван Берен

Полигамия — попытка извлечь из жизни больше, чем в ней есть.

Элберт Хаббард

У кого две жены, тому не нужна собака.

Янина Ипохорская

Новая жена — это хорошо забытая старая.

Геннадий Малкин

Очень часто мужчины своим успехом обязаны своей первой жене, а своей второй женой обязаны своему успеху.

Джим Бакус

Если первый брак мужчины оказался ошибкой, за нее расплачивается вторая жена.

NN

Если нас удивляет чей-либо выбор супруга, значит, у человека не было выбора.

Натали Клиффорд Барни

Обворожительную женщину и великолепного мужчину часто разделяет сущий пустяк: то, что они состоят в браке друг с другом.

Робер де Флер

Прежде их соединял хотя бы пол, а теперь только потолок.

Василий Ключевский

Я не стану отрицать, что жена может увлечься своим мужем, — в конце концов, он тоже мужчина.

Жерар де Нерваль

Почему бы и не любить свою жену? Любим же мы чужих.

Александр Дюма-сын

Хуже нет, чем влюбиться без взаимности в собственную жену.

Габриэль Лауб

Не так уж плохо, когда мужу от жены надо только одно, — плохо, когда ему от нее ничего не надо.

Константин Мелихан

Ухаживать за своей женой ему казалось столь же нелепым, как охотиться за жареной дичью.

Эмиль Кроткий

Вы изучаете друг друга три недели, любите друг друга три месяца, боретесь друг с другом три года и терпите друг друга еще тридцать лет.

Андре де Миссон

Иные жены питают к своим мужьям такую же слепую и загадочную любовь, как монашенки — к своим монастырям.

Мария Эбнер-Эшенбах

Она вышла за него, чтобы всегда быть с ним вместе. Он женился на ней, чтобы о ней забыть.

Элиас Канетти

Согласно статистике, женщины расходуют 85 процентов семейного бюджета, 15 процентов расходуют дети, остальное — мужчины.

Лусилл Гудьер

Мех для дамских шуб в огромном большинстве случаев снимается с самцов.

Янина Ипохорская

А учить жене не позволяю, ни властвовать над мужем, но быть в безмолвии. Ибо прежде создан Адам, а потом Ева;

И не Адам прельщен, но жена, прельстившись, впала в преступление.

Апостол Павел —
1-е послание к Тимофею, 2, 12

Мужчина должен быть хозяином в доме, если, конечно, он не женат.

Янина Ипохорская

Окончательное решение — решение, которое вы принимаете, прежде чем все решит жена.

Леонард Луис Левинсон

Не задумывайся о том, кто в семье главный — она или ты. Лучше тебе этого не знать.

Юзеф Булатович

Большая часть супружеских трений возникает из-за того, что жена слишком много говорит, а муж слишком мало слушает.

Курт Гец

Почти любая жена может говорить быстрее, чем муж — слушать.

NN

Хорошо информированный человек — это тот, кому его жена только что сказала все, что она о нем думает.

Рей Файн

Уколоть мужа можно, но, ради Бога, не в то место, куда его колют все.

Магдалена Самозванец

Чтобы сохранить мир в семье, необходимо терпение, любовь, понимание и по крайней мере два телевизора.

NN

Хорошо подобранная пара та, в которой оба супруга одновременно ощущают потребность в скандале.

Жюль Ренар

Грязное белье стирают дома, но сушат при людях.

Леонс Бурльяке

Домашняя курица заклевала уже не одного орла.

Збигнев Вайдык

Мужья столько бы не врали, если бы жены столько не спрашивали.

Юзеф Булатович

Попробуй похвалить жену; ничего, если с непривычки она испугается.

Уильям Санди

Если с первого раза не удалось, попробуйте послушать жену.

Роберт Орбен

Иные жены до того озабочены счастьем своих мужей, что ищут причину этого счастья с помощью частных детективов.

NN

Наблюдая за парой, сидящей за столиком ресторана, по длине пауз в их разговоре можно судить о том, как давно они живут вместе.

Андре Моруа

Каждый муж недоволен тем, как тратит деньги его жена и правительство. Разница только в том, что он не боится открыто ругать правительство.

NN

Счастливый брак — это брак, в котором муж понимает каждое слово, которого не сказала жена.

Алфред Хичкок

Никогда не стыдись того, что ты думаешь о своей жене. Она о тебе и не то еще думает.

Жан Ростан

МУЗЕЙ

См. также «Живопись», «Скульптура»

Музеи — это кладбища искусства.

Альфонс де Ламартин

Художник должен ходить в музей, но жить в музее может только педант.

Джордж Сантаяна

Ничто так не напоминает мне бордель, как музей.

Мишель Лейрис

Музей: воскресная резиденция масс.

Видоизмененный
Владислав Лоранц

Есть вещи, которые нужно увидеть, чтобы знать, что их не стоит смотреть.

Рышард Подлевский

При одном виде музея ноги подкашиваются от усталости.

Янина Ипохорская

Если бы где-нибудь в Британском музее была уютная комнатка не больше чем с двадцатью экспонатами, с хорошим освещением, удобными креслами и табличкой, приглашающей закурить, думаю, я бы не выходил из музея.

Джозеф Пристли

Какую картину я стал бы спасать, если в Национальной галерее начнется пожар? Ту, что поближе к выходу.

Джордж Бернард Шоу

Картина в музее слышит больше глупостей, чем кто бы то ни было в мире.

Эдмон Гонкур

Дайте мне музей, и я заполню его.

Пабло Пикассо

МУЗЫКА

См. также «Мюзикл. Оперетта», «Опера», «Песня. Шлягер»

Без музыки жизнь была бы ошибкой.

Фридрих Ницше

Любое искусство стремится к тому, чтобы стать музыкой.

Уолтер Пейтер

Музыка — универсальный язык человечества.

Генри Лонгфелло

Музыка ничего не говорит разуму: это идеально структурированная бессмыслица.

Антони Берджесс

Говорить о музыке — все равно что танцевать об архитектуре.

Стив Мартин

О музыке нужно писать нотами.

Болеслав Пашковский

Не мы слушаем музыку, а музыка слушает нас.

Теодор Адорно

Единственно возможный комментарий к музыкальному сочинению — другое музыкальное сочинение.

Игорь Стравинский

Музыка — это искусство печалить и радовать без причины.

Тадеуш Котарбиньский

Музыка создает чувства, которых нет в жизни.

Станислав Виткевич

Музыка облагораживает нравы.

Аристотель

Музыка облагораживает нравы, но нравы развращают музыку.

Кшиштоф Билица

Бах почти заставляет меня поверить в Бога.

Роджер Фрай

Не знаю, в самом ли деле ангелы в присутствии Бога играют лишь Баха; но я уверен, что в своем домашнем кругу они играют Моцарта.

Карл Барт

Ваша опера мне понравилась. Пожалуй, я напишу к ней музыку.

Людвиг ван Бетховен

Что сказал Берлиоз своей музыкой? — ничего; но как потрясающе он это сказал!

Джеймс Гиббонз Хьюнекер

Сочинять не так уж трудно; зачеркивать лишние ноты — вот что труднее всего.

Иоганнес Брамс

Такую музыку нужно слушать не раз и не два. Но я больше одного раза не могу.

Джоаккино Россини
о Рихарде Вагнере

У Вагнера встречаются чарующие моменты и ужасные четверти часа.

Джоаккино Россини

Квартет — это беседа четырех неглупых людей.

Йозеф Гайдн

Звук должен быть окутан тишиной.

Генрих Нейгауз

Интерпретация — это свободная прогулка по твердой земле.

Артур Шнабель

Фортепьяно было в блестящей форме, но пианисту требовалась настройка.

NN

Не стреляйте в пианиста — он делает все, что может.

Согласно Оскару Уайльду — надпись в американском баре

Современная музыка похожа на женщину, которая свои природные изъяны восполняет безупречным знанием санскрита.

Карл Краус

Нужны новые уши для новой музыки.

Фридрих Ницше

В том, что касается музыки, у вас ухо Ван Гога.

Билли Уайлдер — Клиффу Осмонду

Концерт: кашель публики, постоянно перебиваемый музыкой.

NN

Хорошая музыка вовсе не так плоха, какой она кажется на слух.

Гарри Зелцер

Зачем нам третьеразрядные заезжие дирижеры — разве мало у нас второразрядных своих?

Томас Бичем

МУЧЕНИЧЕСТВО

См. также «Жертва. Самопожертвование», «Святые и грешники»

Мученики создали больше веры, чем вера создала мучеников.

Мигель де Унамуно

Только первый шаг труден.

Маркиза Дюдеффан — кардиналу де Полиньяку, который удивлялся, какой большой путь прошел обезглавленный св. Дионисий с собственной головой в руках

Он поставил все на одну карту. Вышла другая. И он выиграл — стал великомучеником.

Станислав Ежи Лец

Настоящий мученик тот, кому даже в этом звании отказывают.

Станислав Ежи Лец

Мученичество — единственный способ прославиться, не имея для этого никаких данных.

Джордж Бернард Шоу

Бывали мученики заблуждения, но смерть их еще не превращала его в истину.

Пьер Буаст

Мученик во имя старой веры кажется нам упрямцем; мученик во имя новой — пророком.

Антуан де Ривароль

Его понесли на руках — на Голгофу.

Уршула Зыбура

Настоящий терновый венец долго носить нельзя — тернии обламываются.

Станислав Ежи Лец

Бывают почетные терновые венцы, с терниями только наружу.

Станислав Ежи Лец

Мучеников истребленных религий не канонизируют.

Збигнев Герберт

В одних религиях почитают мучеников, в других — палачей.

Станислав Ежи Лец

Не загораживай путь к отступлению своим крестом!

Станислав Ежи Лец

МЫ И ДРУГИЕ

См. также «Общение», «Понимание — непонимание», «Репутация. Доброе имя», «Человек человеку»

Тот, кто говорит «мы», не имеет в виду себя.

Станислав Ежи Лец

Неуютный, холодный, жестокий и лживый мир, на который мы сетуем, — все это мы для других.

Феликс Хвалибуг

Ад — это Другие.

Жан Поль Сартр

Ад — это не другие, ад — когда нет других.

Фей Уэлдон

Человек преобразит мир и мир уничтожит, все совершит и все перетерпит — при условии, что у него будет свидетель. История, поэзия, памятники заменяют ему такого свидетеля. Он неустанно ищет свидетеля. Его мысль возникает лишь для свидетеля и лишь поэтому является мыслью. Даже его одиночество — это общение со свидетелем, и такое одиночество — самое подлинное.

Кароль Ижиковский

Люди глухи к тому, что кричит в тебе громче всего.

Станислав Ежи Лец

В других нас раздражает не отсутствие совершенства, а отсутствие сходства с нами.

Джордж Сантаяна

Подумай, как трудно изменить себя самого, и ты поймешь, сколь ничтожны твои возможности изменить других.

Вольтер

В чем мы можем быть совершенно уверены, так это в том, что мы чудовищно похожи на других людей.

Джеймс Рассел Лоуэлл

Я — это ты, а ты — это я; так на что мы друг другу нужны?

Ричард Кондон

Нам трудно поверить, что мысли других людей столь же глупы, как наши собственные, а ведь так оно, вероятно, и есть.

Джеймс Харви Робинсон

Мы добиваемся любви других, чтобы иметь лишний повод любить себя.

Дени Дидро

Чем больше случаев нравиться вы доставляете людям, тем скорее и вы им понравитесь.

Пьер Буаст

Мы бы меньше заботились о том, что думают о нас люди, если бы знали, как мало они о нас думают.

Энн Ландерс

Мы никогда не бываем более недовольны другими, как когда мы недовольны собой. Сознание вины делает нас нетерпимыми.

Анри Амьель

Мы не любим людей не потому, что они злы, но мы считаем их злыми потому, что не любим их.

Лев Толстой

Тебе никогда не удастся подумать обо мне так плохо, как я о тебе, если бы я о тебе думал.

Жюль Ренар

Мы подозреваем других, потому что слишком хорошо знаем самих себя.

NN

Слова Павла о Петре говорят нам больше о Павле, чем о Петре.

Бенедикт Спиноза

То, что мы делаем, меняет нас больше, чем то, что делают с нами.

Шарлотта Перкинс Гилман

Со мной не все в порядке, и с вами не все в порядке, стало быть, все в порядке.

Элизабет Кюблер-Росс

Иногда лишь недоразумение помогает нам уразуметь человека.

Эвгениуш Коркош

Я живу в постоянном страхе, что меня поймут правильно.

Оскар Уайльд

Не будем пытаться понять друг друга, чтобы друг друга не возненавидеть.

Станислав Ежи Лец

Не печалься, что люди не знают тебя, но печалься, что ты не знаешь людей.

Конфуций

От себя самого узнаешь немного, от других — то, чего не хотелось бы знать.

Мечислав Пулик

Плохо думать о ближних — грех, но едва ли ошибка.

Генри Луис Менкен

Мы вечно надеемся, что все как-то сложится, потому что другие лучше, чем мы.

Славомир Мрожек

Любящий человек живет в любящем мире. Враждебно настроенный человек живет во враждебном мире: каждый встречный служит вам зеркалом.

Кен Кейс-младший

Мы знаем за собой много такого, о чем люди всегда умалчивают, и угадываем в них то, о чем умалчиваем сами.

Люк де Вовенарг

Это верно, что люди выигрывают в наших глазах, если узнаешь их поближе. Они становятся загадочнее.

Жан Польян

Никогда не приписывай человеческой зловредности того, что можно объяснить просто глупостью.

Джон Коллинз

Не думай, будто люди против тебя; по большей части они просто за самих себя.

Джин Фаулер

И как хотите, чтобы с вами поступали люди, так и вы поступайте с ними.

Евангелие от Луки, 6, 31

Не делай другим то, что ты хотел бы, чтобы они делали для тебя. У вас могут быть разные вкусы.

Джордж Бернард Шоу

Не думай дурно о всех ближних сразу, думай по очереди.

Дон-Аминадо

Не думай, что другие не думают.

Юзеф Булатович

Не забывай, что другие памятливы.

Юзеф Булатович

МЮЗИКЛ. ОПЕРЕТТА

Оперетта — великая утешительница.

NN

Оперетта хороша тем, что позволяет даже самому умному три часа побыть идиотом. Господи, до чего же это чудесно!

Сильвия Чиз

Мюзикл: разговорный жанр для не умеющих петь и музыкальный — для не умеющих говорить.

Шарль Азнавур

Лучший номер мюзикла «Эвита», всемирно известная песня «Не плачь по мне, Аргентина», звучит точь-в-точь как мелодия, которую я слышал еще мальчишкой неподалеку от Альберт-холла. Ее наигрывал на саксофоне бродяга, у которого было всего три пальца на левой руке.

Бернард Левин

Я не люблю свою музыку, но что значит мое мнение по сравнению с мнением миллионов?

Фредерик Лоу, автор мюзикла «Моя прекрасная леди»

Н

НАГЛОСТЬ. НАХАЛЬСТВО

Часто одной только смелости мало, нужна еще наглость.

Станислав Ежи Лец

Вежливость сегодня ценится все дороже, нахальство вообще не имеет цены.

М. Шульпин

Стоит только одному позволить сесть себе на голову, как тут же за ним выстраивается очередь.

Михаил Генин

Чего я не люблю у бедных, так это нахальства. Им ничего не дают, а они все просят и просят.

Морис Шевалье

Есть люди, которые наглеют, если их ежедневно кормить.

Эмиль Кроткий

НАГРАДЫ. ОРДЕНА

См. также «Заслуги»

Великий человек награждает награду, которую согласился принять.

Кшиштоф Конколевский

Я не заслужил этой награды, но, в конце концов, у меня артрит, которого я тоже не заслужил.

Джек Бенни

Ордена — знак заслуг перед теми, кто дает ордена.

Кароль Бунш

Ордена помогают отличить политиков от официантов.

Эрих Менде

Среди прочих существуют награды за военное мужество и гражданскую трусость.

Веслав Брудзиньский

Этими жалкими побрякушками можно управлять людьми!

Наполеон I об учрежденном им ордене Почетного легиона

Добродетель служит сама себе наградой; человек превосходит добродетель, когда служит и не получает награды.

Козьма Прутков

К чему мне все эти награды, титулы, похвалы! Теперь, когда я уже их заслужил!

Шарль Монжеле

За вины отцов нередко награждают лишь сыновей.

Станислав Ежи Лец

НАДЕЖДА И РАЗОЧАРОВАНИЕ

См. также «Оптимизм — пессимизм», «Отчаяние»

Надежда видит невидимое, чувствует неосязаемое и совершает невозможное.

NN

Надежда — это расчет вероятностей, который пишется перьями из крылышек ангелов.

Станислав Ежи Лец

Ходячая истина и собственный опыт говорят человеку, что он не меняется; но сердце упорно твердит ему каждый день, что все еще может перемениться.

Кароль Ижиковский

Надежда — единственное благо, которым нельзя пресытиться.

Люк де Вовенарг

Надежда — хороший завтрак, но плохой ужин.

Фрэнсис Бэкон

Надежда питается людьми.

Славиан Троцкий

Хорошо бы устроить пункты коллективного питания надежды.

Лех Конопиньский

Кто живет надеждой, рискует умереть с голоду.

Бенджамин Франклин

Нельзя жить надеждой, и нельзя жить без надежды.

NN

Надежда — мать дураков, что не мешает ей быть прекрасной любовницей смелых.

Станислав Ежи Лец

Чем безрассуднее надежда, тем она долговечнее.

Мария Эбнер-Эшенбах

Помни: в пяти случаях из шести свет в конце туннеля — это свет надвигающегося поезда.

Пол Диксон

Неизвестность есть убежище надежды.

Анри Амьель

Мы надеемся приблизительно, зато боимся точно.

Поль Валери

У надежды глаза так же велики, как и у страха.

Зинаида Гиппиус

Надейся на лучшее и готовься к худшему.

Английская пословица

Нам нужна дряхлая память и молодые надежды.

Арсен Юссе

Надежда, не теряй людей!

Уршула Зыбура

Надежда — это чаще всего отсроченное разочарование.

Уолтер Бартон Балдри

Если вы еще способны разочаровываться, значит, вы все еще молоды.

Сара Черчилль

Нет ничего более приятного, чем разочарования пессимистов.

Ежи Гасиньский

Самые разочарованные люди на свете — люди, получившие то, чего добивались.

NN

Из всех надежд под конец остается одна — на отпущение грехов.

Александр Ясицкий

Надеяться надо до последней минуты. Но в последнюю минуту можно и перестать.

Дон-Аминадо

НАКАЗАНИЕ

См. также «Вина и кара»

Разберись, кто прав, кто виноват, да обоих и накажи.

Александр Пушкин

Кто жалеет розги своей, тот ненавидит сына; а кто любит, тот с детства наказывает его.

Притчи, 13, 24

В книге Бытия немало примеров наказания тех, кто ослушался воли Господа. В то же время нельзя сказать, чтобы этим путем был достигнут серьезный воспитательный эффект.

Сирил Норткот Паркинсон

Не оставляй юноши без наказания; если накажешь его розгою, он не умрет.

Притчи, 23, 13

Наказывай сына каждый вечер; если ты не знаешь за что, он-то уж точно знает.

Неизвестный американец

Не вправе наказывать ребенка тот, кого ребенок не любит.

Джон Локк

Наказания, назначаемые в припадке гнева, не достигают цели.

Иммануил Кант

Наказание не должно внушать больше отвращения, чем проступок.

Карл Маркс

Наказание, когда оно наконец настигает виновного, кажется обычно несправедливостью. Господь Бог действует инкогнито.

Кароль Ижиковский

НАЛОГИ

См. также «Бюджет»

В этом мире неизбежны только смерть и налоги.

Бенджамин Франклин

Если вы нарушаете правила, вас штрафуют; если вы соблюдаете правила, вас облагают налогом.

Лоренс Питер

Налогоплательщик — работодатель правительства.

NN

Налогоплательщики — жертвы войны против бедности.

Неизвестный американец

При демократии мы, слава богу, сами решаем, как нам платить налоги — наличными, чеком или платежным поручением.

Американское изречение

Гражданин должен платить налоги с тем же чувством, с каким влюбленный дарит своей возлюбленной подарки.

Новалис

Налоги — это цена, которую мы платим за возможность жить в цивилизованном обществе.

Оливер Уэнделл Холмс-старший

Хороший гражданин требует, чтобы было больше хороших дорог, хороших школ, хороших больниц и меньше налогов.

NN

Дорога цивилизации вымощена квитанциями об уплате налогов.

NN

На городской земле лучше всего растут налоги.

Чарлз Уорнер

Государство всеобщего благоденствия: государство, где благоденствуют все, кроме налогоплательщика.

Имоджин Фей

Политика есть искусство постоянного нахождения обоснований для новых налогов.

Гарольд Нар

В деле налогов следует принимать в соображение не то, что народ может дать, а то, что он может давать всегда.

Шарль Монтескье

Правительство обещает народу курицу в каждом горшке, а для начала дает налогового инспектора на каждую курицу.

Максим Звонарев

Развитое честолюбие вознаграждается у нас высокими налогами.

Неизвестный американец

Работай усердно и честно плати налоги. Тысячи трудящихся в госаппарате рассчитывают на тебя.

Неизвестный американец

Я горжусь тем, что плачу налоги в Соединенных Штатах. Правда, я бы гордился не меньше за половинную сумму.

Артур Годфри

Заполняя налоговую декларацию, не забудь в графе «Иждивенцы» написать: «Государство».

NN

Конгресс стоит перед неразрешимой проблемой: как получить от нас налоги, которых мы не можем платить, чтобы истратить их на то, в чем мы не нуждаемся.

Неизвестный американец

От налогов за границу убегает никак не меньше людей, чем от диктаторов.

Джеймс Ньюмен

Тридцать серебреников получают лишь те, кто не платит налогов. Остальные получают гораздо меньше.

Владислав Гжещик

Ты можешь и не заметить, что у тебя все идет хорошо. Но налоговая служба напомнит.

Пьер Данинос

Чем хата богата, тем займется налоговое ведомство.

Уршула Зыбура

Неописуемое богатство: доходы, не указываемые в налоговой декларации.

NN

Смерть — самый удобный момент взять налог с богача.

Дэвид Ллойд Джордж

При нынешних налогах жениться можно и по любви.

NN

Слава богу, что мы не платим налогов с наших долгов.

NN

Многие из нас хотели бы быть такими богатыми, чтобы можно было уже не платить налогов.

NN

НАРКОМАНИЯ

Наркомания — это многолетнее наслаждение смертью.

Франсуа Мориак

Момент, когда колешься не для того, чтобы тебе стало хорошо, а чтобы не было плохо, наступает очень быстро.

Эдит Пиаф (во время лечения от наркомании)

Наркотики хороши, чтобы убежать от реальности, но реальность так богата, зачем от нее убегать?

Джеральдина Чаплин

У меня никогда не было проблем с наркотиками — а только с полицией.

Кейт Ричард, рок-музыкант

Некоторые рок-музыканты зарабатывают кучу денег, чтобы запихнуть их себе в нос.

Франк Заппа

Я иду в театр, чтобы развлечься. На сцене мне не нужны изнасилования, содомия, кровосмешение и наркотики. Все это я могу получить у себя дома.

Питер Кук

Просто скажи «нет».

Нэнси Рейган —
лозунг против наркотиков

НАРОД

См. также «Нация»

Все мы — народ, и правительство — тоже.

Отто фон Бисмарк

Вольтер учил: «Чем люди просвещеннее, тем они свободней». Его преемники сказали народу: «Чем ты свободнее, тем просвещенней». В этом и таилась погибель.

Антуан де Ривароль

Тот, кто желает вести народ за собой, вынужден следовать за толпой.

Оскар Уайльд

Народу нужны не отвлеченные идеи, а прописные истины.

Антуан де Ривароль

На свете существуют две истины, которые следует помнить нераздельно. Первая: источник верховной власти — народ; вторая: он не должен ее осуществлять.

Антуан де Ривароль

Кто любит народ, должен сводить его в баню.

Видоизмененный Генрих Гейне

Нужно идти с народом. Разве что сам народ ездит на автомобилях.

Станислав Ежи Лец

Если правительство недовольно своим народом, оно должно распустить его и выбрать себе новый.

Бертольт Брехт

Демократия — это имя, которое дают народу, когда нуждаются в нем.

Робер де Флер

О воле народа обычно говорят те, кто ему приказывает.

Карел Чапек

Народы так же падки на лесть, как и тираны.

Альфонс де Ламартин

Дело пророков — пророчествовать, дело народов — побивать их камнями.

Владислав Ходасевич

Горе народу, если рабство не смогло его унизить, такой народ создан, чтобы быть рабом.

Петр Чаадаев

Народы, которые представляют собой сумму «я», мне как-то ближе, чем народы, представляющие собой частицу «мы».

Станислав Ежи Лец

У нас плохие люди, зато какой хороший народ!

Аркадий Давидович

И массы могут чувствовать себя одинокими.

Станислав Ежи Лец

Вышли мы все из народа — вот народа и не осталось.

Анатолий Рас

Король: а народ-то голый!

Уршула Зыбура

Когда народ гол, на него надевают смирительную рубашку.

Станислав Ежи Лец

НАСЛЕДСТВЕННОСТЬ

См. также «Дети и родители»

Порода сильнее пастбища.

Джордж Элиот

Родители — одновременно наследственность и среда.

NN

В наследственность тверже всего верят отцы, у которых красивые дети.

NN

У наших детей умные родители.

Юзеф Булатович

Все хорошее было у него от родителей, все плохое — от отца с матерью.

Михаил Генин

Все плохое наследуется от другого родителя.

«Первый закон наследственности»

Отцы обычно рады, когда сыновья похожи на них лицом, но не слишком рады, когда они похожи на них поведением.

NN

Что может быть утешительнее, чем обнаружить у своего отпрыска свои же дурные черты? Это почти отпущение твоих грехов.

Ван Вик Брукс

Вундеркинды, как правило, дети родителей с богатым воображением.

Жан Кокто

От матери я унаследовал способность сберегать деньги, а от отца — неспособность их зарабатывать.

Лоренс Питер

Бездетность в вашей семье может быть наследственной.

Роберт Бунзен

Чем дольше живешь, тем больше наследуешь от себя самого.

Лешек Кумор

НАСЛЕДСТВО И ЗАВЕЩАНИЕ

Хочешь оставить за собой последнее слово — напиши завещание.

NN

Завещание — денежный перевод с того света.

NN

Никогда не говорите, что знаете человека, если вы не делили с ним наследство.

Иоганн Лаватер

Кто жертвует на смертном одре, жертвует из кармана своих наследников.

Старинное изречение

Раньше родители имели наследников; теперь они могут иметь лишь детей.

«Пшекруй»

Только раз в жизни римляне бывают искренни — в своих завещаниях.

Лукиан из Самосаты

Все свое состояние я завещаю жене, при условии, что она опять выйдет замуж. Я хочу быть уверен, что хотя бы один мужчина будет оплакивать мою смерть.

Генрих Гейне

Мы расплачиваемся за ошибки предков, так что вполне справедливо, что они оставляют нам на это деньги.

Дон Маркис

Любой человек, оставивший 10 000 долларов после своей смерти, — неудачник.

Фраза Эррола Флинна, помещенная под его фотопортретом в одном из нью-йоркских баров

Сказав: «Я записал вас в наследники»,— вы, как порядочный человек, должны немедленно умереть.

Сэмюэл Батлер

Благотворитель — это человек, который предпочел отдать деньги тем, кто их оценит, вместо того чтобы оставить их своим родственникам.

NN

Наследовать болезни имеют право даже самые отдаленные родственники.

Эмиль Кроткий

НАУКА

См. также «Знание», «Теория. Гипотеза», «Ученые», «Эксперимент»

Наука — лучший способ удовлетворения личного любопытства за государственный счет.

Лев Арцимович

Искусство — это «я»; наука — это «мы».

Клод Бернар

Жизнь коротка, а наука долга.

Лукиан из Самосаты

Мы как карлики на плечах гигантов, и потому можем видеть больше и дальше, чем они.

Бернар Шартрский, а за ним — Исаак Ньютон

Наука — это любая дисциплина, в которой дураки одного поколения могут пойти дальше той точки, которую достигли гении предыдущего поколения.

Макс Глюкманн

Всякая наука есть предвидение.

Герберт Спенсер

Наука непогрешима, но ученые часто ошибаются.

Анатоль Франс

Наука подтверждает наши ошибочные представления.

Станислав Ежи Лец

Наука всегда оказывается не права. Она не в состоянии решить ни одного вопроса, не поставив при этом десятка новых.

Джордж Бернард Шоу

Наука не отвечает на все вопросы даже в кабинете следователя.

Хенрик Ягодзиньский

Наука не отвечает на все вопросы, зато помогает понять бессмысленность многих из них.

Хенрик Ягодзиньский

Наука, как и добродетель, сама себе награда.

Чарлз Кингсли

Науку часто смешивают с знанием. Это грубое недоразумение. Наука есть не только знание, но и сознание, т.е. уменье пользоваться знанием как следует.

Василий Ключевский

Наука — это организованное знание.

Герберт Спенсер

Наука — это систематическое расширение области человеческого незнания.

Роберт Гутовский

Науки нет, есть только науки.

Николай Бердяев

Кто не понимает ничего, кроме химии, тот и ее понимает недостаточно.

Георг Лихтенберг

Нет прикладных наук, есть только приложения науки.

Луи Пастер

Естествоиспытатели открывают всего лишь то, что есть, а гуманитарии — даже то, что могло бы быть.

Болеслав Пашковский

Социология — это наука с максимальным множеством методов и минимальными результатами.

Анри Пуанкаре

Гуманитарии жалуются на невежество естествоиспытателей, но не могут ответить, в чем состоит второй закон термодинамики.

Чарлз Перси Сноу

Радости естествоиспытателя: задирать юбки природе.

Жан Ростан

Создать мир легче, чем понять его.

Анатоль Франс

Всякая точная наука основывается на приблизительности.

Бертран Рассел

Даже авторитеты не в силах помешать прогрессу науки.

Лешек Кумор

Научная истина торжествует по мере того, как вымирают ее противники.

Перефразированный Макс Планк

Ум и наука подчиняются моде столько же, сколько сережки и пуговицы.

Денис Фонвизин

Когда науке недостает аргументов, она расширяет свой словарь.

Жак Деваль

Если бы геометрические аксиомы задевали интересы людей, они бы опровергались.

Томас Гоббс

Три стадии признания научной истины: первая — «это абсурд», вторая — «в этом что-то есть», третья — «это общеизвестно».

Эрнест Резерфорд

В науке слава достается тому, кто убедил мир, а не тому, кто первым набрел на идею.

Франсис Дарвин

В науке, как и в спорте, важно участие, а не результат.

Ратмир Тумановский

Если любопытство касается серьезных проблем, оно уже именуется жаждой познания.

Мария Эбнер-Эшенбах

Познание — одна из форм аскетизма.

Фридрих Ницше

Наука или жизнь.

О. Донской

О банкротстве науки чаще всего говорят те, кто не вложил в это предприятие ни гроша.

Феликс Хвалибуг

Наука сделала нас богами раньше, чем мы научились быть людьми.

Жан Ростан

Над чем бы ни работал ученый, в результате всегда получается оружие.

NN

Кажется, дело идет к тому, что Наука откроет Бога. И я заранее трепещу за его судьбу.

Станислав Ежи Лец

НАУЧНАЯ РАБОТА. НАУЧНЫЕ ПУБЛИКАЦИИ

См. также «Диссертация и ученая степень», «Оригинальность. Новизна», «Цитаты»

Научная работа — это когда читаешь две книги, которых никто никогда не читал, чтобы написать третью книгу, которую никто не будет читать.

Определение, предложенное сотрудниками NASA

Научные работы размножаются делением.

Дмитрий Пашков по канве Карела Чапека

Работая над решением задачи, всегда полезно заранее знать ответ.

NN

На высокую башню можно подняться лишь по винтовой лестнице.

Фрэнсис Бэкон

Человек работал умно, работал и вдруг почувствовал, что стал глупее своей работы.

Василий Ключевский

Эта книга умнее меня самого.

Станислав Лем о «Сумме технологии»

Фундаментальные исследования — это то, чем я занимаюсь, когда я понятия не имею о том, чем я занимаюсь.

Вернер фон Браун

Фундаментальные исследования — примерно то же самое, что пускать стрелу в воздух и там, где она упадет, рисовать мишень.

Хоумер Адкинз

Объясните мне целиком что-нибудь, и я объясню вам все.

NN

Чем лучше работа, тем короче она может быть доложена.

Петр Капица

Если автор пишет о том, чего не понимает, его работа будет понята только теми читателями, которые понимают в этом больше, чем он.

«Закон Уиттингтона»

Количество ошибок в любом отрывке текста прямо пропорционально числу заимствований из вторичных источников.

Гаролд Фейбер

То, что понимают плохо, часто стараются объяснить с помощью слов, которые не понимают.

Гюстав Флобер

Пояснительные выражения объясняют темные мысли.

Козьма Прутков

Резюме начинается там, где автору надоело думать.

«Максима Маца»

НАУЧНАЯ ФАНТАСТИКА

Научная фантастика пишется не для ученых, так же как истории о привидениях пишутся не для привидений.

Брайан Олдис

Фантастика имеет дело не с человеком, а с человеческим родом как таковым, и даже с возможными видами разумных существ.

Станислав Лем

Научная фантастика — это комиксы без картинок.

Курт Воннегут

Некрасиво устраивать публичный конец света для устройства своих личных дел.

Станислав Лем о «литературе мировых катастроф»

Научная фантастика — метафизика для бедных.

Александр Генис

Фантасты — это люди, которым не хватает фантазии, чтобы понять реальность.

Габриэль Лауб

Фантастические рассказы о будущем по прошествии некоторого времени сохраняют лишь более или менее ясные черты прошлого.

Эдуард Бабаев

В фантастических романах главное это было радио. При нем ожидалось счастье человечества. Вот радио есть, а счастья нет.

Илья Ильф

НАЦИОНАЛИЗМ

См. также «Космополитизм», «Патриотизм»

Почитание своего общества есть рефлекс самопочитания.

Герберт Спенсер

В современных анкетах в графе «партийность» пишут национальность.

Акрам Муртазаев

Люблю народность как чувство, но не признаю ее как систему.

Петр Вяземский

В национальном характере мало хороших черт: ведь субъектом его является толпа.

Артур Шопенгауэр

Убогий человечек, не имеющий ничего, чем бы он мог гордиться, хватается за единственно возможное и гордится нацией, к которой он принадлежит.

Артур Шопенгауэр

Национализм может быть огромным. Но великим — никогда.

Станислав Ежи Лец

Нельзя доподлинно утверждать, что немецкий народ изобрел порох. Немецкий народ состоит из тридцати миллионов человек. Только один из них изобрел порох. Остальные 29 999 999 немцев пороха не изобрели.

Людвиг Берне

Итак что же? Имеем ли мы преимущество? Нисколько; ибо мы уже доказали, что как иудеи, так и Еллины, все под грехом.

Апостол Павел —
Послание к римлянам, 3, 9

Когда у оппонента кончаются аргументы, он начинает уточнять национальность.

Аркадий Давидович

Афинянин попрекал Анахарсиса, что он скиф; он ответил: «Мне позор моя родина, а ты позор своей родине».

Диоген Лаэртский

НАБЛЮДЕНИЕ КОВАЛЯ: Монгол китайцу хохол.

Виктор Коваль

Обрусевшие инородцы всегда пересаливают по части истинно русского настроения.

Владимир Ленин о Сталине,
Дзержинском и Орджоникидзе

Есть люди, лишенные каких бы то ни было национальных предубеждений. Они готовы драться с каждым.

Станислав Ежи Лец

Националисты не могут быть довольны до тех пор, пока не найдут кого-нибудь, кто их обидит.

Вольфрам Вейднер

Сплоченность — это организованная ненависть.

Джон Джей Чапмен

Человек, ненавидящий другой народ, не любит и свой собственный.

Николай Добролюбов

НАПОМИНАНИЕ: Национальное большинство не значит, что отдельный его представитель больше представителя национального меньшинства.

Станислав Ежи Лец

Всякого националиста преследует мысль, что прошлое можно — и должно — изменить.

Джордж Оруэлл

Сионизм — это когда один человек уговаривает другого дать деньги на то, чтобы отправить в Палестину третьего.

Артур Кестлер

Хирурги научились менять человеку пол, теперь у них на очереди национальность.

Александр Ботвинников

Наша истинная национальность — человек.

Герберт Джордж Уэллс

НАЦИОНАЛЬНАЯ НЕЗАВИСИМОСТЬ

Сапог победителя, случалось, принадлежал побежденному.

Станислав Ежи Лец

Единственный способ избавиться от драконов — это иметь своего собственного.

Евгений Шварц

Не может быть свободен народ, угнетающий другие народы. Сила, нужная ему для подавления другого народа, в конце концов всегда обращается против него самого.

Фридрих Энгельс

Не можете помешать тому, чтобы вас проглотили, — постарайтесь хотя бы, чтобы вас не могли переварить.

Совет Жана Жака Руссо полякам после первого раздела Польши

Против мягкого иноземного господства поляки восстают, потому что могут, против сурового — потому что должны.

Мауриций Мохнацкий

Италия добилась исполнения своего заветного желания — она стала независимой. Но, добившись независимости, она выиграла в политической лотерее слона. Ей нечем его кормить.

Марк Твен

Мы создали Италию, давайте создавать итальянцев.

Камилло Кавур (XIX в.)

Шотландцы — единственный цивилизованный и обладающий национальным самосознанием европейский народ, которому посчастливилось не иметь собственного государства.

Николас Фэрбэрн

СССР — не тюрьма народов. Это коммунальная квартира народов.

Михаил Гаспаров

По мере того как все больше народов получает свободу, на душу населения ее становится все меньше и меньше.

Доминик Опольский

НАЦИЯ

См. также «Великая держава», «Народ»

Идея нации есть не то, что она сама думает о себе во времени, но то, что Бог думает о ней в вечности.

Владимир Соловьев

Нация есть сообщество людей, которых объединяют иллюзии об общих предках и общая ненависть к соседям.

Уильям Индж

Робинзон с Пятницей — это нация? Вот таковы же и все другие нации.

Михаил Гаспаров

Каждая нация насмехается над другой, и все они в одинаковой мере правы.

Артур Шопенгауэр

Величие нации вовсе не измеряется ее численностью, как величие человека не измеряется его ростом.

Виктор Гюго

Величие нации должно уместиться в каждом ее представителе.

Станислав Ежи Лец

Наша нация приходит в упадок. Великие мужи перевелись. Уже столько времени ни одного торжественного погребения!

Карел Чапек

Только свободная нация обладает национальным характером.

Жермена де Сталь

Национальный художник организует фантазию нации, как национальный политик организует силы государства.

Циприан Норвид

Об идеалах нации можно судить по ее рекламе.

Норман Дуглас

НАЧАЛО И КОНЕЦ

Кто неправильно застегнул первую пуговицу, уже не застегнется как следует.

Иоганн Вольфганг Гёте

Только кончая задуманное сочинение, мы уясняем себе, с чего нам следовало его начать.

Блез Паскаль

Начинают всегда с малого. В первый день Бог создал только небо и землю.

Эмиль Кроткий

Всегда можно начать сначала. Не потому ли столько людей ходят по кругу?

Анджей Сток

Если мы всё начинаем сначала, значит, конец уже близок.

«Пшекруй»

Не начинайте дела, конец которого не в ваших руках.

Василий Ключевский

Не важно, кто начал, — важно, кто не закончил.

Войцех Бартошевский

Конец венчает дело, и нередко терновым венцом.

Лешек Кумор

Все, что начинается хорошо, кончается плохо. Все, что начинается плохо, кончается еще хуже.

«Закон Паддера»

Не все, что хорошо кончилось, следовало начинать.

Александр Фюрстенберг

Все нехорошо, что нехорошо кончается.

Дон-Аминадо

Лучше ужасный конец, чем ужас без конца.

Фердинанд фон Шилль

Где начало того конца, которым оканчивается начало?

Козьма Прутков

НАЧАЛЬСТВО И ПОДЧИНЕННЫЕ

См. также «Кадровая политика», «Ответственность», «Протекция. Покровительство», «Руководство и управление», «Секретарша», «Собственное мнение»

Человек, который знает «как», всегда найдет работу, а человек, который знает «почему», будет его начальником.

Дайана Рейвич

ПРАВИЛА ДИКСОНА:
1. Начальник всегда прав.
2. Если начальник не прав, смотри правило № 1.

Пол Диксон

Ты начальник — я дурак, я начальник — ты дурак.

Советская мудрость

Порядочный начальник поровну делит заслугу с тем, кто сделал всю работу.

NN

Подчиненный: человек, который должен говорить как можно короче.

Веслав Брудзиньский

Монолог — это беседа начальника с подчиненным.

NN

Начальники часто забывают, что их подчиненные тоже люди и тоже не хотят думать.

Л. Лисовский

Мне не нужны сотрудники, которые могут только поддакивать. Я хочу, чтобы каждый говорил мне правду в лицо, — даже если за это он будет уволен.

Сэмюэл Голдвин

О незаменимости человека судят по числу его заместителей.

Данил Рудый

У толкового начальника зам всегда умница.

Михаил Генин

Не вмешивайся в свои дела, если поручил их заместителю.

Виктор Коняхин

Семь раз отмерь, а отрезать дай заместителю.

Владимир Колечицкий

Человек, не ставший начальством к 46 годам, никогда уже ни на что не пригодится.

Сирил Норткот Паркинсон

Погоду делает тот, кто знает, откуда дует ветер.

Леонид Леонидов

Капитан знает все. Но крысы знают больше.

Александр Фюрстенберг

Я не знаю, как должно быть, но вы делаете неправильно!

Армейский фольклор

Воображение: свойство ума, заставляющее нас думать, что мы бы руководили гораздо лучше, чем наш начальник.

NN

Если ты умнее своего начальника, то можешь стать его референтом.

NN

Начальник в среднем вдвое тупее, чем кажется ему самому, и вдвое умнее, чем кажется его подчиненным.

«2-й закон Либермана»

Входя в кабинет начальника, старайся не задеть носом о порог.

Лешек Кумор

Всегда храни верность своему начальнику — следующий может быть еще хуже.

NN

Не говори, что на твоем начальнике поставили крест, пока сам не сходишь на кладбище.

Максим Звонарев

Из двух противоречащих друг другу указаний — выполни оба.

«Второй закон Бринтнелла»

Если вам не нравится ваш начальник, поставьте себя на его место.

Леонид Леонидов

Без головы может быть всадник, но не лошадь.

Данил Рудый

Когда всадник без головы, козлом отпущения служит лошадь.

Борис Крутиер

Буря в стакане воды? Все дело в том, на чьем столе стоит этот стакан.

Веслав Брудзиньский

Поначалу решили объявить благодарность, но потом ограничились выговором.

Ван. Жуков

Что лучше — снисходительность без послабления, или же строгость, сопряженная с невзиранием?

Михаил Салтыков-Щедрин

По моему разумению, если начальство не делает нам зла, то это уже немалое благо.

Пьер Бомарше

Если начальник споткнется, он налетает на подчиненных.

Роберт Карпач

Если гнев начальника вспыхнет на тебя, то не оставляй места твоего; потому что кротость покрывает и бо́льшие проступки.

Екклесиаст, 10, 4

Не к тому будь готов, чтобы исполнить то или другое, а к тому, чтобы претерпеть.

Михаил Салтыков-Щедрин

Пиши правильно, даже если диктуют ошибочно.

Юзеф Булатович

Чем шестерня меньше, тем больше ей приходится вертеться.

Александр Жуков

Когда я был стрелочником, я думал: какой дурак начальник станции. Потом стал начальником станции.

Аман Тулеев

НЕВЕЖЕСТВО

См. также «Знание»

Невежды всесторонни.

Феликс Райчак

Все мы невежды, но в разных специальностях.

Уилл Роджерс

Невежество делает людей смелыми, а размышление — нерешительными.

Фукидид

Невежество — знать не больше, чем знают другие.

Жан Ростан

Чем тупее угол зрения, тем шире кругозор.

Борис Замятин

Если вы совершенно невежественны, вы непременно подбросите несколько свежих мыслей.

Герберт Прокноу

Невежда непобедим в споре.

NN

Главная причина нынешней эпидемии неграмотности — то, что все умеют читать и писать.

Питер де Врайз

Неграмотные вынуждены диктовать.

Станислав Ежи Лец

Неграмотные проходят от А до Я быстрее, без алфавита.

Станислав Ежи Лец

Ученье — свет, неученых — тьма.

Эмиль Кроткий

Знания забудутся, пробелы в них — никогда.

Михаил Генин

Утраченного невежества не воротишь.

Лоренс Питер

НЕВИННОСТЬ И ЦЕЛОМУДРИЕ

Вы так невинны, что можете сказать совершенно страшные вещи.

Евгений Шварц

Наивность — родная сестра невинности и двоюродная — глупости.

Адриан Декурсель

Легко прощать врагов, когда не имеешь достаточно ума, чтобы вредить им, и легко быть целомудренному человеку с прыщеватым носом.

Генрих Гейне

Не слишком трудно быть ангелом, если ты — бесполое существо.

Лешек Кумор

Невинность — это пробуждающаяся чувственность, которая еще не понимает себя.

Кристиан Фридрих Геббель

Невинность — идеал тех, кто любит лишать невинности.

Карл Краус

Мужчина мечтает о девице, которая была бы курвой.

Эдуард Далберг

Не следует со свечой искать девицу.

Станислав Ежи Лец

Самая красивая девушка в мире не может дать больше того, что у нее есть.

Французская пословица

Самая красивая девушка в мире не может дать того, чего у нее больше нет.

Арман Сильвестр

Целомудрие: слово, которого следует избегать, поскольку оно наводит на самые непристойные мысли.

Издатель
одной американской газеты

Барышни уже не теряют невинность, а скорее избавляются от нее.

Мечислав Шарган

Дракон: легендарное чудовище, питающееся девицами. Последний дракон умер от голода.

Хенрик Ягодзиньский

Юнона, Венера, Фетида, Церера и иные богини, все до единой, презирали имя «девицы», кроме Афины, которая выскочила из головы Юпитера, доказывая тем самым, что девичество — всего лишь понятие, родившееся в голове.

Пьер Брантом

Культ девичества установили не женщины — потому что в этих делах они куда мудрее мужчин.

Лоренцо Валла

НЕДЕЛЯ И ВЫХОДНЫЕ

См. также «Отдых»

Неделя награждается воскресеньем.

Веслав Брудзиньский

Самое лучшее в воскресном дне — это вечер субботы.

Жильбер Сесброн

Выходные дни тоже засчитываются в срок жизни.

Эмиль Кроткий

Я работаю всю неделю, а в выходные тоже ничего не делаю.

Хенрик Ягодзиньский

Будни отличаются от выходных возможностью ни о чем не думать.

Геннадий Малкин

Кто вспомнит те времена, когда он действительно отдыхал по воскресеньям, а не по понедельникам?

Франк Хаббард

Мало того, что Бога нет, но попробуйте еще найти водопроводчика в нерабочую субботу!

Вуди Аллен

Последний день Помпеи считать нерабочим днем.

Юрий Базылев

Чтобы начать новую жизнь с понедельника, надо дожить до Воскресения.

Борис Крутиер

НЕКРОЛОГИ

В начале была передовица, в конце некролог.

Станислав Ежи Лец

Ничто так благотворно не влияет на вашу внешность, как фото в газете над вашим некрологом.

NN

Я никогда не хотел видеть чью бы то ни было смерть, но было несколько некрологов, которые я прочел с удовольствием.

Кларенс Дарроу

Каждое утро читаю раздел некрологов и радуюсь, не найдя там своего имени.

Нейл Саймон

Некролог — самая краткая и самая лестная служебная характеристика.

Андре Моруа

Некролог: образец автобиографии, прилагаемой к заявлению о принятии в рай.

Славомир Врублевский

Некролог был бы лучшей визитной карточкой.

Станислав Ежи Лец

Какой замечательный некролог! С таким бы жить и жить!

Михаил Генин

Если верить некрологам, заурядные и ни на что не пригодные граждане вовсе не умирают.

Лоренс Питер

Он был великим патриотом, гуманным человеком, истинным другом, — если, конечно, это правда, что он умер.

Вольтер

НЕНАВИСТЬ

См. также «Вражда. Враги»

Ненависть — чувство, естественно возникающее по отношению к тому, кто вас в чем-то превосходит.

Амброз Бирс

Ненависть — месть труса за испытанный страх.

Джордж Бернард Шоу

Ненависть — это гнев слабых.

Альфонс Доде

Ненависть слабых менее опасна, нежели их дружба.

Люк де Вовенарг

Самая сильная ненависть, как и самая свирепая собака, беззвучна.

Жан Поль

Победа порождает ненависть; побежденный живет в печали. В счастье живет спокойный, отказавшийся от победы и поражения.

Будда

Ненависть — столь длительное и неискоренимое чувство, что самый верный признак близкой смерти больного — это примирение его с недругом.

Жан Лабрюйер

Если он решил примириться с умирающим врагом, то лишь для того, чтобы подойти к его смертному ложу и насладиться его агонией.

Анри де Монтерлан

Ненависть, которую мы питаем к нашим врагам, вредит их счастью меньше, чем нашему собственному.

Жан Пти-Сенн

Ложные аргументы могут обосновывать настоящую ненависть.

Карл Краус

Сначала собака не любит кошку, а аргументы подыскивает потом.

Янина Ипохорская

Дискуссия с ненавистью разжигает ее огонь.

Стефан Гарчиньский

Убивали по приказу, а ненавидели, чтобы иметь чистую совесть.

Стефан Гарчиньский

Тот, кто огонь выжигает огнем, обычно остается на пепелище.

Эбигайл ван Берен

Чем несправедливее наша ненависть, тем она упорнее.

Сенека

Стоит нам почувствовать, что человеку не за что нас уважать, — и мы начинаем почти что ненавидеть его.

Люк де Вовенарг

Мы ненавидим тех, кого любим, потому что они способны причинить нам больше всего страданий.

Лин Старлинг

Раз мы ненавидим что-либо, значит, принимаем это близко к сердцу.

Мишель Монтень

Только нелюбимые ненавидят.

Чарлз Чаплин

Мужчины умеют ненавидеть; женщины — только испытывать отвращение. Последнее гораздо страшнее.

Анри Ренье

Ах, как мучительна ненависть без взаимности!

Лешек Кумор

Лекарство против ненависти — разлука.

«Пшекруй»

НЕОБХОДИМОЕ И ИЗЛИШНЕЕ

См. также «Желания», «Умеренность. Воздержание»

То, чего хочется, всегда кажется необходимым.

Мария Эбнер-Эшенбах

Многие считают необходимым только излишнее.

Шарль Монтескье

Излишек — вещь крайне необходимая.

Вольтер

Я могу прожить без необходимого, но без лишнего не могу.

Михаил Светлов

Нам нужно только то, что нам нужно.

Антон Чехов

Нельзя иметь все. Куда вы все это положите?

Стивен Райт

Пятое колесо в телеге — запасное.

Ян Чарный

Избыток не всегда ведет к добру. Если у вас только одни часы, вы точно знаете, который час; а если у вас двое часов, вы никогда не узнаете точного времени.

Ли Сигалл

Не будем чересчур привередливы. Лучше иметь старые подержанные бриллианты, чем не иметь никаких.

Марк Твен

Один лишний палец всю руку портит.

«Пшекруй»

Тому, кто покупает ненужное, скоро придется продавать необходимое.

Бенджамин Франклин

Избегай излишеств, сколько бы они тебе ни стоили.

Видоизмененный Арт Бухвальд

Ничто не обходится так дешево, как то, без чего можно обойтись.

Леонид Леонидов

С точки зрения скелета, человек — сплошные излишества.

Юрий Скрылев

Пусть будет немало, лишь бы хорошее.

Жанна Голоногова

Слишком много хорошего — это просто великолепно.

Уолтер Либерейс

Как много человеку надо, когда у него все есть!

Тамара Клейман

Пусть будет все! Но пусть чего-то не хватает!

Михаил Жванецкий

Все, в чем мы нуждаемся, или стоит дешево, или ничего не стоит.

Сенека

Необходимое не приедается.

Сенека

Никто ничем никогда не довольствуется.

Петроний

НЕПРИЯТНОСТИ. ОГОРЧЕНИЯ

См. также «Грусть. Печаль», «Жалобы»

Все неприятности случаются в неподходящее время.

«Третий закон подлости»

Золотник забот перевешивает тонну счастья.

Станислав Ежи Лец

Мелочи тревожат нас больше всего: легче увернуться от слона, чем от мухи.

Генри Шоу Уилер

90% наших забот касается того, что никогда не случится.

Маргарет Тэтчер

Все неприятности, которые случились с тобой, уже случились со всеми твоими знакомыми, и притом в худшей форме.

«Закон Мидера»

Неприятности делятся на крупные, то есть наши собственные, и мелкие, то есть чужие.

Юзеф Булатович

Неприятности не стоят в очереди — они входят все сразу.

Владислав Гжегорчик

Прежде чем рассказать другу о своих неприятностях, спроси себя: хотел бы ты услышать о его неприятностях?

NN

Послушай-ка, друг: чтобы тебя развлечь, я расскажу о последней своей неприятности.

Кароль Ижиковский

Лично я всегда делюсь своими огорчениями с врагами. Только они по-настоящему меня слушают.

Роберт Орбен

Он сносил огорчения как настоящий мужчина: отравлял ими жизнь жене.

Хелен Роуленд

Если вы можете вспомнить, что вас огорчало неделю назад, значит, у вас превосходная память.

NN

Посвяти своим огорчениям полчаса ежедневно, и используй эти полчаса, чтобы вздремнуть.

Янина Ипохорская

Не придавай важности сегодняшним огорчениям. Завтра у тебя будут новые.

Арнольд Шенберг

НЕРВЫ

См. также «Психиатрия. Психические расстройства», «Тишина и шум»

Нужно иметь стальные нервы или не иметь никаких.

М. Ст. Доманьский

Не тратьте нервы на то, на что вы можете потратить деньги.

Леонид Леонидов

Убежденность, что ваша работа необычайно важна, — верный симптом приближающегося нервного срыва.

Бертран Рассел

Нервный тот, кто кричит на своего начальника. Тот, кто кричит на своих подчиненных — хам.

Лазарь Лагин

План занятий на вечер: 1) успокоить нервы; 2) поговорить с женой; 3) успокоить нервы.

«Пшекруй»

Все болезни от нервов, один сифилис от удовольствия.

NN

Деньги — лучшее успокоительное средство.

Леонард Луис Левинсон

НИЩИЕ. МИЛОСТЫНЯ

См. также «Благотворительность»

Дающий нищему не обеднеет.

Царь Соломон — Притчи, 28, 27

Есть люди, которые никогда не простят нищему, что не дали ему ничего.

Карл Краус

Прежде чем дать нищему 35 пенсов на сандвич, не поленитесь на этот сандвич взглянуть.

Видоизмененный Джайлс Брандрет

Диоген просил подаяния у статуи; на вопрос, зачем он это делает, он сказал: «Чтобы приучить себя к отказам».

По рассказу Диогена Лаэртского

Блаженны нищие, ибо могут иметь бескорыстных друзей!

Марк Жильбер Соважон

Обед богача есть надругательство над голодом нищего.

Пьер Буаст

Профессиональное нищенство — занятие не менее доходное, чем профессиональная филантропия.

Хораций Сафрин

Если бы богатые могли нанимать нищих умирать за них, — нищие хорошо бы зарабатывали.

Шолом-Алейхем

НЛО И БРАТЬЯ ПО РАЗУМУ

См. также «Космос и космонавтика»

Значение нравственного закона до такой степени обширно, что он имеет силу не только для людей, но и для всех разумных существ вообще.

Иммануил Кант

Самое верное доказательство существования внеземного разума — что никто во всей Вселенной не пробует установить с нами контакт.

Билл Уоттерсон

Летающие тарелки нигде не задерживаются слишком долго. Должно быть, у них двухнедельный тур с облетом семи планет.

Роберт Орбен

«Вы уже видели летающие тарелки?» — «Это ваш способ предложить мне выпить?»

Американский диалог

Каждую весну сотни людей видят летающие тарелки. Но я предпочитаю пить в одиночку.

Роберт Орбен

Летающие тарелки — это белые мыши технологической цивилизации.

Вальдемар Островский

Я верю, что на Марсе обитают разумные существа. Будь они неразумны, они прилетели бы к нам.

Роберт Орбен

Если бы на Марсе была жизнь, они бы уже обратились к нам с просьбой о предоставлении займа.

Неизвестный американец

Как недавно установили ученые, разумная жизнь в принципе возможна на многих планетах, включая нашу.

NN

Жизнь на других планетах не существует потому, что их ученые опередили наших.

NN

Червяк: «Знать бы только, есть ли червяки на других планетах, — и ничего больше мне не надо».

Карел Чапек

Если есть другие обитаемые миры, интересно: почем там картошка? Н. утверждает, что это вопрос глупый. Пусть попробует задать на эту тему вопрос умный.

Давид Самойлов

НОБЕЛЕВСКАЯ ПРЕМИЯ

См. также «Слава. Известность»

Лучшее средство против депрессии — горячая ванна и Нобелевская премия.

Доди Смит

Нобелевская премия — это спасательный круг, который бросают пловцу, когда тот уже благополучно достиг берега.

Джордж Бернард Шоу

Он не выдумал пороха. Он выдумал динамит. Да, да, я говорю о Нобеле.

Януш Васильковский

Я готов простить Альфреду Нобелю изобретение динамита, но только дьявол в людском обличьи мог выдумать Нобелевскую премию.

Джордж Бернард Шоу

Нет такого идиотского предложения, под которым не удалось бы собрать дюжину подписей нобелевских лауреатов.

Дэниэл Гринберг

НОВОСТИ

См. также «Газеты», «Телевидение»

Если собака кусает человека, это не новость; новость — если человек кусает собаку.

Чарлз Андерсон Дейна, издатель газеты «Нью-Йорк сан»

Я могу раздобыть для вас любую новость — хоть большую, хоть маленькую, а если нет никаких новостей, я выйду на улицу и укушу собаку.

Из американского фильма «Туз в рукаве»

Газеты не просто сообщают новости, но еще все подают в виде новостей.

Гилберт Честертон

Заголовки удваивают размер событий.

Джон Голсуорси

Достаточно большой заголовок делает любую новость большой.

Из американского фильма «Гражданин Кейн»

Новости — это то, что кто-либо не хотел бы видеть опубликованным; все остальное — реклама.

Неизвестный американский журналист

Новости — это то, чем озабочен субъект, которого мало заботит что бы то ни было.

Ивлин Во

Новости — это то, что хороший редактор выбрал для публикации.

Артур Макьюэн

Новости: все то, что заставляет женщину воскликнуть «О господи!».

Эдгар Хау

Ничто нельзя назвать новостью, пока это не появится в «Таймс».

Ралф Дикин, издатель газеты «Таймс»

Новости стремятся заполнить все отведенное для них эфирное время и газетную площадь.

Уильям Сефайер

Все новости, за исключением цены на хлеб, бессмысленны и неуместны.

Чарлз Лэм

Новости — это давно известные вещи, только случающиеся каждый раз с новыми людьми.

NN

Будите меня только, если придут плохие новости; а если хорошие — ни в коем случае.

Наполеон I

Нет новостей — хорошая новость.

NN

Нет новостей — хорошая новость; нет журналистов — еще лучшая новость.

Николас Бентли

Настоящие новости — плохие новости.

Маршалл Маклюэн

Плохие новости вытесняют из обращения хорошие новости.

Ли Левингер

Сегодняшние новости, как правило, слишком правдивы, чтобы быть хорошими.

NN

Не называй себя оптимистом — люди могут подумать, что ты не умеешь читать.

NN

Читать нужно только старые газеты. Лет через десять все плохие новости кажутся просто смешными.

Жан Ануй

Самая надежная и проверенная диета: есть только тогда, когда в газете хорошие новости.

Видоизмененный Роберт Орбен

Газета не знает различий между велосипедной аварией и катастрофой цивилизации.

Джордж Бернард Шоу

За всю неделю ни одной мировой катастрофы! Для чего же я покупаю газеты?

Карел Чапек

Если вы смотрите телевизор, вы, должно быть, заметили, что хорошие парни побеждают плохих всегда, кроме девятичасовых новостей.

NN

Пора очистить телевидение от насилия, а для начала убрать вечерние новости.

NN

Лучше делать новости, чем рассказывать о них.

Уинстон Черчилль

НОВЫЙ ГОД И РОЖДЕСТВО

См. также «Календарь»

Пожелание «Счастливого Нового года!» чем дальше, тем больше означает триумф надежды над опытом.

Роберт Орбен

Мы уже не празднуем Новый год — мы празднуем, что выжили в старом.

NN

Каждый Новый год начинал новую жизнь, но хватало ее ненадолго, потому что жить-то надо!

Александр Кулич

Мы свято обещаем себе, что с Нового года перестанем делать все то, что доставляло нам наибольшее удовольствие в старом.

Неизвестный американец

Несколько десятков новых годов делают человека старым.

Эмиль Кроткий

Я снова на год моложе, чем буду в следующем январе!

Янина Ипохорская

Рождество: сезон обмена вещей, которые тебе не по карману, на вещи, которые тебе не нужны.

NN

Рождество — это когда отец пробует убедить своих детей в том, что он Санта-Клаус, а свою жену — что он не Санта-Клаус.

Американская мудрость

Счастливого Рождества всем моим друзьям, кроме двоих!

Уильям Клод Филдс

НОСТАЛЬГИЯ

См. также «Прошлое»

Ностальгия — это желание вернуть то, чего мы никогда не имели.

NN

Ностальгия — это когда вспоминаешь, как хорошо было сидеть перед уютным камином, но уже не помнишь, как пилил дрова для него.

NN

И ностальгия уже не та, что была раньше.

Симона Синьоре

— Какая прекрасная сегодня луна! — Да, но если бы вы видели ее до войны...

Оскар Уайльд

Не говори: «отчего это прежние дни были лучше нынешних?», потому что не от мудрости ты спрашиваешь об этом.

Екклесиаст, 7, 10

Мы живем в то доброе старое время, о котором так часто будет слышать следующее поколение.

Лоренс Питер

Жертва часто возвращается на место преступления, чтобы повздыхать о старом добром времени.

Веслав Брудзиньский

Счастье не действительность, а только воспоминание: счастливыми кажутся нам наши минувшие годы, когда мы могли жить лучше, чем жилось, и жилось лучше, чем живется в минуту воспоминаний.

Василий Ключевский

Я становлюсь забывчив. Жалуясь, что все уже нынче не то, что раньше, я каждый раз забываю включить в этот перечень себя.

Джордж Барнс

Мы хорошо помним прежние золотые деньки — потому что их было так мало.

NN

Чем хуже память, тем лучше помнишь старое доброе время.

NN

Память — единственный рай, из которого нас не могут изгнать.

Жан Поль

Настоящий рай — потерянный рай.

Марсель Пруст

НРАВСТВЕННОСТЬ. ЭТИКА. МОРАЛЬ

См. также «Десять заповедей», «Добро и зло», «Цель и средства», «Человек человеку»

Две вещи наполняют душу всегда новым и все более сильным удивлением и благоговением, чем чаще и продолжительнее мы размышляем о них, — это звездное небо надо мной и моральный закон во мне.

Иммануил Кант

Нравственность — это разум сердца.

Генрих Гейне

Этика есть эстетика души.

Пьер Реверди

Этика — это попытка придать всеобщую значимость некоторым нашим желаниям.

Бертран Рассел

Нравственность учит не тому, как стать счастливым, а тому, как стать достойным счастья.

Иммануил Кант

Этика есть философия доброй воли, а не только доброго действия.

Иммануил Кант

Этика бывает либо активная, творческая — либо пассивная, покаянная, этика нетерпимости к себе и к другим, которая только и может, что копаться в так называемых грехах; и временами позорно быть правым.

Кароль Ижиковский

Человек должен быть нравственным свободно, а это значит, что ему должна быть предоставлена и некоторая свобода быть безнравственным.

Владимир Соловьев

Никто не может быть совершенно свободным, пока не все свободны. Никто не может быть вполне нравственным, пока не все еще нравственны. Никто не может быть вполне счастливым, пока не все еще счастливы.

Герберт Спенсер

Поступай согласно такой максиме, которая в то же время сама может стать всеобщим законом.

Иммануил Кант

Проповедовать мораль легко, обосновать ее трудно.

Артур Шопенгауэр

Мораль — не перечень поступков и не сборник правил, которыми можно пользоваться, как аптекарскими или кулинарными рецептами.

Джон Дьюи

Истинная этика начинается там, где перестают пользоваться словами.

Альберт Швейцер

Даже смерть может быть согласием и потому нравственным поступком. Животное издыхает, человек должен вручить свою душу ее Создателю.

Анри Амьель

Христианская нравственность скроена на вырост. К сожалению, люди перестали расти.

Феликс Хвалибуг

Не забывайте, что «Отче наш» начинается с просьбы о хлебе насущном. Трудно хвалить Господа и любить ближнего на пустой желудок.

Вудро Вильсон

Нравственность народов зависит от уважения к женщине.

Вильгельм Гумбольдт

Должно быть, нравственность — горький плод, если мы отдаем его женам и сестрам.

Александр Свентоховский

Добродетель сама себе награда.

Овидий

Лучшее наказание за добродетель — сама добродетель.

Анайрин Беван

Аскет из добродетели делает нужду.

Фридрих Ницше

Чтобы быть патриотом, нужно ненавидеть все народы, кроме своего собственного; чтобы быть человеком религиозным — все секты, кроме своей собственной; чтобы быть человеком нравственным — всю фальшь, кроме своей собственной.

Лайонел Стрейчи

Нравственность всегда была последним прибежищем людей, равнодушных к искусству.

Оскар Уайльд

Безнравственность — это нравственность тех, кто проводит время лучше, чем мы.

Генри Луис Менкен

Нравственную позицию мы всегда представляем себе вертикальной, безнравственную — горизонтальной. «Weshalb?»[1] — спрошу я на языке Фрейда.

Станислав Ежи Лец

---

[1] Почему? *(нем.)*.

О

ОБЕЩАНИЯ

Я всегда держу слово, если имею дело с людьми, и не всегда — если имею дело с Богом. Бог способен прощать.

Видоизмененный Пол ван Дорен

Обещай только невозможное, и тебе не в чем будет себя упрекнуть.

Жак Деваль

Половина обещаний, на неисполнение которых мы жалуемся, нам никем никогда не давалась.

Эдгар Хау

Самый верный признак неисполнения обещания — это та легкость, с которой его дают.

Аксель Оксеншерна

Обещал, но выполнил.

Э. Елигулашвили

Не сдержал мысль — сдержи слово.

Славомир Троцкий

Если сказал А, не будь Б.

О. Донской

Сделай — если не можешь пообещать.

Михаил Генин

ОБИДА. ОСКОРБЛЕНИЕ

См. также «Месть»

Берегись человека, не ответившего на твой удар: он никогда не простит тебе и не позволит простить себя.

Джордж Бернард Шоу

Люди редко примиряются с постигшим их унижением: они попросту забывают о нем.

Люк де Вовенарг

Время потому исцеляет скорби и обиды, что человек меняется: он уже не тот, кем был. И обидчик и обиженный стали другими людьми.

Блез Паскаль

Не вдавайтесь в извинениях в такие же крайности, как в оскорблениях.

Уильям Шекспир

Память об обидах долговечнее, нежели память о благодеяниях.

Пьер Буаст

Женщины и слоны никогда не забывают обиду.

Гектор Хью Манро

Оскорбивший никогда не простит. Простить может лишь оскорбленный.

Генрих Гейне

«Вы уже дрались на дуэли?» — «Нет, но я уже получил пощечину».

Жюль Ренар

Если тебя ударили по лицу, подставь другое!

Геннадий Малкин

Незаслуженно обидели — заслужи!

Владимир Дубинский

Оскорбление легче проглотить, чем переварить.

Веслав Тшаскальский

Одни проглатывают обиду, другие — обидчика.

С. Крытый

Мы, кого обидели, зла не помним.

В. Даль.
«Пословицы русского народа»

ОБМАН

См. также «Хитрость»

Мир желает быть обманутым, пусть же его обманывают.

Карло Караффа

Можно все время дурачить некоторых, можно некоторое время дурачить всех, но нельзя все время дурачить всех.

Авраам Линкольн

Можно дурачить слишком многих слишком долгое время.

Джеймс Тербер

Нам приходится вас обманывать, чтобы сохранить ваше доверие.

Мечислав Шарган

У легковерного много общего с легкоперевариваемым.

Доминик Опольский

Когда нам удается надуть других, они редко кажутся нам такими дураками, какими кажемся мы самим себе, когда другим удается надуть нас.

Франсуа Ларошфуко

Гораздо легче обманывать других, чем не обманывать себя самого.

Марсель Жуандо

То, что нас можно обманывать снова и снова, внушает мне оптимизм.

Станислав Ежи Лец

ОБРАЗОВАНИЕ

См. также «Высшая школа», «Интеллигенты», «Школа»

Образование — это то, что остается, когда мы уже забыли все, чему нас учили.

Джордж Галифакс (XVIII в.)

Образование — это то, что остается, когда все выученное забыто.

Б. Ф. Скиннер (XX в.)

Образование — это знания, которые мы получаем из книг и о которых уже никто не узнает, кроме нашего учителя.

Вирджиния Хадсон

Образование — это то, что большинство получает, многие передают и лишь немногие имеют.

Карл Краус

Образование позволяет нам жить, не особенно напрягая ум.

Алберт Эдуард Уиггам

Образование — это процесс метания фальшивого бисера перед натуральными свиньями.

Приписывается Ирвину Эдману

Образование гибельно для всякого, кто имеет задатки художника. Образование следует оставить чиновникам, и даже их оно склоняет к пьянству.

Джордж Мур

Образование — это способ приобретения предубеждений более высокого порядка.

Лоренс Питер

Образование стоит денег. Невежество — тоже.

Клаус Мозер

Только образованный хочет учиться; невежда предпочитает учить.

Эдуар Ле Беркье

Образование может превратить дурака в ученого, но оно никогда не изгладит первоначального отпечатка.

Эдм-Пьер Бошен

Образование как деньги, его нужно иметь много, иначе все равно будешь выглядеть бедно.

Лина Марса

Лучшее в мире образование — полученное в борьбе за кусок хлеба.

Уэнделл Филлипс

Если высыпать содержимое кошелька себе в голову, его уже никто у вас не отнимет.

Бенджамин Франклин

Образование позволяет нам зарабатывать больше, чем деятели образования.

Американское изречение

То, чему мы учились в школах и университетах, — не образование, а только способ получить образование.

Ралф Эмерсон

Можно привести лошадь к водопою, но нельзя заставить ее пить.

Английская пословица

Человек, который слишком стар, чтобы учиться, по всей вероятности, всегда был слишком стар, чтобы учиться.

Генри Хаскинс

Ничего нельзя узнать, ничему нельзя научиться, ни в чем нельзя удостовериться: чувства ограниченны, разум слаб, жизнь коротка.

Анаксагор

Нужно много учиться, чтобы немногое знать.

Шарль Монтескье

Нечитающие не имеют преимуществ над не умеющими читать.

NN

В чтении, как и во всем, мы страдаем неумеренностью; и учимся для школы, а не для жизни.

Сенека

Человек образованный — тот, кто знает, где найти то, чего он не знает.

Георг Зиммель

Женщина должна быть образованной, но не должна быть ученой.

Жюли де Леспинасс

Хорошее образование должно оставлять желать лучшего.

Алан Грегг

Кто достиг высот образования, должен заранее предположить, что большинство будет против него.

Иоганн Вольфганг Гёте

Не показывай свою образованность, не для того тебя учили.

Григорий Яблонский

Образованный человек может всю ночь переживать из-за того, что дураку и не снилось.

NN

Ценность образования ярче всего проявляется тогда, когда образованные высказываются о вещах, которые лежат вне области их образования.

Карл Краус

Есть люди настолько хорошо образованные, что могут заставить вас скучать на любую тему.

NN

Век живи — век учись! и ты наконец достигнешь того, что, подобно мудрецу, будешь иметь право сказать, что ничего не знаешь.

Козьма Прутков

ОБЩЕНИЕ

См. также «Мы и другие», «Одиночество», «Скука»

Без многого может обходиться человек, но только не без человека.

Людвиг Берне

Единственная известная мне роскошь — это роскошь человеческого общения.

Антуан де Сент-Экзюпери

Достаточно оказаться с кем-нибудь в лифте, чтобы убедиться, как мало люди могут сказать друг другу.

Славомир Врублевский

Говорить можно с каждым, а поговорить, почитай, и не с кем.

Феликс Хвалибуг

Сегодня стоит подойти к двери, как она автоматически открывается; стоит подойти к человеку, как он автоматически закрывается.

Пер Хальворсен

Можно загипнотизировать человека, постоянно поворачиваясь к нему задом.

Станислав Ежи Лец

Чем лучше средства сообщения, тем дальше человек от человека.

Ялю Курек

Люди одиноки, потому что вместо мостов они строят стены.

NN

Стройте мосты от человека к человеку, разумеется, разводные.

Станислав Ежи Лец

Право на фразу (очень старую) о непреодолимых барьерах между людьми имеет лишь тот, кто пытается эти барьеры преодолеть.

Кароль Ижиковский

ОБЩЕСТВЕННОЕ МНЕНИЕ

См. также «Журналистика»

Общественное мнение: то, что люди думают о том, что думают люди.

NN

Общественное мнение похоже на привидение в старинном замке: никто его не видел, но всех им пугают.

Зигмунд Графф

Общественное мнение — это мнение тех, чьего мнения обычно не спрашивают.

Кшиштоф Теодор Теплиц

То, что называют общественным мнением, скорее заслуживает имя общественных чувств.

Бенджамин Дизраэли

Общественное мнение — последнее убежище политиков, которые не имеют собственного.

Морис Картер

Каждый рассуждает об общественном мнении и действует от имени общественного мнения, то есть от имени мнения всех минус его собственное.

Гилберт Честертон

Не стоит ориентироваться на общественное мнение. Это не маяк, а блуждающие огни.

Андре Моруа

Общественность покупает свои мнения так же, как покупают мясо и молоко, потому что это дешевле, чем держать собственную корову. Только тут молоко состоит в основном из воды.

Сэмюэл Батлер

Журналисты извещают общественность об общественном мнении.

Видоизмененный Лешек Кумор

Интересно, какое влияние оказывает общественное мнение на формирование общественного мнения?

Веслав Брудзиньский

Общественное мнение формируют не самые мудрые, а самые болтливые.

Владислав Беганьский

Исследования общественного мнения базируются на ложной предпосылке, что общественность имеет мнение.

Тото

Глас народа — глас Божий.

Алкуин

Если тысяча людей говорят одно и то же, то это либо глас Божий, либо грандиозная глупость.

Кароль Ижиковский

ОДЕЖДА

См. также «Мода»

Человека красит одежда. Голые люди имеют крайне малое влияние в обществе, а то и совсем никакого.

Марк Твен

Если бы Господу было угодно, чтобы мы были нудистами, мы бы являлись на свет совершенно без всякой одежды.

Леонард Лайонз

Мы едим для собственного удовольствия, одеваемся — для удовольствия других.

Бенджамин Франклин

Чем хуже у тебя идут дела, тем лучше ты должен одеваться.

Английское изречение

Скромность умерла, когда родилась одежда.

Марк Твен

Женская одежда — живопись, мужская одежда — скульптура.

Барнетт Ньюмен

Если мужчины в наше время серьезнее женщин, то лишь потому, что их одежда темнее.

Андре Жид

Самое лучшее в мужской одежде — это женщины.

NN

Мужчина, которому предстоит сделать какой-либо решительный шаг, думает: «Что я скажу?», а женщина: «Как я оденусь?»

Мадлен де Пюизье

Иные носят шляпу лишь для того, чтобы было чем кланяться. Непонятно, однако, для чего они носят брюки.

Янина Ипохорская

Брюки важнее жены, потому что существует немало мест, куда можно пойти без жены.

NN

Неважно, какого размера джинсы ты купишь, — все они тесны одинаково.

Людвик Ежи Керн

Если женщина хорошо выглядит в слаксах, она будет выглядеть хорошо в чем угодно.

NN

Суди о человеке не по его одежде, а по одежде его жены.

Томас Дьюар

Если бы женщины одевались только для одного мужчины, это не продолжалось бы так долго.

Марсель Ашар

Если женщины так тщательно наряжаются, то лишь потому, что глаз мужчины развит лучше, чем его ум.

Дорис Дей

Женщины верят, что они наряжаются ради мужчин или для собственного удовольствия; а по правде, они наряжаются друг для друга.

Франсис де Миомандр

Женщина готова наряжаться из одной лишь любви к своей злейшей подруге.

Моисей Сафир

Я одеваюсь для женщин, а раздеваюсь для мужчин.

Анджи Дикинсон

Женщины лучше всего одеваются в тех краях, где они часто раздеваются.

Фортунат Стровский

Женщины раздевают того, кто любит их одевать.

А. Жулковский

Краткость — душа дамского белья.

Дороти Паркер

Мужчина не любит женщин в дешевой одежде, если не считать его собственной жены.

NN

Первый долг женщины — это долг у ее портного; в чем состоит ее второй долг, еще не открыто.

Оскар Уайльд

Моль обожает менять гардероб.

Антоний Регульский

В юбке нет ничего особенного, когда она колышется на бельевой веревке.

Лоренс Дау

Что мужчинам нравится в женском платье больше всего? Их представления о том, как выглядела бы женщина без всякого платья.

Брендан Франсис

Современные платья как колючая проволока: защищают территорию, но позволяют ее осмотреть.

Денни Кей

Декольте — это еще одна форма сохранения материи.

Тамара Клейман

Думайте что хотите, но длинное платье прикрывает множество грехов голени.

Мэй Уэст

Слишком долго носить одно платье вредно для организма.

Янина Ипохорская

Если женщина, одеваясь, хочет понравиться собственному мужу, она выбирает прошлогоднее платье.

Марлен Дитрих

Платье должно быть достаточно облегающим, чтобы показать, что вы женщина, и достаточно свободным, чтобы показать, что вы леди.

Эдит Хед

Женское платье не должно быть облегающим, но если женщина одета, я хочу видеть, где именно в этом платье она находится.

Боб Хоуп

Женский свитер должен так плотно обтягивать грудь, чтобы у мужчины перехватило дыхание.

NN

Самое важное в женской одежде — женщина, которая ее носит.

Ив Сен-Лоран

ОДИНОЧЕСТВО

См. также «Общение»

Никто не хочет быть одиноким даже в раю.

Итальянское изречение

Быть взрослым — значит быть одиноким.

Жан Ростан

Человек не может жить один, и точно так же не может жить в обществе.

Жорж Дюамель

Когда доходит до самого важного, человек всегда одинок.

Мэй Сартон

Одиночество — великая вещь, но не тогда, когда ты один.

Джордж Бернард Шоу

Люблю одиночество, даже когда я один.

Жюль Ренар

Я никогда не бываю менее одиноким, чем тогда, когда я один.

Катон Старший

Лучше быть одному, чем в дурном обществе.

Джон Рей

Одинокий человек всегда находится в дурном обществе.

Поль Валери

Как все умерщвляющие яды, и одиночество — сильнейшее лекарство.

Григорий Ландау

Одинокое сердце скорей остывает.

«Пшекруй»

Истинное одиночество — это присутствие человека, который тебя не понимает.

Элберт Хаббард

Женщины никогда не ужинают одни. Если они ужинают одни, это не ужин.

Генри Джеймс

Можно жить и в одиночестве, если кого-то ждешь.

Ванда Блоньская

Мечтатели одиноки.

Эрма Бомбек

Одиночество — это не по-американски.

Эрика Джонг

Одиночество — самый верный признак старости.

Амос Бронсон Олкотт

Одиночество нельзя заполнить воспоминаниями, они только усугубляют его.

Гюстав Флобер

В уединении можно приобрести все, что угодно, кроме характера.

Стендаль

Самый сильный человек — самый одинокий.

Элеонора Дузе

Полная свобода возможна только как полное одиночество.

Тадеуш Котарбиньский

Кто не любит одиночества — тот не любит свободы.

Артур Шопенгауэр

Тот, кто любит одиночество, либо дикий зверь, либо Господь Бог.

Фрэнсис Бэкон

Люди, не выносящие одиночества, обычно совершенно невыносимы в компании.

Альбер Гинон

Ненавижу одиночество — оно заставляет меня тосковать о толпе.

Станислав Ежи Лец

Любовь — главный способ бегства от одиночества, которое мучит большинство мужчин и женщин в течение почти всей их жизни.

Бертран Рассел

Нелюбимый всегда одинок в толпе.

Жорж Санд

Влюбленные плохо выносят одиночество. Нелюбимые — еще хуже.

Лех Конопиньский

Много ли проку от победы, если нет никого, к чьим ногам можно сложить трофеи?

Эвгениуш Коркош

Красивые женщины редко бывают одни, но часто бывают одиноки.

Хенрик Ягодзиньский

И сказал Господь Бог: нехорошо человеку быть одному; сотворим ему помощника, соответственного ему.

Бытие, 2, 18

Нехорошо человеку быть одному. Но, господи, какое же это облегчение!

Джон Барримор

Если боитесь одиночества, то не женитесь.

Антон Чехов

Поженились одинокая с одиноким, будут плодить одиноких.

Станислав Ежи Лец

Один холостяк во Флориде послал свое фото в женский «Клуб одиноких сердец». Ему ответили: «Ну, не настолько уж мы одиноки».

NN

ОПЕРА

См. также «Мюзикл. Оперетта», «Певцы»

Опера — все равно что супруг с иноземным титулом: содержать его дорого, понять трудно, поэтому лезешь из кожи, чтобы не ударить лицом в грязь.

Кливленд Амори

Главная цель постановщика оперы — устроить так, чтобы музыка никому не мешала.

Видоизмененный Генрих Гейне

«Парсифаль» относится к разряду тех опер, которые начинаются в шесть вечера; через три часа после начала вы смотрите на часы, и они показывают 6.20.

Дэвид Рандолф

Это как немецкая опера — слишком долго и слишком громко.

Ивлин Во
о битве за Крит в 1941 г.

Пуччини писал чудесные оперы, но ужасную музыку.

Дмитрий Шостакович

В наше время чего не стоит говорить, то поется.

Пьер Бомарше

Поэзия опер обыкновенно настолько же плоха, насколько хороша их музыка.

Джозеф Аддисон

Возможности оперы еще не исчерпаны: нет такой глупости, которую нельзя было бы спеть.

Станислав Ежи Лец

Если это не чепуха, этого нельзя положить на музыку.

Джозеф Аддисон

Мне все равно, на каком языке исполняется опера, — при условии, что я не понимаю этого языка.

Эдуард Эпплтон

Безусловные и неоспоримые законы музыкального мира требуют, чтобы немецкий текст французской оперы в исполнении шведских певцов переводился на итальянский язык для удобства англоязычной аудитории.

Эдит Уортон

Мнение, будто опера нынче не та, — ошибочно. Она как раз та, что раньше, вот что плохо.

Ноуэл Ковард

Лучше уж петь в опере, чем ее слушать.

Дон Херолд

ОПЕЧАТКИ

См. также «Книга»

Ошибка становится опечаткой, когда ее замечают.

Данил Рудый

Заметка с сообщением об ошибках обязательно содержит ошибки.

Билл Голд

Первая же страница, на которой автор откроет свою новую книгу, всегда содержит ошибку.

Артур Блох

Список замеченных очепяток.

Илья Ильф

Решено было не допустить ни одной ошибки. Держали двадцать корректур, и все равно на титульном листе было напечатано: Британская энциклопудия.

Илья Ильф

Поэт может вынести все, кроме опечатки.

Оскар Уайльд

ОППОЗИЦИЯ

См. также «Большинство — меньшинство», «За и против», «Парламент»

Опираться можно только на то, что оказывает сопротивление.

Стендаль

Безопаснее всего опираться на оппозицию.

Феликс Райчак

Я уважаю лишь тех, кто мне оппонирует, но я не намерен терпеть их.

Шарль де Голль

Оппозиция — это искусство обещать то, чего правительство не может исполнить.

Гарольд Николсон

Оппозиция: в политике — партия, которая удерживает правительство от буйного помешательства, подрезая ему поджилки.

Амброз Бирс

Лучшее место для критики правительства — правительственная печать; лучшее место для критики оппозиции — оппозиционная печать.

Стефан Гарчиньский

Оппозиционер. Поднимал тосты, держа кубок в стиснутом кулаке.

Станислав Ежи Лец

Мы должны любить родину и постоянно играть на том плохом, что есть в народе. Такова участь оппозиции.

Владимир Жириновский

ОПТИМИЗМ – ПЕССИМИЗМ

См. также «Будущее», «Надежда и разочарование», «Утопия», «Энтузиазм»

Шестьдесят лет тому назад «оптимист» и «дурак» не были синонимами.

Марк Твен в 1905 г.

Что такое пессимизм? Результат столкновения двух разных оптимизмов.

Станислав Ежи Лец

Пессимизм — это настроение, оптимизм — воля.

Ален

Оптимизм — карикатура на надежду.

Жильбер Сесброн

X — вечный оптимист. Этим он радует все режимы.

Станислав Ежи Лец

Мир принадлежит оптимистам, пессимисты — всего лишь зрители.

Франсуа Гизо

Расходовать оптимизм нужно умеренно, чтобы хватило до конца года.

Станислав Ежи Лец

Пессимист считает, что хуже быть не может; оптимист — что может быть еще хуже.

NN

Пессимист утверждает, что все женщины шлюхи, а оптимист на это надеется.

NN

Оптимист — это человек, который точно знает, до чего плох может быть мир; а пессимист открывает это заново каждое утро.

Питер Устинов

Оптимист заявляет, что мы живем в лучшем из миров, а пессимист опасается, что это чистая правда.

Джеймс Кабелл

Оптимист всегда способен увидеть хорошую сторону в несчастьях ближнего.

NN

Оптимист — это тот, кто считает, что будущее неопределенно.

NN

В наши дни, чтобы быть оптимистом, нужно быть страшным циником.

Милан Кундера

Подлинный оптимизм покоится не на убеждении, что все будет хорошо, а на убеждении, что не все будет плохо.

Жан Дютур

Оптимизм и пессимизм расходятся только в дате конца света.

Станислав Ежи Лец

Пессимист — это хорошо информированный оптимист.

NN

Пессимист — тот, кто финансирует оптимиста.

NN

Пессимист: человек, который сжигает мосты перед собой.

NN

На серебряном подносе пессимист не ожидает найти ничего, кроме счета.

NN

Пессимист думает, что весь мир против него, — и его ожидания сбываются.

NN

Все играет на руку пессимисту, тем не менее пессимист всегда проигрывает.

Жак Шардон

Прибереги пессимизм на черный день!

Веслав Брудзиньский

Мы еще встанем на ноги! В крайнем случае — на четыре ноги.

Хенрик Ягодзиньский

Видеть ясно — чаще всего значит видеть в черном цвете.

«Пшекруй»

Не бывает мрачных времен, бывают только мрачные люди.

Ромен Роллан

У нас все лучшие виды на все худшие перспективы.

Януш Васильковский

Если все так хорошо, то почему все так плохо?

Вацлав Вислицкий

Все не так плохо, как кажется. Все гораздо хуже.

Билл Пресс

Хуже всего то, что мы готовы к самому худшему.

Януш Васильковский

Дважды два уже четыре, а будет еще лучше.

Хенрик Ягодзиньский

Лучше уже было.

NN

Если вы видите свет в конце туннеля, значит, вы смотрите не в ту сторону.

Барри Коммонер

Чтобы увидеть свет в конце тоннеля, надо все время копать.

Борис Крутиер

Первыми видят сдвиги психиатры.

С. Крытый

Не то чтобы мир стал гораздо хуже, но освещение событий стало гораздо лучше.

Гилберт Честертон

Белорусский народ будет жить плохо, но недолго.

Приписывается Александру Лукашенко

Положение хорошее, но не безнадежное.

NN

Уж если пессимисты и сейчас недовольны, то я не знаю, чего им еще нужно!

Максим Звонарев

ОПЫТ

См. также «Компетентность»

Источник нашей мудрости — наш опыт. Источник нашего опыта — наша глупость.

Саша́ Гитри

Опыт есть совокупность наших разочарований.

Поль Оже

Опыт — это утраченные иллюзии, а не обретенная мудрость.

Жозеф Ру

Учение — это изучение правил; опыт — изучение исключений.

NN

Опыт отнюдь не мешает нам повторить прежнюю глупость, но мешает получить от нее прежнее удовольствие.

Тристан Бернар

Опыт научил меня не доверять даже опыту.

«Пшекруй»

Опыт: лотерейный билет, купленный после розыгрыша.

Мариз Керлен

Опыт — это школа, в которой человек узнает, каким дураком он был раньше.

Генри Уилер Шоу

Опыт — хороший учитель, но он предъявляет к оплате слишком большие счета.

Минна Антрим

Опыт — самый плохой учитель; он предлагает контрольную прежде урока.

Вернон Лоу

Опыт учит нас, что умирают всегда другие.

Станислав Слонимский

Отсутствие опыта позволяет молодости совершать то, что старость считает невозможным.

Жан Дюш

Ошибки молодых — неиссякаемый источник опыта для тех, кто постарше.

Веслав Брудзиньский

Если бы опыт можно было продать по себестоимости, мы бы стали миллионерами.

Эбигайл ван Берен

Опыт позволяет нам ошибаться гораздо увереннее.

Дервуд Финчер

Кошка, однажды присевшая на горячую печку, уже никогда не сядет на горячую печку — и хорошо сделает, но уже никогда не сядет и на холодную.

Марк Твен

Что может быть мучительнее, чем учиться на собственном опыте? Только одно: не учиться на собственном опыте.

Лоренс Питер

Если не считать опыта по обмену опытом, то другого опыта у него не было.

Цаль Меламед

Фраза: «У меня 25-летний опыт» — означает: «У меня годовой опыт, которому теперь уже 24 года».

Клаус Моллер

Старые дураки — самые большие дураки. У них больше опыта.

NN

ОРАТОРЫ И РЕЧИ

См. также «Красноречие»

Поэтами рождаются, ораторами становятся.

Видоизмененный Цицерон

Все хорошие ораторы начинали как плохие ораторы.

Ралф Эмерсон

Указую господам сенаторам, чтобы речь держать не по писаному, а своими словами, чтобы дурь была видна каждого.

Петр I

Откуда я знаю, что я думаю, пока я не услышу, что говорю?

Грэм Уоллес

Страсти — вот ораторы многолюдных собраний.

Антуан де Ривароль

Митинг — это когда собирается много народу и одни говорят то, что не думают, а другие думают то, что не говорят.

Владимир Войнович

Политическому оратору нужны могучие легкие и слабая голова.

Леонард Луис Левинсон

Если слушатели смотрят на часы, это еще ничего. Хуже, когда они начинают трясти часы, чтобы проверить, не остановились ли они.

Уильям Норман Беркетт

Никто не слушает выступающего, пока он не ошибется.

«Закон Вайла»

Нужно говорить громко, чтобы тебя услышали. Нужно говорить тихо, чтобы тебя послушали.

Поль Клодель

Можно говорить глупости, но не торжественным тоном.

Юлиан Тувим

Чем больше вы скажете, тем меньше люди запомнят.

Франсуа Фенелон

Если оратор не может уложиться в двадцать минут, ему лучше сойти с трибуны и садиться писать книгу.

Лорд Брабазон

Лучший оратор тот, кто способен сказать как можно меньше при помощи наибольшего количества слов.

Сэмюэл Батлер

Оратор — это болтун, который разговаривает сам с собой.

Адриан Декурсель

То, что оратор проигрывает в глубине, он наверстывает в длине.

NN

Говори умно, враг подслушивает.

Станислав Ежи Лец

Великие учителя! Произнося речи, не затыкайте ушей.

Бертольт Брехт

ОРИГИНАЛЬНОСТЬ. НОВИЗНА

См. также «Искусство и художник», «Цитаты»

Оригинальность — это искусство утаивать свои источники.

Франклин П. Джонс

В вашем труде много хорошего и оригинального, но то, что в нем хорошо, не оригинально, а то, что оригинально, нехорошо.

Сэмюэл Джонсон

Повторяться каждый раз по-другому — не это ли есть искусство?

Станислав Ежи Лец

Наибольший успех имеют банальности, изложенные чуть-чуть по-другому.

Ян Чарный

Нам необходимы новые штампы!

Сэмюэл Голдвин

Нет предшественника, где много предтеч.

Григорий Ландау

Чтобы быть оригинальным, вполне достаточно подражать писателям, вышедшим из моды.

Жюль Ренар

В искусстве: скажешь один раз — не заметят; скажешь несколько раз — закричат: «Шарманка!»

Веслав Брудзиньский

Мой стакан невелик, но я пью из своего стакана.

Альфред де Мюссе

Его стакан невелик, но пьет он из чужого стакана.

Жюль Ренар

Чем больше читаешь, тем меньше подражаешь.

Жюль Ренар

Через своих подражателей многие доказали, что они не оригинальны.

Карл Краус

Заветная мечта попугая: повторять самого себя.

Станислав Ежи Лец

Повторять следует только неповторимое!

Лех Конопиньский

Когда вагоновожатый ищет новых путей, вагон сходит с рельсов.

Эмиль Кроткий

Все оригинальные мысли и оригинальные грехи случились до вашего рождения с людьми, которых вы не имели возможности знать.

Фран Лебовиц

Оригинальная мысль? Нет ничего легче. Библиотеки просто набиты ими.

Стивен Фрай

ОРУЖИЕ

См. также «Преступление. Преступность»

Бог создал людей, а Кольт сделал их равными.

Американское присловье

Кольт: реквизит скотской эпохи.

Веслав Малицкий

Согласно закону Запада, кольт 45-го калибра бьет четырех тузов.

Билл Джонс

Добрым словом и револьвером можно добиться большего, чем одним только добрым словом.

Джонни Карсон
(фраза приписывается гангстеру Ал Капоне)

В нашей школе при входе проверяют, нет ли у тебя револьвера или ножа, и если у тебя ничего нет, тебе всегда что-нибудь дадут.

Эмо Филипс

Добро должно быть с кулаками — если у него нет более современного оружия.

Валерий Серегин

ОСТОРОЖНОСТЬ И РИСК

См. также «Страх»

Осторожность — хорошая вещь, но даже черепаха не сделает ни одного шага, если не высунет голову из панциря.

NN

В минуту нерешительности действуй быстро и старайся сделать первый шаг, хотя бы и лишний.

Лев Толстой

Кто наблюдает ветер, тому не сеять, и кто смотрит на облака, тому не жать.

Екклесиаст, 11, 4

Часто представляется чрезвычайно отважным такой поступок, который в конечном счете является единственным путем к спасению и, следовательно, поступком наиболее осмотрительным.

Карл Клаузевиц

Нужно пожертвовать многим, чтобы спасти все.

Тадеуш Костюшко в 1794 г.

Когда терять нечего, можно рискнуть всем.

Жан-Луи Лэ

Кто ничем не рискует, рискует всем.

Джина Дейвис

Неустанная деятельность скорее приведет к богатству, нежели осмотрительность.

Люк де Вовенарг

Когда ступаешь по тонкому льду, все спасение в быстроте.

Ралф Эмерсон

Безумства следует совершать осторожно.

Анри де Монтерлан

Чаще всего тонут хорошие пловцы.

Томас Фуллер

Дареному коню гляди в зубы — а вдруг он троянский?

Кароль Корд

Будь осторожен: кота покупай в мешке.

Александр Фюрстенберг

ОСТРОУМИЕ

См. также «Анекдоты», «Ирония», «Шутки», «Юмор»

С тех пор как вышло из обычая носить на боку шпагу, совершенно необходимо иметь в голове остроумие.

Генрих Гейне

Острый ум — увеличительное стекло; остроумие — уменьшительное.

Георг Лихтенберг

С остроумием дело обстоит так же, как с музыкой: чем больше ее слышишь, тем более тонких звучаний желаешь.

Георг Лихтенберг

Чужое остроумие быстро прискучивает.

Люк де Вовенарг

В остроумии, как и в игре, нужно уметь вовремя остановиться. Нельзя долго выигрывать. Талейран бывал остроумен не чаще одного раза в день.

Альбер Моруа

Никогда не сражайся оружием остроумия с безоружным.

NN

Острить и занимать деньги нужно внезапно.

Видоизмененный Генрих Гейне

Хорошо было Адаму! Если ему случалось удачно сострить, он мог быть уверен, что не повторяет чужих шуток.

Перефразированный Марк Твен

Я смеюсь вовсе не вашей остроте, а той, которую сейчас скажу сам.

Жюль Ренар

Краткость — душа остроумия.

Уильям Шекспир

Грубость — остроумие дураков.

Андре Моруа

Каламбур — низшая форма остроумия, поэтому шутки обычно строят на каламбурах.

Айра Гершвин

Игра слов — дешевка? Смотря что стоит на кону.

Станислав Ежи Лец

Не успел я открыть вашу книгу, как зашелся от смеха. Когда-нибудь я непременно ее открою.

Граучо Маркс

Если бы ангелы были остроумны, я поверил бы в поражение сатаны.

Станислав Ежи Лец

ОТВЕТСТВЕННОСТЬ

См. также «Начальство и подчиненные»

Чем сильнее чувство ответственности, тем слабей жажда власти.

Стефан Гарчиньский

Прежде чем снимать с себя ответственность, найдите, на кого ее переложить.

Анатолий Рас

Он охотно берет самое тяжелое бремя и безропотно взваливает его на чужие плечи.

Джером Джером

Ответственность любит комфорт и охотно возлагается на неприкосновенных.

Станислав Ежи Лец

Можно ли уйти от ответственности, поднимаясь по служебной лестнице?

Олег Сеин

Когда все рушится, надо кого-то немедленно припереть к стене.

Евгений Сагаловский

ОТДЫХ

См. также «Неделя и выходные», «Отпуск», «Пляж», «Рыбалка»

Отдых: то, что вы делаете, когда никто не говорит вам, что делать.

Джозеф Прендергаст

Отдых — редкая возможность подумать о делах.

Геннадий Малкин

Отдых необходим. Я могу сделать годовую порцию работы за девять месяцев, но не за двенадцать.

Джон Пирпонт Морган

Лучшие работники больше других работают и больше других отдыхают.

Том Хопкинс

Вечные каникулы — хорошее определение ада.

Джордж Бернард Шоу

От работы никто не умер, об отдыхе и говорить нечего.

«Пшекруй»

Я никогда не бываю так занят, как в часы своего досуга.

Цицерон

Как хорошо ничего не делать, а потом отдохнуть!

Испанское изречение

С утомлением будет покончено, когда не надо будет работать после нерабочих дней.

Пьер Дак

Ничто так не утомляет, как чужой отдых.

Анджей Сток

Отдых неутомившихся утомителен.

Лешек Кумор

Легче всего извести понапрасну свободное время.

«Закон Сандленда»

Туризм — лучший отдых, но отдых лучше туризма.

NN

ОТКРЫТИЯ. ИЗОБРЕТЕНИЯ

См. также «Атомная энергия», «Техника. Технология»

Ничто так не отвлекает ученых, как преждевременное открытие.

Жан Ростан

Ложный шаг не раз приводил к открытию новых дорог.

Лешек Кумор

Нужда рождает изобретение, изобретение — две нужды.

Ясон Эвангелу

Тот, кто совершает открытие, видит то, что видят все, и думает то, что никому не приходит в голову.

Альберт Сент-Дьерди

Миллионы людей видели, как падают яблоки, но только Ньютон спросил почему.

Бернард Барух

Многие имели ванну. Но гениально ее принял только один.

Владимир Колечицкий

Все с детства знают, что то-то и то-то невозможно. Но всегда находится невежда, который этого не знает. Он-то и делает открытие.

Приписывается Альберту Эйнштейну

Чтобы увидеть что-то новое, нужно совершить что-то новое.

Георг Лихтенберг

Перпетуум-мобиле легче изобрести, чем запатентовать.

Леонид Крайнов-Рытов

Приоритет: я первый отклонил это изобретение.

Данил Рудый

Совершенствуя дилижанс, можно создать совершенный дилижанс; но первоклассный автомобиль — едва ли.

Эдуард Де Боно

Мало что-то изобрести — нужно еще, чтобы кто-нибудь оценил изобретение и хотя бы украл его.

Кароль Ижиковский

Если ты открыл эликсир вечной жизни, запатентуй его сразу же. Иначе тебе нечего будет оставить наследникам.

Станислав Ежи Лец

Подумать только: грамоту выдумали неграмотные!

Лешек Кумор

Прямо трудно поверить, как прекрасно можно обходиться без изобретений 2500 года!

Курт Тухольский

Стоит ученым сделать открытие, как дьявол его крадет, в то время как ангелы дискутируют о лучших способах его использования.

Ален Валентайн

Единственная проблема современности заключается в том, сумеет ли человек пережить свои собственные изобретения.

Луи де Бройль

Кот не перестает ловить мышей даже после изобретения мышеловки.

Кароль Ижиковский

Неизвестно, что человек еще выдумает: голова круглая.

Хенрик Ягодзиньский

Кажется, дело идет к тому, что Наука откроет Бога. И я заранее трепещу за его судьбу.

Станислав Ежи Лец

ОТПУСК

См. также «Отдых», «Путешествия»

Отпуск: свободное время, которое дается служащим, чтобы дать им понять, что на службе могут обойтись без них и во все остальное время.

Луи Фортен

Отпуск: две недели на пляже и пятьдесят на мели.

Леонард Луис Левинсон

Когда начался всемирный потоп, дождь лил 40 дней и 40 ночей. Точь-в-точь как во время моего последнего отпуска.

Роберт Орбен

Одни, чтобы отдохнуть от дел, спешат уйти в отпуск, другие — вернуться из отпуска.

Александр Климов

Планировать отпуск очень легко. Начальник говорит вам когда; жена говорит где.

NN

Отправляясь в отпуск, возьми вдвое меньше вещей и вдвое больше денег.

«Правило Штицера»

Никто так не нуждается в отпуске, как человек, только что вернувшийся из отпуска.

Элберт Хаббард

ОТЦЫ И ДЕТИ

См. также «Дети и родители», «Наследственность»

Где есть мужчина, может быть и ребенок.

Магдалена Самозванец

Будь мой отец посмелее, я был бы на три года старше.

Марсель Ашар

Одно неловкое движение, и вы отец.

Михаил Жванецкий

Ребенок — самое действенное орудие женского террора.

Веслав Сенкевич

Этот труд я посвящаю своей дочери Леоноре, без деятельного участия и ободрения которой книга была бы написана вдвое быстрее.

Пелем Вудхауз

Теперь я мог бы наконец позволить себе все то, чего я был лишен в детстве, — если бы у меня не было детей.

Роберт Орбен

Если сын перерастает отца, отец донашивает старые брюки сына.

Янина Ипохорская

Легче отцу иметь детей, чем детям — отца.

Папа Иоанн XXIII

Плохо иметь отцом блудного сына.

Веслав Брудзиньский

Многие сынишки пошли бы по стопам отцов, если бы не боялись, что их застукают за этим занятием.

NN

Привычки отцов, и дурные и хорошие, превращаются в пороки детей.

Василий Ключевский

Даже дьявол у себя в аду хотел бы иметь вежливых и послушных ангелочков.

Владислав Гжегорчик

Когда мне было четырнадцать, мой отец был так глуп, что я с трудом переносил его; но когда мне исполнился двадцать один год, я был изумлен, насколько этот старый человек поумнел за последние семь лет.

Марк Твен

Отцовские и сыновние чувства различны: отец питает любовь к сыну; сын питает любовь к памяти отца.

Неизвестный англичанин (XVIII в.)

Я могу управлять Соединенными Штатами и могу управлять своей дочерью Эйлис, но я не могу делать то и другое одновременно.

Теодор Рузвельт

Когда, наконец, понимаешь, что твой отец обычно был прав, у тебя самого уже подрастает сын, убежденный, что его отец обычно бывает не прав.

Лоренс Питер

Когда дети ставили отца в тупик, он отправлял их в угол.

Валерий Миронов

Если вы хотите влиять на ребенка, постарайтесь не оказаться его отцом.

Дон Маркис

Отцов не должно быть ни видно, ни слышно. Только на этой основе можно построить прочную семью.

Оскар Уайльд

Самое неподходящее время становиться отцом — за восемнадцать лет до начала войны.

Э. Б. Уайт

Лучшее, что отец может сделать для своих детей, — это любить их мать.

Теодор Хесберг

Никогда не поднимай руку на своего ребенка. Ты оставляешь незащищенным пах.

Ред Баттонс

Никогда не отмечай сходства детей с их отцом: это может вызвать неприятное изумление.

Станислав Ежи Лец

Помни: рано или поздно твой сын последует твоему примеру, а не твоим советам.

NN

ОТЧАЯНИЕ

См. также «Надежда и разочарование»

Отчаяние — это страх без надежды.

Рене Декарт

То, что мы называем отчаянием, — часто всего лишь мучительная досада на несбывшиеся надежды.

Томас Стернз Элиот

Кто ни на что не надеется, никогда не отчаивается.

Сенека

Жизненный путь многих из нас усеян волосами, вырванными из головы.

Лешек Кумор

Не отчаивайся! Худшее еще впереди!

Филандер Чейз Джонсон

Никогда не уступайте отчаянию — оно не держит своих обещаний.

Станислав Ежи Лец

Главное — не теряйте отчаяния!

Николай Пунин

ОХОТА

См. также «Рыбалка»

Никогда столько не лгут, как во время войны, после охоты и до выборов.

Отто фон Бисмарк

Охотник — человек, отстаивающий свою любовь к природе с оружием в руках.

NN

Чем меньше лес, тем больше кажется заяц.

«Пшекруй»

Если человек решил убить тигра, это зовется спортом; а если тигр решил убить человека, это зовется кровожадностью.

Джордж Бернард Шоу

Заповедники спасают от вымирания не только зверей, но и браконьеров.

В. Ситнов

Сколько волка ни корми, всех лосей заповедника на него не спишешь.

Н. Кублицкий

Миллионеры охотятся на слонов, бедняки — на клопов.

Дон-Аминадо

ОЧЕРЕДЬ

См. также «Сервис»

Если стоит стадо баранов, всегда найдется осел, который займет очередь.

Александр Самойленко

Другая очередь всегда движется быстрее.

Барбара Этторе

Чем дольше ты стоишь в очереди, тем больше вероятность того, что ты стоишь не в той очереди.

Артур Блох

Короткая очередь снаружи окажется длинной внутри.

«5-й закон стояния в очереди Вайла»

Если постоять где бы то ни было достаточно долго, за тобой выстроится очередь.

«6-й закон стояния в очереди Вайла»

Нельзя стать первым без очереди!

Геннадий Малкин

Сперва обернись назад, а потом решай, стоит ли завидовать тем, кто стоит в очереди впереди тебя.

Лешек Кумор

Чем интеллигентнее твои оппоненты, тем незаметнее летит время в очереди.

Михаил Генин

Легко было ждать Пенелопе, когда очередь стояла к ней, а не она в очереди.

Владислав Гжещик

ОШИБКИ. ЗАБЛУЖДЕНИЯ

Ошибки нередко входят в привычку.

NN

Есть люди, которые не совершают ошибок. Это те, за кого думают другие.

Хенрик Ягодзиньский

Давайте учиться на чужих ошибках — репертуар своих слишком однообразен.

Лешек Кумор

Он учился на ошибках, но его обошли те, кто учился по книгам.

Владислав Катажиньский

Если вы не учитесь на своих ошибках, нет смысла их делать.

Лоренс Питер

Последовательность означает, что из одной ошибки выводится целая цепь ошибок.

Юзеф Бестер

Если две ошибки не принесли результата — испробуй третью.

Лоренс Питер

Мы легко забываем свои ошибки, когда они известны лишь нам одним.

Франсуа Ларошфуко

Я только однажды ошибся, когда думал, что я ошибся.

NN

Тот, кто слишком легко признается в ошибках, редко способен исправиться.

Мария Эбнер-Эшенбах

Человек, который никогда не ошибается, — ужасный зануда.

NN

Закройте дверь перед всеми ошибками, и истина не сможет войти.

Рабиндранат Тагор

Мало найдется ошибок менее извинительных, чем средства, к которым мы прибегаем, чтобы их скрыть.

Франсуа Ларошфуко

Вы не топчетесь на месте, а идете вперед, если делаете одни только новые ошибки.

NN

Будь терпимей к чужим ошибкам. Возможно, ты и сам появился на свет по ошибке.

Лешек Кумор

Диктуй неразборчиво, чтобы оставить за собой право решать, кто сделал ошибку.

Веслав Брудзиньский

Ошибайся коллективно!

Станислав Ежи Лец

Человек редко ошибается дважды — обычно раза три или больше.

Джон Перри Барлоу

Неосознанные ошибки повторяются.

Борис Парамонов

Те, кто ничего не делает, никогда не ошибаются.

Теодор де Банвий

Человек, который не делает ошибок, получает приказы от тех, кто их делает.

Герберт Прокноу

Не ошибается только тот, кто ничего не делает. Но и ничего не делать — ошибка.

Эмиль Кроткий

Каждый имеет право на ошибку, но не каждому позволено вовремя заметить ее.

Юзеф Йотем

Каждому человеку свойственно заблуждаться, но упорствовать в заблуждениях свойственно только глупцу.

Цицерон

Человеку свойственно ошибаться, но еще более свойственно сваливать вину на других.

«Закон Джекобса»

Человеку свойственно ошибаться, но нашей фирме не свойственно прощать.

NN

Человеку свойственно ушибаться.

Михаил Генин

П

ПАМЯТНИКИ

См. также «Слава. Известность»

Лишь тот заслуживает памятника, кто в нем не нуждается.

Уильям Гэзлитт

Ставить кому-нибудь памятник при жизни значит объявить, что нет надежды на то, что потомство его не забудет.

Артур Шопенгауэр

Пусть лучше будут спрашивать, почему мне не поставили памятник, чем наоборот.

Катон Старший

Нас восхищают лишь те монументы, которые возводились не на нашем горбу.

Юзеф Кусьмерек

Демонтируя памятники, не трогайте постаментов. Они еще могут пригодиться.

Станислав Ежи Лец

А не попробовать ли сразу возводить монументы на колесиках?

Ян Чарный

В моем памятнике выдолбите маленькую дырочку на макушке, чтобы птицы прилетали туда пить.

Жюль Ренар

Я бы ставил собачкам памятники. Чтобы им было на что задрать ножку.

Станислав Ежи Лец

И осиновый кол есть вид памятника.

Дон-Аминадо

ПАМЯТЬ

См. также «Ностальгия», «Склероз»

Единственной мерой времени является память.

Владислав Гжегорчик

Прошлое, хранящееся в памяти, есть часть настоящего.

Тадеуш Котарбиньский

В своей памяти каждый из нас художник: каждый творит.

Патришия Хампл

Многие путают свое воображение со своей памятью.

Генри Уилер Шоу

Память — это полоумная баба: собирает яркие тряпки, а хлеб выбрасывает.

Остин О'Малли

Моя память как полицейский: ее не дозовешься, когда тебе нужно.

Ронала Харвуд

Все жалуются на свою память, но никто не жалуется на свой разум.

Франсуа Ларошфуко

Память у меня превосходная, но короткая.

NN

Самая плохонькая ручка лучше самой хорошей памяти.

«Пшекруй»

Я никогда не забываю лиц, но в вашем случае я с удовольствием сделаю исключение.

Граучо Маркс

На людскую память нельзя полагаться; на беспамятство, к сожалению, тоже.

Станислав Ежи Лец

Память ему не изменяла, но он изменял ей всегда, когда находил это удобным.

Эмиль Кроткий

Вспоминая, он забывался.

Леонид Леонидов

Напрягите память, и вам обязательно захочется что-то забыть.

Геннадий Костовецкий
и Олег Попов

Забывание чистит авгиевы конюшни памяти.

Владислав Гжегорчик

Лучше всего запоминается ненужное.

Джон Таррант

Лучший способ запомнить что-нибудь — постараться это забыть.

Мишель Монтень

Я ни разу не слыхал, чтобы какой-нибудь старик позабыл, в каком месте он закопал клад.

Цицерон

У него была хорошая память на плохое и плохая — на хорошее.

Эмиль Кроткий

Хорошее дольше помнится, зато плохое чаще припоминается.

Владислав Гжегорчик

Забытая мысль всегда кажется значительной.

Эмиль Кроткий

Память — странное сито: на нем остается все хорошее о нас и все плохое о других.

Веслав Брудзиньский

Слабая память прибавляет нам сил.

Бертольт Брехт

Нам нужна дряхлая память и молодые надежды.

Арсен Юссе

Если бы не память, жизнь была бы невозможна; если бы не забывание, жизнь была бы невыносима.

Владислав Гжегорчик

ПАРЛАМЕНТ

См. также «Выборы», «Оппозиция»

Представительное правление — инструмент, на котором могут играть лишь превосходные музыканты, настолько он труден и капризен.

Клеменс Меттерних

Читатель, представь себе, что ты идиот; а теперь представь себе, что ты конгрессмен; впрочем, я повторяюсь.

Марк Твен

Наши конгрессмены — самый лучший сорт граждан, какой только можно купить за деньги.

Мори Амстердам

Когда конгресс заседает, вся страна испытывает такое же чувство, как если бы ребенок играл с молотком.

Уилл Роджерс

«Вы молитесь за сенаторов, мистер Хейл?» — «Нет, я смотрю на сенаторов и молюсь за нашу страну».

Эдуард Хейл

Дебаты: ряд речей на одну и ту же тему.

Болеслав Пашковский

Депутатам не обязательно уметь прочесть новый закон с первого раза — для них организуется второе чтение.

Михал Огурек

Поправка к законопроекту: отчаянная попытка законодателей заставить хвост вертеть собакой.

Леонард Луис Левинсон

Зачем нам законодательствовать для потомства? Что сделало для нас потомство?

Рош Бойль

Первый, если не единственный долг члена палаты общин — как можно реже говорить и как можно чаще голосовать.

Герберт Асквит

Если вы в меньшинстве — говорите; если в большинстве — голосуйте.

Роджер Шерман

Если сомневаешься — воздержись.

Принцип древнеримского судопроизводства

Если сомневаешься — бормочи.

Джеймс Борен

Спикер: что-то вроде служителя, который во время корриды стоит у калитки, впуская и выпуская очередного быка.

Нэн Хамптон

ДВА ПРАВИЛА ПАРЛАМЕНТСКИХ СЛУШАНИЙ:

1. Никогда не задавай вопроса, если тебе неизвестен ответ.

2. Никогда не задавай вопроса, на который правительство может ответить без ущерба для своей репутации.

Джон Дифенбейкер

Ни один пьяный матрос не тратит деньги так быстро, как трезвый конгрессмен.

Американское изречение

Сельскохозяйственный блок в парламенте больше блокирует, чем хозяйствует.

NN

Парламент наш не есть политическое явление, а просто казенный клуб на правительственном содержании.

Василий Розанов
о дореволюционной Госдуме

Думцы законов не читают. Они их пишут.

Телеканал ТВ-Центр

Они как санитарные волки в лесу.

Борис Немцов
о депутатах Госдумы

Каждый человек, который войдет в эту Думу, должен быть штучным товаром.

Людмила Швецова, сотрудник
правительства Москвы,
о выборах в Мосгордуму

ПАРТИИ

См. также «Выборы»

Партия есть организованное общественное мнение.

Бенджамин Дизраэли

Партийность — это умоисступление многих ради выгоды некоторых.

Александр Поп

Главный изъян демократии в том, что только партия, лишенная власти, знает, как управлять страной.

Лоренс Питер

Партия, которая объявляет своей заслугой дождь, не должна удивляться, когда ее обвиняют в засухе.

Дуайт Морроу

Я свободный человек, американец, сенатор Соединенных Штатов и демократ — именно в этой последовательности.

Линдон Джонсон

Надеюсь, все вы республиканцы?

Рональд Рейган — хирургам, которые готовились оперировать президента после покушения на его жизнь

Если вы перестанете лгать о республиканцах, я обещаю, что не скажу правду о демократах.

Чонси Депью, американский сенатор

У демократов и республиканцев общее только одно — наши деньги.

Неизвестный американец

Тори не всегда ошибаются, но ошибаются всегда в самый нужный момент.

Леди Асквит (Вайолет Бонем Картер)

Иной раз проще создать новую партию, чем постепенно добиться главенства в уже созданной.

Люк де Вовенарг

Создай «Общество честных людей», и в него вступят все воры.

Ален

Третья сила в политике почти так же непопулярна, как и в любви.

NN

Политический съезд: шахматный турнир под видом цирка.

Алистэр Кук

Пока я руковожу партией, она не будет дискуссионным клубом для безродных литераторов и салонных большевиков.

Адольф Гитлер

Партии разоблачают друг друга, и весьма преуспевают в этом, потому что судят одна о другой по себе.

Пьер Буаст

Слава богу, еще ни одной политической партии не удавалось быть настолько плохой, какой ее изображают противники.

NN

ПАРТИЯ (КОММУНИСТИЧЕСКАЯ)

См. также «Социализм и коммунизм»

У нас многопартийная система: одна партия у власти, а остальные в тюрьме.

Приписывается Николаю Бухарину

Мы пишем по указке наших сердец, а наши сердца принадлежат партии.

Видоизмененный Михаил Шолохов

Мемуарист-большевик не может и не должен просто рассказывать факты, он должен твердо стоять на генеральной линии партии.

Лазарь Каганович

Партия учит нас, что газы при нагревании расширяются.

Александр Хазин

Большевики сами создают себе трудности, которые успешно преодолевают.

Уинстон Черчилль

Все мы вышли из КПСС, даже те, кто в нее никогда не входил.

Борис Крутиер

Гераклит утверждал: нельзя вступить в одну и ту же воду дважды. А в одну и ту же партию?

Юрий Шанин

ПАТРИОТИЗМ

См. также «Космополитизм», «Национализм», «Родина. Отечество»

Патриотизм: убеждение, что твоя страна лучше других потому, что именно ты в ней родился.

Джордж Бернард Шоу

Права она или нет — это наша страна.

Стивен Декейтер

Не спрашивай, что твоя родина может сделать для тебя, — спроси, что ты можешь сделать для своей родины.

Джон Кеннеди

Не спрашивай, что ты можешь сделать для своей родины, — тебе и так об этом напомнят.

Видоизмененный Марк Стейнбек

Мы прежде всего джентльмены, а уж потом — патриоты.

Эдмунд Берк

Что же, и я Россию люблю. Она занимает шестую часть моей души.

Венедикт Ерофеев

Я предпочитаю бичевать свою родину, предпочитаю огорчать ее, предпочитаю унижать ее, только бы ее не обманывать.

Петр Чаадаев

Я, конечно, презираю отечество мое с головы до ног — но мне досадно, если иностранец разделяет со мной это чувство.

Александр Пушкин

Наша любовь всегда должна быть сильнее нашей ненависти. Нужно любить Россию и русский народ больше, чем ненавидеть революцию и большевиков.

Николай Бердяев

Каждый гражданин обязан умереть за отечество, но никто не обязан лгать ради него.

Шарль Монтескье

Патриот не столько хочет за что-то умереть, сколько кого-то убить.

Геннадий Малкин

Когда говорят, что нельзя ругать англо-бурскую войну, пока она не кончилась, не стоит даже отвечать; с таким же успехом можно говорить, что нельзя преграждать матери путь к обрыву, пока она не свалилась.

Гилберт Честертон

Политик — это человек, который пожертвует вашей жизнью за свою родину.

Тексас Гинен

Только два сорта и есть, податься некуда: либо патриот своего отечества, либо мерзавец своей жизни.

Александр Островский

Иные так расхваливают свою страну, словно мечтают ее продать.

Жарко Петан

Патриот: человек, который не заказывает блюдо, указанное в меню, если не может выговорить его название.

NN

Истинный патриот — это человек, который, заплатив штраф за неправильную парковку, радуется, что система действует эффективно.

Питер Уостхолм

Патриотом в ЮАР называют белого человека, который не может продать свой дом.

Денис Хили

Патриотизм — последнее прибежище негодяя.

Сэмюэл Джонсон

В знаменитом словаре д-ра Джонсона патриотизм определяется как последнее прибежище негодяя. Мы берем на себя смелость назвать это прибежище первым.

Амброз Бирс

Патриотизм — последнее прибежище скульптора.

Уильям Пломер

Не может быть ни патриотического искусства, ни патриотической науки.

Иоганн Вольфганг Гёте

Мы боремся не за человеческие права народа, но за божественные права человека.

Генрих Гейне

Я из тех, кто хочет выстирать флаг, вместо того чтобы сжечь его.

Норман Томас

ПЕВЦЫ

См. также «Голос и слух», «Мюзикл. Оперетта», «Опера», «Песня. Шлягер», «Рок- и поп-музыка»

Баритон: переходная стадия от тенора к человеку.

NN

Рулада — это художественное полоскание горла.

Адриан Декурсель

Это самая великолепная астма, которую мне доводилось слушать.

Некий врач о французской оперной певице Софи Арну

Она велика в своем жанре; да жанр-то у нее больно мал.

Певица Анджелика Каталани о певице Генриетте Зонтаг

Даром только птички поют.

Федор Шаляпин

Если хотите знать мое мнение, то еще ни один оперный тенор не умер слишком рано.

Томас Бичем

Исполнитель плохой песни всегда начинает аплодировать первым.

Бинг Кросби

На многих певцов по ТВ стоит посмотреть. К сожалению, их не стоит слушать.

NN

ПЕНСИЯ

См. также «Старость»

Пенсия: отдых, навязанный тебе тогда, когда все, что ты можешь, — это работать.

Жорж Элгози

Пенсия — это лебединая песня зарплаты.

Николай Филатов

Любой работник начинает терять хватку за пять лет до достижения пенсионного возраста, чему бы этот возраст ни равнялся.

Сирил Норткот Паркинсон

Когда человек уходит на пенсию и может позволить себе не следить за временем, сослуживцы дарят ему часы.

Роберт Шеррифф

Скажи мне, кто дружит с тобой после ухода на пенсию, и я скажу тебе, что ты за человек.

NN

Жизнь на пенсии — это когда днем обдумываешь, что смотреть по телевизору вечером, чтобы было что вспомнить утром.

Роберт Орбен

Прежде чем решиться уйти на пенсию, попробуйте неделю провести дома и смотреть дневные телепрограммы.

NN

Многие вышедшие на пенсию мужья обеспечили полную занятость своим женам.

Элла Харрис

Утром пенсионер встает, и ему нечего делать; вечером он ложится, и половина этого еще не сделана.

NN

Пенсионер: человек, который думал, что семь раз в неделю будет удить рыбу, а на самом деле три раза в день собственноручно моет посуду.

NN

Жить на пенсии было бы замечательно, если бы знать, как тратить время, не тратя денег.

NN

Мой муж ушел на пенсию. Теперь у меня вдвое больше мужа и вдвое меньше денег.

Неизвестная американка

Кто мечтает о пенсии, мечтает об отдыхе перед вечным покоем.

Владислав Гжещик

ПЕРЕВОД

См. также «Иностранные языки»

Переводчики — почтовые лошади просвещения.

Александр Пушкин

Русские переводчики с английского — ослы просвещения.

Владимир Набоков

Мало что на свете может сравниться со скукой, которую вызывает в нас хороший перевод.

Марк Твен

Переводчик сдает слова по весу, а не по счету.

NN

Переводы — это цветы под стеклом.

Вольфганг Менцель

Перевод есть не более чем гравюра; колорит неподражаем.

Пьер Буаст

Переводы очень похожи на оборотную сторону вышитых по канве узоров.

Пьер Буаст

Перевод — это автопортрет переводчика.

Корней Чуковский

Оригинал неверен по отношению к переводу.

Хорхе Луис Борхес

Переводил со всех языков на суконный.

Эмиль Кроткий

Гюго Виктор — автор знаменитого романа «Notre Dame de Paris», вышедшего на русском языке под заглавием «Наши дамы из Парижа».

Аркадий Аверченко

Перевод — всегда комментарий.

Лео Бек

Поэзия — то, что гибнет в переводе.

Роберт Фрост

Читать поэзию в переводе — все равно что целовать женщину через вуаль.

Джозеф Джейкобс

Переводчик в прозе — раб, переводчик в стихах — соперник.

Василий Жуковский

Переведенное стихотворение должно показывать то же самое время, что и оригинал.

Юлиан Тувим

Переводы как женщины: если верны, то некрасивы, а если красивы, то неверны.

Моисей Сафир

Легче сделать более, чем то же.

Квинтилиан

Есть много способов перевести книгу; лучший из них — поручить это дело переводчику.

Дмитрий Пашков
по канве Карела Чапека

ПЕРЕГОВОРЫ

См. также «Внешняя политика», «Дипломатия», «Мир. Миротворчество»

Лучше встреча в верхах, чем на краю пропасти.

Джон Кеннеди

Мы никогда не будем вести переговоры из страха и никогда не будем страшиться переговоров.

Джон Кеннеди

Международная конференция — это свара с повесткой дня и протоколом.

Луи Террнуар

Международная конференция: встреча, на которой стороны приходят к согласию относительно даты следующей встречи.

Л. Гинзберг

Противную сторону надо выслушать, как бы она ни была противна.

М. Евгеньев
в редакции Дм. Пашкова

Отказ — это предложение поднять цену.

Жорж Элгози

На дипломатическом языке присоединиться в принципе — просто вежливый способ отказа.

Отто фон Бисмарк

Как только вы встанете на нашу точку зрения, мы с вами полностью согласимся.

Моше Даян — Сайрусу Вэнсу (во время арабо- израильских переговоров 1977 г.)

ПЕРЕМЕНЫ

См. также «Реформы»

Перемены — это неизменность в меняющихся обстоятельствах.

Сэмюэл Батлер

Времена меняются, и мы меняемся вместе с ними.

Лотарь I, король франков

Всякий раз мы смотрим на вещи не только с другой стороны, но и другими глазами — поэтому и считаем, что они переменились.

Блез Паскаль

Все хотят, чтобы что-нибудь произошло, и все боятся, как бы чего-нибудь не случилось.

Булат Окуджава

В мире нет ничего постоянного, кроме непостоянства.

Джонатан Свифт

Все должно измениться, чтобы все осталось по-старому.

Джузеппе Томази ди Лампедуза

Чем больше все меняется, тем больше все остается по- старому.

Альфонс Карр

Если хочешь нажить врагов, попробуй что-нибудь изменить.

Вудро Вильсон

Всякая перемена, даже перемена к лучшему, всегда сопряжена с неудобствами.

Ричард Хукер (XVI в.)

Чем старше становится человек, тем больше он противится переменам, особенно переменам к лучшему.

Джон Стейнбек

Человек всегда остается самим собой. Потому что все время меняется.

Владислав Гжегорчик

ПЕСНЯ. ШЛЯГЕР

См. также «Певцы», «Рок- и поп-музыка»

Исполнитель плохой песни всегда начинает аплодировать первым.

Бинг Кросби

Из песни слова не выкинешь, но можно выкинуть песню.

Эмиль Кроткий

Шлягер: песня, которая позволяет вам думать, что и вы умеете петь.

Арнолд Глазгоу

Старые шлягеры лучше новых, потому что их слышишь реже.

NN

К счастью, популярные песенки недолго остаются популярными.

Янина Ипохорская

Музыканта можно убить чем попало, но мелодию — только мелодией.

Станислав Ежи Лец

Шлягер живет недолго. Вы бы жили не дольше, если бы вас истязали с таким же остервенением.

Дмитрий Пашков

«Что тебе напоминает этот старый шлягер?» — спросил я Икса. — «Мой первый визит к венерологу».

Станислав Ежи Лец

Если бы знать шлягер иерихонских труб!

Станислав Ежи Лец

ПИСАТЕЛИ

См. также «Книги», «Классика и классики», «Поэзия и проза»

Плох тот писатель, которому не верят на слово.

Эмиль Кроткий

Рассказать содержание слова — писательское искусство.

Станислав Ежи Лец

Мы вовсе не врачи — мы боль.

Александр Герцен

Есть три причины, по которым становятся писателем. Первая: вам нужны деньги; вторая: вы хотите сказать миру что-то важное; третья: вы не знаете, чем занять себя длинными зимними вечерами.

Квентин Крисп

Начинаешь писать, чтобы прожить, кончаешь писать, чтобы не умереть.

Карлос Фуэнтес

Я стал литератором потому, что автор редко встречается со своими клиентами и не должен прилично одеваться.

Джордж Бернард Шоу

Графоман пишет по внутренней необходимости, настоящий художник — ради денег.

Янина Ипохорская

Я написал шесть книг; они совсем неплохи для человека, который прочитал всего две.

Джордж Бернс

Литераторы (обоего пола) слепы как родители: они не отличают своих выкидышей от своих удавшихся отпрысков.

Станислав Ежи Лец

Каждый пишущий пишет свою автобиографию, и лучше всего это ему удается, когда он об этом не знает.

Кристиан Фридрих Геббель

Оптимисты пишут плохо.

Поль Валери

Я пишу кровью из носа.

Станислав Ежи Лец

Писателю спокойно живется только на минном поле, которое для него постоянно обновляет общество.

Александр Генис

Некоторые писатели походят на того шарлатана, который вытаскивает из своего рта целые аршины лент.

Пьер Буаст

Писатель талантлив, если он умеет представить новое привычным, а привычное — новым.

Сэмюэл Джонсон

Великий писатель создает своих предшественников. Он их создает и в какой-то мере оправдывает их существование. Чем был бы Марло без Шекспира?

Хорхе Луис Борхес

Не верь художнику — верь повествованию.

Дэвид Лоуренс

Лучше писать для себя и потерять читателя, чем писать для читателя и потерять себя.

Сирил Конноли

По сравнению с писательством игра на скачках — солидный, надежный бизнес.

Джон Стейнбек

Будь писатели хорошими бизнесменами, им бы хватило ума не быть писателями.

Эрвин Кобб

Писатели, чьих книг никто не покупает, быстрее всего продаются.

Станислав Ежи Лец

Известный писатель — тот, у кого берут и слабые вещи; знаменитый — тот, кого за них хвалят.

Габриэль Лауб

Образование погубило больше американских романистов, чем пьянство.

Гор Видал

Иные писатели напоминают мне берлинских дамочек, которые, приставая к вам ночью на улице, мурлыкают по-кошачьи: «Я такая неукротимая...»

Станислав Ежи Лец

Фундаментом литературной дружбы служит обмен отравленными бокалами.

Оскар Уайльд

Писательство — приятная игра на нервах.

Пол Теро

Эссеист: счастливчик, нашедший способ говорить, не опасаясь, что его перебьют.

Чарлз Пур

Я отношусь к писателям, про которых люди думают, что другие люди их читают.

Видиадхар Нейпол

Если читатель не знает писателя, то виноват в этом писатель, а не читатель.

Илья Ильф

Любить писателя и потом встретить его — все равно что любить гусиную печенку и потом встретить гуся.

Артур Кестлер

Это свободная страна. Люди имеют право писать мне письма, а я имею право не отвечать на них.

Уильям Фолкнер

С авторами поладить легко — если вы любите детей.

Майкл Джозеф

Он утверждает, что в своих книгах спускается до читателя, а на самом деле читатель опускается вместе с ним.

Веслав Брудзиньский

Кто-нибудь всегда смотрит из-за твоего плеча, как ты пишешь. Мать. Учитель. Шекспир. Бог.

Мартин Эмис

Писатель должен писать.

Илья Ильф и Евгений Петров

Писатель должен много писать, но не должен спешить.

Антон Чехов

Чем больше человек пишет, тем больше он может написать.

Уильям Гэзлитт

Писатель всегда должен что-то писать, пусть даже это будет предсмертная записка.

NN

Последним словом многих писателей должно было бы быть молчание.

Лешек Кумор

Писать — значит читать себя самого.

Макс Фриш

Я пишу для того, чтобы понять, что я думаю.

Дэниэл Бурстин

Думать легко. Писать трудно.

Рамон Гомес де ла Серна

Писать трудно, но еще труднее было бы не писать.

Тадеуш Бреза

Писатель — это человек, которому писать труднее, чем остальным людям.

Томас Манн

Для писателя-профессионала самая большая помеха — необходимость менять ленту в пишущей машинке.

Роберт Бенчли

Если мне хочется прочитать роман, я пишу его.

Бенджамин Дизраэли

Каждый может написать трехтомный роман. Все, что для этого нужно, — совершенно не знать ни жизни, ни литературы.

Оскар Уайльд

Жизнь чаще похожа на роман, чем наши романы на жизнь.

Жорж Санд

Вернемся к реальности — поговорим о Евгении Гранде!

Оноре Бальзак
в разговоре с Жюлем Сандо

Искусство романиста заключается в том, чтобы из короткой истории сделать длинную.

Феликс Поллак

Истинный романист — это человек, наделенный отменной памятью и убежденный, что такой же памятью обладает читатель.

Эрвин Кобб

Хороший роман говорит правду о своем герое, плохой — о своем авторе.

Гилберт Честертон

ПИСАТЕЛИ О ПИСАТЕЛЯХ

«Потерянный рай» — это книга, которую, однажды закрыв, уже очень трудно открыть.

Сэмюэл Джонсон

Он второй во всех жанрах.

Дени Дидро о Вольтере

Ауффенберга я не читал. Полагаю, что он напоминает Арленкура, которого я тоже не читал.

Генрих Гейне

Если мы отдаем некоторое предпочтение Гёте перед Шиллером, то лишь благодаря тому незначительному обстоятельству, что Гёте, ежели бы ему в его творениях потребовалось подробно изобразить такого поэта, был способен сочинить всего Фридриха Шиллера, со всеми его Разбойниками, Пикколомини, Луизами, Мариями и Девами.

Генрих Гейне

Величайшими английскими романистами девятнадцатого века были Гоголь, Достоевский, Толстой, Стендаль и Бальзак в английском переводе.

Штефан Визинци

Александр Дюма крадет у прошлого, обогащая настоящее. В искусстве нет шестой заповеди.

Генрих Гейне

Виктор Гюго был безумцем, который вообразил себя Виктором Гюго.

Жан Кокто

Лучший французский поэт? Увы, Гюго.

Андре Жид

То, что X сумел написать такую хорошую книгу, может отбить всякую охоту к литературе.

Жан Ростан

Это не написано — это напечатано на машинке.

Трумэн Капоте о романе
Джека Керуака «На дороге»

Польские литераторы не читают меня — а я не читаю их. Их приговор единодушен? Мой тоже.

Кароль Ижиковский,
писатель и критик

ПИСЬМА. ПОЧТА

Дневник — это Я, письмо — это Ты.

Казимеж Выка

В письмах умного человека отражается характер тех, кому они адресованы.

Георг Лихтенберг

Это письмо получилось таким длинным потому, что у меня не было времени написать его короче.

Блез Паскаль

Пиши такие письма, которые ты хотел бы получить.

«Пшекруй»

Чтобы любовное письмо достигло своей цели, начинать его нужно, не зная, что напишешь, и кончать, не зная, что написал.

Моисей Сафир

Читать старые письма приятно уже потому, что на них не нужно отвечать.

Джордж Гордон Байрон

Письменная беседа утомляет почти так же, как партия в шахматы по переписке.

Федор Тютчев

Я бы ответил на ваше письмо быстрее, но вы мне его не послали.

Гудман Эйс

Когда-то я страшно завидовал людям, не отвечавшим на мои письма: я считал их существами высшей породы.

Кароль Ижиковский

Никогда не отвечай на письмо, пока не получишь второе от того же адресата на ту же тему.

Майкл О'Хейган

Немедленно после того, как письмо запечатано, в голову приходят свежие мысли.

«Закон письма»

Пока рядом нет почтового ящика, прекрасно помнишь, что нужно бросить письмо.

«Закон Хаудена»

Письма, написанные от руки, теперь уже выглядят как поздравления из прошлого века.

Торнтон Уайлдер

Ничто так не поднимает нас в собственных глазах, как получение телеграммы, в которой больше десяти слов.

Джордж Эйд

Почта стала работать лучше. Авиаписьмо, отправленное вчера, приходит по неправильному адресу уже сегодня.

NN

Неприятные телеграммы всегда приходят без опоздания.

Эмиль Кроткий

ПЛАГИАТ

См. также «Цитаты»

Плагиат — основа каждой литературы, за исключением самой первой, о которой, впрочем, ничего не известно.

Жюль Жирарден

Если вы крадете у современников, вас обругают за плагиат, а если у древних — похвалят за эрудицию.

Чарлз Калеб Колтон

Плагиатор вечно боится быть обокраденным.

Сэмюэл Кольридж

Индивидуальный стиль — это плагиат по отношению к себе самому.

Алфред Хичкок

Превосходные слова! Интересно, где вы их украли?

Джонатан Свифт

ПЛАНЫ. ПРОГРАММЫ

См. также «Путь», «Цель»

Только имея программу, можно рассчитывать на сверхпрограммные неожиданности.

Кароль Ижиковский

Даже самый дурацкий замысел можно выполнить мастерски.

Лешек Кумор

Точное определение плана: выбор направления непредсказуемых злоупотреблений.

Тадеуш Котарбиньский

Мечты — это планы в уме, а планы — мечты на бумаге.

Владислав Гжещик

Блестящим планам везет на проектировщиков, скверным планам везет на исполнителей.

Веслав Брудзиньский

Мост уже запланирован, теперь планируют реку.

Хенрик Ягодзиньский

Если вы хотите, чтобы Бог рассмеялся, расскажите ему о своих планах.

Вуди Аллен

ПЛАТОНИЧЕСКАЯ ЛЮБОВЬ

Платоническая любовь, конечно, возможна, но только между супругами.

«Ladies Home Journal»

Идеальная любовь возможна только по переписке.

Джордж Бернард Шоу

Платоническая любовь: секс выше ушей.

Тира Самтер Уинслоу

Платоническая дружба: промежуток времени между представлением друг другу и первым поцелуем.

Софи Айрин Леб

Я не люблю эту актрису. Только поймите меня правильно: моя нелюбовь чисто платоническая.

Герберт Бирбом Три

Старая женщина не бывает предметом платонической любви.

Филипп Жерфо
(мадам Дарденн де ля Гранжери)

Измена, как и любовь, может быть платонической.

Тодор Бакрджиев

Античные греки презирали женщин как низший пол. Поэтому, как мне кажется, и возникло такое понятие, как платоническая любовь, — Платон тоже не любил женщин.

Ольга Арнольд

ПЛЯЖ

См. также «Флирт. Ухаживанье»

Пляж: место, где можно показать все, кроме глаз.

Янина Ипохорская

Знаток флиртует на пляже с самой бледнокожей девушкой — у нее весь отпуск еще впереди.

Марчелло Мастроянни

Темные очки защищают от солнца, но не от мужчин.

Янина Ипохорская

Прошлым летом в моде были платья в полоску, нынешним летом — полоска без платья.

NN

Топлесс: нижняя половина бикини.

Леонард Луис Левинсон

Если бикини что-нибудь закрывает, то, самое большее, фирменную этикетку.

NN

Она не сдержала себя, открыла прелестный ротик и испортила прекрасную фигурку и дорогой купальник.

Михаил Жванецкий

Даже самые лучшие заморские пляжи разочаровывают: там никогда не находишь тех девушек, которых ты видел в рекламном проспекте.

NN

ПОБЕДА И ПОРАЖЕНИЕ

См. также «Успех и неудача»

Побеждает не обязательно правое дело — но дело, за которое лучше боролись.

Эгон Эрвин Киш

У победы тысяча отцов, а поражение всегда сирота.

Джон Кеннеди в 1961 г.,
после неудачи с высадкой
десанта в заливе Кочинос

Или умейте побеждать, или умейте дружить с победителем.

Фокион

Победителей не судят.

Екатерина Великая

Победителя никто не спросит, правду он говорил или нет.

Адольф Гитлер накануне
нападения на Польшу в 1939 г.

У победителей раны не болят.

Публилий Сир

Победоносное войско редко бунтует.

Кароль Бунш

Многие триумфальные арки народ позднее носил как ярмо.

Станислав Ежи Лец

Разбитые армии хорошо учатся.

Владимир Ленин

Несправедливость победителей заслоняет вину побежденных.

Ханс Хабе

Пиррова победа — вот истинная виктория: одним махом избавиться от врагов и от своих.

Станислав Ежи Лец

Победа порождает ненависть; побежденный живет в печали. В счастье живет спокойный, отказавшийся от победы и поражения.

Будда

Иногда настоящая схватка начинается на пьедестале почета.

Веслав Брудзиньский

Если вы проживете достаточно долго, вы увидите, что каждая победа оборачивается поражением.

Симона де Бовуар

ПОГОДА. СИНОПТИКИ

См. также «Времена года»

Все ругают погоду, но никто с ней не борется.

Чарлз Уорнер

Не браните погоду — если бы она не менялась, девять человек из десяти не смогли бы начать ни одного разговора.

Франк Хаббард

Разговоры о погоде станут интересными при первых признаках конца света.

Станислав Ежи Лец

Климат в Ирландии изумительный, но погода его гробит.

Тони Батлер

Если вам не нравится погода в Новой Англии, подождите несколько минут.

Марк Твен

Метеорология: научное обоснование неверных прогнозов.

Ален Шеффилд

Есть люди, которые не верят даже прогнозам государственного метеорологического института, если не прочтут их в своей газете.

Карел Чапек

Синоптик ошибается только раз, зато каждый день.

NN

Точный прогноз погоды на завтра вы узнаете послезавтра.

Телепрограмма ОРТ

Метеорологи лишь различным образом объясняли погоду, но дело заключается в том, чтобы ее изменить.

Хайнц Калов

Были бы прогнозы, а погода будет.

Михаил Генин

ПОДАРКИ

См. также «День рождения. Именины», «Цветы»

Подарки ко дню рождения делятся на две категории: те, которые нам не нравятся, и те, которых мы не получили.

NN

Почему так трудно купить подарок, которой выглядел бы на столько, сколько он стоил на самом деле?

Янина Ипохорская

Подарки, как и добрые советы, доставляют радость дающему.

Эдуар Эррио

Подарки получает тот, кому есть чем отдаривать.

Богдан Бжезиньский

Приятно, когда о тебе вспоминают, но часто выходит дешевле быть забытым.

Франк Хаббард

Купленная курица дешевле подаренной.

«Пшекруй»

Книга — лучший подарок, но подарок лучше, чем книга.

Жанна Голоногова

Деньги — лучший подарок. Все остальное стоит слишком дорого.

NN

На маленьких подарках держится дружба, на больших — любовь.

Янина Ипохорская

Ничто так не разжигает подозрений жены, как неожиданный подарок от мужа.

NN

Идеальный подарок: вещь, которую женщина может обменять в магазине даже месяц спустя.

NN

Придя к убеждению, что «в мире нет ничего, что было бы достойно ее!», мужчина предлагает себя.

Спенсер Трейси

ПОДЛОСТЬ. НИЗОСТЬ

На свете полно порядочных людей. Их можно узнать по тому, как неуклюже они делают подлости.

Шарль Пеги

Не ищите подлецов. Подлости совершают хорошие люди.

Александр Вампилов

Если человек поступает по-свински, он говорит: «Помилуйте, я всего лишь человек!» А если с ним поступают по-свински, он восклицает: «Позвольте, я ведь тоже человек!»

Карл Краус

Все негодяи, к сожалению, общительны.

Артур Шопенгауэр

Если вы хотите обидеть мало-мальски образованного человека, не называйте его негодяем; скажите лучше, что он дурно воспитан.

Сэмюэл Джонсон

«Я человек маленький!» — говорил он и бил ниже пояса.

Э. Вестин

Человек, кусающий руку, которая его кормит, обычно лижет сапог, который его пинает.

Эрик Хоффер

Неспособный ни к чему способен на все.

NN

Крупные подлости делаются из ненависти, мелкие — из страха.

Шарль Монтескье

Особенно стыдятся подлости, если не удалось довести ее до конца.

Александр Фюрстенберг

ПОДРОСТКИ

См. также «Дети и родители», «Детство»

Подростки: существа, которые еще не догадываются, что в один прекрасный день они будут знать о жизни так же мало, как их родители.

Ричард Уолдер

Девочки быстрее учатся чувствовать, чем мальчики — мыслить.

Вольтер

Надпись на парте: «К 12-ти годам люди становятся невыносимыми».

Александр Дашевский

Во времена моего детства, если я просил у родителей на 50 центов в неделю больше, чем обычно, они начинали подозревать, что я содержу женщину.

Роберт Орбен

Глобальные проблемы усложнились настолько, что за их решение не берутся даже подростки.

Роберт Орбен

В наше время всем приходится нелегко. Подростки живут в мире, который терроризируют экстремисты; взрослые живут в мире, который терроризируют подростки.

Видоизмененный Роберт Орбен

Единственный способ сократить преступность среди подростков — добиться, чтобы отцы не шлялись ночами по улицам.

NN

Подростки не очень-то изменились. Они по-прежнему растут, взрослеют, уходят из дома и женятся, — только не обязательно в этом порядке.

NN

ПОДРУГИ

См. также «Женщины», «Друзья»

Матери признаются, с подружками откровенничают.

Жанна Мари Ролан

Когда я была девочкой, у меня было всего две подружки, да и то воображаемые. И играли они только друг с другом.

Рита Руднер

Да, у меня есть несколько настоящих подруг, но мы друг дружку не очень-то любим.

Янина Ипохорская

Тайна, которой она не поделилась с подругой, была для нее тем же, что платье, без пользы висящее в гардеробе.

Эмиль Кроткий

Для многих женщин пережить любовь значит обсудить ее с подругой.

Лешек Кумор

Помни: твоя подруга опаснее, чем подруга твоего мужа.

Магдалена Самозванец

Подруга отбила у нее мужа и портниху. Последнего она не могла простить.

Эмиль Кроткий

О подруге я говорю только хорошее, но не моя вина, что у нес брови потрачены молью.

Янина Ипохорская

Радостей в жизни немного, но все же бывает, что подружке не повезет.

Янина Ипохорская

Женщины своих лет не считают. За них это делают подруги.

Юзеф Булатович

ПОЛИТИКА

См. также «Внешняя политика», «Выборы», «Идеи. Идеология», «Партии», «Пропаганда», «Реформы», «Союзы и коалиции»

Политика — не точная наука.

Отто фон Бисмарк

Политика есть искусство возможного.

Отто фон Бисмарк

Неверно, будто политика есть искусство возможного. Политика — это выбор между гибельным и неприятным.

Джон Кеннет Гэлбрейт

Политика не есть искусство возможного; политика — искусство невозможного.

Вацлав Гавел

Политика — это неустанный выбор из двух зол.

Джон Морли

Политика есть благородное искусство получать голоса бедных и деньги на избирательную кампанию у богатых, обещая защитить одних от других.

Оскар Америнджер

Политика есть продолжение войны другими средствами.

Во Нгуен Зиап

Политика: управление общественными делами ради выгоды частного лица.

Амброз Бирс

Политика — это хорошо смазанная машина, которая производит трение.

NN

Политика есть искусство постоянного нахождения причин для новых налогов.

Гарольд Нар

Большая политика — это всего лишь здравый смысл, примененный к большим делам.

Наполеон I

В политике важны не слова, а голос, которым они произносятся.

Жюль Ромен

В политике, как и в грамматике, ошибка, которую совершают все, провозглашается правилом.

Андре Мальро

В политике эхо предшествует событиям.

Григорий Ландау

Первое правило политика: никогда не верь ничему, пока не поступит официальное опровержение.

Джонатан Линн
и Энтони Джей

В политике слово «правда» означает любое утверждение, лживость которого не может быть доказана.

Джонатан Линн и Энтони Джей

Вечность в политике длится не больше 20 лет.

Эдгар Фор

В политике не играют, а только без перерыва тасуют карты.

Кароль Ижиковский

В политике не столь уж важно, как вы играете; гораздо важнее, кто ведет счет.

NN

В политике приходится делать много такого, чего не следует делать.

Теодор Рузвельт

В механике часто приходится сталкиваться с силой трения, которая изменяет или опрокидывает выводы неверной теории; подобная сила трения действует и в политике.

Шарль Монтескье

В политике приходится предавать свою страну или своих избирателей. Я предпочитаю второе.

Шарль де Голль

Политика, как и женщина, должна быть гибкой и держать линию.

Тадеуш Гицгер

Если вы лжете людям, чтобы получить их деньги, — это мошенничество. Если вы лжете людям, чтобы получить их голоса, — это политика.

NN

Нам жить — вы и решайте.

Виктор Коваль

Говорят, что политика — вторая древнейшая профессия. Но я пришел к выводу, что у нее гораздо больше общего с первой.

Рональд Рейган

Реальная политика состоит в том, чтобы не замечать фактов.

Генри Брукс Адамс

Время упрощает все политические схемы.

Зыгмунт Грень

Политики упрекают поэзию в том, что она далека от жизни; но поэты могли бы заметить политикам, что их политика нередко еще дальше от жизни.

Кароль Ижиковский

Политическое влияние как банковский счет: чем реже его используешь, тем больше у тебя остается.

Эндрю Янг

Не идите в политику, если кожа у вас чуть потоньше, чем у носорога.

Франклин Рузвельт

Не повышай голоса, но держи наготове большую дубинку, и ты далеко пойдешь.

Теодор Рузвельт

Если вы способны ясно выражать свои мысли, вам нечего делать в политике.

NN

Приходят в политику с блестящим будущим, уходят с ужасным прошлым.

NN

ПОЛИТИКА И ДЕНЬГИ

Политика стала таким дорогим занятием, что даже провалиться на выборах стоит немалых денег.

Боб Эдуардз

Политика — одна из форм астрологии, рожденная под знаком денег.

Джон Леонард

Вопрос стоит так: кто — кому?

Максим Звонарев

Дай политику свободу рук, и ты найдешь их в своих карманах.

NN

Коль скоро богатство — это власть, всякая власть, тем или иным способом, прибирает к рукам богатство.

Эдмунд Берк

Дешевых политиков не бывает.

Лоренс Питер

Дешевые политики обходятся особенно дорого.

Неизвестный американец

Финансисты поддерживают государство, как веревка — висельника.

Шарль Монтескье

Неважно, что вам говорят, — вам говорят не всю правду.

Неважно, о чем говорят, — речь всегда идет о деньгах.

«Два первых политических принципа Тодда»

ПОЛИТИКА И КУЛЬТУРА

Не бывает перемены приемов мусического искусства без изменений в самых важных государственных установлениях.

Платон

Поэты должны быть изгнаны из государства.

Перефразированная мысль Платона

Когда я слышу слово «культура», я хватаюсь за пистолет.

Ханс Йост

Когда я слышу слово «пистолет», я хватаюсь за свою культуру.

Эрвинг Гуд

Люди, не имеющие с искусством ничего общего, не должны с ним иметь ничего общего. Просто?

Станислав Ежи Лец

И соловей может помочь пахарю, если не надевать на него хомут.

Лешек Кумор

Вельзевул поощряет искусство. Своим художникам он гарантирует покой, хорошее питание и абсолютную изоляцию от адской жизни.

Збигнев Герберт

Наконец-то физикам и лирикам делить нечего — и те, и другие в загоне.

Эмилий Архитектор

Культуре можно и не платить, как порядочной женщине.

Геннадий Малкин

От своего города я требую: асфальта, канализации и горячей воды. Что касается культуры, то культурен я сам.

Карл Краус

ПОЛИТИКА И МЫ

Человек — политическое животное.

Аристотель

Врач: «А сколько раз в неделю вы живете политической жизнью?»

Андрей Бильжо

Политика есть искусство удерживать людей от участия в делах, которые их прямо касаются.

Питер Устинов

Большая политика рано или поздно настигнет тебя. Но постарайся, чтобы она не застигла тебя в исподнем.

Богдан Чешко

— Я не занимаюсь политикой. — А знаете, это все равно что сказать: «Не занимаюсь жизнью».

Жюль Ренар

Я не интересуюсь политикой, и это отнимает у меня много времени.

Станислав Ежи Лец

Заниматься политикой — все равно что сморкаться или писать невесте. Это надо делать самому, даже если не умеешь.

Гилберт Честертон

Если вы не будете заниматься политикой, политика займется вами.

Шарль Монталамбер

Политика слишком серьезное дело, чтобы доверять ее политикам.

Шарль де Голль

ПОЛИТИКИ

Кто умеет — работает, кто не умеет — управляет, а кто не умеет управлять — правит.

NN

Политик: человек, который, увидев свет в конце тоннеля, начинает рыть другой тоннель.

Джон Куинтон

Политик: игрок, который пытается играть только своими картами.

Владислав Гжещик

Политик не должен быть слишком умен. Очень умный политик видит, что бóльшая часть стоящих перед ним задач совершенно неразрешима.

Станислав Лем

У политика много общего с тренером по американскому футболу. Он должен быть настолько умен, чтобы понимать игру, и настолько туп, чтобы принимать ее всерьез.

Юджин Маккарти

Кто стоит высоко и у всех на виду, не должен позволять себе порывистых движений.

Наполеон I

Тот, кто находится высоко, должен так же подчиняться обстоятельствам, как флюгер на башне.

Генрих Гейне

У каждой профессии особый жаргон. Политики свой навязали народам.

Станислав Ежи Лец

Он ничего не знает, а думает, что знает все: ему на роду написано быть политиком.

Джордж Бернард Шоу

Если вы не можете хотя бы дважды в неделю разглагольствовать о нравственности перед обширной и вполне безнравственной аудиторией, политическое поприще для вас закрыто.

Оскар Уайльд

Вы бы купили подержанный автомобиль у этого человека?

Морт Сал о Ричарде Никсоне

Если наш школьный знакомый получает видный государственный пост, мы рады за него, но тревожимся за будущее нашей страны.

Билл Вон

Большая часть политиков, увы, ублюдки не от рождения, а по призванию.

Кэтрин Уайтхорн

У него, как я слышал, харизма. Какой стыд! Ведь в наше время это уже излечимо!

Роберт Орбен

Политик думает о следующих выборах, государственный муж — о следующем поколении.

Джеймс Фриман Кларк

Государственный муж — это политик, умерший 10 или 15 лет назад.

Гарри Трумэн

Женщины и государственные мужи любят ставить нас перед свершившимся фактом, — часто по глупости, еще чаще из хитрости.

Кароль Ижиковский

Какие-то 90 процентов политиков портят репутацию всех остальных.

Генри Киссинджер

В детстве я хотел стать тапером в борделе или политиком. Разница, по правде сказать, небольшая.

Гарри Трумэн

Я останусь до тех пор, пока не устану. А пока Британия во мне нуждается, я никогда не устану.

Маргарет Тэтчер

Я не диктатор. Просто у меня такое выражение лица.

Аугусто Пиночет

Когда ребенок показывает руки, ему велят их вымыть. Политик рук не показывает.

Стефан Гарчиньский

Часто для грязной работы лучше всего подходят люди с чистыми руками.

Януш Васильковский

За политиками, как и за пьяницами, убирать всегда приходится нам.

Остин О'Малли

У политиков, как и у проституток, дурная слава, но, спрашивается, к кому мы идем, когда нам приспичит?

Брендан Франсис

Чтобы стать хозяином, политик изображает слугу.

Шарль де Голль

Чем выше пост, тем лучше видны успехи страны.

Акрам Муртазаев

При существующих политических институтах иногда еще приходится считаться с чужим мнением.

Уинстон Черчилль

Не стоит тратиться на составление своей родословной. Займитесь политикой, и оппоненты сделают это за вас.

Лоренс Питер

Иные политики предлагают нам больше решений, чем у нас есть проблем.

NN

Когда мужчина достигает возраста, в котором уже нельзя служить чиновником, садовником или полицейским, считается, что он как раз созрел для того, чтобы вершить судьбы своей страны.

Сомерсет Моэм

Политик — это человек, которому нужен минимум слов, чтобы быть многословным.

Питер де Врайз

Политик лишь формулирует то, что думают его избиратели, даже если они еще не догадываются об этом.

Энох Пауэлл

Политик до такой степени не принимает на веру свои слова, что всегда удивляется, когда другие понимают его буквально.

Шарль де Голль

У людей известного возраста из всех чувств остается только политическое чутье.

Яцек Вейрох

Задача политика заключается в том, чтобы идти во главе нескольких толп, направляющихся в разные стороны.

NN

Настоящий политик, дойдя до развилки дорог, идет по обеим дорогам сразу.

NN

Иные судорожно держатся за руль, чтобы не упасть.

Веслав Брудзиньский

Последнее движение политика — рука, протянутая к кобуре револьвера.

Бакминстер Фаллер

Если среди политиков так мало женщин, то лишь потому, что слишком утомительно делать макияж двух лиц сразу.

Морин Мерфи

Один известный политик пытался сохранить оба своих лица.

Джон Гантер

Иные рождаются великими, другие достигают величия, а третьи нанимают специалистов по связям с общественностью.

Дэниэл Бурстин

Хороший политик способен заставить людей поверить в него; великий политик способен заставить людей поверить в себя самих.

NN

Во времена политических кризисов для честного человека самое трудное не в том, чтобы исполнить свой долг, а в том, чтобы уяснить его себе.

Луи де Бональд

Старые политики, как старые актеры, оживают при свете рампы.

Малколм Маггеридж

Вашингтон не мог солгать; Никсон не мог сказать правду; Рейган не может понять разницу между тем и другим.

Морт Сал

Вы всегда можете услышать правду от американского политика, если он уже перешагнул семидесятилетний рубеж или оставил надежду стать президентом.

Уэнделл Филлипс

Вы читали «Майн кампф»? Право, это единственная честная книга, когда-либо написанная политиком.

Уистен Хью Оден

Невозможно править при помощи «но».

Шарль де Голль

Политик никогда не должен говорить «никогда».

Линдон Джонсон

Поразительно, сколь умен бывает политик через десять лет после того, когда надо было быть умным.

Дэвид Ллойд Джордж

Это опасный человек — он действительно верит в то, что говорит.

Оноре Мирабо о Робеспьере

Он время от времени наталкивается на истину; тогда он говорит «извините» и идет дальше.

Уинстон Черчилль
о Стэнли Болдуине

Большую жизнь прожил: побывал и сверху, и снизу, и снизу, и сверху!

Борис Ельцин
о Викторе Черномырдине

Пусть лучше мочится внутрь палатки, чем наружу.

Линдон Джонсон
об Эдгаре Гувере, директоре ФБР

Ему все равно, куда ехать, при условии, что он сидит за рулем.

Уильям Бивербрук
о Дэвиде Ллойд Джордже

Все, чего я хотел, — это согласия с моими желаниями после конструктивной дискуссии.

Уинстон Черчилль

ПОЛИЦИЯ

См. также «Преступление. Преступность»

Свободная рыночная экономика — превосходная вещь, но чтобы она работала, нужно очень много полиции.

Нил Аскерсон

Я не против полиции; я просто боюсь ее.

Алфред Хичкок

Я стал полицейским, потому что с детства мечтал о профессии, в которой клиент всегда не прав.

Некий офицер американской полиции

Участок — великая вещь! Это место свидания меня и государства.

Велимир Хлебников

Полицейский находится на своем месте не для того, чтобы создавать беспорядок; полицейский находится там, чтобы поддерживать беспорядок.

Ричард Дейли, мэр Чикаго

Уголовная полиция — превосходное определение.

Хуго Штейнхаус

Сначала стреляйте, потом допрашивайте, а если вы ошибетесь, я вас прикрою.

Герман Геринг — сотрудникам прусской полиции в 1933 г.

Мундиры необходимы, иначе как отличить стражей порядка от его нарушителей?

Ян Чарный

А кто устережет самих-то сторожей?

Ювенал

Всякий, кто говорит с полицейским, немного похож на лжеца.

Шарль-Луи Филипп

Полиция полезна всегда — либо для разгона демонстрантов, либо для удержания их в колонне.

Кароль Корд

Мелкие беспорядки порождают крупные силы порядка.

Лех Конопиньский

И резиновой палкой можно указывать путь.

Станислав Ежи Лец

Полиция есть космическая постоянная.

Станислав Лем

ПОМОЩЬ

См. также «Добрые дела», «Сочувствие. Утешение»

Все меня прощают, никто не помогает.

Сенека

Лучше самая малая помощь, чем самое большое сочувствие.

Владислав Лоранц

Велика разница между дружеским советом и дружески протянутой рукой.

«Пшекруй»

Мы не поможем людям, делая за них то, что они могли бы сделать сами.

Авраам Линкольн

Дай человеку рыбу, и ты накормишь его только раз. Научи его ловить рыбу, и он будет кормиться ею всю жизнь.

Китайское изречение

Если вы поможете другу в беде, он непременно вспомнит о вас, когда опять попадет в беду.

«Жалоба Чейтса»

Стоит тебе разок кого-нибудь выручить, и у тебя появится новая должностная обязанность.

«Закон Пинто»

Ничто так не привязывает человека к человеку, как беспомощность.

Леопольд Новак

Мы помогаем людям, чтобы они, в свою очередь, помогли нам; таким образом, наши услуги сводятся просто к благодеяниям, которые мы загодя оказываем самим себе.

Франсуа Ларошфуко

Хочешь помочь — не мешай!

А. Насибов

ПОНИМАНИЕ – НЕПОНИМАНИЕ

См. также «Мы и другие»

Мы знаем гораздо больше, чем понимаем.

Альфред Адлер

Всякий слышит лишь то, что понимает.

Плавт

С тех пор как изобрели речь, люди не могут договориться друг с другом.

Хенрик Ягодзиньский

Я никогда не мог взять в толк, почему из-за того только, что я выражаюсь невразумительно, никто меня не понимает.

Милтон Мейер

Мне потребовалась целая жизнь, чтобы понять, что вовсе не нужно понимать все на свете.

Рене Коти

Если ты все понимаешь, значит, тебе не обо всем говорят.

«Пшекруй»

Взаимное понимание требует взаимной лжи.

Дон-Аминадо

Она не понимала его, как бесхитростные ходики, вероятно, не понимают хронометра.

Эмиль Кроткий

Если женщина полностью понимает мужчину, это кончается либо браком, либо разводом.

NN

Жалоба, что нас не понимают, чаще всего происходит от того, что мы не понимаем людей.

Василий Ключевский

У других понимаешь лишь то, что преодолел в самом себе.

Кшиштоф Конколевский

Тот, кто понимает людей, не ищет у них понимания.

Богуслав Войнар

ПОРНОГРАФИЯ

См. также «Секс»

Порнография: все, что вызывает эрекцию у судьи.

Неизвестный англичанин

Порнография лжет о женщинах, но говорит правду о мужчинах.

Джон Столтенберг

Порнография — это литературная проституция; она не просто удовлетворяет эротическое влечение, но еще и обесценивает его.

Карел Чапек

Порнофильм: уже через 10 минут хочется уйти домой и заняться этим; а еще через 10 минут хочется уйти и никогда в жизни этим не заниматься.

Эрика Джонг

Порнофильмы как телефонная книга: много номеров и никакого действия.

Юрген фон дер Липпе

Порнография есть эротическая форма ненависти.

Гюнтер Шмидт

То, о чем действительно говорит порнография, — это в конечном счете не секс, а смерть.

Сьюзан Зонтаг

Порнография — это инструкция, насилие — практика.

Глория Стайнем

Подросткам порнография заменяет секс, тогда как взрослым секс заменяет порнографию.

Эдмунд Уайт

Один содомит возбуждал себя чтением учебника зоологии. Считать ли эту книгу порнографическим изданием?

Станислав Ежи Лец

Разница между порнографией и эротикой — в освещении.

Глория Леонард

ПОРЯДОК – АНАРХИЯ

См. также «Власть», «Государство»

Всякий существующий порядок приходится непрерывно наводить.

Владислав Гжегорчик

Наводить порядок надо тогда, когда еще нет смуты.

Лао-цзы

Просто невероятно, как сильно могут повредить правила, едва только наведешь во всем слишком строгий порядок.

Георг Лихтенберг

Жизнь творит порядок, но порядок не творит жизни.

Антуан де Сент-Экзюпери

На свете осталось много беспорядка после тех, кто хотел привести его в порядок.

Лешек Кумор

Порядок — целенаправленная суета.

Геннадий Малкин

Анархия — мать порядка.

Перефразированный Пьер Жозеф Прудон

Мужчины за выпивкой беседуют либо о пользе порядка, либо о прелестях бардака.

Рышард Подлевский

ПОТОМСТВО

См. также «Будущее»

На чьей земле ты поселенец? Если все будет с тобою благополучно, — у собственного наследника.

Сенека

В эстафете поколений можно быть только эстафетной палочкой.

Лешек Кумор

Не стоит рассчитывать на потомков — предки тоже на нас рассчитывали.

Хенрик Ягодзиньский

Все говорят: потомство, потомство... А что оно сделало для нас?

Томас Грей

У меня работа спешная — для потомства.

Жюль Ренар

Потомство — это миф, созданный графоманами.

Казимеж Брандыс

Потомство: наказание за погрешности в технике.

Генри Луис Менкен

После нас — хоть потомки.

Евгений Сазонов

ПОХВАЛА

См. также «Комплименты»

Похвала, как вино, раскрепощает наши силы, если не опьяняет.

Пьер Буаст

Похвала есть пробный камень для дураков.

Пьер Буаст

Нам приятны порой даже такие похвалы, которым мы сами не верим.

Люк де Вовенарг

Тот, кто хвалит тебя за то, чего у тебя нет, хочет получить от тебя то, что у тебя есть.

Юджин Маньюэл

Проклятие бодрит, благословение расслабляет.

Уильям Блейк

Нет людей более скупых на похвалы, как те, которые их не заслуживают.

Пьер Буаст

Не спеши с порицанием, если опаздываешь с похвалой.

Антоний Регульский

Похвала указывает путь, порицание подметает лестницу.

Славомир Врублевский

ПОХОРОНЫ

См. также «Кладбище», «Некролог»

Похороны — единственное светское мероприятие, на которое можно прийти без приглашения.

Эдмон Ротшильд

Чтоб не отстать от жизни, он ходил на все похороны.

Эмиль Кроткий

Если вы не будете ходить на похороны других людей, они не придут на ваши.

Кларенс Дей

Я не пойду на его похороны — он ведь на моих не был.

Мечислав Шарган

Я отказался участвовать в его похоронах, но послал очень вежливое письмо, в котором одобрил это мероприятие.

Марк Твен

Помни: твое участие в чьих-либо похоронах может быть предпоследним.

Лешек Кумор

На чужих похоронах мы волнуемся, как актер на репетиции.

Эмиль Кроткий

Если на его похороны пришло столько народа, то лишь для того, чтобы убедиться, что он действительно умер.

Сэмюэл Голдвин
о киномагнате Луисе Мейере

Неважно, сколько народу пойдет за моим гробом; важно, за чьими гробами еще предстоит идти мне.

Януш Васильковский

Знай он, какие пышные похороны его ожидают, он бы уже давно умер.

Авраам Линкольн об одном
американском генерале

Мы украсили бы любые похороны, но для более веселых торжеств не годились.

Марк Твен

На похоронах о человеке говорят столько хорошего, а мне не хватит считанных дней, чтобы до них дожить!

Гаррисон Киллор

Надгробные речи полны глубокого смысла: они дают точное представление о том, кем следовало бы быть покойнику.

Дж. Ваперен

На похоронах всем больше всего мешает покойник, но без него трудно обойтись.

Аркадий Давидович

Хорошие похороны — не импровизация: им нужно посвятить жизнь.

Огюст Детёф

Каждый сам формирует свою похоронную процессию.

Юрий Авербух

Жаль, что в рай надо ехать на катафалке!

Станислав Ежи Лец

Жизнь — комедия и трагедия вперемежку. Несколько самых смешных фраз в своей жизни я услышала на похоронах.

Ширли Маклейн

В последний раз надоедаешь родственникам в день похорон.

Юрий Авербух

Когда тебя некому забрать из морга — это уже одиночество.

Юрий Авербух

У могильщиков не бывает мертвого сезона.

Станислав Ежи Лец

Если могильщики поднимают цену, значит, стоимость жизни растет.

Максим Звонарев

Ничто так не примиряет со стоимостью жизни, как оплата счета за погребение.

NN

Давайте жить так, чтобы даже гробовщик пожалел о нас, когда мы умрем!

Марк Твен

ПОЦЕЛУЙ

См. также «Флирт. Ухаживанье»

Поцелуй передавался из поколения в поколение путем устной традиции.

Станислав Ежи Лец

Красивую женщину можно целовать без конца и ни разу не попасть в одно и то же место.

Януш Макарчик

Поцелуями затыкают рот.

Ванда Блоньская

Быть мужчиной хорошо уже потому, что не нужно целовать чужую трехдневную щетину.

NN

Для женщины первый поцелуй — конец начала, для мужчины — начало конца.

Хелен Роуленд

Женщина все еще помнит первый поцелуй, когда мужчина уже забыл о последнем.

Реми де Гурмон

Первый поцелуй мужчина срывает украдкой, о втором умоляет, третьего требует, четвертый берет без спросу, пятый снисходительно принимает, а все остальные терпит.

Хелен Роуленд

Просим пассажиров начать целоваться прямо сейчас, чтобы самолет вылетел вовремя.

Объявление
в Нью-Орлеанском аэропорту

...И, став на цыпочки, она поцеловала его свысока.

Григорий Ландау

Я поцеловал свою первую женщину и выкурил свою первую сигарету в один и тот же день. С тех пор у меня уже никогда не хватало времени на сигареты.

Артуро Тосканини

Легче забыть десять поцелуев, чем один.

Жан Поль

Девушке нужен некоторый опыт, чтобы целоваться как начинающая.

Джоан Риверз

Чем больше целуешься, тем меньше говоришь глупостей.

Ванда Блоньская

Я сторонник обычая целовать женщине руку. С чего-то ведь надо начать.

Сашá Гитри

Женщину, которой ты не стал бы целовать руку, не стоит целовать и в губы.

Феликс Хвалибуг

Никогда не целует руку женщине, боится проглотить кольцо!

Жюль Ренар

Если ты не знаешь, целовать девушку или нет, на всякий случай поцелуй.

Янина Ипохорская

Избегай женщин с быстрыми губами.

Маорийское изречение

Невозможно поцеловать девушку неожиданно, но можно поцеловать ее быстрее, чем она ожидает.

NN

Разница между сестринским поцелуем и настоящим — примерно 55 секунд.

NN

В любви всегда один целует, а другой только подставляет щеку.

Французское изречение

В поцелуе двух женщин есть что-то от боксерского рукопожатия.

Генри Луис Менкен

ПОЭЗИЯ И ПРОЗА

См. также «Литература»

Поэзия — это проза среди искусств.

Новалис

Проза занимает место в литературе только благодаря содержащейся в ней поэзии.

Акутагава Рюноскэ

Проза есть продолжение поэзии другими средствами.

Иосиф Бродский

Романтик — это неудавшийся священник, а романист — неудавшийся поэт.

Сирил Конноли

Не все поэты разочаровывают там, где начинается проза. Чаще бывает наоборот.

Станислав Ежи Лец

Первый, кто сравнил женщину с цветком, был великим поэтом, но уже второй был олухом.

Генрих Гейне

Первым поэтом был тот, кто сравнил женщину с цветком, а первым прозаиком — тот, кто сравнил женщину с другой женщиной.

Константин Мелихан

Времена великих прозаиков наступали тогда, когда мужчины брились. Времена великих поэтов наступали тогда, когда мужчины носили бороды.

Роберт Линд

Поэт — средство существования языка.

Иосиф Бродский

Что мне нравится у поэтов — это поэзия.

Альберто Моравиа

Стихи делают не из мыслей, мой дорогой. Стихи делают из слов.

Стефан Малларме — Эдгару Дега

Стихотворение есть растянутое колебание между звуком и смыслом.

Поль Валери

Понятия большинства людей о поэзии так туманны, что туманность служит им определением поэзии.

Поль Валери

Проза — это слова в наилучшем порядке, а поэзия — наилучшие слова в наилучшем порядке.

Сэмюэл Кольридж

Поэзия это не «лучшие слова в лучшем порядке», это — высшая форма существования языка.

Иосиф Бродский

Цель поэзии — поэзия.

Антон Дельвиг

ПРАВДА. ИСТИНА

См. также «Идеи. Идеология», «Предрассудки»

И познаете истину, и истина сделает вас свободными.

Евангелие от Иоанна, 8, 32

И познаете истину, и истина сведет вас с ума.

Олдос Хаксли

Истина, которая делает нас свободными, — это чаще всего истина, которую мы не желаем слушать.

Герберт Эйгар

Все истины низкие, они не опьяняют, а отрезвляют.

Борис Парамонов

Противоположность правильного высказывания — ложное высказывание. Но противоположностью глубокой истины может быть другая глубокая истина.

Нильс Бор

Великие истины слишком важны, чтобы быть новыми.

Сомерсет Моэм

Истина и справедливость — точки столь малые, что, метя в них нашими грубыми инструментами, мы почти всегда даем промах, а если и попадаем в точку, то размазываем ее и при этом прикасаемся ко всему, чем она окружена, — к неправде куда чаще, чем к правде.

Блез Паскаль

Глубочайшая истина расцветает лишь из глубочайшей любви.

Генрих Гейне

Из-за того, что одни перегибают истину в одну сторону, я не буду перегибать ее в другую.

Жан Ростан

Есть настолько очевидные истины, что их невозможно доказать.

Аркадий Давидович

Бывают ложные доказательства истины.

Владислав Пекарский

Истина перестает быть истиной, как только в нее уверует больше, чем один человек.

Оскар Уайльд

Всякая истина рождается как ересь и умирает как предрассудок.

Томас Гексли

Абсолютной истины не существует — такова абсолютная истина.

Дэвид Джеролд

Ясность — настолько очевидное свойство истины, что нередко их даже путают между собой.

Жозеф Жубер

Истину нельзя объяснять так, чтобы ее поняли; надо, чтобы в нее поверили.

Уильям Блейк

Правда всегда находится в пути.

Томаш Бурек

Верьте тем, кто ищет истину; не доверяйте тем, кто нашел ее.

Андре Жид

Гораздо легче найти ошибку, чем истину.

Иоганн Вольфганг Гёте

Правда редко бывает чистой и никогда не бывает простой.

Оскар Уайльд

Правда — это нечто такое, что каким-либо образом может кого-либо дискредитировать.

Генри Луис Менкен

Людям нередко кажется, будто бóльшая правда лежит по соседству с бóльшей неприятностью.

Кароль Ижиковский

Каждый хочет, чтобы правда была на его стороне, но не каждый хочет быть на стороне правды.

Ричард Уэйтли

Говорят: в конце концов правда восторжествует; но это неправда.

Антон Чехов

Открывание старых истин подчас напоминает раздевание пожилых дам.

Владислав Гжещик

Истина — в середине.

Моисей Маймонид

Говорят, истина лежит между двумя противоположными мнениями. Неверно! Между ними лежит проблема.

Иоганн Вольфганг Гёте

Истина обычно лежит посередине. Чаще всего без надгробия.

Станислав Ежи Лец

ПРАВДА И ЛОЖЬ

См. также «Ложь и лжецы»

Если вы исключите невозможное, то, что останется, и будет правдой, сколь бы невероятным оно ни казалось.

Артур Конан Дойл

Захватывающая история редко бывает правдивой.

Сэмюэл Джонсон

Правда бывает удивительней вымысла, зато вымысел правдивее.

Фредерик Рафейэл

Правда — это то, что каждый из нас обязан рассказать полицейскому.

Бертран Рассел

Правда — самое ценное из того, что у нас есть; будем же расходовать ее бережно.

Марк Твен

Две ненавидящие друг друга правды способны родить тысячи видов лжи.

Владислав Гжегорчик

Какой смысл лгать, если того же результата можно добиться, тщательно дозируя правду?

У. Форстер

Правду всегда трудно сказать, ложь всегда легко слушать.

Сюзанна Броан

Иногда ради точности к правде добавляют мелкую ложь.

Войцех Бартошевский

Правда настолько горька, что служит обычно только приправой.

Владислав Гжещик

Если приходится выбирать между неправдой и грубостью, выбери грубость; но если приходится выбирать между неправдой и жестокостью, выбери неправду.

Мария Эбнер-Эшенбах

Не будь снобом. Никогда не лги, если правда лучше оплачивается.

Станислав Ежи Лец

Полправды — целая ложь.

NN

Уши людей недоверчивее, чем их глаза.

Геродот

Трудно поверить, что человек говорит тебе правду, если знаешь, что ты сам на его месте солгал бы.

Генри Луис Менкен

Каждый дурак может говорить правду, но нужно кое-что иметь в голове, чтобы толково солгать.

Сэмюэл Батлер

По свету ходит чудовищное количество лживых домыслов, а самое страшное, что половина из них — чистая правда.

Уинстон Черчилль

Если истина многогранна, то ложь многоголоса.

Уинстон Черчилль

Правда путешествует без виз.

Фредерик Жолио-Кюри

Ложь обойдет полсвета прежде, чем правда успеет надеть башмаки.

Английская пословица

Все больше истин прикидываются ложью, чтобы привлечь слушателей.

Веслав Брудзиньский

Часто бывает, что человек, который ни разу в жизни не соврал, берется судить о том, что правда, а что ложь.

Марк Твен

Женщины с легкостью лгут, говоря о своих чувствах, а мужчины с еще большей легкостью говорят правду.

Жан Лабрюйер

Еще никому не удавалось побить ложь оружием правды. Побороть ложь можно только еще большей ложью.

Станислав Ежи Лец

Между правдой и ложью есть место для чего-то более человеческого.

Доминик Опольский

ПРАВИЛА И ИСКЛЮЧЕНИЯ

Учение — это изучение правил; опыт — изучение исключений.

NN

Для других мы создаем правила, для себя — исключения.

Шарль Лемель

Ввести новое правило может любой дурак, и все дураки будут это правило соблюдать.

NN

Правила для всех одинаковы, только исключения разные.

Данил Рудый

Не будь исключений, правила были бы невыносимы.

Ежи Лещинский

Исключения справедливы во всех случаях за исключением тех, когда справедливы правила.

Б. Бейнфест

Исключения делают правило знаменитым.

Веслав Брудзиньский

Уцелели только те исключения, которые подтверждали правила.

Данил Рудый

Исключения не всегда подтверждают правило — они могут предвещать другое, еще не известное правило.

Мария Эбнер-Эшенбах

Когда исключение становится правилом, оно не допускает никаких исключений.

Александр Фюрстенберг

Две ошибки не делают правила.

Английская пословица

Молодежь знает правила, старики — исключения.

Оливер Уэнделл Холмс-старший

Следовать всем правилам — значит лишить себя всех удовольствий.

Кэтрин Хепберн

ПРАВИТЕЛЬСТВО

См. также «Государство», «Министры и министерства»

Правительство — это великая фикция, благодаря которой каждый пытается жить за чужой счет.

Фредерик Бастиа

Идеальное правительство невозможно, потому что люди наделены страстями; а не будь они наделены страстями, не было бы нужды в правительстве.

Вольтер

Наихудшее правительство — наиболее нравственное. Правительство, состоящее из циников, часто терпимо и гуманно. Но если у власти фанатики, притеснениям нет предела.

Генри Луис Менкен

Единственное хорошее правительство — это плохое правительство в состоянии крайнего испуга.

Джойс Кэри

Лучшее правительство то, которое правит как можно меньше.

Джон О'Салливан

Правительство — это рефери, и оно не должно пытаться стать игроком.

Рональд Рейган

Правительство, достаточно большое и сильное, чтобы дать вам все, что вы требуете, достаточно велико для того, чтобы забрать все, что у вас есть.

Джеральд Форд

Слава богу, правительство у нас не такое большое, какое мы могли бы иметь за те деньги, что мы ему платим.

Уилл Роджерс

Каждый народ имеет такое правительство, какого заслуживает.

Жозеф де Местр

Всякий народ имеет то правительство, которое его имеет.

Андрей Кнышев

Правительства никогда ничему не учатся. Учатся только люди.

Милтон Фридман

Правительство как грудной младенец: чудовищный аппетит на одном конце и полная безответственность на другом.

Рональд Рейган

Дело правительства — не лезть в деловую жизнь, пока его не зовут.

Уилл Роджерс

У правительства столько дурных привычек, что содержать его становится все дороже.

Американское изречение

Господь помогает тем, кто сам себе помогает; правительство — всем остальным.

Американское изречение

Лозунг истинной демократии — не «Пусть это сделает правительство», а «Дайте нам сделать это самим».

Дуайт Эйзенхауэр

Правительство не скажет словечка о тучах, не упомянув о сопутствующей им радуге.

Сесил Кинг

Ни одна разведслужба не предскажет, что сделает правительство, если оно само этого не знает.

Джон Кеннет Гэлбрейт

В реках и плохих правительствах наверху плавает самое легковесное.

Бенджамин Франклин

Невелика трудность быть юмористом, когда на тебя работает все правительство.

Уилл Роджерс

Мужчине нужна жена, потому что не все на свете можно свалить на правительство.

Леонард Луис Левинсон

Как бы плохо мы ни говорили о правительстве, оно думает о нас еще хуже.

Геннадий Малкин

Они чувствовали давление со стороны правительства столь же мало, как и давление воздуха.

Георг Лихтенберг

Опасно быть правым, когда правительство ошибается.

Вольтер

Законное правительство — то, у которого превосходство в артиллерии.

Карел Чапек

Правительства чаще совершают зло из трусости, чем из своеволия.

Людвиг Берне

Правительственное решение проблемы обычно хуже самой проблемы.

Милтон Фридман

Правительство — это не тот орган, где, как говорят, можно только языком.

Виктор Черномырдин

Любому правительству следовало бы сжигать свои старые речи сразу же после прихода к власти.

Филип Сноуден

Любое правительство — Временное.

Леонид Крайнов-Рытов

ПРАВОПИСАНИЕ

В речи некоторых людей слышны орфографические ошибки.

Юлиан Тувим

Мы живем в эпоху великих орфографических открытий.

Виктор Томбак

Многоточие может обозначать отсутствие мысли.

Хораций Сафрин

Кавычки — для идиотов.

Михаил Светлов о закавычивании слов, употребленных в переносном значении

Трудности с правописанием много способствовали популярности телефона.

«Пшекруй»

По виду ей дашь не больше тридцати, по ее орфографии — не больше четырнадцати.

Видоизмененный Моисей Сафир

Девушки, которые знают орфографию действительно хорошо, не носят слишком коротких юбок.

«Пшекруй»

ПРЕДАТЕЛЬСТВО. ИЗМЕНА

У него все свойства собаки за исключением верности.

Сэмюэл Хьюстон

Если держишь собаку на привязи, не ожидай от нее привязанности.

Андре Вильметр

Люблю измену, но не изменников.

Юлий Цезарь

Предают только свои.

Французское изречение

Обидно, когда ты — Иуда, а тебя продают, как Христа.

Аркадий Давидович

Предательства совершаются чаще всего не по обдуманному намерению, а по слабости характера.

Франсуа Ларошфуко

Золотого человека легче продать.

Славомир Врублевский

Распродажа друзей — не признак банкротства, а признак карьеры.

Леопольд Новак

Все не так плохо: нас не продавали — нас выдали даром.

Карел Чапек

Не уверен — не предавай.

Максим Звонарев

ПРЕДРАССУДКИ

См. также «Идеи. Идеология», «Правда. Истина»

Предрассудки — несущие опоры цивилизации.

Андре Жид

Предрассудки — разум глупцов.

Вольтер

Предрассудок — религия слабых умов.

Эдмунд Берк

Без помощи предубеждений и обычаев я бы заблудился даже в собственной комнате.

Уильям Гэзлитт

Старание избегать предрассудков — предрассудок.

Фрэнсис Бэкон

Кто свободен от предрассудков, должен быть готов к тому, что его не поймут.

Лион Фейхтвангер

Предрассудки не имеют разумных оснований, поэтому их нельзя опровергнуть разумными доводами.

Сэмюэл Джонсон

Гораздо легче опровергнуть убеждение, чем предубеждение.

Мария Эбнер-Эшенбах

Старые предрассудки вызывают смех, новые — ужас.

Ежи Плудовский

Нужно бороться со старыми предрассудками, чтобы победили новые.

Владимир Голобородько

ПРЕДСКАЗАНИЯ И ПРОГНОЗЫ

См. также «Будущее»

Предвидеть — значит управлять.

Блез Паскаль

Меня всегда удивляют события, которые я предвидела.

«Пшекруй»

В девятнадцатом веке мало кто ожидал, что наступит двадцатый.

Станислав Ежи Лец

История полна войн, про которые было совершенно точно известно, что они никогда не начнутся.

Энох Пауэлл

Нет ничего более постоянного, чем непредвиденное.

Поль Валери

Так много умеющих предвидеть и так мало умеющих предупредить.

Веслав Брудзиньский

Он все предусмотрел, не предусмотрел только, что это сбудется.

Веслав Брудзиньский

Нострадамус: пророк, предсказания которого были столь многочисленны и столь мрачны, что они подходят к любому сколько-нибудь значительному событию, случившемуся впоследствии.

Леонард Луис Левинсон

Когда расшифровывать Нострадамуса берется американец, то наиболее интересные события у него происходят в Америке, у англичанина — в Англии, у русского — в России, и т.д.

Дмитрий и Надежда Зима

Все сегодняшние факты — это вчерашние предсказания, но попробуй найди теперь тех предсказателей.

Славомир Врублевский

Заглядывать слишком далеко вперед — недальновидно.

Уинстон Черчилль

Профессия футуролога ненадежна. Ею можно заниматься только до конца света.

Лешек Кумор

Иные радовались бы даже концу света, если бы им удалось его предсказать.

Кристиан Фридрих Геббель

Календари не имеют соперников в искусстве предсказывать будущее.

Лешек Кумор

Невелика штука предсказывать будущее; вы лучше попробуйте разгадать настоящее!

Хуго Штейнхаус

Труднее всего предсказать чье-либо прошлое.

Станислав Ежи Лец

Прогнозы бывают трех родов: верные, неверные и научные.

Гаврила Увеков

Политик должен уметь предсказать, что произойдет завтра, через неделю, через месяц и через год. А потом объяснить, почему этого не произошло.

Уинстон Черчилль

Беда не в том, что экономисты не умеют предсказывать, а в том, что политики требуют слишком оптимистических прогнозов.

Рудольф Пеннер

Чтобы прослыть ясновидцем, предсказывай будущее на сто лет вперед. Чтобы прослыть глупцом, предсказывай его на завтра.

Дон-Аминадо

ПРЕКРАСНОЕ. КРАСОТА. ЭСТЕТИКА

См. также «Вкус», «Искусство и художник»

Прекрасное трудно.

Бенедикт Спиноза

Красота есть единство в разнообразии.

Перефразированная мысль Эриугены

Красота — это бесконечность, выраженная в законченной форме.

Фридрих Шеллинг

В сущности, мир существует лишь для того, чтобы могла появиться одна прекрасная книга.

Стефан Малларме

Эстетика — мать этики.

Иосиф Бродский

Эстетика для художника то же самое, что орнитология для птиц.

Барнетт Ньюмен

У артистов от постоянного прикосновения к искусству притупляется эстетическое чувство, заменяясь эстетическим глазомером.

Василий Ключевский

Искусствоведы часто напоминают людей, которые знают химический состав запаха, не чувствуя аромата.

Станислав Ежи Лец

Искусство принадлежит искусствоведам.

Аркадий Давидович

ПРЕМЬЕРА

См. также «Театр»

Премьера — это вечер накануне того дня, когда спектакль готов.

Джордж Джин Нейтан

На премьеры ходят, как в древнем Риме ходили в Колизей смотреть на растерзание христиан и бои гладиаторов.

Карел Чапек

Премьера, подобно землетрясениям, приливной волне, супружеству и другим природным катаклизмам, — превосходное зрелище, если вам оно ничем не грозит.

Джон Барримор

После премьеры иногда наступает такой катарсис, что дальнейшие представления лишаются смысла.

Станислав Ежи Лец

Эта пьеса — не для премьеры.

Абрам Пытель

Пьеса имела большой успех, но публика провалилась с треском.

Оскар Уайльд

ПРЕСТУПЛЕНИЕ. ПРЕСТУПНОСТЬ

См. также «Воровство», «Оружие», «Полиция», «Тюрьма»

Где нет закона, нет и преступления.

Апостол Павел —
Послание к римлянам, 4, 15

Преступление, совершенное против всех, не составляет опасности ни для кого.

Клеменс Кшижагурский

Недостаток воображения предрасполагает к преступлению.

Агата Кристи

Тому, кто совершит преступление дважды, оно уже кажется дозволенным.

Талмуд

Это хуже, чем преступление, — это ошибка.

Французский юрист Антуан
Буле де ла Мерт о расстреле,
по приказу Наполеона I,
герцога Энгиенского в 1804 г.

Только успешные преступления находят оправдание.

Джон Драйден

Что у нас хорошо организовано, так это преступность.

Константин Мелихан

В борьбе с мафией мафия на нашей стороне.

Аркадий Давидович

Мафия бессмертна, потому что смертны все мы.

Аркадий Давидович

Будущее несовершеннолетних преступников сомнительно. Из них еще могут вырасти порядочные люди.

Станислав Ежи Лец

Амнистия — великодушие государства по отношению к тем преступникам, наказать которых ему не по средствам.

Амброз Бирс

Наши улицы совершенно безопасны. Опасны только люди на улицах.

Франк Риццо, мэр Филадельфии

Ситуация с преступностью в нашем городе настораживает. Можно пройти пять кварталов, и все еще не покинуть место преступления.

NN

Робин Гуд грабил только богатых, потому что с бедных нечего взять.

NN

Кто хочет разбогатеть в течение дня, будет повешен в течение года.

Леонардо да Винчи

Преступление — дело невыгодное; всякий преступник рано или поздно будет наказан за неправильную парковку.

Тед Зайглер

Преступление не окупается. Остальные занятия, в общем-то, тоже.

«Пшекруй»

Преступление не окупается, потому что, если оно окупается, оно называется по-другому.

NN

ПРИВИЛЕГИИ

См. также «Справедливость»

В этом мире люди ценят не права, а привилегии.

Генри Луис Менкен

Рядом с большими воротами всегда есть крохотная калитка.

Владислав Гжегорчик

Оборот «иметь привилегии» редко встречается в первом лице единственного числа.

Лешек Кумор

Сколько недоразумений проистекает из того, что люди смотрят на свои привилегии как на награды.

Жильбер Сесброн

Привилегированные очень ценят мелкие неприятности: они устраняют последние упреки совести.

Жильбер Сесброн

Привлекательность лабиринта иногда заключается в том, что в него не всякий вхож.

Лешек Кумор

Высшая степень привилегированности: ключ от персонального туалета.

Тадеуш Гицгер

ПРИВЫЧКА

См. также «Характер»

Привычка — вторая натура.

Аристотель

Привычка, эта вторая натура, оказывается для большинства людей их единственной натурой.

Ромен Роллан

Привычка — это разум глупцов.

Пьер Буаст

Чем больше привычек, тем меньше свободы.

Иммануил Кант

Ко всему можно привыкнуть, за исключением нескольких тысяч вещей.

Лешек Кумор

Мы бы и к смерти привыкли, если б умирали несколько раз.

Кароль Бунш

Путы привычек обычно слишком слабы, чтобы их ощутить, пока они не станут слишком крепки, чтобы их разорвать.

Сэмюэл Джонсон

Если твой врач советует тебе изменить привычки, прежде всего смени врача.

NN

Ничто так не нуждается в исправлении, как чужие привычки.

Марк Твен

Почему жена десять лет усердно старается изменить привычки мужа, а потом жалуется, что он не тот человек, за которого она выходила?

Барбра Стрейзанд

Привычка есть привычка, ее не выбросишь за окошко, а можно только вежливенько, со ступеньки на ступеньку, свести с лестницы.

Марк Твен

У меня есть вредные привычки, и я к ним привык.

Алексей Симонов

ПРИМЕР

См. также «Воспитание детей»

Самый простой пример убедительнее самой красноречивой проповеди.

Сенека

Не люди нуждаются в правилах, а правила в людях.

С. Дюбе

Нам нужен кто-нибудь, по чьему образцу складывался бы наш нрав. Ведь криво проведенную черту исправишь только по линейке.

Сенека

Кто уже не способен служить ничем, служит добрым примером.

Андре Зигфрид

Бери пример со старших, пока они ведут себя примерно.

Ежи Лещинский

Не показывай пальцем — покажи собой.

Станислав Ежи Лец

Необходимость давать хороший пример своим детям лишает всякого удовольствия жизнь людей среднего возраста.

Уильям Федер

Помни: рано или поздно твой сын последует твоему примеру, а не твоим советам.

NN

ПРИМЕТЫ

См. также «Суеверие»

Страшен не сон, а его толкование.

Александр Климов

Приметы: мелкие радости — к крупным неприятностям.

Геннадий Малкин

В тринадцатое число ему не везло. Не везло и во все остальные числа.

Эмиль Кроткий

У счастливых цифр много нулей.

Янина Ипохорская

Если в глазунье, приготовленной для тебя, желток не точно посередине белка, — значит, для жены ты уже не то, чем был раньше.

«Пшекруй»

Если женатому приснилось, что он холостяк, это значит, что он проснется в плохом настроении.

NN

Если мы окружены крысами, значит, корабль не идет ко дну.

Эрик Хоффер

Подкова приносит счастье. Если, конечно, ты не лошадь.

Сильвия Чиз

Возможно, и на пороге смерти прибита подкова счастья.

Станислав Ежи Лец

ПРИНЦИПЫ

См. также «Взгляды. Убеждения», «Собственное мнение»

Если принципы берут верх над законом, значит, правительство окончательно разложилось.

Томас Джефферсон

Таковы мои принципы, и если они вам не нравятся, у меня есть другие.

NN

Приверженность великим принципам позволяет дипломату лгать с чистой совестью.

NN

Чтобы заниматься политикой, нужно уметь встать выше принципов.

Лоренс Питер

Женщины в вопросах всегда видят личности, а принципы черпают в своих личных симпатиях.

Эдмон Гонкур

Мы любим женщин с принципами. Нашими.

Лешек Кумор

ПРИРОДА

См. также «Экология. Охрана среды»

Природа — это неустанное спряжение глаголов «есть» и «быть поедаемым».

Уильям Индж

В природе ничто не пропадает, кроме самой природы.

Андрей Крыжановский

Окружающая среда: то, во что превращается природа, если ее не охранять.

NN

Мы не можем ждать милостей от природы; взять их у нее — наша задача.

Иван Мичурин

Мы не можем ждать милостей от природы после всего, что мы с ней сделали.

NN

Розы прививают любовь к природе, а шипы — уважение.

Антон Лигов

Я не из тех, кто мечтает вернуться на лоно природы; я из тех, кто мечтает вернуться в лоно отеля.

Фран Лебовиц

Ах, как хочется вернуться к природе! — с сигарой и рюмкой коньяку.

Лешек Кумор

Богу недурно удалась природа, но с человеком у него вышла осечка.

Жюль Ренар

Эхо — неизменный ответ природы на вопросы, которые мы ей задаем.

NN

Самое прекрасное в природе — отсутствие человека.

Блисс Карман

ПРИЧЕСКА

См. также «Внешность. Наружность»

Подобно тому как рыбу надо мерить, не принимая в расчет головы и хвоста, так и женщин надо разглядывать, не обращая внимания на прическу и башмаки.

Жан Лабрюйер

Нимфоманка: женщина, которая вечером желает заниматься любовью, хотя утром сделала прическу.

Морин Лимпан

Как ты причесана, так тебя и слушают.

Янина Ипохорская

Даже самую лучшую прическу нужно менять. Рано или поздно твой парень приобретает к ней иммунитет, как бактерии к пенициллину.

Янина Ипохорская

Мужчина номер два в жизни женщины — ее парикмахер.

Летиция Болдридж

Многие женские проблемы, перед которыми пасуют лучшие психиатры, часто решает парикмахер второй категории.

Мэри Маккарти

Одна голова хорошо, а две головы хуже, если учесть нынешние цены в парикмахерских.

NN

ПРОБЛЕМЫ И РЕШЕНИЯ

См. также
«Руководство и управление», «Уверенность и сомнения»

Либо вы часть решения, либо вы часть проблемы.

Элдридж Кливер

Проблемы зарождаются медленно, но размножаются быстро.

Владислав Гжегорчик

Если погрузиться в проблему достаточно глубоко, мы непременно увидим себя как часть проблемы.

«Аксиома Дюшарма»

Сколь бы сложной ни казалась проблема на первый взгляд, она, если правильно к ней подойти, окажется еще более сложной.

Пол Андерсон

Каждая проблема имеет решение. Единственная трудность заключается в том, чтобы его найти.

Эвви Неф

У всякой проблемы всегда есть решение — простое, удобное и, конечно, ошибочное.

Генри Луис Менкен

На всякую ключевую проблему найдется своя отмычка.

Лешек Кумор

Бóльшая часть проблем либо не имеет решения, либо имеет несколько решений. Лишь очень немногие проблемы имеют только одно решение.

Эдмунд Беркли

Почетный выход из положения часто ведет через черный ход.

Эвгениуш Коркош

Выход из лабиринта ведет в тупик.

Мечислав Шарган

Выходов нет, есть только переходы.

Григорий Ландау

Нужно довольно долго подумать, чтобы принять быстрое решение.

NN

Принятие решения часто свидетельствует о том, что человек устал думать.

Ралф Боллен

Трудные задачи выполняем немедленно, невозможные — чуть погодя.

Девиз ВВС США

Не говорите мне, что эта проблема сложна. Будь она проста, не было бы проблемы.

Фердинанд Фош

Легче указать человеку на дверь, чем указать выход.

Веслав Брудзиньский

Принять решение легче, если у вас нет выбора.

Нарасимха Рао

Что делать, когда не знаешь, что делать?

Милтон Мейер

Если не можешь решить проблему — начни ею руководить.

Роберт Шуллер

Старайся создавать такие проблемы, решение которых известно только тебе.

«Принцип Берка»

Если нет необходимости принимать решение, необходимо не принимать решения.

Лорд Фокленд

Вы не можете решить проблему, пока не признаете, что она у вас есть.

Харви Маккей

Каждая решенная проблема порождает новую неразрешимую проблему.

Закон, сформулированный сотрудниками Министерства труда США

Пустяковые вопросы решаются быстро, важные никогда не решаются.

«Закон Грэхема»

Нет такой большой и сложной проблемы, от которой нельзя было бы сбежать.

NN

Многие проблемы можно решить, если забыть о них и отправиться на рыбалку.

NN

Поставь вопрос ребром, и это выйдет тебе боком.

NN

Любое ваше решение — это ошибка.

Эдуард Далберг

ПРОПАГАНДА

См. также «Политика»

Пропаганда — это искусство сфотографировать черта без копыт и рогов.

Ханс Каспер

Пропаганда — это монолог, который ищет не ответа, но эха.

Уистен Хью Оден

Пропаганда — это искусство лгать, чаще обманывая своих сторонников, чем противников.

Франсис Макдонал Корнфорд

Ложь пропаганды говорит правду о государственном строе.

Лешек Кумор

Распространять правду можно было бы устно, для популяризации лжи обычно используется большой аппарат.

Станислав Ежи Лец

Диктаторы стали возможны только благодаря изобретению микрофона.

Томас Инскип

Громкоговоритель усиливает голос, но не аргументы.

Ханс Каспер

Секрет агитатора: поглупеть настолько, чтобы слушатели поверили, что они так же умны, как и он.

Карл Краус

Политическая кампания — это искусство слушать пульс нации открытым ртом.

Фил Тьюсет

Чем хуже дорога, тем больше пыли в глаза.

Михаил Генин

ПРОСТИТУЦИЯ

См. также «Секс»

Хорошим девушкам рады на небесах, плохим девушкам — где угодно.

Лозунг Всемирного конгресса проституток

Проститутка: женщина, которая находит деньги на улице.

«Шпильки»

Гулящие девки — лучшие стражи общественной нравственности.

Уильям Леки

Проститутки — это необходимость. Иначе мужчины набрасывались бы на порядочных женщин на улицах.

Наполеон I

Из всех профессий наибольшие заслуги в укреплении Американской Семьи имеет проституция.

Брендан Франсис

Проститутка: девушка, которая может быть хорошей девушкой из чистой любезности, но никогда не будет плохой девушкой из чистой любезности.

Леонард Луис Левинсон

Око за око, зуб за зуб... А почему же попка за деньги?

Войцех Верцех

Актеры и проститутки — две древнейшие в мире профессии, доведенные до упадка любителями.

Александр Вулкотт

Проститутки на улицах ведут себя так бесстыдно, что отсюда можно заключить, как ведут себя почтенные граждане у себя дома.

Карл Краус

Чтобы получить настоящее удовольствие от этих девушек, вам необходимы три вещи: время, деньги и близорукость.

Роберт Орбен

О заведении в городе шла дурная слава, и поэтому там не было отбоя от посетителей.

Григорий Горин

В небольших городах люди страдают от подавляемой похоти. То есть в небольших городах без борделя.

Эрих Мария Ремарк

После смерти я вернусь обратно на землю — швейцаром в борделе, и никого из вас туда не впущу.

Артуро Тосканини —
оркестрантам на репетиции

Я занят, как курва, которая вкалывает на двух кроватях.

Эдгар Хау

Слово «курва» утратило свою женственность, теперь это просто скурвившееся слово.

Станислав Ежи Лец

Проституция была бы не самым страшным злом, если бы ограничивалась только областью секса.

Збигнев Земецкий

ПРОСТУДА

Как вылечить простуду, знает каждый, кроме вашего врача.

NN

Простуда была бы не такой уж страшной бедой, если бы не советы наших знакомых.

NN

Насморк, если его не лечить, проходит лишь через две недели, а если лечить — уже через 14 дней.

NN

Советы — одно из самых популярных лекарств против насморка.

NN

Виски — самое популярное из всех средств, которые не помогают от простуды.

Джерри Вейл

Любовь и кашель не скроешь.

Латинская пословица

Лишь немногие из тех, кого мучает кашель, идут к врачу; остальные идут в театр.

Алек Гиннесс

От простуды и от любви нет лекарства. Они сами проходят.

Янина Ипохорская

ПРОСЬБА

См. также «Согласие и отказ»

Не подходи с просьбой, если на твоих глазах только что кому-то отказали,— второй раз легче выговорить «нет».

Бальтасар Грасиан

Просить или отказывать гораздо легче по телефону. Когда ты не видишь лица собеседника, воображение лишается своей опоры.

Андре Моруа

Не хочешь услышать отказа — не проси.

Джон Драйден

Время, посвященное просьбам, требует также времени на благодарность.

Владислав Гжегорчик

Хозяин должен выполнять каждую просьбу гостя, а гость не должен просить ни о чем.

Хуго Штейнхаус

Любовные письма бывают очень полезны. Есть вещи, о которых не так уже легко просить любимую женщину лицом к лицу, — например, деньги.

Анри Ренье

Если мужчина дает женщине все, чего она просит, значит, она просит слишком мало.

NN

ПРОТЕКЦИЯ. ПОКРОВИТЕЛЬСТВО

См. также «Карьера», «Начальство и подчиненные»

В жизни нужно уметь рассчитывать на других.

Ванда Блоньская

Иногда корни уходят высоко вверх.

Веслав Брудзиньский

Незаинтересованный покровитель покровителем не является.

Лоренс Питер

Нет покровителя лучше, чем новый покровитель.

Лоренс Питер

Общая тяговая сила нескольких покровителей равна сумме их индивидуальных сил, помноженной на число покровителей.

«Теорема Халла»

Вельможа слишком дорого продает свое покровительство; поэтому никто и не считает себя обязанным платить ему признательностью.

Люк де Вовенарг

Важные друзья — для важных дел.

Бальтасар Грасиан

Я вижу его насквозь и поэтому знаю, кто за ним стоит.

Станислав Ежи Лец

Взаимоотношения усложнились: ты — мне, я — ему, он — тебе.

Семен Пивоваров

Своя голова хорошо, но своя рука все-таки лучше.

Владимир Лебедев

Где рука руку моет, не подставляй ногу!

Владислав Катажиньский

Карьера человека во вселенной заставляет задуматься, нет ли у него случаем чьей-то протекции?

Станислав Ежи Лец

ПРОТИВОЗАЧАТОЧНЫЕ СРЕДСТВА. АБОРТ

См. также «Секс»

О Мария, зачатая без греха, сделай так, чтобы я могла грешить без зачатия!

Ежеутренняя молитва Огюстины Броан

Вы не знаете парня по-настоящему, пока не попросите его надеть презерватив.

Мадонна

Говорят, изобрели абсолютно надежную противозачаточную пилюлю. Слишком поздно. Лучше бы она была косточкой в яблоке, которое змей предложил Еве.

Станислав Ежи Лец

Спираль эволюции оказалась противозачаточной.

Геннадий Малкин

Женщине-католичке уже позволено избегать беременности при помощи математики, но строго-настрого запрещено прибегать к химии или физике.

Генри Луис Менкен

Слово «нет» по-прежнему остается самым надежным противозачаточным средством.

Жарко Петан

Лучшее противозачаточное средство — стакан холодной воды: не до и не после, а вместо.

Делегат Пакистана на международной конференции по планированию семьи

Аборт — это палка о двух концах. Второй конец — эвтаназия.

Эрхард Бастек

Не спрашивай, в каких случаях можно убивать не родившихся. Ответь: за что?

Болеслав Пашковский

Если б мужчина мог забеременеть, аборт был бы причислен к церковным таинствам.

Флоринс Кеннеди

Если вы за безопасный секс, не женитесь.

Геннадий Малкин

ПРОФЕССИЯ

См. также «Безработица и занятость», «Любители и профессионалы», «Специалисты»

Все профессии — это заговор специалистов против профанов.

Джордж Бернард Шоу

Доказательство истинности любого призвания — любовь к тяжелой работе, которой оно требует.

Логан Пирсолл Смит

Нет профессий с большим будущим, но есть профессионалы с большим будущим.

NN

Вероятно, лишь один человек из тысячи страстно поглощен своей работой как таковой. Разница только в том, что про мужчину скажут: «Он увлечен своим делом», а про женщину: «Она какая-то странная».

Дороти Сейерз

Хороший человек — не профессия.

Перефразированные
Ильф и Петров

Не выбирай профессию ради денег. Профессию нужно выбирать, как жену, — по любви и из-за денег.

Джон Хьюстон

Нет плохих профессий, но есть такие, которые мы уступаем другим.

Мигель Замакоис

Если что-либо стоит делать, это стоит делать за деньги.

Джозеф Доноху

Мы всегда начинаем больше уважать людей после того, как попробуем делать их работу.

Уильям Федер

Вот лучший совет, который можно дать юношеству: «Найди что-нибудь, что тебе нравится делать, а потом найди кого-нибудь, кто будет тебе за это платить».

Кэтрин Уайтхорн

ПРОФЕССОРА

См. также «Высшая школа», «Образование», «Учителя и ученики», «Ученые», «Экзамены»

Профессор: человек, случайно попавший в университет и не сумевший из него выйти.

Американское изречение

Профессор знает не больше тебя, но его невежество лучше организовано.

Эдгар Дейл

Магистры и аспиранты всегда уверены, профессора уже сомневаются.

Дино Комеросси

В любой области науки профессора предпочитают свои собственные теории истине, потому что их теории — их личная собственность, а истина — всеобщее достояние.

Чарлз Калеб Колтон

Профессор учит студентов решать проблемы, от которых сам он сбежал, став профессором.

Неизвестный американец

Высшее образование — полезная вещь: оно позволяет нам убедиться, как мало знают другие люди.

NN

Лекция — это процесс, в ходе которого записи профессора преобразуются в записи студентов, не проходя через чей-либо мозг.

Р. К. Ратбун

Преподавание — последнее прибежище слабых умов с классическим образованием.

Олдос Хаксли

Всем, что я знаю о преподавании, я обязан плохим студентам.

Джон Холт

Наименьшую выгоду из университетского образования извлекает университетский преподаватель.

NN

ПРОФСОЮЗЫ

Профсоюзы — это острова анархии в море хаоса.

Анайрин Беван

Тред-юнионизм — это не социализм; это капитализм пролетариата.

Джордж Бернард Шоу

Бог создал мир за шесть дней; как видно, тогда еще не было профсоюзов.

Роберт Орбен

Сбалансированная экономика: одна половина работает, другая половина бастует.

NN

Весеннее наступление трудящихся. На одни и те же грабли.

Вячеслав Верховский

Худшее преступление против трудящихся — когда компания перестает получать прибыль.

Сэмюэл Гомперс, американский профсоюзный лидер

ПРОШЛОЕ

См. также «История», «Ностальгия», «Традиция», «Эпоха»

Прошлое — чужая страна, там все по-другому.

Лесли Хартли

Прошлое — это будущее, с которым мы разминулись в пути.

Веслав Малицкий

Прошлое — родина души человека. Иногда нами овладевает тоска по чувствам, которые мы некогда испытывали. Даже тоска по былой скорби.

Генрих Гейне

Рано или поздно наступает минута, когда впереди только прошлое, а будущее — позади.

Лешек Кумор

Кто не помнит своего прошлого, обречен пережить его снова.

Джордж Сантаяна

Людей и народы заставляют делать выводы из былого; между тем лишь то, что будет, что предстоит сделать сейчас, объяснит нам, что, собственно, было и какое имело значение.

Кароль Ижиковский

Ничто не меняется так быстро, как прошлое.

Дмитрий Пашков

Русское правительство, как обратное провидение, устроивает к лучшему не будущее, а прошлое.

Александр Герцен

Кто управляет прошлым, тот управляет будущим; кто управляет настоящим, тот управляет прошлым.

Джордж Оруэлл

Как же подданному знать мнение правительства, пока не наступила история?

Козьма Прутков

Прошлое не вернуть. Верните хотя бы веру в будущее!

Борис Крутиер

ПРОЩЕНИЕ

См. также «Вражда. Враги»

Не судите, и не будете судимы; не осуждайте, и не будете осуждены; прощайте, и прощены будете.

Евангелие от Луки, 6, 37

Легче простить врага, чем друга.

Уильям Блейк

Святое Писание велит нам прощать врагов, но о друзьях там ничего такого не сказано.

Фрэнсис Бэкон

Прощайте ваших врагов— это лучший способ вывести их из себя.

Оскар Уайльд

Прощайте ваших врагов — возможно, вам еще придется вместе работать.

NN

Прости своих старых врагов — у тебя есть уже новые.

Кшиштоф Конколевский

Нельзя прощать тем, кто не умеет прощать.

Фридрих Ницше

Очень легко прощать другим их ошибки; куда труднее простить им, что они были свидетелями наших ошибок.

Джессамин Уэст

Тупой ничего не прощает и не забывает; наивный прощает и забывает; умный прощает, но не забывает.

Томас Сас

Прощайте врагов ваших, но не забывайте их имена.

Джон Кеннеди

Прощать всем нисколько не лучше, чем не прощать никому.

Жан Батист Ларош

Все меня прощают, никто не помогает.

Сенека

Люди простят тебе все, что их не касается.

Юзеф Булатович

Люди труднее всего прощают нам то плохое, что они о нас сказали.

Андре Моруа

Непростительны ошибки лишь тех, кого мы больше не любим.

Мадлен де Скюдери

Женщина прощает только тогда, когда она виновата.

Арсен Юссе

Женщина прощает все, зато часто напоминает о том, что простила.

Симона де Бовуар

Если женщина уже простила мужчину, она не должна напоминать ему о его грехах за завтраком.

Марлен Дитрих

Только сильные умеют прощать.

Элиза Ожешко

Ошибаться — свойство человека, прощать — свойство богов.

Александр Поп

Бог меня простит, это его специальность.

Генрих Гейне перед смертью

ПСИХИАТРИЯ. ПСИХИЧЕСКИЕ РАССТРОЙСТВА

См. также «Комплексы», «Нервы»

Мир полон безумцев; если не хочешь на них смотреть, запрись у себя дома и разбей зеркало.

Французское изречение

Если тебе кажется, что все посходили с ума, иди к психиатру.

«Пшекруй»

Нормальны лишь те люди, которых мы не слишком хорошо знаем.

Джо Ансис

У каждого есть свои заскоки, если не считать меня и тебя, Читатель. Хотя насчет тебя я уже не так уверен.

Томас Фуллер

Для семьи душевнобольного, а также для общества, его болезнь — проблема; для самого больного — решение.

Томас Сас

Если тебя выписали из сумасшедшего дома, это еще не значит, что тебя вылечили. Просто ты стал как все.

Янина Ипохорская

Из дома умалишенных вылеченными могут выйти только пациенты, но не врачи.

Станислав Ежи Лец

Психиатр: предсказатель мотивов.

Леонард Луис Левинсон

Психиатрия — единственный бизнес, в котором клиент всегда не прав.

Американское изречение

После года лечения психиатр сказал мне: «А может быть, жизнь — занятие не для каждого».

Ларри Браун

Психиатр — это человек, задающий вам кучу дорогостоящих вопросов, которые совершенно бесплатно задает вам жена.

Сэм Барделл

Психиатрия — это когда платишь 35 долларов в час, чтобы жаловаться на себя.

Роберт Орбен

Психотерапия: наука, которая гласит, что пациент, вероятнее всего, выздоровеет, но навсегда останется круглым идиотом.

Генри Луис Менкен

Разница между психоневрозом и обычной нервозностью составляет примерно 700 долларов.

NN

Психиатр приветствует психиатра: «Вы в полном порядке; а я?»

Из книги
«Азимов продолжает шутить»

Психотик утверждает, что дважды два — пять, а невротик знает, что дважды два — четыре, и это его ужасает.

Гордон Гаммак

Невротик строит воздушные замки, психопат в них живет, а психиатр получает ренту.

Роберт Уэбб-Джонстоун

Психиатры называют невротиком человека, который страдает от своих жизненных неурядиц, и психотиком — человека, который заставляет страдать других.

Томас Сас

Невротик пребывает в сомнении и боится людей и вещей; психотик уверен в своих убеждениях и прямо заявляет о них. Короче говоря, у невротика есть проблемы, у психотика есть решения.

Томас Сас

Даже у параноика есть враги.

Генри Киссинджер

Невроз — это способ избежать несуществования, избегая существования.

Пауль Тиллих

Только хорошие девушки страдают неврозами.

Абрахам Брилл, психоаналитик

Истеричка мечтает о господине и повелителе, которым она могла бы повелевать.

Жак Лакан

Истерия — это обезьяна всех болезней.

Жан Шарко

Мазохизм: извращение, которое заключается в причинении страданий себе, хотя для этого гораздо лучше подходят другие.

Жорж Арман Массон

Садизм нередко проявляется в отсутствии каких бы то ни было чувств.

Станислав Ежи Лец

Садисты, во всяком случае, не равнодушны к страданиям своих жертв.

Натали Клиффорд Барни

Расскажи мне о своих фобиях, и я скажу тебе, чего ты боишься.

Роберт Бенчли

Сумасшедший во всем усматривает причину.

Гилберт Честертон

Нет опаснее мании, чем мания преследования других.

Юзеф Кусьмерек

Может ли совершенно здоровый человек жить в этом мире и не рехнуться?

Урсула Ле Гуин

ПСИХОАНАЛИЗ

См. также «Комплексы», «Фрейдизм»

Психоанализ — это исповедь без отпущения грехов.

Гилберт Честертон

Психоаналитик — это исповедник, способный отпустить даже грехи отцов.

Карл Краус

Психоанализ позволяет нам исправлять наши ошибки, исповедуясь в проступках наших родителей.

Лоренс Питер

Психоанализ — великое изобретение. Он позволяет любому чурбану почувствовать себя незаурядной натурой.

Сэмюэл Берман

Психоанализ — болезнь эмансипированных евреев; религиозные евреи довольствуются диабетом.

Карл Краус

Психоанализ — это когда платишь 35 долларов в час, чтобы беседовать с потолком.

Роберт Орбен

Психоаналитики роются в наших сновидениях, словно в наших карманах.

Карл Краус

Психоанализ и есть тот самый недуг, от которого он берется нас излечить

Карл Краус

Психоанализ есть психология без души.

Николай Бердяев

В психоанализе нет ничего истинного, кроме преувеличений.

Теодор Адорно

ПСИХОЛОГИЯ

Психология — это выражение словами того, чего нельзя ими выразить.

Джон Голсуорси

У психологии длинное прошлое, но короткая история.

Герман Эббингхаус

Хороший психолог легко введет тебя в свое положение.

Карл Краус

О мотивах нашего поведения нам ничего не известно. Все, что мы можем, — писать книги на эту тему.

Джон Таррант

Мотивы наших поступков делятся на две категории: 1) очень хорошие; 2) истинные.

NN

Наши поступки подобны строчкам буриме: каждый связывает их, с чем ему заблагорассудится.

Франсуа Ларошфуко

Интроверт: человек, который лезет только в свои дела.

NN

Сознание боится пустоты.

Поль Валери

Центр нашего сознания бессознателен, так же как ядро солнца темно.

Анри Амьель

Трудно ставить условия условным рефлексам.

Лешек Кумор

Все психологизировать — значит все простить.

NN

ПУБЛИКА. ЗРИТЕЛИ

См. также «Театр»

Публика — дура.

Александр Поп в 1737 году

Если пьеса имеет успех, режиссер воображает себя гением. Если пьеса проваливается, он заявляет, что публика — дура.

Сашá Гитри

Ты зритель — я дурак, я зритель — ты дурак.

Актерская поговорка

Пьеса имела большой успех, но публика провалилась с треском.

Оскар Уайльд

Театральная публика хочет, чтобы ее удивили, — но чем-то привычным.

Тристан Бернар

«Не понимаю, почему вы так строги к спектаклю, — публика от него в восторге». — «Да, но она одинока в своем мнении».

Барбе д'Орвиль

Публика не слушает, а если слушает, то не слышит, если же слышит, то не понимает.

Симона Синьоре

Самая лучшая публика — это публика умная, образованная и слегка под хмельком.

Олбин Баркли

Искусство требовало жертв, и они быстро заполнили зал.

В. Бегун

Ад — это зал, заполненный наполовину.

Роберт Фрост

Лучше играть перед пустыми креслами, чем перед пустыми лицами.

Алек Гиннесс

Легче всего мне общаться с десятью тысячами людей. Труднее всего — с одним.

Джоан Баэз

Богатые люди, как вам известно, не должны отсиживать свой билет до конца, и часто уходят уже после первого или второго действия.

Альбер Пари Гютерсло

Каждый зритель приносит в театр свою собственную акустику.

Станислав Ежи Лец

То ли люди ходят в театр, потому что кашляют, то ли кашляют потому, что ходят в театр?

Пьер Данинос

Что общего между театром и тюрьмой? Никогда не знаешь, с кем будешь сидеть.

Михаил Генин

Если публика сегодня будет капризничать, я умру уже во втором действии.

Сара Бернар перед началом спектакля «Дама с камелиями»

Если в фразе есть слово «задница», публика, как бы она ни была изысканна, услышит только это слово.

Жюль Ренар

Зрительный зал начинает смеяться, как только начнут хохотать несколько зрителей. Вся трудность в том, чтобы рассмешить этих нескольких.

Марсель Ашар

Если не аплодируют, значит, слушают.

Виктор Власов

Если публика не желает прийти, ничто не может ее удержать.

Сол Юрок

Публика — единственный настоящий учитель актерского ремесла.

Джордж Скотт

Порой актеры кричат: «Занавес!» — потому что уже не могут глядеть на публику.

Веслав Брудзиньский

Дайте публике то, чего она хочет, и она повалит толпой.

Гарри Кон, киномагнат

Недаром Гарри сказал: «Дайте публике то, чего она хочет, и она повалит толпой».

Юморист Ред Скелтон о похоронах Гарри Кона

Умереть лучше всего между 15 октября и 15 декабря. В августе публику не собрать.

Эдмон Ротшильд

Кому — таланты, кому — поклонники.

О. Донской

Какие могут быть поклонники, когда кругом сплошь таланты!

Владимир Чижев

Публика ходит на встречи с писателями в надежде на то, что смотреть на них будет приятнее, чем читать.

Синклер Льюис

Мы, англичане, говорим: настоящий друг тот, кто навестит тебя даже в тюрьме. Нет: настоящий друг тот, кто придет на твое выступление.

Малколм Брэдбери

Автор привыкает в конце концов к своей публике, точно она разумное существо.

Генрих Гейне

ПУНКТУАЛЬНОСТЬ

См. также «Свидание»

Точность — вежливость королей.

Людовик XVIII

Неточность — вежливость королев.

Олег Сеин

Пунктуальность — вежливость зануд.

Ивлин Во

Пунктуальность — воровка времени.

Оскар Уайльд

Пунктуальность — это искусство угадывать, на сколько опоздает партнер.

Франсуа Перье

Есть люди, которые крайне пунктуально опаздывают.

NN

Женщины, несомненно, были бы пунктуальны, если бы можно было обязать их опаздывать.

Витторио Де Сика

Когда приходишь на встречу вовремя, жаль, если нет никого, кто бы это оценил.

Франклин П. Джонс

Будь пунктуален, и тогда никто не потеряет времени зря, кроме тебя самого.

Янина Ипохорская

Неудачники никогда не опаздывают, но всегда приходят не вовремя.

Дон-Аминадо

Человек пунктуальный все свои ошибки делает точно вовремя.

Лоренс Питер

Лучше никогда, чем поздно.

Джордж Бернард Шоу

Большое искусство — опоздать как раз вовремя.

Станислав Ежи Лец

Люди редко опаздывают туда, где их меньше всего ждут.

Михаил Генин

Нетерпеливые всегда опаздывают.

Жан Дютур

ПУТЕШЕСТВИЯ

См. также «Железная дорога», «Отпуск», «Самолеты и авиапутешествия», «Сервис»

В чужой стране путешественник — мешок с деньгами, который все норовят поскорее опорожнить.

Виктор Гюго

Путешествия развивают ум, если, конечно, он у вас есть.

Гилберт Честертон

В моем возрасте путешествия развивают зад.

Стивен Фрай

Путешествия формируют ум молодежи и деформируют брюки.

Морис Декобра

Странно ли, что тебе нет никакой пользы от странствий, если ты повсюду таскаешь самого себя?

Сократ в передаче Сенеки

Я не люблю чувствовать себя как дома, когда я за границей.

Джордж Бернард Шоу

Люди, в своем большинстве, путешествуют лишь потому, что путешествуют их соседи.

Олдос Хаксли

Турист едет за тысячу миль, чтобы сфотографироваться на фоне своей машины.

Эмил Гейнст

Туризм сближает народы, а туристический сервис их разделяет.

Юзеф Ченщик

Никогда не суди о летнем курорте по почтовым открыткам.

NN

На что мне «Путеводитель по аду»? Там изображен рай.

Станислав Ежи Лец

ПЬЯНСТВО. АЛКОГОЛИЗМ

См. также «Водка», «Выпивка», «Трезвенники»

Пьяница — истинный центр мира; все вращается вокруг него.

Эмиль Ожье

Пьяный: человек, который направляется к вам с нескольких направлений одновременно.

NN

Алкоголик — человек, которого губит выпивка и отсутствие выпивки.

NN

Алкоголик: человек, который пьет четыре раза в год, каждый раз по три месяца.

NN

Есть алкоголики, которым удалось допиться до стадии дрессировки белых мышей.

Уршула Зыбура

Алкоголик — это любой человек, который пьет больше, чем его врач.

«Принцип Бараха»

Старых пьяниц встречаешь чаще, чем старых врачей.

Франсуа Рабле

Алкоголизм — не спорт для зрителей. В нем участвует вся семья.

Джойс Ребета-Бердитт

Когда родители пьют, дети чокаются.

Лозунг французской Антиалкогольной лиги

Одни едят, чтобы жить, другие живут, чтобы пить.

Януш Бялэцкий

Я пью не больше, чем губка.

Франсуа Рабле

Одну бутылку нельзя выпить два раза, как верно заметил Гераклит. Но и две бутылки нельзя выпить два раза.

Давид Самойлов

Сквозь полную бутылку мир выглядит совершенно иначе, чем сквозь пустую.

Тадеуш Долэнга-Мостович

У кого вой? у кого стон? у кого ссоры? у кого горе? у кого раны без причины? у кого багровые глаза? У тех, которые долго сидят за вином.

...И скажешь: «Били меня, мне не было больно; толкали меня, я не чувствовал. Когда проснусь, опять буду искать того же».

Царь Соломон — Притчи, 23, 29—30; 23, 35

Я, безусловно, видел больше мужчин, которых сгубило желание иметь жену и детей и содержать их в комфорте, чем мужчин, которых сгубило пьянство и шлюхи.

Уильям Йитс

Господь хранит детей, дураков и пьяниц.

Французское изречение

Всякий пьяный шкипер уповает на провидение. Но провидение иногда направляет суда пьяных шкиперов на скалы.

Джордж Бернард Шоу

Пьяному все равно не убедить трезвого, как трезвому не уговорить пьяного.

Эпиктет

И пьющие доживают до 120 лет. Но разве это жизнь?

Данил Рудый

Жалобы на алкоголизм? А разве гражданам дали познать вкус нектара?

Станислав Ежи Лец

Сначала вы требуете выпивку, потом выпивка требует выпивки, потом выпивка требует вас.

Синклер Льюис

Вся беда с ним в том, что, когда он не пьян, он трезв.

Уильям Йитс

Нельзя сказать, что я здорово пью. Я могу часами обходиться без спиртного.

Ноуэл Ковард

Пить следует только в двух случаях: когда нужно утолить жажду и когда нужно предупредить жажду.

Томас Лов Пикок

Не упускайте случая делать добро — если это не грозит вам большим ущербом. Не упускайте случая выпить — ни при каких обстоятельствах.

Марк Твен

Если пьянство мешает работе — брось работу.

NN

Никогда не пей на пустой бумажник.

Леонард Луис Левинсон

Не пей последней рюмки — она-то тебя и губит.

«Пшекруй»

Вы еще не пьяны по-настоящему, если можете лежать, не держась за пол.

Дин Мартин

Анонимных алкоголиков не бывает.

NN

Р

РАБОТА

См. также «Безработица и занятость», «Профессия»

Работа — это разновидность невроза.

Дон Херолд

Работа — последнее прибежище тех, кто больше ничего не умеет.

Оскар Уайльд

Может быть, работа не слишком приятное занятие, но куда-то ведь надо утром идти.

Янина Ипохорская

Некоторые люди любят все, что делают, даже если делают то, что не любят.

Богуслав Войнар

Раз за это платят деньги, значит, это работа.

Данил Рудый

Я делаю то, чего никто бы не делал, если бы делал то, что делаю я.

Корнель Макушиньский

На хлеб зарабатывают руками, на масло — головой.

Юзеф Булатович

Мозг — поистине изумительный орган; он включается сразу же, как только вы просыпаетесь, и продолжает работать вплоть до той минуты, когда вы переступаете порог своего офиса.

Роберт Фрост

Работа не волк — заедает, но не кусается.

«Пшекруй»

Работа не волк. Зато начальник — зверь.

Виктор Коняхин

Работа не волк, но и на нее охотники есть.

В. Сумбатов

Работа работой, но надо и что-то полезное делать.

Хенрик Ягодзиньский

Иному создай все условия, а он все равно будет хорошо работать.

Михаил Генин

Дело тем важнее и сложнее, чем больше времени на него отпущено.

Сирил Норткот Паркинсон

Работа заполняет все отведенное на нее время.

Сирил Норткот Паркинсон

Чтобы сделать работу как следует, времени всегда не хватает; но на то, чтобы ее переделать, время всегда находится.

«Закон Мескинена»

Работа, которая на вид кажется легкой, на деле окажется трудной. Работа, которая на вид кажется трудной, на деле окажется невыполнимой.

«Теорема Стокмайера»

Если вы думаете, что трудитесь больше, чем все, — значит, вы такой же, как все.

NN

Тот, кто хочет, делает больше, чем тот, кто может.

Г. Марри

Комплимент повышает производительность женщины вдвое.

Франсуаза Саган

Если твоя работа говорит за себя, не прерывай ее.

Генри Кайзер

Измерь микрометром, отметь мелом, отруби топором.

«Правило точности Рея»

Если нравится, считайте, что получилось.

Леонид Леонидов

Не чини того, что работает.

Берт Ланс

Первоочередное — в первую очередь, второочередное никогда.

Ширли Конран

РАБОТА – БЕЗДЕЛЬЕ

См. также «Лень»

Ничего не делать — отличное занятие. Но какая огромная конкуренция!

NN

Я слишком энергичен, чтобы работать.

Марсель Ашар

Обычно те, кто лучше других умеет работать, лучше других умеют не работать.

Жорж Элгози

Мы не можем слоняться без всякого дела, а то люди примут нас за рабочих.

Спайк Миллиган

Кто хочет работать — ищет средства, кто не хочет — ищет причины.

Американское изречение

Чем меньше вы собираетесь делать, тем больше вы должны об этом говорить.

Джонатан Линн и Энтони Джей

Не важно уметь хорошо работать, важно уметь хорошо доложить.

Тристан Бернар

Соотношение между рабочим временем и временем, в течение которого работник работает, есть величина постоянная и составляет 0,6.

Дэниэл Макивор и Ослин Белл

Любой человек способен сделать любую работу, при условии, что за нее не нужно приниматься сейчас.

Роберт Бенчли

Если человек не умеет работать, его переводят на другую работу.

С. Крытый

Молодые люди говорят о том, что они делают; старики о том, что они делали; а дураки о том, что им хотелось бы делать.

Пьер Буаст

Нашли дурака! Я за вас свою работу делать не буду!

Армейский фольклор

РАВЕНСТВО

См. также «Справедливость»

Все люди рождаются свободными и равными в своем достоинстве и правах.

Всеобщая декларация прав человека (1948 г.)

Все люди рождаются равными и до самой смерти против этого борются.

Лешек Кумор

Люди рождаются свободными и неравными.

Грант Аллен

Равенство возможностей означает равные для всех возможности стать неравными.

Р. Х. Тони

Демократия требует для граждан равного старта, эгалитаризм — равного финиша.

Роджер Прайс

Мы за равенство только с теми, кто нас превосходит.

Анри Бек

Нет больших снобов, чем профессиональные борцы за равенство.

Малколм Маггеридж

Социальный прогресс требует стандартизации людей, и эту стандартизацию называют равенством.

Эрих Фромм

Чтобы победить бедность, нам необходимо неравенство.

Кейт Джозеф

Равенство — сущность демократии и наибольшая угроза для демократии.

Михал Комар

Возможно, равенство — это право, но никакая сила на земле не сделает его фактом.

Оноре Бальзак

Равенство, которого мы требуем, — всего лишь наиболее терпимая степень неравенства.

Георг Лихтенберг

Равенство состоит в том, что мы считаем себя равными тем, кто выше нас, и выше тех, кто ниже нас.

Адриан Декурсель

Не неравенство тягостно, а зависимость.

Вольтер

Хуже всего неравенство среди слуг.

Вильгельм Шевчик

В конечном итоге люди друг другу равны — только не всегда, не везде и не во всем.

Владислав Гжегорчик

Все люди равны. После соответствующей обработки.

Станислав Ежи Лец

Все животные равны, но некоторые животные равнее других.

Джордж Оруэлл

РАВНОДУШИЕ. БЕЗРАЗЛИЧИЕ

См. также «Сочувствие. Утешение»

Ужасны расстрелы под Стеной Равнодушия.

Станислав Ежи Лец

Легко скрыть ненависть; трудно скрыть любовь; всего же труднее скрыть равнодушие.

Людвиг Берне

Вежливость — это хорошо организованное равнодушие.

Поль Валери

Я всегда очень дружески отношусь к тем, кто мне безразличен.

Оскар Уайльд

Что тяжелее в супружестве: неразделенная любовь или неразделенное безразличие?

Ядвига Рутковская

Желания — половина жизни; безразличие — половина смерти.

Халиль Джебран

РАДИКАЛЫ

См. также «Левые и правые», «Фанатизм», «Фашизм. Нацизм»

Радикальные лозунги нужны для умиротворения радикальных настроений.

Ежи Лещинский

Радикал — это человек, который не только знает все ответы, но и трудится над созданием новых вопросов.

«Нью стейтсмен»

Радикал: человек, чья левая рука не знает, что делает его другая левая рука.

Бернард Розенберг

Бунты — язык тех, кого не выслушали.

Мартин Лютер Кинг

Борцы за народное счастье не любят счастливых людей.

Аркадий Давидович

Иногда поджигатели убеждены, что несли перед народом факел.

Станислав Ежи Лец

Чтобы согреть Россию, они готовы сжечь ее.

Василий Ключевский

Уже не одно столетие делаются попытки исправить мир при помощи взрывчатых веществ.

Лешек Кумор

РАДИО

Радио — нечто гораздо большее, чем телевидение без видения. Непонятно, но факт.

«Пшекруй»

Радио — замечательное изобретение, позволяющее людям, которым нечего сказать, сказать это людям, которые их не слушают.

NN

Радио: средство массовой информации, слушая которое еще никто не испортил зрения.

Уолт Стритифф

Газеты — это листочки печатного текста с предпоследними известиями. Последние мы слышим по радио.

Андре Соже

Радио никогда не заменит газету, потому что за ним нельзя спрятаться в автобусе от стоящей рядом женщины.

NN

Радио никогда не заменит газету, потому что им нельзя прихлопнуть муху.

NN

Микрофон — ухо общего пользования.

Рамон Гомес де ла Серна

Радио — изобретение, наделавшее много шуму.

NN

Радио сближает народы, но ссорит соседей.

Эмиль Кроткий
в версии Веслава Тшаскальского

От поднятия тяжестей крепнут мускулы, от слушания радио крепнут уши.

Богдан Бжезиньский

Если тебе нечего сказать, ничего не говори. Поставь пластинку.

Пьер Брив,
директор «Радио Монте-Карло»

Транзисторный приемник — современный колокольчик прокаженного.

Ян Флеминг

В фантастических романах главное это было радио. При нем ожидалось счастье человечества. Вот радио есть, а счастья нет.

Илья Ильф

РАЗВОД

См. также «Брак»

Несомненно, любовь существует, иначе откуда столько разводов?

Эдгар Хау

Развод, вероятно, почти столь же стар, как и брак. Хотя я полагаю, что брак на неделю-другую древнее.

Вольтер

Я держусь старых правил. Я верю, что люди должны сочетаться браком пожизненно, как голуби и католики.

Вуди Аллен

Нерасторжимость брака — идея поистине превосходная; жаль только, к людям ее нельзя применить.

Александр Свентоховский

Развод — предохранительный клапан в супружеском котле.

Адриан Декурсель

Говорят, что в Америке достаточным основанием для развода является брак.

Уильям Дуглас-Хоум

После развода две матери в двух домах восклицают: «Я же тебе говорила!»

NN

Брак — единственный союз, из которого можно выйти только путем роспуска всей организации.

Владислав Гжещик

Все, что нужно женщине для развода, это муж.

NN

Развестись — все равно что быть сбитой грузовиком; если тебе удается выжить, ты уже внимательнее смотришь по сторонам.

Джин Керр

Капелька здравого смысла могла бы предотвратить много разводов и еще больше браков.

NN

Он перестал бояться жену с тех пор, как она стала пугать его разводом.

Владислав Катажиньский

Уверяю вас, я бы ушел от нее хоть завтра, если бы она показала мне, как паковать чемоданы.

Роберт Орбен

Из-за всех этих разводов первое, о чем я думаю при встрече с мужчиной: «Тот ли это человек, которому я хотела бы отдавать своих детей на субботу и воскресенье?»

Рита Руднер

Развод как ампутация: ты остаешься в живых, но тебя стало меньше.

Маргарет Атвуд

Решение о разводе часто принимается втроем.

Лешек Кумор

Многие девушки вышли замуж, чтобы не проводить вечера в одиночку, и по той же причине развелись.

NN

Разводиться лишь потому, что не любишь, почти так же глупо, как выходить замуж лишь потому, что ты влюблена.

Сари Габор

Если составить список причин, по которым двое вступают в брак, и список причин, по которым они разводятся, вы будете поражены числом совпадений в обоих списках.

Миньон Маклофлин

В том, что мы развелись, есть и моя вина: я пытался поставить свою жену под пьедестал.

Вуди Аллен

Мы раздумывали, что делать: поехать на Багамские острова или развестись. Но в конце концов решили, что Багамы — удовольствие только на две недели, а хороший развод остается на всю жизнь.

Вуди Аллен

РАЗГОВОР

См. также «Красноречие», «Молчание», «Спор. Дискуссия»

Все мы любим порассуждать на тему, которая нас нисколько не занимает.

Сэмюэл Джонсон

Держите нить разговора, но время от времени слегка отпускайте ее.

Ричард Армур

Держи язык за зубами — наготове.

Станислав Ежи Лец

Для нас важнее говорить, чем быть услышанными.

Генри Торо

Никто не стал бы вас слушать, если бы не рассчитывал сам вставить словечко.

Эдгар Хау

Лучший слушатель тот, кто способен посвятить вам все свое внимание, не слушая ни слова из того, что вы говорите.

NN

Чем внимательнее твои слушатели, тем больше уверенности, что они думают о чем-то другом.

«Пшекруй»

Если вы хотите сказать мне что-то важное, ради бога, начинайте с конца.

Сара Дункан

Когда нечего сказать, говорят, что думают.

Тамара Клейман

Если вы хотите что-то сказать, стойте и молчите!

Армейский фольклор

Люблю говорить — это помогает думать.

Томас Стернз Элиот

Кроме самого себя, словом перемолвиться решительно не с кем.

Оскар Уайльд

Я многому научился из собственных разговоров.

Томас Халибертон

Не говори о себе. Нет ничего скучнее, чем слушать грубую лесть.

Янина Ипохорская

О ком бы человек ни говорил, он всегда говорит о себе.

Константин Мелихан

Совершенно излишне заводить разговор о себе; он начнется, едва вы уйдете.

Уилсон Мизнер

Чтобы сказать то, что нужно, тогда, когда нужно, нужно большую часть времени помалкивать.

Джон Ропер

С телеграфным столбом тоже есть о чем поговорить, если он тебя уважает.

Иван Иванюк

В стране царила такая бедность, что жители говорили обрывками фраз.

Мечислав Шарган

— Он у вас что, всегда заикается? — Нет, только когда говорит.

Старинная шутка

Прежде чем сказать глупость — подумайте!

Семен Альтов

Нужно говорить громко, чтобы тебя услышали. Нужно говорить тихо, чтобы тебя послушали.

Поль Клодель

Только интонация убеждает.

Дельфина Жирарден

РАЗЛУКА И ОЖИДАНИЕ

См. также «Любовь»

Уехать — значит чуть-чуть умереть.

Эдмон Арокур

Разлука должна быть внезапной.

Бенджамин Дизраэли

Настоящая любовь не та, что выдерживает долгие годы разлуки, а та, что выдерживает долгие годы близости.

Хелен Роуленд

Если любовь достаточно сильна, ожидание становится счастьем.

Симона де Бовуар

Если вы отлучаетесь ненадолго, я готова ждать вас всю жизнь.

Оскар Уайльд

Легко было ждать Пенелопе, когда очередь стояла к ней, а не она в очереди.

Владислав Гжещик

Лучшая минута любви — когда поднимаешься к любимой по лестнице.

Жорж Клемансо

Любовь обманывается надеждой. Те, кто мог бы ждать чего-то лучшего, не ждут. Ждут те, которым ждать ничего не приходится.

Винцентий Стысь

Собаки и женщины, которые долго ждали, удивленно вздрагивают, когда наконец появляется их хозяин и избавитель.

«Пшекруй»

РАЗОРЕНИЕ И БАНКРОТСТВО

См. также «Конкуренция»

Капитализм без банкротства — все равно что христианство без преисподней.

Франк Борман

Зарабатывать деньги было всегда нелегко, но теперь трудно даже разориться, не залезая в долги.

NN

Разорившийся человек может пересчитать своих друзей на мизинце одной руки.

Американское изречение

Во всем ищи хорошую сторону. Если не можешь уплатить по счетам, радуйся, что ты не один из твоих кредиторов.

NN

Банкротство — это законная процедура, в ходе которой вы перекладываете деньги в брючный карман и отдаете пиджак кредиторам.

Тристан Бернар
в версии Джоуи Адамса

Банкроты — побочный продукт процветающих банков.

Эдвард Йокель

Баланс банкрота перед прыжком в бездну — сальдо мортале.

Хуго Штейнхаус

В России появились первые в мире разорившиеся бедняки.

Михаил Жванецкий

Экономика, в которой не бывает банкротств, наверняка обанкротится.

Максим Звонарев

РАЗРЕШЕНИЕ И ЗАПРЕТ

См. также «Просьба», «Согласие и отказ»

Что не запрещено, то разрешено.

Фридрих Шиллер

Право разрешать — это по преимуществу право не разрешать.

Тадеуш Котарбиньский

Легче получить прощение, чем разрешение.

«Закон обратного действия Стюарта»

Согласие не всегда означает разрешение.

Юзеф Булатович

Запрет снимает ответственность.

Андрей Битов

Когда в Поднебесной много запретов, народ беднеет.

Лао-цзы

Система очень проста: никогда ничего прямо не дозволять и никогда ничего прямо не запрещать.

Михаил Салтыков-Щедрин

Закон сохранения: если где-то что-то кому-то запрещают, значит, это же где-то кому-то разрешают.

Степан Балакин

Запрещено запрещать!

Лозунг парижской радикальной молодежи в мае 1968 г.

В определенных границах все можно. Скажем, на пастбище...

Владислав Гжещик

В раю больше запретов, чем в аду.

Еврейское присловье

Если бы змей был запретным, Адам и его бы съел.

Марк Твен

РАСИЗМ

См. также «Антисемитизм», «Национализм»

Расизм — это снобизм бедняков.

Раймон Арон

Оценка человека не может зависеть от того, что от него не зависит (от цвета волос, формы носа, расы, происхождения и т.д.).

Тадеуш Котарбиньский

От одной крови Он произвел весь род человеческий для обитания по всему лицу земли.

Деяния апостолов, 17, 26

Кровь бывает двух видов: та, что течет в жилах, и та, что вытекает из жил.

Юлиан Тувим

Мы ненавидим всех одинаково, без различия расы, религии и цвета кожи.

Настенная надпись (США)

Знайте: апостолы ненависти вас не спасут.

Мария Эбнер-Эшенбах

Если бы в одно прекрасное утро мы обнаружили, что отныне все люди — одной нации, одной веры и одной расы, то еще до обеда мы бы изобрели новые предубеждения.

Джордж Эйкен

РАСКАЯНИЕ. ПОКАЯНИЕ

См. также «Грех», «Исповедь», «Совесть», «Стыд»

Наше раскаяние — это обычно не столько сожаление о зле, которое совершили мы, сколько боязнь зла, которое могут причинить нам в ответ.

Франсуа Ларошфуко

Только плохой человек нуждается в покаянии; только хороший человек может покаяться по-настоящему. Только совершенный человек может прийти к совершенному покаянию. Но такой человек в покаянии не нуждается.

Клайв Льюис

Наименьшие грешники приносят наибольшее покаяние.

Мария Эбнер-Эшенбах

Покаяние, возможно, спасает душу, но губит репутацию.

Томас Дьюар

В будние дни мы не очень удачно используем свою нравственность. К воскресенью она всегда требует ремонта.

Марк Твен

Настоящий христианин в воскресенье искренне раскаивается в том, что делал в пятницу и будет делать в понедельник.

Томас Ибарра

Весьма нетактично предаваться покаянию, когда другие уже озираются в поисках новых грехов.

Веслав Брудзиньский

РЕВМАТИЗМ

Жизнь начинается после сорока, и тогда же начинается ревматизм.

NN

Ревматизм — головная боль в ногах.

Рамон Гомес де ла Серна

Ревматизм лижет суставы и кусает сердце.

Старинное медицинское изречение

Несгибаемость — это достоинство, переходящее с годами в диагноз.

Юрий Базылев

Подагра — медицинский термин для ревматизма у богатых пациентов.

Амброз Бирс

На старости лет трудно обойтись без женщин и без ревматизма.

Збышко Беднож

РЕВНОСТЬ

Потому что ревность — ярость мужа, и не пощадит он в день мщения.

Царь Соломон — Притчи, 6, 34

Ревность — это боязнь превосходства другого лица.

Александр Дюма-сын

Ревнивец сомневается на самом деле не в своей жене, а в себе самом.

Оноре Бальзак

Ревность — это ощущение одиночества среди смеющихся врагов.

Элизабет Боуэн

Когда уже нет сил для любви, есть еще силы для ревности.

Мария Домбровская

Ревность, как и болезнь, обостряется к вечеру.

Поль Лотан

Для ревности нет ничего хуже смеха.

Франсуаза Саган

Комплекс неполноценности: ревновать жену к каждому мужчине; мания величия: считать, что она любит вас одного.

Борис Крутиер

Нам приятна ревность лишь тех, кого мы сами могли бы ревновать.

Стендаль со ссылкой на г-жу де Куланж

Постоянное недоверие — слишком уж большая цена за возможность не быть обманутым.

Пьер Буаст

Из ревнивых женихов выходят равнодушные мужья.

Майн Рид

Не все жены подозревают своих мужей — некоторые знают точно.

NN

Мужчина ревнует к своим предшественникам, женщина — к тем, кто придет после нее.

Марсель Ашар

Мужчина ревнует, потому что слишком любит себя самого; женщина ревнует, потому что недостаточно любит себя.

Джермейн Грир

Кажется, муж мне неверен. Я даже боюсь, что это не он отец моих детей!

«Пшекруй»

Жены ревнуют и нелюбимых мужей.

Альфред Конар

Я сперва очень ревновала своего мужа. Но когда ему изменила — тут же перестала ревновать!

Лидия Смирнова

Гнев и ревность так же плохо выносят отсутствие своего предмета, как и любовь.

Джордж Элиот (Мэри Энн Эванс)

Ревность всем верит и никому не доверяет.

Владислав Гжещик

Слепа не любовь, а ревность.

Лоренс Даррелл

Не ревнует тот, у кого нет хоть бы капли надежды.

Иван Тургенев

Ревность была бы не столь мучительна, если бы мы понимали, как мало мы заслуживаем чувства, которое называют любовью.

Пол Элдридж

Можно влюбиться из одной только ревности.

Станислав Ежи Лец

Ревность всегда рождается вместе с любовью, но не всегда вместе с ней умирает.

Франсуа Ларошфуко

Ничто так не привязывает, как ревность.

Андре Моруа

Ревнует — значит, любит, не ревнует — значит, уважает.

А. Стасс

Не будь слишком ласков с женой, а то она заподозрит самое худшее.

NN

Подозревать женщин в неверности нас заставляют не их измены, а наши собственные.

Станислав Вапняк

Своих мужей ревнуют некрасивые женщины. Красивым женщинам не до того — они заняты тем, что ревнуют чужих мужей.

Оскар Уайльд

Чтобы удержать мужа, заставьте его чуть-чуть ревновать; чтобы потерять мужа, заставьте его ревновать чуть-чуть больше.

Генри Луис Менкен

Женщина редко прощает мужчине ревность и никогда не прощает отсутствия ревности.

Колетт

РЕВОЛЮЦИЯ

См. также «Радикалы»

Революция — это братание идеи со штыком.

Лоренс Питер

Революция — варварский способ прогресса.

Жан Жорес

Оптимизм — религия революций.

Жак Банвий

Революции никогда еще не облегчали бремя тирании, а лишь перекладывали его на другие плечи.

Джордж Бернард Шоу

Одна революция все равно что один коктейль: вы сразу же начинаете готовить следующий.

Уилл Роджерс

Нам нужно было сойти с лестницы, а мы выскочили в окно.

Пьер Жан Беранже
об Июльской революции 1848 г.

Каждый успешный переворот называют революцией, а каждый неудачный — мятежом.

Джозеф Пристли в 1791 г.

Революция есть догнивание старого режима. И нет спасения ни в том, что начало гнить, ни в том, что довершило гниение.

Николай Бердяев

Не всем революциям предшествуют признаки и предостережения. Бывает и политическая апоплексия.

Людвиг Берне

Революции — локомотивы истории.

Карл Маркс

«Локомотива истории» не существует.

Алвин Тоффлер

Силлогизм революционера и силлогизм революции.

Так дальше жить нельзя, и потому — наступят перемены.

Так дальше жить нельзя, и потому — наступает смерть.

Григорий Ландау

Революционеры — мертвецы в отпуску.

Эйген Левине на суде,
приговорившем его к расстрелу

Революционеры поклоняются будущему, но живут прошлым.

Николай Бердяев

Всякий революционер кончает как палач или как еретик.

Альбер Камю

Революцию готовят мыслители, а совершают бандиты.

Мариано Асуэла

Перевороты совершаются в тупиках.

Бертольт Брехт

Революция пожирает своих детей.

Пьер Верньо

Революции не пожирают своих детей. Они пожирают своих отцов.

Джон Леонард

Французская революция показала наглядно, что проигрывают те, кто теряет голову.

Станислав Ежи Лец

Бастилия — сколько тюрем было построено из ее кирпичей!

Кир Булычев

Нищета ведет к революции, революция — к нищете.

Приписывается Виктору Гюго

Экспорт революции — это импорт всего остального.

Геннадий Малкин

До революции он был генеральской задницей. Революция его раскрепостила, и он начал самостоятельное существование.

Илья Ильф

РЕДАКТОР И РЕДАКТУРА

См. также «Книги»

Редактор: сотрудник газеты, который отделяет зерна от плевел и отдает плевелы в печать.

Элберт Хаббард

Редактор — это специалист, который, плохо зная, что такое хорошо, хорошо знает, что такое плохо.

Евгений Сазонов

Телеграфный столб — это хорошо отредактированное дерево.

NN

— Так не пишут. — Но так будут писать.

Диалог между редактором и Марией Домбровской, польской писательницей

Рукописи не горят, не рецензируются и не возвращаются.

NN

Что не проверено, то переврано.

Редакторская поговорка

Невероятный прогресс! Неграмотные стали редакторами!

Станислав Ежи Лец

РЕКЛАМА

См. также «Бизнес», «Качество»

Реклама — величайшее искусство XX века.

Маршалл Маклюэн

Реклама — двигатель торговли: сотня двигает, один торгует.

Хенрик Ягодзиньский

Реклама — это средство заставить людей нуждаться в том, о чем они раньше не слыхали.

Мартти Ларни

Реклама — это когда нам показывают, без скольких вещей можно отлично жить.

NN

Реклама — это искусство делать из полуправды целую ложь.

Эдгар Шоафф

Реклама обходится очень дорого, особенно если ваша жена умеет читать.

NN

Вести бизнес без рекламы — все равно что подмигивать девушкам в полной темноте.

Стюарт Хендерсон Бритт

Сворачивать рекламу, чтобы сберечь деньги, все равно что останавливать часы, чтобы сберечь время.

NN

Одно рекламное объявление стоит больше, чем сорок передовиц.

Уилл Роджерс

Легче сочинить десять правильных сонетов, чем хорошее рекламное объявление.

Олдос Хаксли

Единственные настоящие поэты нашего времени служат в рекламных агентствах.

Теннесси Уильямс

Только не говорите, пожалуйста, моей матери, что я работаю в рекламном агентстве. Она думает, что я служу тапером в борделе.

Жак Сегела

Можно дурачить всех все время, — при условии, что реклама ведется правильно, а расходы на нее достаточно велики.

Джозеф Левин

Вся реклама — это хорошие новости.

Маршалл Маклюэн

Реклама побуждает людей жить не по средствам? То же самое можно сказать о браке.

Брюс Бартон, рекламный агент

Как описываются машины в рекламных проспектах? «Волнующие», «эффектные», «изящные», «грациозные», «обтекаемой формы». Прямо не знаешь, куда их вести — в гараж или в номер мотеля.

Роберт Орбен

Половина денег, которые идут на рекламу, выбрасываются впустую; но как узнать, какая именно половина?

Уильям Гескет Левер

Последняя стадия адаптации продукта к рынку — это адаптация рынка к продукту.

Клайв Джеймс

Раньше люди нуждались в продуктах, чтобы выжить. Теперь продукты нуждаются в людях, чтобы выжить.

Николас Джонсон

Если новая модель не удалась, позаботься о рекламе изделия.

Артур Блох

Никакая реклама не поможет продать то, что продать невозможно.

Сирил Норткот Паркинсон

Вы нажимаете на кнопку, мы делаем все остальное.

Реклама фотоаппаратов фирмы «Кодак»

Вы умираете, мы делаем все остальное.

Рекламный слоган похоронной индустрии в США

РЕЛИГИЯ

См. также «Атеизм. Неверие», «Бог», «Вера», «Иудаизм», «Христианство и христиане», «Церковь»

Религия — это убеждение, что все происходящее с нами необычайно важно. И именно поэтому она будет существовать всегда.

Чезаре Павезе

Без соображения с божественным не сделаешь хорошо ничего человеческого, и наоборот.

Марк Аврелий

Среди приверженцев каждой религии религиозные люди составляют исключение.

Фридрих Ницше

Наше сочувствие религиозной старине не нравственное, а только художественное: мы только любуемся ее чувствами, не разделяя их, как сладострастные старики любуются молоденькими девицами, не будучи в состоянии любить их.

Василий Ключевский

Религия — распространенный суррогат веры.

Оскар Уайльд

Религия — опиум народа.

Карл Маркс

Религия — род духовной сивухи.

Владимир Ленин

Опиум народа — не религия, а революция.

Симона Вейль

Люди будут спорить из-за религии, писать о ней книги, сражаться и умирать за нее, — но только не жить по ней.

Чарлз Калеб Колтон

Если люди настолько плохи, обладая религией, кем бы они были без нее?

Бенджамин Франклин

Бог — для мужчин, религия — для женщин.

Джозеф Конрад

Религия — важный предмет в женских школах. Она, как бы на нее ни смотреть, есть надежнейшая гарантия для матерей и мужей. Школа должна научить девушку верить, а не думать.

Наполеон I

Религия, скроенная по мерке нашего ума, не была бы религией по мерке наших потребностей.

Артур Бальфур

Протестантизм — и это его главный вклад в сокровищницу человеческой мысли — убедительно доказал, что Господь — страшный зануда.

Генри Луис Менкен

Мы должны уважать религию наших ближних, но лишь в том смысле и в той мере, в какой мы уважаем их убеждение, что их жены — красавицы, а их дети — вундеркинды.

Генри Луис Менкен

Для религии нет ничего губительнее безразличия.

Эдмунд Берк

Нужно быть очень религиозным человеком, чтобы переменить религию.

Герцогиня Диана (Мари де Босак)

Религия, не идущая на компромиссы, не может быть всеобщей. Религия, идущая на компромиссы, не может быть священной.

Стефан Гарчиньский

Мифология — это то, во что верят взрослые, фольклор — то, что рассказывают детям, а религия — то и другое.

Сидрик Уитман

Религия только одна, но в сотне обличий.

Джордж Бернард Шоу

Каждая вера приправляет свою манну по-разному.

Станислав Ежи Лец

В храме все должны быть серьезны, кроме того, кто является предметом культа.

Оскар Уайльд

Если вы хотите основать новую религию, дайте себя распять и на третий день воскресните.

Талейран

Ни один человек с чувством юмора не был основателем религии.

Роберт Ингерсолл

А теперь пришел черед передела загробного мира.

Доминик Опольский

РЕПУТАЦИЯ. ДОБРОЕ ИМЯ

См. также «Авторитет. Деловая репутация», «Мы и другие»

Репутация: то, что говорят о вас за вашей спиной.

Эдгар Хау

Репутация: устоявшаяся сплетня.

Леонард Луис Левинсон

Репутация: то, что, по вашему мнению, думают о вас люди, когда вы думаете, что они о вас думают.

NN

Мы так суетны, что придаем значение тому, что думают о нас люди, которым мы не придаем значения.

Мария Эбнер-Эшенбах

Если люди подозревают, что вы что-то скрываете, значит, у вас слишком хорошая репутация.

NN

А что, если я лучше своей репутации?

Пьер Бомарше

Поврежденную репутацию можно попробовать склеить, но люди все равно будут коситься на след от трещины.

NN

Хорошая репутация ясно доказывает, что у вас не слишком любопытные соседки.

NN

О своей репутации заботятся многие, о своей совести — лишь некоторые.

Публилий Сир

Суди о человеке не по тому, что другие о нем говорят, а по тому, что он говорит о других.

NN

Интриги и маневры, которые необходимы, чтобы добиться хорошей репутации, мешают нам ее заслужить.

Гельвеций

Иных знают так хорошо, что никто не желает их знать.

Владислав Гжегорчик

Мне все равно, что про меня пишут, лишь бы это не было правдой.

Кэтрин Хепберн

Избегай тех, в чьем обществе проигрываешь, — то ли потому, что слишком хороши, то ли — что слишком дурны.

Бальтасар Грасиан

Будь прекрасной, если можешь, добродетельной, если хочешь, но будь уважаемой — это необходимо.

Пьер Бомарше

Женщина не поколеблется пожертвовать честью, чтобы спасти репутацию.

Клод Кребийон

У меня такая репутация, что лучше бы мне ее потерять.

Жанна Голоногова

Я еще девушкой потеряла свою репутацию и сумела этим шансом воспользоваться.

Мэй Уэст

К тому времени, когда приучаешься спокойно переносить все, что о тебе говорят, о тебе уже ничего не говорят.

NN

О нем в последнее время не говорят ничего, кроме хорошего. Жив ли он?

Б. Мироненко

РЕСТОРАНЫ И ЗАБЕГАЛОВКИ

См. также «Сервис»

В первоклассном ресторане все столики всегда зарезервированы и пусты.

NN

В этот ресторан больше никто не ходит, потому что он всегда переполнен.

Йоги Берра

В любом ресторане порция любого блюда, которое вам подадут, будет меньше, чем год назад.

«Закон уменьшающихся порций» Горобца и Славинского

Если вечером в ресторане видишь мужчину с девушкой, которая выглядит, как его дочь, — то это не его дочь.

Хенрик Ягодзиньский

Если вы сомневаетесь, хватит ли денег на обед с семьей в ресторане, — значит, не хватит.

NN

Ничто так не улучшает вкуса домашних блюд, как изучение цен в ресторане.

NN

Шеф-повар: человек с достаточно богатым словарным запасом, чтобы каждый день давать супу новое имя.

NN

Меню: список блюд, которые только что кончились.

Леонард Луис Левинсон

«Макдоналдс» в Токио — это ужасный реванш за Перл-Харбор.

С. Хаякава

Питание — еда без скатерти.

Геннадий Малкин

— Официант, если это кофе, то я хочу чай, а если это чай, я хочу кофе.

Журнал «Панч», 1902 г.

Чем хуже готовят повара, тем вежливей должны быть официанты.

Михаил Генин

Пожилой человек: посетитель, который сперва изучает меню, а не официантку.

NN

Официант как эхо: отзывается, но не приходит.

«Пшекруй»

Не унижайте человека рублем — дайте ему три.

Григорий Яблонский

Дважды два — четыре, но попробуйте с такими познаниями оплатить счет в ресторане!

Хенрик Ягодзиньский

Бармен — человек, который понимает тебя лучше, чем твоя жена.

Американское присловье

Честный бармен: тот, кто зарабатывает чуть-чуть меньше, чем хозяин заведения.

Роберт Орбен

Бар: полутемное помещение, заполненное полутемными людьми.

Неизвестный американец

Ночной клуб: место, куда люди, которым нечего вспомнить, приходят, чтобы забыться.

NN

Забегаловка: место, куда каждый вечер ходят последний раз в жизни.

Юлиан Тувим

Чем лучше пивная, тем хуже жена; чем хуже жена, тем лучше пивная.

Генрих Манн

РЕФОРМЫ

См. также «Перемены»

Каждый режим в конце концов становится старым режимом.

Станислав Ежи Лец

Самый опасный момент для плохого режима — когда он начинает реформироваться.

Алексис Токвиль

Нет дела, коего устройство было бы труднее, ведение опаснее, а успех сомнительнее, нежели замена старых порядков новыми.

Никколо Макиавелли

Стадо легче погонять, чем заворачивать.

Владислав Гжегорчик

Все согласны с тем, что наша страна пришла наконец в движение. Спор идет только о направлении.

NN

Должно быть, мы ходим по кругу: мы все время на повороте.

«Пшекруй»

Реформы находятся на таком этапе, на котором они не видны.

Виктор Черномырдин

Реформы начинаются там, где кончаются деньги.

Борис Немцов

К тому, кто не проводит реформ, постучит Реформация.

Станислав Ежи Лец

Многие готовы поставить знак равенства между пожаром и пожарной командой.

Уинстон Черчилль

Нет ничего опаснее, чем пытаться преодолеть пропасть в два прыжка.

Дэвид Ллойд Джордж

У нас перемены к лучшему следуют с такой быстротой, что ничто хорошее не успевает прижиться.

Хенрик Ягодзиньский

Любуясь, как реформа преображала русскую старину, не доглядели, как русская старина преображала реформу.

Василий Ключевский

РЕЦЕНЗИЯ

См. также «Критика»

Рецензенты имеют право не только говорить людям в глаза, что они дураки, но даже доказывать им это.

Георг Лихтенберг

Написание рецензии занимает так много времени, что некогда прочесть саму книгу.

Граучо Маркс

Рецензенту редко нравятся книги, о которых он пишет, но очень нравятся его собственные рецензии.

«Пшекруй»

Есть критики, считающие произведение автора эпиграфом к своей рецензии.

Станислав Ежи Лец

Я не читаю рецензий на свои книги — я измеряю их длину.

Джозеф Конрад

Я сижу в самой маленькой комнатке своего дома. Передо мной ваша рецензия. Скоро она окажется позади меня.

Отклик пианиста Макса Регера на статью музыкального критика Рудольфа Луиса (в 1906 г.)

Кресло рецензента стоит на площади, а не в третьем или пятом ряду партера.

Ян Котт

Лучше двадцать разгромных рецензий, чем сотня устных похвал.

Дмитрий Пашков

Радуйся любой статье о себе, если только она не в траурной рамке.

Брендан Бихан

РОДИНА. ОТЕЧЕСТВО

См. также «Космополитизм», «Национализм», «Патриотизм», «Россия», «Эмиграция»

Только свободный гражданин имеет отечество; раб, крепостной, подданный деспота имеют лишь родину.

Анатоль Франс

Когда свобода исчезла, остается еще страна, но отечества уже нет.

Франсуа Рене де Шатобриан

Государство всегда именуют отечеством, когда готовятся к убийству людей.

Фридрих Дюрренматт

Многие склонны путать понятия: «Отечество» и «Ваше превосходительство».

Михаил Салтыков-Щедрин

Если жена тебе изменила, то радуйся, что она изменила тебе, а не отечеству.

Антон Чехов

Мы все изгнанники и на родине.

Петр Вяземский

У меня не тоска по родине, а тоска по чужбине.

Федор Тютчев

Где хорошо, там и родина.

Аристофан

Моя родина там, где моя библиотека.

Эразм Роттердамский

РОДСТВЕННИКИ

См. также «Близкие люди», «Семья», «Теща»

Из всех родственников моей жены больше всего мне нравлюсь я.

Джо Кук

После хорошего обеда всякому простишь, даже родному брату.

Оскар Уайльд

Приятно встретиться с дальними родственниками — как можно дальше от своего дома.

NN

Близкие люди всегда кажутся недалекими.

Леонид Леонидов

Дальние родственники все же недостаточно далеки.

NN

У бедных больше детей, зато у богатых больше родственников.

NN

Всего несчастнее семьи, состоящие из одних только бедных родственников.

Веслав Брудзиньский

В последний раз надоедаешь родственникам в день похорон.

Юрий Авербух

Не суди о человеке по его родне — не он ее выбирал.

NN

РОК- И ПОП-МУЗЫКА

См. также «Массовая культура», «Песня. Шлягер»

Рок-музыка исполняется в таком темпе, что не успеваешь понять, какая это мелодия и у кого она украдена.

NN

Если я слишком громок для вас, значит, вы слишком стары для меня.

Стив Бейторс, рок-музыкант

Наша музыка — это народная музыка технологической эры.

Джимми Пейдж, рок-певец

Плохо, если твои клипы лучше, чем твои песни.

Джордж Бой

Рок — не искусство; рок — это способ разговора простых парней.

Билли Идол

Рок-журналистика: парней, не умеющих говорить, интервьюируют парни, не умеющие писать, чтобы было что почитать парням, не умеющим читать.

Франк Заппа

Когда я познакомился с Элвисом, у него было на миллион долларов таланта. Теперь у него миллион долларов.

Том Паркер об Элвисе Пресли

Блюз — это когда хорошему человеку плохо.

NN

Почему бы не сделать так, чтобы популярные песни могли слушать лишь те, среди кого они популярны?

NN

Поп-музыка — дело ненадежное. Сегодня ты полная бездарь, завтра — кумир миллионов.

NN

Многие россияне, увы, не умеют ни читать, ни писать и вынуждены зарабатывать на хлеб сочинением песен.

М. Путинковский

1. Почти вся музыка, которую мы слушали в молодости, никуда не годится.

2. Почти вся музыка, которую слушают наши дети, никуда не годится.

Джин Лиз

Когда вам уже тридцать пять, с музыкой начинает твориться что-то неладное.

Стив Рейс

Выйдя из моды, музыка не становится от этого хуже, а между тем не производит больше впечатления на простодушные сердца молодых девушек. Может быть, она им нравилась лишь потому, что вызывала восторг в молодых людях.

Стендаль

Из песни слова не выкинешь, но можно выкинуть песню.

Эмиль Кроткий

РОССИЯ И РУССКИЕ

См. также «Западники, славянофилы и почвенники», «Русская история», «Эмиграция»

Россия — страна фасадов.

Астольф де Кюстин

Россия: сотни миль полей и по вечерам балет.

Алан Хакни

Россия — это историческая родина инородцев.

Акрам Муртазаев

Земля наша велика и обильна, но порядка в ней нет.

Послы славянских племен — варягам в 862 г.

Надо сознаться, что должность русского бога не синекура.

Федор Тютчев (во время Крымской войны, по поводу упований на «русского бога»)

У нас самодержавие значит, что в России все *само собою* держится.

Петр Вяземский

В России суровость законов умеряется их неисполнением.

Возможно, перефразированный Петр Вяземский

В России центр на периферии.

Василий Ключевский

В России две беды — дураки и дороги.

NN

Кроме дураков и дорог, в России есть еще одна беда: дураки, указывающие, какой дорогой идти.

Борис Крутиер

В России нет дорог — только направления.

Приписывается Наполеону I, а также Уинстону Черчиллю

Отличительное свойство русского ума состоит в отсутствии понятия о границах. Можно подумать, что все необъятное пространство нашего отечества отпечаталось у нас в мозгу.

Борис Чичерин

У нас от мысли до мысли пять тысяч верст.

Петр Вяземский

Едва ли не на одном русском языке воля — означает и силу преодоления, и символ отсутствия преград.

Григорий Ландау

Разница между духовенством и другими русскими сословиями: здесь много пьяниц, там мало трезвых.

Василий Ключевский

Вся Россия — пьющий Гамлет.

Фазиль Искандер

Наша страна богатая, но временно бедная.

Леонид Крайнов-Рытов

Мы у матушки России детки, она наша матка — ее и сосем.

В. Даль.
«Пословицы русского народа»

Ввиду отсутствия всего остального иностранцы обычно говорят, что у нас им больше всего понравились люди.

Никита Богословский

Наш народ миролюбив и незлобив. Восемьсот лет провел в походах и боях...

Геннадий Зюганов

Мы рождены, чтоб Кафку сделать былью.

Вагрич Бахчанян (по другим данным — Арсений Тарковский)

Мы многого не сделали, но все, чего мы не сделали — к лучшему.

Михаил Генин

Никто не умеет жить так, как не умеем мы!

Борис Крутиер

Русские долго запрягают, но быстро едут.

Отто фон Бисмарк

Русские долго запрягают, но потом никуда не едут. Просто запрягают и распрягают, запрягают и распрягают. Это и есть наш особый путь.

Григорий Горин

Раньше мы заблуждались, что идем правильным путем, теперь — что особенным.

Борис Крутиер

Россия не может идти чужим путем. Она и своим-то идти не может.

Константин Мелихан

Российский гимн — это музыка Глинки, текст Герасима.

Акрам Муртазаев

Россия производит впечатление великой державы. Но больше она ничего не производит.

Акрам Муртазаев

Можно благоговеть перед людьми, веровавшими в Россию, но не перед предметом их верования.

Василий Ключевский

Россия без каждого из нас обойтись может, но никто из нас без нее не может обойтись. Горе тому, кто это думает, вдвойне горе тому, кто действительно без нее обходится.

Иван Тургенев

Отрицание России во имя человечества есть ограбление человечества.

Николай Бердяев

РУКОВОДСТВО И УПРАВЛЕНИЕ

См. также «Авторитет. Деловая репутация», «Директор», «Начальство и подчиненные», «Проблемы и решения», «Разрешение и запрет», «Совещания и комитеты», «Эксперты. Консультанты»

Руководить — это значит не мешать хорошим людям работать.

Петр Капица

Умение руководить — это искусство записать на свой счет тяжелую работу, сделанную другими.

NN

Сильный действует рукой, мудрый — умом, а хитрый — кем-то еще.

Владислав Гжегорчик

Администратор — человек, который может раздумывать месяцами, прежде чем примет быстрое решение.

NN

Талант руководителя состоит в том, чтобы быстро принять решение и найти человека, который сделает всю работу.

Дж. Г. Поллард

Хороший администратор тот, кто принимает быстрые решения — и иногда правильные.

NN

Менеджер — человек, достаточно умный для того, чтобы вести ваше дело, и достаточно мудрый, чтобы не иметь своего собственного.

NN

Чтобы довести идею до абсурда, достаточно сделать ее руководящей.

Юрий Базылев

Всегда найдутся эскимосы, которые выработают для жителей Бельгийского Конго директивы поведения в самый разгар жары.

Станислав Ежи Лец

Создайте систему, которой сможет воспользоваться даже дурак, и только дурак захочет ею пользоваться.

«Принцип Шоу»

Оказывайте влияние на тех, кто оказывает влияние на других.

Джон Фэрчайлд

Способов работы с людьми столько же, сколько людей.

Ирена Дзедзиц

Он принадлежал к числу тех людей, которые долго и тщательно рассматривают каждый вопрос, прежде чем решить его кое-как.

Дж. У. Кулинг

Срочное слишком часто путают с важным.

Андре Зигфрид

Можно любить тех, кому приказываешь, но нельзя говорить им об этом.

Антуан де Сент-Экзюпери

Никогда не сообщайте о своем решении заранее.

Джон Селден, XVII в.

Человек, который улыбается при неудаче, по всей вероятности, думает о том, на кого он свалит вину за неудачу.

«Закон Джоунса»

Что бы ни произошло, делай вид, что именно этого ты и хотел.

Артур Блох

Чтобы ликвидировать отставание, достаточно изменить направление.

Евгений Лапин

Любой приказ, который может быть понят неправильно, будет понят неправильно.

«Законы Мерфи»

Трудно быть эффективным и не противным.

Франк Хаббард

РУССКАЯ ИСТОРИЯ

См. также «Россия и русские»

Русская история до Петра Великого сплошная панихида, а после Петра Великого — одно уголовное дело.

Федор Тютчев

Чтобы защитить отечество от врагов, Петр опустошил его больше всякого врага.

Василий Ключевский

Русский народ изгнал Наполеона, потому что француз не может быть русским царем. Русским царем может быть только немец.

Приписывается Юрию Лотману

Прошедшее России было удивительно, ее настоящее более чем великолепно, что же касается ее будущего, то оно выше всего, что может нарисовать себе самое смелое воображение.

Александр Бенкендорф,
шеф корпуса жандармов

Русское правительство, как обратное провидение, устроивает к лучшему не будущее, а прошлое.

Александр Герцен

Россия — страна с непредсказуемым прошлым.

NN

В России историю следует издавать в виде блокнота, в котором легко изъять любую страницу и заменить ее новой.

Гаррисон Солсбери

Наша история идет по нашему календарю: в каждый век отстаем от мира на сутки.

Василий Ключевский

Убийство — способ низложения с престола, применяемый в России.

Талейран

История России — это борьба невежества с несправедливостью.

Михаил Жванецкий

Из борцов за свободу русского народа дольше всех сидел Илья Муромец.

Александр Ботвинников

История русской революции — это сказание о граде Китеже, переделанное в рассказ об острове Сахалине.

Дон-Аминадо

Кто же виноват, что кроме Истории мы ничего не умеем делать?

Борис Крутиер

РЫБАЛКА

Мужчина — это существо, способное три часа кряду ждать поклевки и неспособное подождать пятнадцать минут, пока жена оденется.

Роберт Орбен

Рыбалка — лучшее оправдание для выпивки в раннее утро.

Джимми Каннон

Рыбалка — самый трудоемкий способ расслабиться.

NN

Женщина, которая никогда не видела своего мужа за ужением рыбы, не имеет понятия, за какого терпеливого человека она вышла замуж.

Эдгар Хау

Рыболовы бывают двух видов: одни смотрят на это занятие как на спорт, другим удается что-то поймать.

NN

По-видимому, существует закон природы, согласно которому честный человек не может быть хорошим рыболовом.

NN

Хороший клев бывает либо до того, как вы начали ловить, либо после этого.

NN

Самыми крупными из пойманных рыб всегда бывают те, что сорвались с крючка.

Юджин Филд

Из всех живых существ быстрее всех растет рыба, особенно уже пойманная.

«Пшекруй»

Чем длиннее руки у рыболова, тем меньше веры его рассказам.

NN

С

САМОЛЕТЫ И АВИАПУТЕШЕСТВИЯ

См. также «Путешествия»

Авиалайнер: завтрак в Лондоне, а несварение желудка уже в Нью-Йорке.

NN

Воздушное путешествие: часы скуки, прерываемые мгновениями панического страха.

Эл Болиска

Летать самолетом было бы совершенно безопасно, если бы не было земли.

Лео Кампьон

Если бы Господу было угодно, чтобы мы летали на самолетах, он не создал бы железных дорог.

Майкл Фландерс

Если бы Господу было угодно, чтобы мы летали, он бы дал нам билеты.

NN

Чудеса авиапутешествий: завтрак в Варшаве, обед в Лондоне, ужин в Нью-Йорке, багаж в Буэнос-Айресе.

Янина Ипохорская

Куда я только не летал самолетом! Я посетил чуть ли не столько же стран, что и мой багаж.

Боб Хоуп

Из всех научных теорий больше всего мне по душе та, согласно которой кольца Сатурна целиком состоят из потерянного авиабагажа.

Марк Рассел

Чем быстрее летают самолеты, тем дольше добираться до аэропорта.

NN

В аэропортах установлена диктатура громкоговорителя, а пассажир — всего лишь пара ушей на ногах.

Дункан Сэнди

В залах ожидания аэропортов человек забывает о своих птичьих правах.

Виктор Коняхин

Думаю, дьявол перепланировал ад, познакомившись с опытом планировки аэропортов.

Антони Прайс

Просим пассажиров начать целоваться прямо сейчас, чтобы самолет вылетел вовремя.

Объявление
в Нью-Орлеанском аэропорту

В Соединенных Штатах есть два разряда авиаперелетов: первый класс и третий мир.

Бобби Стейтон

САМОЛЮБИЕ

Нужно очень много самолюбия для того, чтобы не слишком его выказывать.

Пьер Мариво

Наше самолюбие больше страдает, когда порицают наши вкусы, чем когда осуждают наши взгляды.

Франсуа Ларошфуко

Мы не в силах пренебречь презрением окружающих: у нас слишком мало самолюбия.

Люк де Вовенарг

По тому, как самолюбивы женщины пожилые, которые уже никому не нравятся, можно судить, каково было их самолюбие в молодые годы.

Никола Шамфор

Любовь сильнее самолюбия: женщину можно любить, даже когда она презирает вас.

Люк де Вовенарг

Самые самолюбивые люди — это люди, не любящие себя.

Николай Бердяев

САМОМНЕНИЕ. САМОВЛЮБЛЕННОСТЬ. ТЩЕСЛАВИЕ

См. также «Скромность»

В шесть лет я хотел быть Колумбом, в семь — Наполеоном, а потом мои притязания постоянно росли.

Сальвадор Дали

Любовь к себе — это начало романа, который длится всю жизнь.

Оскар Уайльд

Любовь к себе, похоже, слишком часто остается неразделенной.

Антони Пауэлл

Самовлюбленный: человек, который о себе такого же высокого мнения, как вы о себе.

NN

Тщеславие — это гордость других людей.

Сашá Гитри

Тот, кто думает о себе слишком много, слишком мало думает.

NN

Когда я не думаю о себе, я вообще не думаю.

Жюль Ренар

САМООЦЕНКА. ВЕРА В СЕБЯ

См. также «Критика и самокритика»

Мы судим о себе по тому, чего мы способны добиться; другие судят о нас по тому, чего мы добились.

Генри Лонгфелло

Чем больше человек любит самого себя, тем больше он зависит от чужого мнения.

Марк Аврелий

Расскажи мне, кто я, и мне станет ясно, кто ты.

Георгий Ковальчук

Мы ошибаемся только дважды: когда оцениваем себя и когда оцениваем других.

Леонид Балцан

Человек стоит столько, во сколько он сам себя ценит.

Франсуа Рабле

Если вы сами цените себя невысоко, мир не предложит вам ни на грош больше.

Соня Хени

Опасно недооценивать человека, который переоценивает себя.

Франклин Рузвельт

В известном смысле каждый человек есть то, что он о себе думает.

Франсис Герберт Брэдли

Вы не представляете, насколько я низкого мнения о себе — и до какой степени это мнение незаслуженно.

Уильям Гилберт

Людям кажется, что они лучше, когда им лучше.

Мирослав Жулавский

Насколько ясно люди понимают свои ошибки, видно из того, что, рассказывая о своем поведении, они всегда умеют выставить его в благородном свете.

Франсуа Ларошфуко

Чтобы сохранить уважение к себе, иногда необходимо лгать и обманывать.

Роберт Берн

Мы не так домогались бы всеобщего уважения, когда бы твердо знали, что достойны его.

Люк де Вовенарг

Я абсолютно порядочный человек. Я испытываю к себе глубочайшее отвращение.

Жюль Сюпервьель

Делай вид, что уважаешь себя, и тебя будут уважать.

Александр Дюма-отец

Если нас не уважают, мы жестоко оскорблены; а ведь в глубине души никто по настоящему себя не уважает.

Марк Твен

Неудачники верят в удачу, люди удачливые верят в себя.

Альфред Даниэль-Брюне

Мы верим только в тех, кто верит в себя.

Талейран

Актеры, не умеющие играть, верят в себя; и банкроты.

Гилберт Честертон

САМОПОЗНАНИЕ. САМОРЕАЛИЗАЦИЯ

Как и к другому, можно и к себе привыкнуть, так себя и не узнав.

Григорий Ландау

Познай самого себя!

Фалес Милетский

Только неглубокие люди знают себя до самых глубин.

Оскар Уайльд

Не старайтесь познать самого себя, а то вам противно станет.

Дон-Аминадо

Недостаточно знать себе цену — надо еще уметь себя реализовать.

Евгений Сагаловский

Часто приходится слышать: «Он еще не нашел себя». Но найти себя невозможно — себя можно только создать.

Томас Сас

Чтобы найти себя — надо себя переделать.

Григорий Ландау

По своему следу себя не отыщешь.

Доминик Опольский

Хочешь встретить себя? Поезжай в чужой город.

Станислав Ежи Лец

Парадокс: по сравнению с самим собой я ничто.

Кароль Ижиковский

«Будь самим собой» — самое худшее, что можно посоветовать некоторым людям.

Том Массон

Хочется быть самим собой, но совесть не позволяет.

Борис Крутиер

Чтобы быть собой, нужно быть кем-то.

Станислав Ежи Лец

САМОУБИЙСТВО

Пока смерть подвластна нам, мы никому не подвластны.

Сенека

Не будь у меня свободы покончить самоубийством, я бы уже давно застрелился.

Эмиль Сьоран

От самоубийства многих удерживает лишь страх перед тем, что скажут соседи.

Сирил Конноли

Какие основания были у него покончить с собой? А ведь для того, чтобы жить, нужны более веские основания, чем для того, чтобы умереть.

Антуан де Ривароль

Иногда я думаю о самоубийстве. Но я такой невезучий, что и это, наверно, было бы только временное решение.

Вуди Аллен

Если бы я мог распоряжаться своим телом, я бы выбросил его в окно.

Сэмюэл Беккет

Бывает, что не хочется жить, но это вовсе не значит, что хочется не жить.

Станислав Ежи Лец

Совершить самоубийство — значит нарушить правила вежливости, явившись к Господу без приглашения.

Лорд Деннинг

Как часто люди хотят покончить жизнь самоубийством, а кончают тем, что рвут свои фотографические карточки.

Жюль Ренар

У молодых самоубийство — мольба о помощи, у стариков — только мольба о смерти.

Антоний Кэмпиньский

Самоубийца: человек, погибший при попытке бегства от себя самого.

Веслав Брудзиньский

Самоубийство — запоздалое признание правоты тещи.

Генри Луис Менкен

Перед удачливыми открыты все двери, перед неудачливыми — все окна.

Вячеслав Верховский

Выпрыгивая в окно, уже не стоит закрывать его за собой.

Янина Ипохорская

Ничто так не утомляет, как ожидание поезда, особенно когда лежишь на рельсах.

Дон-Аминадо

Не можешь жить — займись чем-нибудь другим.

Геннадий Малкин

Может статься, человек кончает с собой из чувства самосохранения.

Халиль Джебран

Имейте мужество жить. Умереть-то любой может.

Роберт Коди

САТИРА

См. также «Комедия. Комики. Конферансье», «Юмор»

Сатира — самое острое оружие, когда под рукой нет другого.

Данил Рудый

Иногда сатире приходится восстанавливать то, что разрушил пафос.

Станислав Ежи Лец

Что сделалось смешным, то уже не может быть опасным.

Вольтер

Сатира имеет право преувеличивать, но давно уже этим правом не пользуется.

Данил Рудый

Шутовские колокольчики сбивают с толку собак Павлова.

Станислав Ежи Лец

Много ли стоит бич сатиры в руках мазохиста?

Влодзимеж Счисловский

СВАДЬБА

См. также «Брак», «Замужество и женитьба»

Продажа женщин разрешена только перед алтарем.

Хенрик Каден

Свадьба — это конец начала и начало конца.

Юзеф Булатович

В свадебной церемонии участвуют два кольца: одно надевают на палец невесты, другое продевают в нос жениха.

Роберт Орбен

Нет слухов, которые возникали бы так легко и распространялись бы так быстро, как слухи относительно свадеб.

Дэвид Юм

Музыка свадебного шествия всегда напоминает мне военный марш перед битвой.

Генрих Гейне

Снова чья-то капитуляция — играют свадебный марш.

Януш Рось

Белый цвет олицетворяет радость. На свадьбах женщины одеты в белое, мужчины — в черное.

Джон Аулер

Мужчина чувствует себя на семь лет старше на другой день после свадьбы.

Фрэнсис Бэкон

Есть ли жизнь после свадьбы?

Максим Звонарев

Продолжительность брака обратно пропорциональна расходам на свадьбу.

«Закон Томса»

Все свадьбы похожи друг на друга, но все разводы интересны по-своему.

Уилл Роджерс

СВИДАНИЕ

См. также «Пунктуальность», «Флирт. Ухаживанье»

Женщины как автобусы: та, которую ждешь, никогда не приходит.

«Пшекруй»

Оптимист: юноша, который спешит на свидание, боясь опоздать.

NN

Только нелюбимые женщины никогда не опаздывают.

Александр Дюма-отец

Минутку свободного времени можно выкроить только в том случае, если прийти на свидание минута в минуту.

Ванда Блоньская

Не все женщины опаздывают на свидание. Некоторые вообще не приходят.

Андре Берри

Раньше свидание назначали за несколько дней или даже недель. Теперь его все чаще назначают задним числом. Вам звонят и говорят: «Если кто-нибудь спросит, вчера вечером я ужинала с тобой, хорошо?»

Патрик О'Рурк

Смотреть, как твоя дочь собирается на свидание, все равно что вручать «Страдивари» стоимостью в миллион долларов горилле.

Джим Бишоп

Собираясь подстрелить воробья, захвати винтовку на тигра. Помни об этом перед каждым свиданием.

Янина Ипохорская

СВОБОДА – НЕСВОБОДА

См. также «Тоталитаризм. Тирания. Деспотия», «Тюрьма»

Власть — это долг; свобода — ответственность.

Мария Эбнер-Эшенбах

Свобода означает ответственность. Вот почему большинство людей боится свободы.

Джордж Бернард Шоу

Где Дух Господень, там свобода.

Апостол Павел —
2-е послание к коринфянам, 3, 17

Свобода есть право на неравенство.

Николай Бердяев

Свобода — это право делать все, что не запрещено законом.

Шарль Монтескье

Свобода — это возможность сказать, что дважды два — четыре.

Джордж Оруэлл

Что знает зоолог, видевший животных лишь в зоопарке; что знают о человеке те, кто видел его лишь на свободе.

Станислав Ежи Лец

Свобода есть осознанная необходимость.

Видоизмененный Фридрих Энгельс

Чтобы обладать свободой, следует ее ограничить.

Эдмунд Берк

Нет свободы для врагов свободы.

Приписывается Антуану Сен-Жюсту

О Свобода, сколько преступлений творится во имя твое!

Жанна Мари Ролан на эшафоте гильотины в 1793 г.

О Свобода, скольких свобод нас лишают во имя твое!

Дэниэл Джордж

Свобода — это роскошь, которую не каждый может себе позволить.

Отто фон Бисмарк

Абстрактная свобода, как и другие абстракции, не существует.

Эдмунд Берк

Никто не может быть совершенно свободен, пока все не свободны.

Герберт Спенсер

Все кандалы на свете образуют одну цепь.

Станислав Ежи Лец

Наша свобода напоминает светофор, у которого горят три огня сразу.

Михаил Жванецкий

Слава богу, я свободен не больше, чем дерево с корнями.

Дэвид Лоуренс

Если общество скроено по нашей мерке, мы называем это свободой.

Роберт Фрост

Нехорошо быть слишком свободным. Нехорошо ни в чем не знать нужды.

Блез Паскаль

Свобода тоже развращает, а абсолютная свобода развращает абсолютно.

Гертруда Химмельфарб

Свобода опасна, но только она обеспечивает нам безопасность.

Гарри Эмерсон Фосдик

Нужно сначала быть плохим гражданином, чтобы сделаться затем хорошим рабом.

Шарль Монтескье

Цена свободы — это вечная бдительность.

Джон Керран,
а за ним многие другие

Цена свободы — не вечная бдительность, а вечная грязь.

Джордж Оруэлл

Птица в клетке не знает, что она не может летать.

Жюль Ренар

Вот ты и пробил головой стену. Что будешь делать в соседней камере?

Станислав Ежи Лец

В соседней камере всегда свободнее.

Аркадий Давидович

Если предложить людям выбор между свободой и сандвичем, они выберут сандвич.

Джон Бойд-Орр

Человек обречен на свободу.

Жан Поль Сартр

«Размышляй о смерти!» — Кто говорит так, тот велит нам размышлять о свободе. Кто научился смерти, тот разучился быть рабом. Он выше всякой власти и уж наверное вне всякой власти.

Сенека

Свободен лишь тот, кто утратил все, ради чего стоит жить.

Эрих Мария Ремарк

Что такое свобода, знают лишь те, кто готов умереть за нее.

Жермена де Сталь

Помните: чем выше спрос, тем ниже цена, которую нужно платить за свободу.

Станислав Ежи Лец

СВОБОДА ВОЛИ

Великие реформаторы церкви стояли за несвободную волю, а иезуиты за свободу воли, и однако первые основали свободу, вторые рабство совести.

Анри Амьель

Ты называешь себя свободным. Свободным от чего, или свободным для чего?

Фридрих Ницше

Мы должны верить в свободу воли. У нас просто нет выбора.

Айзек Зингер

Тот, кто верит в свободу воли, никогда не любил и никогда не ненавидел.

Мария Эбнер-Эшенбах

Если бы свободно падающий камень мог мыслить, он думал бы, что падает по свободной воле.

Бенедикт Спиноза

Жизнь вынуждает человека ко множеству добровольных поступков.

Станислав Ежи Лец

СВОБОДА СЛОВА. СВОБОДА СОВЕСТИ

См. также «Цензура»

Милостью Божьей в нашей стране мы имеем три драгоценных блага: свободу слова, свободу совести и благоразумие никогда не пользоваться ни тем, ни другим.

Марк Твен

Бороться за свободу законным образом можно лишь в том случае, если ею уже обладаешь.

Тадеуш Котарбиньский

Иные немеют от восхищения, когда у них вынимают кляп изо рта.

Станислав Ежи Лец

Собака в наморднике лает задом.

Генрих Гейне

Кажется, у языка больше свободы после утраты зубов.

Станислав Ежи Лец

Опасно только запрещенное слово.

Людвиг Берне

Каждая сожженная книга освещает мир.

Ралф Эмерсон

Под свободой совести обыкновенно разумеется свобода от совести.

Василий Ключевский

Я покровительствую только таким свободным мыслителям, у которых приличные манеры и рассудительные воззрения.

Фридрих Великий

Свободомыслящий. Достаточно — просто «мыслящий».

Жюль Ренар

Мысль не свободна, если ею нельзя заработать на жизнь.

Бертран Рассел

Свобода ничего не стоит, если она не включает в себя свободу ошибаться.

Махатма Ганди

Закройте дверь перед всеми ошибками, и истина не сможет войти.

Рабиндранат Тагор

Любой человек имеет право говорить то, что он считает нужным, а любой другой человек имеет право бить его за это.

Сэмюэл Джонсон

Мы с моим народом пришли к соглашению: они будут говорить, что пожелают, а я буду делать, что пожелаю.

Фридрих Великий

Говорить и писать можно все, что думаешь, но думать следует осторожно.

Нора фон Эльц

В Англии свобода печати означает свободу печатать те предвзятые мнения владельца газеты, против которых не возражают рекламодатели.

Ханнен Суоффер

Свободная печать бывает хорошей или плохой, это верно. Но еще более верно то, что несвободная печать бывает только плохой.

Альбер Камю

Те, кто носит шоры, пусть помнят, что в комплект входят еще удила и кнут.

Станислав Ежи Лец

Если конь сочинил панегирик в честь узды, присмотрись-ка получше: а конь ли это?

Влодзимеж Счисловский

СВЯТЫЕ И ГРЕШНИКИ

См. также «Грех», «Мученичество»

Почитание святых заслонило богообщение. Святой — больше, чем человек, поклоняющийся же святому — меньше, чем человек. Где же человек?

Николай Бердяев

Легче подражать святым, чем жить с ними.

Жорж Вольфром

Нельзя творить чудеса, оставаясь святым.

Александр Фюрстенберг

Я не верю в Бога, но верю в его святых.

Эдит Уортон

Не обязательно быть ангелом, чтобы стать святым.

Альберт Швейцер

У нас (как кто-то заметил) честные люди встречаются реже, чем святые.

Владимир Соловьев

Есть святые, житие которых начинается с канонизации.

Станислав Ежи Лец

Я бы хотел почитать «Жития канонизаторов».

Станислав Ежи Лец

В мире есть и святые, и бандиты. Первые действуют в рамках, которые установили вторые.

Хенрик Эльценберг

Люди делятся на праведников, которые считают себя грешниками, и грешников, которые считают себя праведниками.

Блез Паскаль

У всякого святого есть прошлое, у всякого грешника — будущее.

Оскар Уайльд

У черта на рогах ореол держится лучше.

Станислав Ежи Лец

Святость — тоже соблазн.

Жан Ануй

Считать себя страшным грешником — такое же самомнение, как и считать себя святым.

Николай Бердяев

СЕГОДНЯ – ЗАВТРА – ВЧЕРА

Сегодня — первый день твоей оставшейся жизни.

NN

Лишь очень немногие живут сегодняшним днем, большинство готовится жить позднее.

Джонатан Свифт

Любое «вчера» было когда-то желанным «завтра».

Хенрик Ягодзиньский

Жизнь любого занята завтрашним днем. Люди не живут, а собираются жить.

Сенека

Одна из форм непредусмотрительности: думать о послезавтрашнем дне вместо завтрашнего.

Жильбер Сесброн

«Завтра» — одно из величайших изобретений, экономящих человеческий труд.

Винсент Фосс

Лучшее время сделать что-либо — между вчера и завтра.

NN

Беспорядок делает нас рабами. Сегодняшний беспорядок уменьшает свободу завтрашнего дня.

Анри Амьель

К «сегодняшнему дню» принадлежит лишь тот, кто заполняет его поступками, обращенными в завтра.

Кароль Ижиковский

Не откладывай на завтра то, что можешь сделать сегодня.

Бенджамин Франклин

Не откладывай на завтра то, что можешь сделать сегодня. Может быть, завтра это уже запретят.

NN

Сделай сегодня то, что собираешься сделать завтра; скажи завтра то, что хочешь сказать сегодня.

Казимеж Тетмайер

Не откладывай на завтра то, что может быть сделано сегодня твоим сослуживцем.

Янина Ипохорская

Не откладывай на завтра то, что можешь сделать послезавтра.

Альфонс Алле

Не откладывай на завтра то, что можешь истратить сегодня.

А. Руднев

Пока не наступит завтра, ты не поймешь, как хорошо тебе было сегодня.

Леонард Луис Левинсон

СЕКРЕТАРША

См. также «Начальство и подчиненные»

Секретарша: девушка, которая грамматические ошибки начальника дополняет своими орфографическими.

Пьер Лами

Секретарша: женщина, которая знает все обо всех и еще кое-что.

NN

Офис может работать без шефа, но не без секретарши.

Джейн Фонда

Вы счастливчик, если у вас есть жена, которая говорит вам, что делать, и секретарша, которая это делает.

Лорд Манкрофт

Моя секретарша всегда мила и терпелива со мной, когда я прихожу на работу после утомительного дня, проведенного дома.

Филип Эпштейн

Надо обладать железными нервами, чтобы быть приветливым каждый день с одним и тем же человеком.

Бенджамин Дизраэли

Пожилой человек: человек, который помнит времена, когда бизнесмен думал прежде всего о том, как овладеть рынком, а не своей секретаршей.

Дэн Беннет

Оптимист: человек, который женится на своей секретарше, полагая, что и дальше сможет ей диктовать.

Роберт Платов

Причиной разводов бывают завтраки мужей с секретаршами, но куда чаще — со своими женами.

Лоренс Питер

СЕКРЕТЫ И ТАЙНЫ

См. также «Любопытство», «Сплетни и слухи»

Я знаю, что это секрет, потому что всюду о нем говорят.

Уильям Конгрив

Тайна — то, что вышло на явь.

Владислав Гжегорчик

Нашу тайну редко выдает тот, кто ее знает, а чаще тот, кто ее угадывает.

NN

Иные верят всему, что рассказывают им на ухо.

Луис Найзер

Часто по секрету говорят ложь, чтобы узнать правду.

Пьер Буаст

Если это не секрет, можешь не говорить.

Юрий Скрылев

Мужчина соблюдает чужую тайну вернее, чем свою собственную, а женщина лучше хранит свою, нежели чужую.

Жан Лабрюйер

Тот, кто рассказывает что-либо женщине при условии сохранения строжайшей тайны, — обыкновенный садист.

Марсель Ашар

СЕКС

См. также «Порнография», «Проституция», «Противозачаточные средства. Аборт», «СПИД», «Стриптиз»

В индустрии развлечений самой удачной идеей было разделение людей на два пола.

Янина Ипохорская

Война полов ведется традиционным оружием.

Станислав Ежи Лец

Пить, когда никакой жажды нет, и во всякое время заниматься любовью — только этим мы и отличаемся от других животных.

Пьер Бомарше

Жизнь — это эпидемическая болезнь, переносимая сексуальным путем.

NN

Чуть ли не все самое интересное в жизни совершается ниже пояса.

Джон Мортимер

Сексуальное неравенство хуже социального.

Аркадий Давидович

Никто не умирает от недостатка секса. Умирают от недостатка любви.

Маргарет Атвуд

Секс не может заменить вам любви, а любовь не может заменить секса.

Мэри Маккарти

Между любовью и сексом большая разница: секс снимает чувство неловкости, любовь его порождает.

Вуди Аллен

Секс хорош года примерно на два, а потом уже вам необходима любовь.

Сари Габор

Раньше, бывало, мужчины предлагали женщине поговорить, хотя на самом деле им хотелось заняться сексом; теперь они нередко чувствуют себя обязанными предложить заняться сексом, хотя на самом деле им хочется поговорить.

Кэтрин Уайтхорн

Секс должен быть высшей ступенью общения, а не заменой общения.

Мэрианн Уильямсон

Сексуальную близость можно сравнить только с музыкой и молитвой.

Хавлок Эллис

В Америке секс — это мания, в других странах — факт.

Марлен Дитрих

Юное поколение не только знает сегодня о сексе больше, чем я знал в их годы, но даже больше, чем я знаю в свои годы.

Сэм Левенсон

Я ничего не знаю о сексе, потому что всегда была замужем.

Сари Габор

Значение любовных утех сильно переоценено: поза нелепая, удовольствие минутное, а расходы огромные.

Филип Честерфилд

О половых отношениях лорд Честерфилд сказал, что удовольствие это быстротечное, поза нелепая, а расход окаянный. Если бы он дожил до наших дней и читал нашу литературу, он мог бы добавить, что этому акту присуще однообразие, почему и печатные отчеты о нем чрезвычайно скучны.

Сомерсет Моэм

Секс как деньги: иметь это хорошо, говорить об этом вульгарно.

Тоня Берг

Секс не важнее сандвича с сыром. Но если у вас до вечера не было ни крошки во рту, сандвич с сыром исключительно важен.

Ян Дьюри

Секс — отличный способ похудеть.

Джули Ньюмар

Большая часть женщин знает, что секс хорошо помогает от головной боли.

Ричард Уилбур

Секс — это комедия положений.

Дмитрий Храповицкий

Секс: самая интимная форма танца.

Леонард Луис Левинсон

Секс — самое забавное из всего того, чем я мог заниматься без смеха.

Вуди Аллен

Сексуальное влечение: биологический феномен, который возникает вместе с половым созреванием и кончается вместе с браком.

Роберт Берн

Брак — это цена, которую мужчины платят за секс; секс — цена, которую женщины платят за брак.

NN

Любовные игры, пожалуй, самые легкие из всех подвижных игр.

Магдалена Самозванец

Каждой ночи необходимо свое меню.

Оноре Бальзак

Женщина ночью трехмерна.

Станислав Ежи Лец

Если лежат двое, то тепло им; а одному как согреться?

Екклесиаст, 4, 11

Если мешает грелка — значит, ты уже согрелся. Если мешает жена — значит, ты уже остыл.

Рахиль Баумволь

Постель не терпит лжи, секс — не мелодрама.

Джулиан Барнс

Нельзя сомневаться: чем могущественнее мужчина, тем он сексапильнее.

Анджи Дикинсон

Я испробовала разные способы секса. Обычная поза вызывает у меня клаустрофобию, а от остальных затекает шея.

Таллула Банкхед

В чужой постели всегда хуже спишь.

Колетт

Дьявол не спит. С кем попало.

Станислав Ежи Лец

В горизонтальном положении мозг не выше других органов.

Станислав Ежи Лец

Мозг — мой второй любимый орган.

Вуди Аллен

И мозг может быть эрогенной зоной.

Рэкуэл Уэлч

Наслаждение доставляет не секс, а любовник.

Мардж Пирси

Любовь совершает открытия, распутство — изобретения.

Хуго Штейнхаус

С теми, кто не имел бы права с ними сидеть, женщины часто лежат.

Станислав Ежи Лец

Они прижались друг к другу так близко, что уже не было места на малейшие чувства.

Станислав Ежи Лец

Тело — это наименьшее из того, что женщина может дать мужчине.

Ромен Роллан

Легкое поведение — это наименьший недостаток женщин, известных своим легким поведением.

Франсуа Ларошфуко

Пессимист утверждает, что все женщины шлюхи, а оптимист на это надеется.

NN

Легче назвать кого-либо курвой, чем быть ею.

Станислав Ежи Лец

Когда современные женщины открыли оргазм, это стало вторым, после контрацепции, смертельным ударом по мужской гегемонии.

Эва Файджс

Сначала освободили секс, теперь начинают освобождаться от секса.

Катрин Пьер

Прежде дорожили лицом и скрывали тело, ныне ценят тело и равнодушны к лицу. Прежде инстинкт, как холоп, грубил и бунтовал, но и подвергался бичу, ныне он эмансипировался и пользуется уважением, как природный государь жизни.

Василий Ключевский

Свободная женщина та, которая считает нормальным секс до замужества, и работу — после.

Глория Стайнем

У танцовщиц секс в ногах, у теноров — в гортани. Поэтому теноры разочаровывают женщин, а танцовщицы — мужчин.

Карл Краус

Секс — дело вкуса. Для одного это плохо, для двоих — хорошо.

Надпись на майке (Лондон, 1978)

Секс не касается никого, кроме тех троих, кто в нем участвует.

Неизвестный американец

Я ничего не имею против группового секса, если группа состоит из двух человек.

Антони Куинн

Нимфоманка: женщина, которая вечером желает заниматься любовью, хотя утром сделала прическу.

Морин Лимпан

Я приду к тебе в номер в пять вечера. Если я опоздаю, начинай без меня.

Таллула Банкхед

Женщина может иногда заменить мастурбацию. Но, разумеется, это требует большого усилия воображения.

Карл Краус

Не жди, девица, любви с заложенными ногами.

Станислав Ежи Лец

С кем себе постелишь, с тем и выспишься.

Магдалена Самозванец

Если когда-нибудь он со мной переспит и я услышу об этом, его жизнь превратится в ад.

Мэй Уэст

Мужья, как правило, хороши в постели, когда изменяют женам.

Мэрилин Монро

Никогда не говори в постели: «Ты был великолепен!», но: «Мы были великолепны!»

Рон Эйделл

Помни: пенис сильнее, чем меч.

Джей Хокинс

Фиговый листок — самая древняя этикетка.

Лешек Кумор

Как всякий мужчина, я ношу при себе орудие насилия.

Анджей Керн

Женщина, читающая «Плейбой», чувствует себя почти как еврей, читающий пособие для нацистов.

Глория Стайнем

Занятия любовью на экране — самое несексуальное и самое скучное занятие в мире.

Джоан Коллинз

Каждый, кто ест три раза в день, должен понимать, почему кулинарных книг продается втрое больше, чем книг о сексе.

Л. М. Бойд

Секс в чистом виде не продается — продаются мечты.

Клаудия Шиффер

Если секс — сугубо личное дело, как можно надеяться найти для него партнера?

Лили Томлин

Если секс — такое естественное занятие, откуда столько пособий по сексу?

Бетти Мидлер

Учебники секса — это инструкции по обслуживанию мужчин, адресованные не женщинам, а гениталиям.

Божена Уминьская

Сексуальное просвещение оправдано хотя бы потому, что девушки могут недостаточно рано узнать, как дети не приходят на свет.

Карл Краус

Просвещайте своих детей сексуально, чтобы потом их не изгнали из рая.

Станислав Ежи Лец

В романах много пишут о хлопотах с сексом и совсем чуть-чуть — о хлопотах с детьми. В жизни соотношение обратное.

Дэвид Лодж

СЕКСМЕНЬШИНСТВА

Удивительно: число геев быстро растет, хотя сами они не размножаются.

NN

Любовь, которая прежде «не смела назвать себя», нынче охрипла, крича о себе во все горло.

Роберт Брустайн

Содомиты хотя бы положили начало новому термину, а жители Гоморры грешили только ради собственного удовольствия.

Веслав Брудзиньский

Сам я практикующий гетеросексуал, но бисексуальность вдвое увеличивает ваши шансы на знакомство в субботу вечером.

Вуди Аллен

Невозможно добиться, чтобы английский суд присяжных вынес приговор за содомию. Половина присяжных не верит, что нечто подобное возможно физически, а другая половина сама занимается этим.

Уинстон Черчилль

Лучше быть негром, чем геем. Если ты родился негром, тебе хотя бы не нужно думать, как рассказать об этом матери.

Чарлз Пирс

За одной женщиной я ухаживал чуть ли не два года, пока не обнаружилось полное совпадение наших вкусов: и я, и она без ума от девушек.

Граучо Маркс

В сороковые годы, чтобы покорить девушку, нужно было быть солдатом; в пятидесятые годы — евреем; в шестидесятые — чернокожим. Теперь, чтобы покорить девушку, нужно быть девушкой.

Морт Сал

СЕЛЬСКОЕ ХОЗЯЙСТВО

В плохие старые времена было три легких способа разориться: самым быстрым из них были скачки, самым приятным — женщины, а самым надежным — сельское хозяйство.

Уильям Питт Амхерст

Крестьянин, даже если он решил побездельничать, встает с петухами, чтобы начать это дело пораньше.

Эдгар Хау

Сорняки растут не везде, а только там, где они не нужны.

Михаил Генин

Откуда взяться хлебу, если жнут серпом, а обмолачивают молотом?

Тамара Клейман

Хрущев: агрономом, который сеял в Казахстане, а урожай собирал в Америке.

NN

Подняли Нечерноземье — а там Средиземноморье!

Виктор Коваль

Россия должна кормить своих крестьян.

Александр Заверюха, министр сельского хозяйства РФ

Наиболее доходной отраслью сельского хозяйства является неуплата налогов.

Михал Огурек

СЕМЬЯ

См. также «Брак», «Родственники»

Счастье — это когда у тебя есть большая, дружная, заботливая, любящая семья в другом городе.

Джордж Бернс

Семья — это группа людей, которых соединяют узы крови и ссорят денежные вопросы.

Этьен Рей

Трудно кормить одновременно свою семью и свое правительство.

Неизвестный американец

Ничто так не разделяет людей, как общее жилье.

Збигнев Холодюк

Ужиться можно с кем угодно, если живешь порознь.

Михаил Задорнов

Уважай право на свою личную жизнь.

Лешек Кумор

Как бы почтительно ни относилась к вам женская половина вашей семьи, как бы ни ценила она ваши достоинства и авторитет, втайне она всегда смотрит на вас как на осла и питает к вам нечто вроде жалости.

Генри Луис Менкен

Семья — такая хорошая вещь, что многие мужчины заводят две семьи одновременно.

Адриан Декурсель

Счастлив тот, у кого есть семья, где он может пожаловаться на свою семью.

Жюль Ренар

СЕНТИМЕНТАЛЬНОСТЬ

См. также «Слезы»

Сентиментальность — это эмоциональный промискуитет людей, не способных к каким-либо чувствам.

Норман Мейлер

Следует отличать сентиментальность от чувствительности. Сентиментальный человек может быть в частной жизни чрезвычайно жестоким. Тонко чувствующий человек никогда не бывает жестоким.

Владимир Набоков

Театральные слезы отучают от житейских.

Василий Ключевский

Менее всего сентиментальны врачи.

Борис Парамонов

Сентиментален ли я? Еще как! Как вспомнишь молодежный цинизм, слезы наворачиваются на глаза.

Станислав Ежи Лец

СЕРВИС

См. также «Гостиницы», «Очередь», «Путешествия», «Рестораны и забегаловки», «Торговля»

Современный сервис: обсчитывают быстро и вежливо.

Владимир Чевновой

В наше время трудно рассчитывать даже на приличное самообслуживание.

Лешек Кумор

Обращайтесь к кельнершам вежливо и требуйте взаимности.

Плакатик в батумской кофейне (Л. Пантелеев. «Из старых записных книжек»)

Клиент всегда прав.

Владелец сети магазинов Гордон Селфридж (1924 г.)

Клиент всегда прав, когда не требует своих прав.

Циприан Черник

Клиент, который меньше всех платит, больше всех скандалит.

«Закон Дру»

Если покупатель всегда прав, то можно ли утверждать, что продавец всегда виноват?

Данил Рудый

Вы можете получить «Форд-Т» любого цвета, при условии, что этот цвет будет черным.

Генри Форд

Чем тверже валюта, тем мягче обращение.

Геннадий Малкин

В банке на моей улице обычно работают две кассирши — конечно, если народу немного. Если народу много, работает только одна.

Рита Руднер

СЕРЬЕЗНОСТЬ И ЛЕГКОМЫСЛИЕ

См. также «Ответственность», «Характер»

Есть люди, которые полагают, что все, что делается с серьезным видом, разумно.

Георг Лихтенберг

Когда взрослые становятся серьезными, они начинают склонять к этому и детей.

Войцех Бартошевский

Легкомыслие: хорошее самочувствие на свой страх и риск.

Анита Даниель

Легкомысленная женщина обманет вас легкомысленно, а серьезная обманет серьезно.

Анри Рошфор

Не принимайте жизнь слишком всерьез. Вам все равно не уйти из нее живым.

Элберт Хаббард

Мы шутим по поводу смертного ложа, но не у смертного ложа. Жизнь серьезна всегда, но жить всегда серьезно — нельзя.

Гилберт Честертон

Жизнь не перестает быть забавной, когда мы умираем, и не перестает быть серьезной, когда мы смеемся.

Джордж Бернард Шоу

Когда я начинаю думать серьезно, я вижу, насколько комичен мир.

Станислав Ежи Лец

СИЛА ВОЛИ

См. также «Характер»

Сила воли: способность бросить курить. Нечеловеческая сила воли: способность не рассказывать всем и каждому, что ты бросил курить.

NN

Беспощадность в избавлении от сомнений или способность не замечать их — называют силой воли.

Кароль Ижиковский

Будь у меня сила воли побольше, я бы сумел пересилить ее.

Станислав Ежи Лец

У меня фантастическая сила воли: я могу совершенно ничего не делать!

Хенрик Ягодзиньский

Он из тех крайне слабовольных натур, которые не поддаются никакому влиянию.

Оскар Уайльд

У мужчины есть своя воля, у женщины есть свой способ.

Оливер Уэнделл Холмс-старший

Жизнь требует от человека железной силы воли и немалого количества денег.

«Пшекруй»

СИЛА И СЛАБОСТЬ

Сила никогда не бывает смешной.

Наполеон I

Только слабость не прощает, только бессилие не забывает.

Владислав Гжегорчик

Честность в политике есть результат силы, лицемерие — результат слабости.

Владимир Ленин

Если уж уступать, то сразу, — и тебя назовут великодушным. Но если уступишь после размышлений — решат, что ты слаб.

Жан Ростан

Ум ценится дорого, когда дешевеет сила.

Василий Ключевский

Не бей слабого, а тем более сильного.

Владимир Дубинский

Не обижай слабого, если он сильнее тебя.

Михаил Генин

СКАНДАЛ

Свои чаепития она подслащивает скандалами.

Сэмюэл Роджерс

Скандал тем громче, чем тише о нем говорят.

Збигнев Холодюк

Кто тебе настоящий друг, узнаёшь, когда попадаешь в скандал.

Элизабет Тейлор

Раньше нужно было быть знаменитым, чтобы позволить себе закатывать скандалы; теперь нужен скандал, чтобы стать знаменитым.

Морис Шевалье

Часть скандала всегда остается в тени, и это всегда его лучшая часть.

«Закон тени»

СКАЧКИ

См. также «Азартные игры. Лотерея»

Одно из величайших несчастий, которые могут случиться с человеком, — выигрыш на скачках в юные годы.

Дэнни Макгурти

Скаковая лошадь: животное, которое может обойти несколько тысяч людей за один заезд.

NN

Иным больше везет в карты, чем на скачках, потому что лошадей не тасуют.

NN

Букмекер — карманный вор, который действует твоими собственными руками.

Генри Морган

На ипподроме не проигрывает только один человек — с метлой и совком.

Элберт Хаббард

Если бы все люди думали одинаково, никто не играл бы на скачках.

Марк Твен

СКЛЕРОЗ

См. также «Память»

У меня та самая болезнь, названия которой я не могу вспомнить.

NN

Склероз нельзя вылечить, но о нем можно забыть.

Приписывается Фаине Раневской

Склероз, как и молодость, ударяет в голову.

Зофья Быстшицкая

Тренируй память, чтобы помнить, что ты уже забыл.

Доминик Опольский

Стоит забыть о старости, как склероз тут же напоминает о ней.

Аркадий Давидович

То, чего вы не можете вспомнить, не стоит и вспоминать.

Джон Шелтон

Если вы не помните, когда у вас последний раз была женщина, то это уже не склероз.

Акрам Муртазаев

Привычка брать в долг крайне вредно влияет на память.

Остин О'Малли

Три вещи никак не могу запомнить: во-первых, имена; во-вторых, лица... а какая же третья?

Итало Звево

Сначала забываешь имена, потом забываешь лица, потом забываешь застегивать ширинку, потом забываешь расстегивать ширинку.

Лео Розенберг

СКРОМНОСТЬ

См. также «Наглость. Нахальство», «Самомнение. Самовлюбленость. Тщеславие», «Хвастовство»

Скромность — это способ услышать от других все то хорошее, что мы думаем о себе.

Лоренс Питер

Лучшее украшение девушки — скромность и прозрачное платьице.

Евгений Шварц

Люди, ничем не примечательные, конечно, правы, проповедуя скромность. Им так легко осуществлять эту добродетель.

Генрих Гейне

Скромен не тот, кто равнодушен к похвалам, а тот, кто внимателен к порицаниям.

Жан Поль

Скромным человеком, как правило, восхищаются — если кто-либо что-либо о нем слышал.

Эдгар Хау

Бывает так, что человек и порядочный, и скромный, а вот не умеет этого показать.

Э. Гай и Б. Ганин

Мистер Эттли очень скромный человек. И у него есть для этого все основания.

Уинстон Черчилль

Скромность — право художника, тщеславие составляет его обязанность.

Карл Краус

У меня хватает скромности признавать, что нескромность — один из моих недостатков.

Гектор Берлиоз

В 1969 году я опубликовал небольшую книжку о скромности. Этот пионерский труд, насколько я знаю, остался непревзойденным.

Лорд Лонгфорд

Будь скромным — это тот вид гордости, который меньше всего раздражает окружающих.

Жюль Ренар

Не будь так скромен — ты еще не настолько велик.

Голда Меир

СКУКА

См. также «Общение»

Скука — болезнь счастливых.

Абель Дюфрен

Богатые скучают дороже.

Хенрик Ягодзиньский

Если тебе скучно одному, женись и скучай вдвоем.

Алан Прайс-Джонс

Искусство быть скучным состоит в том, чтобы говорить все.

Вольтер

Нам почти всегда скучно с теми, кому скучно с нами.

Франсуа Ларошфуко

Есть люди настолько хорошо образованные, что могут заставить вас скучать на любую тему.

NN

В их обществе я бы умер со скуки, не будь там меня.

Александр Дюма-отец

СКУЛЬПТУРА

См. также «Музей»

Я беру глыбу мрамора и отсекаю от нее все лишнее.

Огюст Роден,
вслед за Микеланджело

Предел достижения искусства намечаем только средствами искусства иного.

Всего чудеснее скульптура Микель Анджело на фресках Последнего Суда.

Григорий Ландау

Живопись и Скульптура — это брошенные дети. У них умерла мать — мать их, Архитектура. Пока она жила, она указывала им место, назначение, пределы.

Поль Валери

Не води ребенка в музей античной скульптуры, иначе он спросит тебя, почему у него не вырос листик.

Рамон Гомес де ла Серна

Она выглядит как Венера Милосская: очень старая, без зубов и с белыми пятнышками на желтой коже.

Генрих Гейне

Вот что будет с тобой, если ты не перестанешь грызть ногти!

Уилл Роджерс
о Венере Милосской

«Мыслитель» Родена — шахматист, у которого отняли доску.

Рамон Гомес де ла Серна

В современном искусстве разобраться легко: что висит на стене — живопись; что можно увидеть сзади — скульптура.

NN

Патриотизм — последнее прибежище скульптора.

Уильям Пломер

СКУПОСТЬ

См. также «Жадность», «Щедрость», «Экономия»

Скупость начинается там, где кончается бедность.

Оноре Бальзак

Скупость — это постоянная бедность в страхе перед нищетой.

Бернар Клервоский

Скупой всегда нуждается.

Гораций

Скупой платит дважды.

Старинное изречение

Скупой платит дважды, женатый — всегда.

Геннадий Малкин

Скупец крадет у своих потребностей ради обогащения своих фантазий.

Пьер Буаст

Скупец после смерти тратит за один день больше, чем проживал в десять лет.

Жан Лабрюйер

Должность шута при скупом короле исполняет сам король.

Славомир Врублевский

СЛАВА. ИЗВЕСТНОСТЬ

См. также «Нобелевская премия», «Памятники»

Слава есть любовь, доступная немногим; любовь есть слава, доступная всем.

Григорий Ландау

Слава — это лишний кусок сахара в стакане чая.

Михаил Барышников

Слава — солнце мертвых.

Оноре Бальзак

Слава — самое сильное возбуждающее средство.

Грэм Грин

Слава — это когда тебя знают люди, которых ты не желаешь знать.

Натали Клиффорд Барни

Слава — тяжелое испытание для тех, кто ее лишен.

Михаил Генин

«Слава — дым!» — сказал Герострат.

Владимир Колечицкий

Когда вы становитесь звездой, вы не меняетесь, — меняются люди вокруг.

Кёрк Дуглас

Слава изнашивается.

Наполеон I

Даже слава может быть чрезмерна. Попав в Рим, вначале ужасно сожалеешь, что Микеланджело умер, но потом начинаешь жалеть, что сам не имел удовольствия это видеть.

Марк Твен

Мне всегда были подозрительны художники, достигшие успеха прежде, чем они умерли.

Джон Марри Фицгиббон

Дожив до определенного возраста, приходишь к выводу, что все знаменитые люди в твоем возрасте были уже знамениты.

Янина Ипохорская

В будущем каждый сможет прославиться на 15 минут.

Энди Уорхол

Чтобы прославиться, нужно 40 лет заниматься живописью, или 20 лет писать бестселлеры, или 10 лет играть главные роли в театре, или 5 лет блистать в кино, или в течение месяца ежедневно зачитывать по ТВ кулинарные рецепты.

Веслав Брудзиньский

Я долго была популярна в Америке не из-за своего таланта, а из-за своей славы.

Шер (Черилин Саркисян)

Слава — это непрерывное усилие.

Жюль Ренар

Слава — товар невыгодный. Стоит дорого, сохраняется плохо.

Оноре Бальзак

Знаменитостей стало столько, что стоит большого труда оставаться известным.

Жюльен де Фалкенаре

Знаменитость: человек, известный благодаря своей всемирной известности.

Дэниэл Бурстин

Знамснитость: человек, который всю жизнь кладет на то, чтобы добиться известности, а потом ходит в темных очках, чтобы его не узнали.

Фред Аллен

Если ты знаменитость, неприятно, что все кругом тебя знают, и совершенно ужасно, когда тебя не узнают.

Жан Кокто

Широко известен в узких кругах.

Борис Слуцкий

Чем темнее, тем легче быть звездой.

Станислав Ежи Лец

Пьедестал возвышает, но не дает развернуться.

Владислав Гжещик

Не следует знакомиться со своими друзьями раньше, чем к ним придет слава.

Жюль Ренар

Да, я знаю. Всех великих людей сначала не признавали; но я не великий человек, и я предпочел бы, чтобы меня признали сразу.

Жюль Ренар

Мне потребовалось полвека, чтобы понять, что у меня нет литературного дара. Увы, к тому времени я уже был знаменит.

Роберт Бенчли

Моя слава росла с каждой моей неудачей.

Джордж Бернард Шоу

Изгнание из рая часто совершается через триумфальную арку.

Веслав Брудзиньский

Он давно уже считался известным писателем, но никто об этом не знал.

Эмиль Кроткий

Очень известный в прошлом году писатель.

Жюль Ренар

Пока вы не написали ни одной книги, вы никому не известны. Написав книгу, вы погружаетесь в безвестность.

Мартин Майерз

Когда народ уже не хочет читать своих поэтов, он воздает им почести.

Алек Гиннесс

Люди привыкли почитать черепа, а не головы.

Зыгмунт Красиньский

Слава — это маска, которая разъедает лицо.

Джон Апдайк

Посмертная маска, сделанная при жизни, считается недействительной.

Дон-Аминадо

СЛЕЗЫ

См. также «Грусть. Печаль», «Сентиментальность»

Между соболезнованием и утешением лежит океан слез.

Минна Антрим

И слезы плывут по течению.

Станислав Ежи Лец

Океаны человеческих слез не были бы так огромны, не будь они так мелки.

Станислав Ежи Лец

Не верь смеющейся женщине и плачущему мужчине.

Восточное изречение

Иной раз, проливая слезы, мы ими обманываем не только других, но и себя.

Франсуа Ларошфуко

Слезы — оборонительная жидкость.

Ванда Блоньская

Слезы — высшая степень улыбки.

Стендаль

Слезы не оставляют пятен.

«Пшекруй»

Женщины стойко переносят худшие горести, нежели те, из-за которых они проливают слезы.

Жан Поль

Женские слезы есть продолжение разговора другими средствами.

Марчелло Мастроянни

Женщина не права до тех пор, пока не заплачет.

Джон Халлибертон

Когда прекрасные женские глаза затуманиваются слезами, видеть перестает мужчина.

Альбер Турнье

Ничто так не трогает мужчину, как слезы любимой женщины, и ничто не раздражает его так, как слезы женщины, которую он уже перестает любить.

Марыля Вольская

Слезы — убежище некрасивых женщин, но гибель для хорошеньких.

Оскар Уайльд

Как бы искренне ты ни плакала, рано или поздно нужно заглянуть в пудреницу.

Анри Дювернуа

СЛОВАРЬ

См. также «Филология»

Два дела особенно трудны: это — писать словарь и грамматику.

Готфрид Герман

Словарь — это вселенная в алфавитном порядке.

Вольтер

Словарь сообщает о словах гораздо больше того, что вам нужно, но только не то, что вам нужно.

Эндрю Руни

Все прочие авторы могут желать похвал, лексикограф может только желать избежать упреков.

Жан Андрие

Словари все равно что часы. Даже самые плохие лучше, чем никакие, и даже от самых лучших нельзя ожидать абсолютной точности.

Сэмюэл Джонсон

Только Бог может составить совершенный словарь.

Пьер Буаст

СЛОЖНОСТЬ И ПРОСТОТА

Усложнять просто, упрощать сложно.

«Закон Мейера»

Все должно быть изложено так просто, как только возможно, но не проще.

Альберт Эйнштейн

Все не только не так просто, но и просто не так.

Леонид Леонидов

Будь проще, и ты поймешь, что проще некуда.

Геннадий Малкин

Нужно усложнять, чтобы в результате все стало проще, а не упрощать, чтобы в результате все стало сложнее.

Веслав Брудзиньский

Если существует более сложный способ делать что-либо, кто-нибудь непременно его откроет.

Ралф Рус

Простая и приемлемая ложь полезнее сложной и непонятной истины.

«Второй постулат большого пальца»

На всякого мудреца простоты не напасешься.

Леонид Леонидов

СЛУЧАЙНОСТЬ

См. также «Судьба», «Удача. Везение»

Я верю в безупречно точную случайность.

Станислав Ежи Лец

В каждом большом деле всегда приходится какую-то часть оставить на долю случая.

Наполеон I

Победители не верят в случайность.

Фридрих Ницше

Умный человек создает больше возможностей, чем находит.

Фрэнсис Бэкон

Разумеется, я верю в счастливую случайность, иначе как объяснить успехи людей, которых я не выношу?

Жан Кокто

Всем правит случай. Знать бы еще, кто правит случаем.

Станислав Ежи Лец

Случай — псевдоним Бога, когда он не хочет подписаться своим собственным именем.

Анатоль Франс

Случай всегда подворачивается в самый неподходящий момент.

«Правило Дюшарма»

Счастливому случаю нужно помочь, если уж удалось его организовать.

«Пшекруй»

СМЕРТНАЯ КАЗНЬ

См. также «Террор»

Смертная казнь: депортация преступника на тот свет.

Болеслав Пашковский

Когда ему сказали: «Афиняне осудили тебя на смерть», Сократ ответил: «А природа осудила их самих».

Диоген Лаэртский

Виселицы не боится лишь безголовый.

Валериу Бутулеску

Этой машиной я так отрублю вам голову, что вы ничего не почувствуете.

Жозеф Гийотен, по имени которого названа гильотина

«Что, гильотину заело? Я ничего не почувствовал». — «А ты кивни».

NN

Допустимо ли искоренять злодейство, убивая злодеев? Но ведь это значит умножать их число!

Блез Паскаль

Палач равен людоеду: оба убивают, чтобы есть.

Рамон Гомес де ла Серна

Палачу платят за работу; в свое оправдание он может сказать: «Каждый должен жить!»

Хуго Штейнхаус

Если нужно отменить смертную казнь, пусть господа убийцы начнут первыми.

Альфонс Карр

Когда отменят кару смерти, смерть не перестанет быть карой.

Станислав Ежи Лец

СМЕРТЬ

См. также «Самоубийство»

Смерть: мир за вычетом тебя.

Стефан Наперский

Смерть — это зачерненная сторона зеркала, без которой мы бы ничего не увидели.

Сол Беллоу

Смерть: полное затмение солнца и земли.

Янина Ипохорская

Смерть — неприятная формальность, зато принимаются все кандидаты.

Поль Клодель

Смерть — это поза умершего человека.

Станислав Ежи Лец

Умереть — значит присоединиться к большинству.

Перефразированный Петроний

Каждый умирает в одиночку.

Ханс Фаллада

Умереть легко, когда ты совершенно здоров. Прекрасным весенним утром, в саду, в приятном и бодром расположении духа, — как просто было бы лечь на траву и отойти в мир иной!

Марк Резерфорд

Пришла смерть и говорит: «На выход. Без вещей!»

Леонид Крайнов-Рытов

В моей смерти прошу винить мою жизнь.

Геннадий Малкин

Совесть умирающих клевещет на прожитую ими жизнь.

Люк де Вовенарг

Самые смелые и самые разумные люди — это те, которые под любыми благовидными предлогами стараются не думать о смерти.

Франсуа Ларошфуко

Когда мы есть, то смерти еще нет, а когда смерть наступает, то нас уже нет. Таким образом, смерть не существует ни для живых, ни для мертвых.

Эпикур

Каждый боится смерти, но никто не боится быть мертвым.

Роналд Арбатнотт Нокс

Умереть сегодня — страшно, а когда-нибудь — ничего.

В. Даль.
«Пословицы русского народа»

Завтра никогда не наступает; длится вечное сегодня.

Не будущее замкнется смертью, а длящееся настоящее. Не завтра будет смерть, а когда-нибудь сегодня.

Григорий Ландау

Нас не будет. Впрочем, это уже было.

Аркадий Давидович

Я не боюсь умереть. Я просто не хочу при этом присутствовать.

Вуди Аллен

Смерть для того поставлена в конце жизни, чтобы удобнее к ней приготовляться.

Козьма Прутков

Смерть превращает жизнь в судьбу.

Андре Моруа

Жизнь и смерть ходят рядом, но ничего не знают друг о друге.

Эмиль Кроткий

Ни на солнце, ни на смерть нельзя смотреть в упор.

Франсуа Ларошфуко

Если бы мы могли помыслить смерть во всей ее полноте, мы бы умерли в ту же минуту.

Дени де Ружмон

Всех ожидает одна и та же ночь.

Гораций

Смерть мы видим впереди; а бóльшая часть ее у нас за плечами, — ведь сколько лет жизни минуло, все принадлежит смерти.

Сенека

Никто не умирает не в свой срок. Своего времени ты не потеряешь: ведь что ты оставляешь после себя, то не твое.

Сенека

Вещи кажутся чудовищно долговечными, когда умирают люди.

Джойс Килмер

Все можно пережить, кроме смерти.

Оскар Уайльд

Везет человеку, которому удается уйти из этого мира живым.

Уильям Клод Филдс

Уходя на тот свет, не забудь выключить этот.

Виктор Коваль

Привыкнуть можно только к смерти других.

Станислав Ежи Лец

Как мы можем знать, что такое смерть, когда мы не знаем еще, что такое жизнь?

Конфуций

Говорить о смерти со знанием дела могут только покойники.

Лешек Кумор

Что такое смерть, не знают даже мертвые.

Рамон Гомес де ла Серна

СМЕХ

См. также «Остроумие»

Смех — обеззараживающее средство.

Морис Шаплен

Смех — кратчайшее расстояние между двумя людьми.

Виктор Борж

Кто смеется, тот все прощает.

Василий Жуковский

Нельзя по-настоящему полюбить человека, с которым никогда не смеешься.

Агнес Репплайер

С кем можно вместе смеяться, с тем можно вместе работать.

Роберт Орбен

Смех без причины — признак отличного настроения.

Михаил Генин

Даже если нет причины для смеха, смейся в кредит.

NN

Мыслю, следовательно, смеюсь.

Джон Полос

Человек — единственное животное, которое умеет смеяться, хотя как раз у него для этого меньше всего поводов.

Эрнест Хемингуэй

Смех заразителен, так же как и зевота.

Генрих Гейне

Кажется, павловский условный рефлекс действительно существует. Каждый раз, когда по ТВ раздается записанный на пленку смех, телезритель непроизвольно зевает.

Роберт Орбен

Не люблю смеха сквозь слезы — он разбавленный.

Станислав Ежи Лец

Француз — весел, русский — насмешлив; француз осмеивает, потому что он смеется, русский смеется, потому что осмеивает.

Василий Жуковский

Скажи мне, над чем смеется народ, и я скажу тебе, за что он готов пролить кровь.

Станислав Ежи Лец

Половина людей смеется над другой половиной, и обе равно глупы.

Бальтасар Грасиан

СМЫСЛ ЖИЗНИ

См. также «Жизнь»

Стоит ли жизнь того, чтобы жить? Это вопрос для эмбриона, не для мужчины.

Сэмюэл Джонсон

Жизнь, быть может, не стоит того, чтобы жить, но что с ней еще можно делать?

NN

Есть ли смысл жизни? Смотря когда.

Давид Самойлов

Жизнь имеет в точности ту ценность, которой мы хотим ее наделить.

Ингмар Бергман

Жить — все равно что любить: все разумные доводы против этого, и все здоровые инстинкты — за.

Сэмюэл Батлер

Надо любить жизнь больше, чем смысл жизни.

Федор Достоевский

Если в жизни нет удовольствия, то должен быть хоть какой-нибудь смысл.

Максим Звонарев

Если ты вдруг нашел смысл жизни, самое время проконсультироваться у психиатра.

Неизвестный американец

Если человек начинает интересоваться смыслом жизни или ее ценностью, это значит, что он болен.

Зигмунд Фрейд

Человек задумывается о цели своего существования; возможно, устрицы задумываются о том же, если только им не открыл этого какой-нибудь официант.

Станислав Ежи Лец

Высший позор — ради жизни утратить смысл жизни.

Ювенал

О жизни и деньгах начинают думать, когда они приходят к концу.

Эмиль Кроткий

На задачи, заданные нам жизнью, ответы не даются и в конце.

Эмиль Кроткий

Жизнь все время отвлекает наше внимание; и мы даже не успеваем заметить, от чего именно.

Франц Кафка

Нас привязывают к жизни те, кому мы служим опорой.

Мария Эбнер-Эшенбах

СНЫ

См. также «Сон и пробуждение»

Жизнь и сновидения — страницы одной и той же книги.

Артур Шопенгауэр

Сны придуманы для того, чтобы мы не скучали во сне.

Пьер Дак

Когда душа видит сны, она — театр, актеры и аудитория.

Джозеф Аддисон

Если вам ничего не снится, значит, у вас все есть.

Кирилл Кюдов

Скажи мне, с кем ты спишь, и я скажу, кто тебе снится.

Станислав Ежи Лец

Если вы ущипнули себя, но видение не исчезло, — ущипните видение.

Геннадий Малкин

Сны — грандиозный сериал подсознания.

Ванда Блоньская

Если бы сны продолжали друг друга, ах, сколько пришлось бы платить алиментов!

Станислав Ежи Лец

Страшен не сон, а его толкование.

Александр Климов

СОБАКИ И КОШКИ

См. также «Животные»

Лучшее, что есть у человека, — это собака.

Туссен Никола Шарле

Нет собаки — заведи друга.

Геннадий Малкин

Только человек, у которого есть собака, чувствует себя человеком.

«Пшекруй»

Собака — наглядный пример человеческой неблагодарности.

«Пшекруй»

Цифры не лгут. Посчитай, сколько людей тебя облаяло и сколько собак!

«Пшекруй»

Купи собаку. Это единственный способ купить любовь за деньги.

Янина Ипохорская

Собака так преданна, что даже не веришь в то, что человек заслуживает такой любви.

Илья Ильф

Для того чтобы считаться другом человека, мало быть собакой.

Данил Рудый

Если бы собаки умели говорить, они бы не казались такими умными.

Сергей Савватеев

Собак любят за то, что они не хотят стать хозяевами.

Геннадий Малкин

У собак лишь один недостаток — они верят людям.

Элиан Дж. Финберт

Хорошему человеку бывает стыдно даже перед собакой.

Антон Чехов

Ваша собака всегда находится не по ту сторону двери.

Огден Нэш

Собаки тоже смеются, только они смеются хвостом.

Макс Истман

Нет уродливых собак — есть только нелюбимые.

«Пшекруй»

Дети любят, когда в доме есть собака, — до тех пор, пока у собаки не появятся дети.

NN

Не смотрите на своих собак как на людей, иначе они станут смотреть на вас как на собак.

Марта Скотт

Чем больше я узнаю людей, тем больше люблю собак.

Мадам де Севинье

Я люблю свиней. Собаки смотрят на нас снизу вверх. Кошки смотрят на нас сверху вниз. Свиньи смотрят на нас как на равных.

Уинстон Черчилль

Кошка: карликовый лев, который любит мышей, ненавидит собак и покровительствует людям.

Оливер Херфорд

Когда я играю с кошкой, неизвестно, кто кого больше развлекает.

Мишель Монтень

Ни одно домашнее животное не прыгнет на стул во время обеда, если оно не абсолютно уверено, что может внести свою лепту в разговор.

Фран Лебовиц

Собака прыгает к вам на колени, потому что любит вас; кошка — потому что ей так теплее.

Алфред Уайтхед

Кошка полна тайны, как зверь; собака проста и наивна, как человек.

Карел Чапек

Те, кто содержит животных, должны признать, что скорее они служат животным, чем животные им.

Мишель Монтень

СОБСТВЕННОЕ МНЕНИЕ

См. также «Взгляды. Убеждения»,
«Начальство и подчиненные»

Чем хуже знаешь факты, тем легче составить собственное мнение.

NN

Есть две точки зрения на каждый вопрос: неправильная и моя.

Оскар Левант

Каждый человек имеет право на собственное мнение — при условии, что оно совпадает с нашим.

Джордж Бернард Шоу

Ничто так не способствует душевному спокойствию, как полное отсутствие собственного мнения.

Георг Лихтенберг

Мое мнение всегда совпадает с мнением людей сведущих, если они говорят первыми.

Уильям Конгрив

Это мое мнение, и я его разделяю.

Анри Монье

Я не всегда разделяю свои взгляды.

Поль Валери

Своего мнения у него не было, но мнения других не принимались в расчет без его подписи.

Мариан Карчмарчик

Плодотворный обмен мнениями: приходишь к начальнику со своим мнением, уходишь с его мнением.

NN

Многие признаны злонамеренными единственно потому, что им не было известно: какое мнение угодно высшему начальству?

Козьма Прутков

Если двое держатся одного мнения, за этим часто стоит кто-то третий.

Славомир Троцкий

Кто со всеми согласен, с тем не согласен никто.

Уинстон Черчилль

Девять из каждых десяти людей, изменивших свое мнение, ошиблись и во второй раз тоже.

NN

СОБСТВЕННОСТЬ

См. также «Капитализм»

Собственность — вот дух законов.

Шарль Монтескье

Собственность — это кража.

Пьер Жозеф Прудон

Мое лучше, чем наше.

Бенджамин Франклин

Больше всего дорожат собственностью бандиты. Разве они не рискуют ради нее свободой и даже жизнью?

Жорж Элгози

Каждый — кузнец своего счастья, особенно если владеет собственной кузницей.

Лешек Кумор

СОВЕСТЬ

См. также «Раскаяние. Покаяние», «Свобода слова. Свобода совести», «Стыд»

Совесть — тысяча свидетелей.

Квинтилиан

Совесть — это тоненький голосок, который просит тебя не делать того, что ты только что сделал.

NN

Совесть — это дворняжка, которая свободно дает вам пройти, но непременно облает.

NN

Совесть — это память общества, усвоенная отдельным лицом.

Лев Толстой

Совесть — это теща, которая ходит к вам в дом без спросу.

Генри Луис Менкен

Совесть что летучая мышь: днем отсыпается, а ночью хлопает крыльями и пытается сосать твою кровь.

Дмитрий Пашков

Совесть — лучший судья: с ней всегда можно договориться.

Константин Мелихан

У человека с чистой совестью, вероятно, слабая память.

Видоизмененный
Марсель Паньоль

Хорошие друзья, хорошие книги и спящая совесть — вот идеальная жизнь.

Марк Твен

Чем меньше совести, тем больше всего остального.

А. Карабчиевский

Собаку грызут только блохи; а дурного человека — и собаки, и блохи, и совесть.

Рышард Подлевский

Моральные люди испытывают самодовольство при угрызениях совести.

Фридрих Ницше

Угрызения совести нередко имеют причиной слишком добродетельную жизнь.

Станислав Ежи Лец

Угрызения совести начинаются там, где кончается безнаказанность.

Гельвеций

Голос совести никогда не выступает в хоре.

Казимеж Сломиньский

Друзья и совесть бывают у человека до тех пор, пока они не нужны.

Габриэль Лауб

Если у вас ничего нет, имейте хотя бы совесть.

Григорий Яблонский

Если у тебя нет совести, то чего тебе еще не хватает?

Виктор Жемчужников

Жить по велениям совести — все равно что вести машину, нажимая на тормоза.

Бадд Шулберг

Англо-саксонская совесть не мешает совершать определенного рода поступки, но запрещает получать от них удовольствие.

Сальвадор де Мадарьяга

Будь хозяином своей воли и слугой своей совести.

Мария Эбнер-Эшенбах

Нет правил более изменчивых, нежели правила, внушенные совестью.

Люк де Вовенарг

Самое приятное свойство совести то, что она всегда на твоей стороне. Она не потревожит тебя, пока тебе хорошо.

Роберт Орбен

Совесть царствует, но не управляет.

Поль Валери

СОВЕТЫ И СОВЕТЧИКИ

Совет: информация, сообщаемая человеком, который не может ею воспользоваться, человеку, который не хочет ею воспользоваться.

NN

Можно дать другому разумный совет, но нельзя научить его разумному поведению.

Франсуа Ларошфуко

Тому, кто может отличить хороший совет от плохого, не нужны чужие советы.

Лоренс Питер

Советы как касторка: давать нетрудно, принимать неприятно.

Генри Уилер Шоу

Советы полезны прежде всего советчику, ведь его приглашают в эксперты.

Лешек Кумор

Советоваться — искать одобрения уже принятой линии поведения.

Амброз Бирс

Все легко дают советы, но немногие берут за них ответственность.

Тацит

Советы дают даром, потому что никто их не покупает.

Жан Пти-Сенн

Даровые советы часто обходятся слишком дорого.

NN

Хороший совет как хорошо подогнанная перчатка: он подходит для данного случая и не подходит ко всем остальным.

Чарлз Рид

Лучший способ добиться успеха — следовать советам, которые мы даем другим.

Гаролд Тейлор

Мы склонны восхищаться умом и здравомыслием тех, кто приходит к нам за советом.

NN

Совет, данный на людях, звучит как упрек.

«Кабус-наме»

Чем лучше совет, тем труднее его придерживаться.

NN

Никогда не давай совета раньше, чем тебя попросят, — и после.

NN

СОВЕЩАНИЯ И КОМИТЕТЫ

См. также «Доклад»

Предприятия получают твердость чрез совещание, и по совещании веди войну.

Царь Соломон — Притчи, 19, 18

Если бы Моисей был комитетом, евреи и теперь бы жили в Египте.

Дж. Б. Хьюз

Если проблема требует множества совещаний, они в конце концов станут важнее самой проблемы.

«Закон Хендриксона»

Длительность дебатов обратно пропорциональна сложности обсуждаемого предмета. Если предмет прост и понятен каждому, дебаты могут длиться почти бесконечно.

Роберт Ноулз

Эффективность совещания обратно пропорциональна числу участников и затраченному времени.

«Закон Оулда и Кана»

Заседание: расписанная по минутам программа растраты часов.

«Аксиома Гурда»

Заседания — самый трудоемкий способ безделничанья.

«Пшекруй»

Заседающие не пришли к согласию — перерыв в заседаниях был слишком краток.

Веслав Брудзиньский

Комитет: группа лиц без определенных занятий.

Казимеж Бартошевич

Комитет — группа лиц, каждый из которых ничего не способен сделать, а все вместе они решают, что ничего сделать нельзя.

Фред Аллен

Комитет — это группа ни к чему не способных людей, назначенных людьми, не расположенными к какой-либо работе, чтобы делать нечто совершенно необязательное.

Стюарт Харрол

Комитет — это зверь на четырех задних лапах.

Джон Ле Карре

Объявите, что совещание начнется в 14.00, и оно начнется не раньше 14.10. Назначьте заседание на 10.13, и служащие поймут вас буквально.

Сирил Норткот Паркинсон

Совещания не родили ни одной великой мысли, но похоронили некоторое число идиотских.

Фрэнсис Скотт Фицджеральд

Совещания незаменимы, если вы решили ничего не делать.

Джон Кеннет Гэлбрейт

Трое составляют коллегию.

Принцип римского права

Трое составляют коллегию, если двое отсутствуют.

Джон Хейвуд

Одна голова не только хорошо, но и вполне достаточно.

Евгений Свистунов

СОГЛАСИЕ И ОТКАЗ

См. также «За и против», «Просьба», «Разрешение и запрет»

Ради бога, не говорите «да», пока я не кончу говорить!

Даррил Занук

Я говорю вам свое окончательное «может быть».

Сэмюэл Голдвин

Нет, нет и еще раз да!

NN

Я отвечу вам в двух словах: Не Возможно.

Сэмюэл Голдвин

Половина наших неприятностей вызвана тем, что мы слишком быстро произносим слово «да» и недостаточно быстро — слово «нет».

Генри Уилер Шоу

Для утвердительного ответа достаточно лишь одного слова — «да». Все прочие слова придуманы, чтобы сказать «нет».

Дон-Аминадо

Но да будет слово ваше: «да, да», «нет, нет», а что сверх того, то от лукавого.

Евангелие от Матфея, 5, 37

Всякий раз, когда я говорю «да», я заранее вижу, скольких «нет» мне это будет стоить.

Станислав Ежи Лец

Министр никогда не отказывает. Министр говорит: ваша просьба будет удовлетворена в ближайшем будущем.

Эжен Скриб и Эрнст Легуве

Отсрочка — самая неприятная форма отказа.

Сирил Норткот Паркинсон

Легче всего отказаться от предложения, которое сделали не тебе.

NN

Если вы окажете сто услуг и один раз откажете, будут помнить только отказ.

NN

Письменные просьбы легче отклонять, а письменные приказы легче отдавать, чем устные.

Георг Лихтенберг

Не отказывай сразу, пусть разочарование входит по капле; не надо и отказывать наотрез, это значит рвать узы преданности. Пусть остаются крохи надежды, они умерят горечь отказа.

Бальтасар Грасиан

Учтивый способ не отказывать прямо — переменить разговор; иногда же нет ничего умнее, чем прикинуться непонимающим.

Бальтасар Грасиан

Фраза: «В принципе я согласен»,— означает, что вы отнюдь не намерены этого допустить.

NN

Легче кивнуть головой в знак согласия, чем объяснять, почему ты не согласен.

NN

Хочешь жить в согласии — соглашайся.

«Правило Рейберна»

Молчание — знак согласия.

Папа Бонифаций VIII

Молчание — знак согласия. Или того, что никто вас не слушает.

Франклин П. Джонс

Пока я храню молчание, я не даю согласия.

Хуго Штейнхаус

Молчание мужчины — знак отказа, молчание женщины — знак согласия.

Луи Массиньон

Женщины, как дети, любят говорить «нет». Мужчины, как дети, принимают это всерьез.

Янина Ипохорская

Если женщина хочет отказать, она говорит «нет». Если женщина пускается в объяснения, она хочет, чтобы ее убедили.

Альфред де Мюссе

Добродетельная женщина обычно говорит «нет», страстная «да», капризная и «да» и «нет», кокетка — ни «да», ни «нет».

Фредерик Сулье

Она говорила на восемнадцати языках и ни на одном из них не умела сказать «нет».

Дороти Паркер

Ее отказ приятнее иного согласия.

Василий Ключевский

СОН И ПРОБУЖДЕНИЕ

См. также «Бессонница», «Сны»

Мы умираем каждый вечер. Но мы — мертвецы, наделенные памятью.

Жозе Кабанис

Если бы можно было отоспать смерть в рассрочку!

Станислав Ежи Лец

Усталость — лучшая подушка.

Бенджамин Франклин

Спи скорей, твоя подушка нужна другому.

Михаил Зощенко

Быстрее спит тот, кто спит один.

Ричард Эйвден

Он спал глубоким сном неправедного человека.

Герберт Бирбом Три

Время, необходимое любому человеку, чтобы по-настоящему выспаться, — это на пять минут больше.

Макс Кауффманн

Брак — это союз между мужчиной, который не может спать при закрытом окне, и женщиной, которая не может спать при открытом окне.

Джордж Бернард Шоу

Тот, кто храпит, засыпает первым.

Артур Блох

Здоровый сон удлиняет жизнь и сокращает рабочее время.

В. Шкардун

Мне столько всего надо сделать, что лучше я пойду спать.

Роберт Бенчли

Не залеживайся, если не можешь делать деньги в постели.

Джордж Бернс

Всякий сон кончается тем, что нужно вставать с постели.

«Пшекруй»

Если вы не можете спать, когда пора просыпаться, вам нужно серьезно заняться своим здоровьем.

NN

Те, кто хвалится, что спят как младенцы, обычно не имеют младенцев.

Лео Берк

Ни один человек на свете не признает право любого другого человека находиться в постели, когда сам он уже встал.

Роберт Линд

Мало встать рано утром, надо еще перестать спать.

Янина Ипохорская

«Совы» ложатся в два часа ночи и спят до полудня. «Жаворонки» ложатся в десять, встают в шесть утра и спят до полудня.

Максим Звонарев

Считают, что успех приходит к тем, кто рано встает. Нет: успех приходит к тем, кто встает в хорошем настроении.

Марсель Ашар

Приветствуй день вставанием!

Станислав Ежи Лец

СОСЕДИ

См. также «Знакомство. Знакомые», «Тишина и шум»

Идеальный сосед тот, кто шумит точно в то же время, что и вы.

NN

Все соседи плохи, но верхние хуже нижних.

Константин Мелихан

Вакханалия: вечеринка у соседей, на которую ты не приглашен.

«Пшекруй»

Трудно быть хорошим соседом в плохом соседстве.

Уильям Касл

Сосед всегда делает что-то такое, чего вы не можете себе позволить.

NN

Мы были бы гораздо зажиточнее, если бы не расточительность наших соседей.

NN

Тот, кто по-настоящему знает себя, — мудрец; тот, кто по-настоящему знает своего соседа, — гений.

Минна Антрим

Не зови ночью на помощь — соседей разбудишь.

Станислав Ежи Лец

Бог видит все, соседи — еще больше.

NN

В вымытом окне и окна соседей кажутся чистыми.

Рената Шуман-Фикус

Даже в раю у тебя будут соседи.

«Пшекруй»

СОЦИАЛИЗМ И КОММУНИЗМ

См. также «Марксизм», «Партия (коммунистическая)»

Призрак бродит по Европе, призрак коммунизма.

Карл Маркс и Фридрих Энгельс

Этот призрак... бродит где-то там в Европе, а у нас почему-то останавливается. Хватит нам бродячих.

Виктор Черномырдин

Социализм — опиум для пролетариата.

Граффити (Лондон, 1968)

Кто смолоду не был социалистом, в старости будет мерзавцем.

Жорж Клемансо

Коммунист — это социалист, у которого нет чувства юмора.

Джордж Каттон

Коммунист: человек, который ничего не имеет и хочет разделить это со всеми.

NN

Коммунизм — как сухой закон: идея хорошая, но не работает.

Уилл Роджерс

Коммунизм — это скачки, где все получают первое место, но без приза.

Лорд Инчкейп

Коммунизм строился от конца.

Александр Генис

Врожденный порок капитализма — неравное распределение благ; врожденное достоинство социализма — равное распределение нищеты.

Уинстон Черчилль

Социалисты считают пороком получение прибыли, а я — получение убытков.

Уинстон Черчилль

Социалисту нужно напомнить, что бесплатный сыр никогда не переводится в мышеловке.

Анонимное изречение
из «Словаря недостоверных определений»
Л. Л. Левинсона (1966)

Социализм — это общество, в котором бесплатно еще не дают, а за деньги уже ничего не купишь.

Советский фольклор

Построить социализм — все равно что сварить уху из аквариума с рыбками. Обратный процесс сложнее.

NN

Многие уже согласны на все, даже на коммунизм.

Александр Перлюк

После коммунистов я больше всего ненавижу антикоммунистов.

Сергей Довлатов

СОЧУВСТВИЕ. УТЕШЕНИЕ

См. также «Помощь», «Равнодушие. Безразличие»

Лучший способ приободриться — ободрить другого.

Марк Твен

Все сочувствуют несчастьям своих друзей, и лишь немногие радуются их успехам.

Оскар Уайльд

Беда никогда не приходит одна. С ней идут сочувствующие.

Михаил Мишин

Если болезненный человек съест вишню, а назавтра сляжет с простудой, ему непременно скажут в утешение, что он сам во всем виноват.

Люк де Вовенарг

Сочувствие ничего не стоит, но и грош ему цена.

Генри Уилер Шоу

Нужно уметь выбирать: нельзя одновременно требовать и денег, и сочувствия.

Марсель Ашар

Нас утешает любой пустяк, потому что любой пустяк приводит нас в уныние.

Блез Паскаль

Нужно утешить мир фальшивыми слезами.

Збигнев Герберт

СОЮЗЫ И КОАЛИЦИИ

См. также «Политика»

Тот, кто имеет союзников, уже не вполне независим.

Гарри Трумэн

Лучше проиграть со своими, чем выиграть с чужими, ибо не истинна та победа, которая добыта чужим оружием.

Никколо Макиавелли

Коалиция — это брак, в котором ревность сильнее любви.

Жорж Лебьяик

Не так опасна охота, как дележка шкуры.

Александр Кулич

В политике можно объединяться ради известной цели даже с самим чертом,— нужно только быть уверенным, что ты проведешь черта, а не черт тебя.

Карл Маркс и Фридрих Энгельс

Кто имеет хорошее войско, найдет и хороших союзников.

Никколо Макиавелли

Может быть, это сукин сын, но это наш сукин сын.

Франклин Рузвельт
об Анастасио Сомосе,
никарагуанском диктаторе

СПЕЦИАЛИСТЫ

См. также «Компетентность»,
«Любители и профессионалы», «Профессия»,
«Эксперты. Консультанты»

Специалист — человек, который знает все о немногом и ничего обо всем остальном.

Амброз Бирс

Специалист знает все больше и больше о все меньшем и меньшем.

Николас Батлер

Узкий специалист знает очень много об очень малом, а самый узкий специалист знает все ни о чем.

NN

Специалист подобен флюсу: полнота его одностороння.

Козьма Прутков

Не люблю разговоров специалистов. Но еще больше — разговоров неспециалистов.

Станислав Ежи Лец

Я специализируюсь по Вселенной и всему тому, что ее окружает.

Питер Кук

Мы живем в эпоху специалистов, которые не интересуются своей специальностью.

Петер Бихсель

Молодые специалисты не умеют работать, а опытные специалисты умеют не работать.

Александр Голов

Есть несколько способов разбивать сады: лучший из них — поручить это дело садовнику.

Карел Чапек

СПЕШКА. ТОРОПЛИВОСТЬ

См. также «Работа — безделье»

Спешка плоха уже тем, что отнимает очень много времени.

Гилберт Честертон

Торопись медленно.

Античная поговорка

Не превышай скорость 24 часа в сутки.

Хуго Штейнхаус

Работать быстро — значит делать медленные движения без перерывов между ними.

NN

Чем медленнее работаешь, тем меньше успеешь сделать ошибок.

«Закон Доуна»

Если ты никуда не торопишься, значит, тебя нигде не ждут.

Веселин Георгиев

СПИД

См. также «Секс»

СПИД — самое худшее, что случилось в XX веке после Гитлера.

Мадонна

Один из наиболее удивительных феноменов последнего десятилетия: лучшее, с чем можно прийти на свидание, — не цветы, не коробка шоколадных конфет и не жемчужное ожерелье, а справка от врача.

Линда Саншайн

Сексуальная революция завершилась полной победой вирусов.

Патрик О'Рурк

СПЛЕТНИ И СЛУХИ

См. также «Злословие. Клевета», «Любопытство», «Секреты и тайны»

Сплетни — опиум угнетенных.

Эрика Джонг

Сплетни — как фальшивые деньги: порядочные люди их сами не изготовляют, а только передают другим.

Клэр Люс

Сплетня — это плата за гостеприимство.

Дон-Аминадо

Сплетник — тот, кто говорит с вами о других; зануда — тот, кто говорит с вами о себе; а блестящий собеседник — тот, кто говорит с вами о вас.

Лайза Керк

Сплетник — это человек, который сообщает вам все, что вы подозревали.

NN

Сплетня — то, что мы слышим; новость — то, что мы говорим.

NN

Сплетня как старый анекдот: всегда найдется кто-нибудь, кто еще ни разу ее не слышал.

NN

Никто не сплетничает о тайных добродетелях других людей.

Бертран Рассел

Нет ничего бесполезнее сплетни, не стоящей того, чтобы ее повторять.

NN

Горсточка фактов способна испортить самую хорошую сплетню.

NN

Никогда не повторяй того, чего не услышал сам.

Жюль Ренар

Никогда не повторяй сплетен — в том виде, в каком ты их услышал.

NN

Не разноси по городу слухи. Для этого есть телефон.

Янина Ипохорская

Слухи о моей смерти сильно преувеличены.

Марк Твен

Нельзя верить всему, что слышишь, но можно это повторять.

NN

Кто сплетничает с вами, тот сплетничает о вас.

Испанское изречение

Из сплетен можно много узнать о сплетничающих.

Лешек Кумор

Покажите мне человека, который ни разу не сплетничал, и я покажу вам человека, которого люди совершенно не интересуют.

Барбара Уолтерс

Рассказанную нам историю мы склонны передавать другим в лучшем виде, чем ее получили.

Миссис Хамфри Уорд

Есть такие грязные сплетни, что стыднее их слушать, чем повторять.

Жак Деваль

Есть люди, которые поверят во что угодно, если сказать им, что это сплетня.

NN

В основе каждой сплетни лежит хорошо проверенная безнравственность.

Оскар Уайльд

Умные люди знают, что можно верить лишь половине того, что нам говорят. Но только очень умные знают, какой именно половине.

Янина Ипохорская

Беседа — это когда три женщины останавливаются на углу, чтобы поговорить. Сплетня — когда одна из них уходит.

Херб Шрайнер

Бессовестные женщины сплетничают беззастенчиво, совестливые — застенчиво.

Лешек Кумор

То, что о ней говорят, может быть, сплетни, но не вранье.

Ванда Блоньская

Интеллигентная женщина не повторяет сплетен. Она сочиняет их.

Янина Ипохорская

Одни говорят, что Грета Гарбо жива, другие — что умерла. Я не верю ни одной из этих дурацких сплетен.

Янина Ипохорская

СПОР. ДИСКУССИЯ

См. также «Разговор»

Спор — это когда сразу двое пытаются сказать последнее слово первыми.

NN

Спор — это проблема, у которой есть две стороны и нет конца.

NN

Если вы хотите завоевать человека, позвольте ему победить себя в споре.

Бенджамин Дизраэли

Чем больше выигранных споров, тем больше потерянных друзей.

NN

Люди легче переносят противодействие, чем противоречие.

Мария Эбнер-Эшенбах

Чью бы сторону в споре вы ни выбрали, рядом с вами всегда окажутся люди, с которыми вам не хотелось бы быть ни на чьей стороне.

Яша Хейфец

Чем выше тон, тем ниже уровень спора.

NN

В споре всегда теряется истина.

Публилий Сир

В спорах вырождаются истины.

Леонид Леонидов

Умные люди всегда согласны друг с другом, при условии, что они понимают, о чем идет спор.

NN

С ним невозможно спорить: если его пистолет дал осечку, он собьет вас с ног рукояткой.

Оливер Голдсмит
о Сэмюэле Джонсоне

Начав беседу с обстоятельного изложения точки зрения вашего оппонента, вы тем самым выбиваете почву у него из-под ног.

Андре Моруа

Если в споре вы убедили противника, под конец он непременно заявит: «В сущности, мы оба говорили одно и то же».

Кароль Ижиковский

Люди, которые знают меньше всего, спорят больше всего.

NN

Невежда непобедим в споре.

NN

Люди, пока их не слишком много, могут дискутировать между собой. Если их становится больше, они уже могут только обращаться друг к другу с речами.

Владислав Гжегорчик

Не старайся сказать последнее слово, старайся сделать последний шаг.

Жильбер Сесброн

При каждом споре, в тот момент, когда мы начинаем сердиться, мы перестаем бороться за истину и вступаем в спор уже за самих себя.

Томас Карлейль

Заставив человека замолчать, вы еще не убедили.

Джон Морли

Не можешь поставить на своем — поставь на место.

Владимир Кафанов

Если не можете убедить — сбейте с толку.

Гарри Трумэн

Отстаивая свою точку зрения, не превышай меру допустимой обороны.

Александр Рогов

Не спорь с эхом: последнее слово все равно будет за ним.

Рамон Гомес де ла Серна

Последнее слово в споре всегда остается за женщиной. Все, что ты скажешь потом, будет уже началом нового спора.

NN

Нет смысла спорить с мужчинами — они все равно никогда не бывают правы.

Сари Габор

Если ты споришь с идиотом, постарайся удостовериться, что он не делает того же самого.

Огден Нэш

Человек, который все время согласен с вами, вероятно, лжет и другим.

NN

Дискуссия — это обмен знаниями, спор — обмен невежеством.

Роберт Куиллен

Из дискуссии никто никогда ничему не научился.

Вацлав Гавел

Дискуссия возможна только между людьми с одинаковыми взглядами.

Янина Ипохорская

Человек рождается разумным существом и остается таким до смерти, не считая небольших перерывов, когда он берет голос в дискуссии.

«Пшекруй»

Если собеседник соглашается с вами, значит, ему все это до лампочки.

NN

Они говорят, что согласны со мной. А я не люблю противников, которых нельзя застать дома.

Кароль Ижиковский

Если вы не согласны со мной, значит, вы меня просто не слушали.

NN

Не противоречат обычно тем, кого больше всего любят, и тем, кого меньше всего уважают.

Мария Эбнер-Эшенбах

Полемизировать с человеком, который стоит на твоей прежней точке зрения, — в этом есть что-то смешное, как при встрече с новым мужем своей бывшей жены.

Кароль Ижиковский

Если не могут атаковать мысль, атакуют мыслителя.

Поль Валери

Человека достаточно смышленого можно убедить почти в чем угодно, куда труднее убедить тугодума.

Том Стоппард

Наши противники опровергают нас по-своему: повторяют свое мнение и не обращают внимания на наше.

Иоганн Вольфганг Гёте

Быть опровергнутым — этого опасаться нечего; опасаться следует другого — быть непонятым.

Иммануил Кант

Верно определяйте слова, и вы освободите мир от половины недоразумений.

Рене Декарт

СПОРТ. ФИЗКУЛЬТУРА

См. также «Бокс», «Шахматы», «Футбол»

Спорт — это физкультура, доведенная до абсурда.

Лев Краткий

Спорт: развлечение до седьмого пота.

Морис Декобра

Гимнастика — это полная чушь. Здоровым она не нужна, а больным противопоказана.

Генри Форд

Бег трусцой — занятие для людей, недостаточно развитых, чтобы смотреть утреннюю телепрограмму.

Виктория Вуд

Если человек не желает по утрам заниматься бегом, ничто не может его остановить.

Йоги Берра

Горнолыжный спорт — скоростной спуск денег.

«Коммерсантъ—Деньги»

Самое лучшее в физических упражнениях — отдых от них.

NN

Главное — не победа, а участие.

Пьер де Кубертен
(девиз спортсменов-олимпийцев)

Помни: неважно, выиграешь ты или проиграешь; важно лишь, выиграю или проиграю я.

Даррин Вейнберг

Спортсмен-любитель в наши дни тот, кто принимает только наличные, но не чек.

Джек Келли

Спортсмен-профессионал: публичная девка, от которой требуют честного поведения.

Жан Жироду

О спорт, ты — мир!

Пьер де Кубертен

Серьезный спорт ни имеет ничего общего с честной игрой. Серьезный спорт — это война минус убийство.

Джордж Оруэлл

Если вам нужно составить команду, которая выиграла бы прыжки в высоту, вы ищете одного парня, который может прыгнуть на семь футов, а не семерых, которые могут прыгнуть по футу каждый.

Фредерик Терман

В здоровом теле — здоровый дух.

Ювенал

В слишком здоровом теле помещается слишком мало духа.

Альфред Конар

Качают мышцы, откачивая от мозгов.

Михаил Жванецкий

Из страны утекают не только мозги, но и мышцы, если у них есть мозги.

Михаил Жванецкий

Если мне вдруг понадобится пересадка мозга, лучшим донором будет спортивный обозреватель. Парень с мозгами, не бывшими в употреблении.

Норм Ван Броклин

Спорт становится любимым предметом размышления и скоро станет единственным методом мышления.

Василий Ключевский

СПРАВЕДЛИВОСТЬ

См. также «Привилегии», «Равенство»

Справедливость — вечная беглянка из лагеря победителей.

Уинстон Черчилль в версии Симоны Вейль

Какою мерою мерите, такою же отмерится и вам.

Евангелие от Луки, 6, 37

Всякий раз, когда я вспоминаю о том, что Господь справедлив, я дрожу за свою страну.

Томас Джефферсон

Каждому свое.

Положение римского права

Если каждому свое, то всем не хватит.

Борис Крутиер

Каждому свое, а иным чужое.

Эмиль Кроткий

Богу богово, кесарю кесарево. А что же людям?

Станислав Ежи Лец

Обычаю надо следовать потому, что он обычай, а вовсе не из-за его разумности. Меж тем народ соблюдает обычай, твердо веря, что он справедлив.

Блез Паскаль

Несправедливость по отношению к одному представляет угрозу для всех.

Шарль Монтескье

Все, что несправедливо, оскорбляет нас, если не приносит нам прямой выгоды.

Люк де Вовенарг

Несправедливость перенести сравнительно легко; что нас ранит по-настоящему — это справедливость.

Генри Луис Менкен

Справедливость всегда приправлена щепоткой мести.

Жорж Вольфром

•

Справедливость всегда торжествует... в трех случаях из семи.

Майкл Уагнер

Жизнь никогда не бывает справедливой. Для большинства из нас так оно, пожалуй, и лучше.

Оскар Уайльд

СРЕДНЕВЕКОВЬЕ

Века были так себе, средние.

Эмиль Кроткий

Рыцарская эпоха: время, когда мужчины питали самые возвышенные чувства к своим лошадям.

Элейн Кендалл

Столетняя война? Вот когда люди никуда не спешили.

Аркадий Давидович

Государственное образование, именовавшееся Священной Римской империей, не было ни священной, ни римской, ни империей.

Вольтер

Теперь не строят готических соборов. В былое время у людей были убеждения; у нас, современников, есть лишь мнения; а мнения мало для того, чтобы создать готический храм.

Генрих Гейне

К середине XVII века ноги отказываются ходить — даже в самом интересном музее.

Янина Ипохорская

По сравнению со средневековьем человечество продвинулось далеко вперед в направлении свободомыслия. Например, инквизиция уже не святая.

Збигнев Земецкий

У каждого века есть свое средневековье.

Станислав Ежи Лец

СТАРИКИ

Каждый вздрагивает, когда его впервые всерьез называют стариком.

Оливер Уэнделл Холмс-младший

Старик — человек, который на десять лет старше тебя.

«Пшекруй»

Меня не тревожит, что я уже дедушка; плохо лишь то, что женат я на бабушке.

Граучо Маркс

Старые дураки — самые большие дураки. У них больше опыта.

NN

Нет дурака хуже, чем старый дурак. Это вам скажет любой молодой дурак.

NN

Вы можете не напоминать мне о моем возрасте — для этого у меня есть мочевой пузырь.

Стивен Фрай

Старики ходят медленно не потому, что у них болят ноги, а потому, что им некуда спешить.

Богдан Лебл

Нам невдомек, что старый человек — все тот же самый, что в молодости, только зашитый в изношенную и сморщенную кожу.

Магдалена Самозванец

Я в самом расцвете дряхлости.

Джоуэл Чандлер Харрис

СТАРОСТЬ

См. также «Долголетие. Долгожители», «Пенсия», «Склероз»

Старость — самое неожиданное, что поджидает нас в жизни.

Лев Троцкий

Старость — это когда знаешь все ответы, но никто тебя не спрашивает.

Лоренс Питер

Старость — это когда каждый день чувствуешь себя на два дня старше.

NN

Старость — это когда на отдых требуется больше времени, чем на то, чтобы устать.

NN

Едва человек успеет по-настоящему набраться ума-разума, как его уже кличут «старой перечницей».

Эдгар Хау

Если свечи в именинном пироге обошлись вам дороже самого пирога, значит, старость не за горами.

Боб Хоуп

Старость — это когда беспокоят не плохие сны, а плохая действительность.

Приписывается Фаине Раневской

Старость — это когда начинают говорить: «Никогда еще я не чувствовал себя таким молодым».

Жюль Ренар

Старость: когда перестаешь завидовать и начинаешь сожалеть.

Владислав Гжещик

Старость — это остров, окруженный смертью.

Хуан Монтальво

Все желают достигнуть старости, и все обвиняют ее, когда достигают старости.

Цицерон

В старости человек подобен актеру, который сидит среди зрителей и с грустью смотрит, как его любимые роли исполняет кто-то другой.

Магдалена Самозванец

К старости недостатки ума становятся все заметнее, как и недостатки внешности.

Франсуа Ларошфуко

Люди как скрипки: когда рвется последняя струна, становишься деревом.

Кармен Сильва

Старости не существует. По крайней мере, не существует непрерывных мук старости в конце жизни: ежегодно мы, как деревья, переживаем приступы старости.

Жюль Ренар

Старость приходит слишком поздно — когда у нас уже нет сил.

Лешек Кумор

Как быстро стареют наши знакомые!

Юзеф Булатович

Не думай о том, что стареешь, — это старит.

«Пшекруй»

Не то чувствуешь, что ты стареешь, а то, что мир молодеет.

Михаил Гаспаров

Мне семьдесят лет — совсем неплохо для человека моего возраста.

Сашá Гитри

Старость начинается тогда, когда все девушки начинают казаться красивыми.

Янина Ипохорская

Собственная старость тяжела, чужая — всего лишь обременительна.

Владислав Гжещик

Развлечение старости: флирт со смертью.

Хораций Сафрин

Трагедия старости не в том, что стареешь, а в том, что остаешься молодым.

Оскар Уайльд

У старости тот же аппетит, что у молодости, только зубы не те.

Магдалена Самозванец

В конце концов из всего нашего интереса к знакомым и близким остается вопрос: «А он еще жив?»

Владислав Гжещик

Стареть скучно, но это единственный способ жить долго.

Шарль Сент-Бёв

Старение — не такая уж страшная вещь, если принять во внимание возможную альтернативу.

Морис Шевалье

Не стоит бояться старости. Старость бессильна.

Збигнев Холодюк

Старость, к счастью, бывает только однажды.

NN

Первый симптом старения — любовь к жизни.

Магдалена Самозванец

Если рост прекратился, близок конец.

Сенека

Старость — неизлечимая болезнь.

Сенека

Старость — вот преисподняя для женщин.

Франсуа Ларошфуко

Лучше быть старой, чем мертвой.

Брижит Бардо

Чем ближе к закату, тем длиннее тень воспоминаний.

Эмиль Кроткий

Старость печальна. К счастью, она проходит.

Лешек Кумор

СТАТИСТИКА

Статистика — самая точная из всех лженаук.

Джин Ко

Статистика может доказать что угодно, даже правду.

Ноэл Мойнихан

Статистика есть наука о том, как, не умея мыслить и понимать, заставить делать это цифры.

Василий Ключевский

Статистика — все равно что купальник-бикини. То, что она показывает, весьма привлекательно, но куда интересней то, что она скрывает.

NN

Говорят, что числа правят миром. Нет, они только показывают, как правят миром.

Иоганн Вольфганг Гёте

Существуют три вида лжи: ложь, наглая ложь и статистика.

Марк Твен

Цифры не лгут, а цифрами — запросто.

Максим Звонарев

Факты — упрямая вещь, но статистика гораздо сговорчивее.

Лоренс Питер

Ненадежнее фактов разве что цифры.

Джордж Каннинг

Моя статистика — это факты, а ваши факты — всего лишь статистика.

Джонатан Линн и Энтони Джей в уточненной редакции

Демократия — это злоупотребление статистикой.

Хорхе Луис Борхес

Статистика для политика — все равно что уличный фонарь для пьяного забулдыги: скорее опора, чем освещение.

Эндрю Ланг в редакции Дм. Пашкова

Судя по данным статистики, со статистикой у нас все в порядке.

В. Туровский

Статистически — дважды два в среднем будет четыре.

Хенрик Ягодзиньский

Один пешеход попадает под колеса автомобиля каждые 17 минут. Бедняга!

Янина Ипохорская

Теперь уже с полной достоверностью доказано, что курение — одна из главных причин статистики.

Флетчер Кнебель

Статистика учит нас, что из тех, кто имеет привычку есть, очень мало кто выживает.

Уильям Уоллес Ирвин

СТОЛИЦА – ПРОВИНЦИЯ

См. также «Города»

И собака в столице лает центральнее.

Станислав Ежи Лец

Москва стала столицей благодаря своему выгодному географическому положению — между югом, севером, востоком и западом.

Из сочинения питерского школьника

Это всемирно известная в нашем городе личность.

NN

Мало быть гением, надо еще и жить в столице.

Аркадий Давидович

В большом городе можно больше увидеть, зато в маленьком — больше услышать.

Жан Кокто

Провинция: здесь после захода солнца неженатому человеку абсолютно нечего делать.

Янина Ипохорская

В провинции и дождь — развлечение.

Братья Гонкур

В небольшом городке люди охотно сочувствуют чужим неприятностям, а если у вас их нет, они с удовольствием это исправят.

NN

Небольшой городок — это местность, где вы при всем желании не можете пойти туда, где вам не следует быть.

Александр Уолкотт

Небольшой городок — это такой населенный пункт, в котором все знают все обо всех, но покупают местную газету, чтобы узнать, о чем осмелился написать редактор.

Денни Кей

Маленький город — премилое место, где соседи сами приглядывают за вашей женой.

NN

Девушка может скорее рассчитывать на успех в столице, парень — в провинции.

«Пшекруй»

Глаза у нее довольно красивые для провинциалки.

Жан-Батист Грессе

Одевшись именно так, а не иначе, женщина обещает себя в большей или меньшей степени. Провинциалка, пытающаяся в Париже следовать моде, обещает себя в несуразнейшей форме и этим поднимает себя на смех. Провинциалкам, попадающим в Париж, следует для начала одеваться так, как будто им уже тридцать лет.

Стендаль

Культура рождается в провинции, вырождается в столицах и в этой форме возвращается в провинцию.

Хенрик Ворцелль

СТРАХ

См. также «Осторожность и риск», «Трусость»

Мы молоды, как наши надежды, и стары, как наши страхи.

Вера Пейффер

Если хочешь ничего не бояться, помни, что бояться можно всего.

Сенека

Тревога — это проценты, которые мы авансом платим нашим неприятностям.

Уильям Индж

Мы надеемся приблизительно, зато боимся точно.

Поль Валери

Многим пришлось бояться оттого, что их можно было бояться.

Сенека

По ночам нам гораздо страшнее, чем детям.

Жюль Ренар

Отдели смятение от его причины, смотри на само дело — и ты убедишься, что в любом из них нет ничего страшного, кроме самого страха.

Сенека

Нам нечего бояться, кроме страха.

Франклин Рузвельт

Любовь не уживается со страхом.

Сенека

Совершенная любовь изгоняет страх, потому что в страхе есть мучение; боящийся не совершенен в любви.

Апостол Иоанн —
1-е соборное послание, 4, 18

Кто по горло сыт страхом, не голоден до впечатлений.

Станислав Ежи Лец

На смертном одре с облегчением видишь, что почти все твои страхи были совершенно напрасны.

Кшиштоф Конколевский

СТРАХОВАНИЕ

Страхование жизни позволяет вам жить в бедности и умереть богатым.

NN

Страховой агент должен уметь две вещи: сначала — напугать, а потом обнадежить.

Константин Мелихан

Романисты и страховые агенты всегда начинают с семьи.

«Пшекруй»

Одно из немногих утешений старости: тебе уже не надоедают агенты по страхованию жизни.

NN

Страховые взносы за автомобиль платишь годами, втайне надеясь, что в один прекрасный день случится авария, которая вернет тебе все до копейки.

Янина Ипохорская

Хорошо бы ввести страховку супружеской жизни.

Лешек Кумор

СТРИПТИЗ

Стриптиз — одна из форм безопасного секса.

Спаркл Мур

Стриптиз — демонстрация вечных ценностей.

Геннадий Малкин

В хорошем ревю девушек должно быть больше, чем костюмов.

«Пшекруй»

Нудисткой рождаешься; стриптиз — это уже культура.

Жанна Голоногова

Женщина, которая раздевается публично, напоминает мне режиссера, который в самом начале фильма сообщает разгадку.

Алфред Хичкок

Стриптизерка высшего класса, раздевающаяся ради одного субъекта, — все равно что Паганини, играющий ради одного-единственного слушателя.

Ежи Юрандот

Порою чувствуешь себя таким ненужным, как стриптизерка на нудистском пляже.

Лешек Кумор

СТЫД

См. также «Раскаяние. Покаяние»

Стыд — страх перед ожидаемым бесчестием.

Платон

Стыд — это своего рода гнев, только обращенный вовнутрь.

Карл Маркс

Стыд определяет сознание.

Станислав Ежи Лец

Честный всегда найдет еще более честного, который его пристыдит.

«Пшекруй»

Чем больше у человека того, чего он стыдится, тем большего уважения он заслуживает.

Джордж Бернард Шоу

Говорить всего труднее как раз тогда, когда стыдно молчать.

Франсуа Ларошфуко

Сегодня люди стыдятся того, что все еще стыдятся того, чего стыдились раньше.

Жак Тати

Стыдливость: свойство, которое мужчины приписывают женщинам.

Поль Жеральди

Способность краснеть — самое характерное и самое человечное из всех человеческих свойств.

Чарлз Дарвин

Человек — единственное животное, которое может краснеть и имеет для этого поводы.

Марк Твен

Прежде девушки краснели, когда их стыдили; а нынче стыдятся, когда краснеют.

Морис Шевалье

Если я иногда краснею, то только от удовольствия.

Натали Клиффорд Барни

Ночью никто не краснеет.

Бенджамин Уичкот

Любовь — это самый проверенный способ преодолеть чувство стыда.

Зигмунд Фрейд

СУД И СУДЬИ

См. также «Адвокаты», «Закон. Право», «Убийство»

Детективные сериалы заканчиваются в самый подходящий момент — после ареста преступника и до вынесения судебного приговора.

Роберт Орбен

Суд: место, где Иисус Христос и Иуда Искариот находились бы в равном положении, с небольшим перевесом в пользу Иуды.

Генри Луис Менкен

Суд присяжных состоит из двенадцати человек, которые должны решить, чей адвокат лучше.

Роберт Фрост

Суд присяжных состоит из двенадцати человек, обладающих средней необразованностью.

Герберт Спенсер

Верховный суд — это группа юристов, которые исправляют ошибки других судов и увековечивают свои собственные.

NN

Обычно подсудимый считается виновным до тех пор, пока он не докажет свою влиятельность.

Лоренс Питер

В английском суде подсудимый считается невиновным, пока он не докажет, что он ирландец.

Тед Уайтхед

Идея судебного процесса заключается в том, что, если заставить двух лжецов разоблачать друг друга, правда выплывет наружу.

Джордж Бернард Шоу

Врет, как очевидец.

Судейская поговорка

Вы просто не представляете, сколько всего может не запомнить человек, если он вызван в качестве свидетеля.

Лоренс Питер

Свидетелей стало труднее ловить, чем преступников.

Ю. Шнейдер

Этот судья готов повесить любого, кто высморкается на улице без платка, но отменит свой приговор, если не будет доказано в точности, какой именно рукой он сморкался.

Джон Линкольн

В прошлом столетии тулузский парламент единогласно приговорил к колесованию протестанта Каласа, позднее признанного невиновным. — Кто-то, чтобы оправдать эту ошибку, привел поговорку: «Конь и о четырех копытах да спотыкается...» — «Добро бы еще один конь», — ответили ему,— *«но весь конный двор...»*

Федор Тютчев

Не показывайте мне кодекс — покажите мне судью.

Рой Кон

Судья не верит присягам. Он и сам присягал.

Альбер Юссон

СУДЬБА

См. также «Жизнь», «Случайность»

Уже при покачивании колыбели решается, куда склонится чаша весов судьбы.

Станислав Ежи Лец

Судьба переменчива: плохие дни чередуются с очень плохими.

Лили Томлин

Желающего судьба ведет, не желающего — тащит.

Сенека

До середины жизни судьба нас тащит, потом — уже только подталкивает.

Владислав Гжегорчик

Хотя судьбы людей очень несхожи, но некоторое равновесие в распределении благ и несчастий как бы уравнивает их между собой.

Франсуа Ларошфуко

Виноватый боится закона, невиновный — судьбы.

Публилий Сир

Однажды Зенон порол раба за кражу. «Мне суждено было украсть!»— сказал ему раб. «И суждено было быть битым»,— ответил Зенон.

Диоген Лаэртский

Судьба продает дорого то, что она обещает дать.

Гельвеций

Судьба не дарит, а только одалживает.

Янина Ипохорская

Судьба слепа, но разит без единого промаха.

Влодзимеж Счисловский

Не Фортуна слепа, а мы.

Томас Браун

Судьба не парит, как орел, а шныряет, как крыса.

Элизабет Боуэн

Для внимательного взора судьба — это только развитие характера.

Астольф де Кюстин

Настоящий избранник не имеет выбора.

Станислав Ежи Лец

Нашу судьбу определяет наш выбор, а не наша удача.

NN

Мы приписываем судьбе все наши несчастья — и ни одного нашего успеха.

Шарль Режимансе

Никогда не известно, сколько судьбы в нас, а нас — в судьбе.

Ян Збигнев Слоевский

Твоя судьба целиком находится под твоей шляпой.

«Пшекруй»

Судьба пристрастна: она любит тех, кого и без того все любят.

Владислав Гжегорчик

Не совсем понимаю: почему многие называют судьбу индейкою, а не какой-либо другой, более на судьбу похожею птицей?

Козьма Прутков

Все мы фаталисты, если речь идет о других.

Натали Клиффорд Барни

Многие примирились бы с Судьбой, но Судьба тоже имеет кое-что сказать.

Станислав Ежи Лец

СУЕВЕРИЕ

См. также «Приметы»

Суеверие — религия слабых умов.

Эдмунд Берк

Суеверия — это поэзия жизни.

Иоганн Вольфганг Гёте

Суеверие превращает все в чудеса.

Жозеф Жубер

Суеверие есть злоупотребление верой.

Альфонс де Ламартин

Даже от атеиста можно ожидать обращения в веру — но не от суеверного.

Юниус

Дайте суеверному человеку науку, и он превратит ее в суеверие.

Джордж Бернард Шоу

Не будьте суеверны, это приносит несчастье.

Тристан Бернар

Все народы питают тайную симпатию к своей нечистой силе.

Сэмюэл Батлер

Чары развеялись, суеверия остались.

Казимеж Сломиньский

Сила или слабость нашей веры зависит скорее от мужества, чем от разума. Тот, кто смеется над приметами, не всегда умнее того, кто верит в них.

Люк де Вовенарг

Разумеется, я не верю, что подкова приносит удачу. Но я слышал, что она помогает независимо от того, верят в нее или нет.

Нильс Бор, объясняя, почему он прибил подкову над дверью своего дома

Большинство людей слушает рассказы о привидениях днем с удовольствием, вечером же не без чувства страха.

Готхольд Лессинг

Я больше не верю в привидения: я видел их слишком много.

Сэмюэл Кольридж

Привидения перестали пугать — они уже сами смертельно испуганы.

Уршула Зыбура

Кончились времена охоты на ведьм — теперь ведьмы охотятся на нас.

Уршула Зыбура

СЧАСТЬЕ

См. также «Удача. Везение»

Счастье есть удовольствие без раскаяния.

Лев Толстой

Счастье есть идеал не разума, а воображения.

Иммануил Кант

Быть счастливым — это значит внушать другим зависть. А ведь всегда есть человек, который нам завидует. Главное, узнать, кто он.

Жюль Ренар

Никого нельзя назвать счастливым прежде его смерти.

Солон

Счастье — это хорошее здоровье и плохая память.

Альберт Швейцер

Счастье есть воображаемое состояние, которое прежде приписывалось предкам; теперь же взрослые обычно приписывают его детям, а дети — взрослым.

Томас Сас

Несчастье может быть и случайностью. Счастье — не удача и не благодать; счастье — добродетель или заслуга.

Григорий Ландау

Блаженство — не награда за добродетель, но сама добродетель.

Бенедикт Спиноза

Невелика заслуга быть счастливым, если ты оптимист.

Лео Кампьон

Никогда не считай счастливцем того, кто зависит от счастья!

Сенека

Счастье не имеет сравнительной степени.

Жорис де Брюйн

В белизне уйма оттенков. Счастье, как и весна, каждый раз меняет свой облик.

Андре Моруа

Счастье требовательно, как законная супруга, и ветрено, как любовница.

Перефразированный Жан Жироду

Счастья за деньги не купишь — вы только посмотрите на нынешние цены.

NN

Человек занят тем, от чего он ожидает счастья, но самое большое его счастье состоит в том, что он занят.

Ален

Кто не может найти счастье в пути, не найдет его и в конце дороги.

NN

Спроси себя, счастлив ли ты, и ты перестанешь быть счастлив.

Джон Стюарт Милль

Задача — сделать человека счастливым — не входила в план сотворения мира.

Зигмунд Фрейд

Счастливой жизни нет, есть только счастливые дни.

Андре Терье

Если вы больше чем один день чувствуете себя счастливым, значит, от вас что-то скрывают.

Михаил Задорнов

Когда нас спрашивают о самом счастливом дне нашей жизни, мы отвечаем не сразу; но если речь идет о самых тяжелых минутах, нам не приходится рыться в памяти.

Феликс Хвалибуг

Счастливые часов не наблюдают, а после жалуются, что счастье длилось так коротко.

Хенрик Ягодзиньский

Жизнь дарит человеку в лучшем случае одно-единственное неповторимое мгновение, и секрет счастья в том, чтобы это мгновение повторялось как можно чаще.

Оскар Уайльд

Когда мы счастливы, мы всегда добры, но когда мы добры, мы не всегда счастливы.

Оскар Уайльд

Если бы строили дом счастья, самую большую комнату пришлось бы отвести под зал ожидания.

Жюль Ренар

Человек никогда не бывает так несчастлив, как ему кажется, или так счастлив, как ему хочется.

Франсуа Ларошфуко

А может быть, счастье скрывается под каким-нибудь псевдонимом?

Станислав Ежи Лец

У каждой части тела свой идеал счастья.

Лешек Кумор

Каждый имеет право быть счастливым на своих собственных условиях.

Франк Заппа

Со счастьем дело обстоит так же, как с часами: чем проще механизм, тем реже он портится.

Никола Шамфор

Перечисляя то, что нам нужно для счастья, мы нередко забываем добавить себя.

Лешек Кумор

Некоторым для счастья недостает только счастья.

Станислав Ежи Лец

Счастье и Красота — побочные продукты.

Джордж Бернард Шоу

Люди могут быть счастливы лишь при условии, что они не считают счастье целью жизни.

Джордж Оруэлл

Нас мучит не столько жажда счастья, сколько желание прослыть счастливцами.

Франсуа Ларошфуко

То, что достаточно для нашего счастья, часто недостаточно для нашего удовольствия.

Жак Деваль

Одним счастье улыбается, другим скалит зубы.

Славомир Врублевский

Говорят, что несчастие хорошая школа; может быть. Но счастие есть лучший университет.

Александр Пушкин

Когда одна дверь счастья закрывается, открывается другая; но мы часто не замечаем ее, уставившись взглядом в закрытую дверь.

Хелен Келлер

Между счастьем и несчастьем лежит пропасть. В ней-то мы и живем.

NN

Счастье можно найти лишь на проторенных дорогах.

Франсуа Рене де Шатобриан

Большинство людей счастливы настолько, насколько они решили быть счастливыми.

Авраам Линкольн

Если хочешь быть счастливым, будь им.

Козьма Прутков

Если бы я мог умереть прямо сейчас, я был бы счастливейшим из живущих людей.

Сэмюэл Голдвин

Мы не имеем права потреблять счастье, не производя его.

Джордж Бернард Шоу

Погоня за счастьем состоит из фальстартов.

Влодзимеж Счисловский

Желание счастья в человеке столь велико, что он способен сделать несчастливыми множество людей.

Тадеуш Гицгер

Трудно быть кузнецом своего счастья в чужой кузнице.

Яцек Вейрох

Если бы счастье можно было купить, кто бы смог заплатить за него полную цену?

Американское изречение

Что не болит — не жизнь, что не проходит — не счастье.

Иво Андрич

Т

ТАКТ. ТАКТИЧНОСТЬ

См. также «Вежливость»,
«Манеры. Воспитанность. Этикет»

Такт — это умение не говорить того, что думают все.

NN

Такт — это способность хранить молчание, чтобы собеседник лучше понял свою промашку.

Корнелия Скиннер

Такт — это искусство заставить других думать, что они знают больше тебя.

Реймонд Мортимер

Чтобы обладать тактом, нужно иметь слух.

Уршула Зыбура

Самые тонкие инструменты — как раз те, которыми легче всего пораниться.

Кароль Ижиковский

Тактичный человек никогда не подаст вида, что заметил допущенную им бестактность.

Веслав Брудзиньский

Если на светском приеме тебя по ошибке поцеловали в руку, врожденное чувство такта должно подсказать тебе, что теперь уже до конца приема следует притворяться женщиной.

«Пшекруй»

Женщины и лисы, как существа слабые, отличаются превосходным тактом.

Амброз Бирс

У приговоренного к повешению не спрашивают размер воротника.

Лешек Кумор

В доме повешенного не говорят о веревке. А в доме палача?

Станислав Ежи Лец

В доме повешенного не говорят даже о галстуке.

Влодзимеж Счисловский

ТАЛАНТ И БЕЗДАРНОСТЬ

См. также «Гений», «Искусство и художник»

Талант — это способность делать то, чему нас никто не учил.

Альфред Конар

Талант — это как похоть. Трудно утаить. Еще труднее симулировать.

Сергей Довлатов

Талант — вопрос количества. Талант не в том, чтобы написать одну страницу, а в том, чтобы написать их триста.

Жюль Ренар

Главный признак таланта — это когда человек знает, чего он хочет.

Петр Капица

Труд — это уже потребность таланта, а не отец таланта!

Варлам Шаламов

Слишком много таланта иметь нельзя, но слишком много талантов — можно.

Мария Эбнер-Эшенбах

На минуту представьте себе, что он умер, и вы увидите, как он талантлив.

Жюль Ренар

Когда у нас говорят: «Икс талантлив», то невольно представляют себе также определенную меру глупости, которую позволено иметь Иксу.

Кароль Ижиковский

Одаренному коню в зубы не смотрят.

Лазарь Лагин

Кого боги хотят погубить, того они объявляют подающим надежды.

Сирил Конноли

Все талантливые люди пишут разно, все бездарные люди пишут одинаково и даже одним почерком.

Илья Ильф

Сумма множества талантиков дает в результате один гигантский талантик.

Станислав Ежи Лец

У него есть талант продавать талант, которого у него нет.

Габриэль Лауб

Чтобы доказать свою талантливость, надо быть очень способным.

Владилен Прудовский

Всякий талант в конце концов зарывают в землю.

Эмиль Кроткий

Только посредственность всегда в форме.

Сомерсет Моэм

В созидании материальной культуры посредственный работник прежде всего работник; в творчестве культуры духовной посредственный работник прежде всего посредственность.

Григорий Ландау

Хорошее поведение — последнее прибежище посредственности.

Генри Хаскинс

Всего разностороннее бывает бездарность.

Григорий Ландау

В сфере духа встречаются весьма плодовитые импотенты.

Станислав Виткевич

Состояние творческой импотенции, увы, не мешает творить.

Лешек Кумор

ТАНЦЫ

См. также «Балет»

Танцы — перпендикулярное выражение горизонтальных желаний.

Приписывается
Джорджу Бернарду Шоу

Танцы — это искусство отдергивать свою ногу раньше, чем на нее наступит партнер.

NN

Ни один здравомыслящий человек не будет танцевать.

Цицерон

Если девушка плохо танцует, она ругает оркестр.

Еврейская пословица

Я не танцую, но с удовольствием подержу вас, пока вы танцуете.

«Плейбой»

Каждое танго — это прощание.

Янина Ипохорская

Тело никогда не лжет.

Марта Грэм

Некогда танец был эротикой, теперь стал гимнастикой.

Сидни Роум

«Техно» — лучшее доказательство того, что машины могут не только сочинять музыку, но и танцевать под нее.

Жанна Голоногова

Лучше всех танцуют кастраты.

Владимир Колечицкий

ТЕАТР

См. также «Актеры», «Публика. Зрители», «Премьера»

Если двое разговаривают, а третий слушает их разговор, — это уже театр.

Густав Холоубек

Театр — это такая кафедра, с которой можно много сказать миру добра.

Николай Гоголь

Не будем смешивать театр с церковию, ибо труднее балаган сделать церковию, чем церковь превратить в балаган.

Василий Ключевский

В театрах проливается больше слез, чем в церквах.

NN

Театральные слезы отучают от житейских.

Василий Ключевский

В театр приходят не смотреть слезы, а слушать речи, которые их исторгают.

Дени Дидро

Театр все равно что музей: мы туда не ходим, но приятно знать, что он есть.

Гленда Джексон

Сцена — лобное место театра.

Геннадий Малкин

Театру, который достиг совершенства, уже ничто не может помочь.

Николай Акимов

Театр. — Подумать только, что Бог, который видит все, обязан смотреть и это!

Жюль Ренар

ТЕАТР И ДРАМАТУРГИЯ

См. также «Трагедия»

Роман — это неподвижное целое, через которое нужно пройти; пьеса — подвижное целое, которое проходит через вас.

Кеннет Тайнан

Романист может потерять читателя на протяжении нескольких страниц; драматург не может позволить себе потерять зрителя ни на минуту.

Теренс Раттиган

Драматург: чревовещатель души.

Станислав Ежи Лец

Драматурги бывают либо плохие, либо хорошие. Первые пишут плохие пьесы, вторые не пишут пьес.

Сашá Гитри

Автор пишет одну пьесу, актеры играют другую, а зрители видят третью.

Шарль Баре

Это был еще не спектакль, но уже и не пьеса.

Аркадий Минчковский

Слишком многие драматурги не понимают своей роли на сцене.

Станислав Ежи Лец

Авторы пьес зачастую не играют никакой роли.

Леонид Леонидов

Величайший автор тот, кто как можно меньше оставляет воображению актера.

Дени Дидро

Актеры не любят, когда их убивают во втором акте четырехактной пьесы.

Илья Ильф

Если в первом акте на сцене висит ружье, то в последнем оно должно выстрелить.

Перефразированный Антон Чехов

Если в первом действии висит на стене ружье, то в последнем оно должно дать осечку.

Владимир Набоков

Последний акт никогда не удается на сцене. Можно только удивляться, что, невзирая на такой печальный опыт, драматурги продолжают упорно добиваться, чтобы у их пьес был последний акт.

Карел Чапек

Классики — это авторы, которых можно ставить, не читая.

Театральная мудрость

Авторы сценических переделок должны быть смелее. Пусть берут чужие идеи и пишут собственные пьесы.

Антоний Слонимский

Превозносят драматурга, исторгающего слезы у зрителя; этот талант он делит с луковицей.

Генрих Гейне

Реалистическая пьеса наводит на мысль о том, до чего условна наша обычная жизнь.

Лешек Кумор

Обожаю мелодраму. Потому что я реалист.

Станислав Ежи Лец

ТЕАТР И РЕЖИССУРА

Режиссер: человек, нанимаемый театральной дирекцией, чтобы установить, что актеры не умеют играть.

Джеймс Эйгат

Театр превосходно обходился без режиссеров приблизительно две тысячи пятьсот тридцать пять лет.

Уолтер Керр

Режиссеры бывают двух видов: одни думают, что они боги, другие знают это точно.

Ретта Хьюз

Режиссеры бывают трех видов: умные, изобретательные и большинство.

Жан Кокто

Режиссер — это человек, которому не повезло в актерском ремесле, а актер — человек, которому не повезло в жизни.

Густав Холоубек

Режиссер должен умереть в актере.

Владимир Немирович-Данченко

Чем талантливее актер, тем больше режиссеров мечтают в нем умереть.

Михаил Генин

Сколько актеров может умереть в одном режиссере?

Александр Ратнер

Если режиссер окончательно умер в актере, может ли его жена вступить в новый брак?

Николай Акимов

Режиссер должен обладать душой поэта и волей капрала.

Анджей Вайда

В театре режиссер — Бог, но актеры, увы, атеисты.

Жарко Петан

Почему суфлер сидит в клетке? Потому что однажды он пытался подсказывать режиссеру.

Барбу Рабий

На сцене до того натурально чокались, что зрителей потянуло в буфет.

Цаль Меламед

Жалко выглядит кабаре, которое подражает театру; еще печальнее видеть театр, бездарно подражающий кабаре.

Антоний Слонимский

ТЕЛЕВИДЕНИЕ

См. также «Массовая культура»

Телевидение — это когда люди, которым нечего делать, смотрят на людей, которые ничего не умеют делать.

Фред Аллен

Телевидение служит доказательством того, что люди готовы смотреть все что угодно, лишь бы не смотреть друг на друга.

Энн Ландерс

Телевидение интереснее, чем люди. Иначе в углах наших комнат стояли бы люди, а не телевизоры.

Алан Корен

Даже самая яркая женщина проигрывает в сравнении с телевизором.

Геннадий Малкин

ТВ — самое длинное любительское представление в истории.

Роберт Карсон

Телевидение — это устройство, которое дает вам возможность ничего не делать, когда вам нечего делать.

NN

Телевидение — великолепная штука; оно позволяет смотреть зрелища, которые не стоят того, чтобы идти их смотреть.

«Пшекруй»

Телевидение — настоящее чудо: теперь человеку нужно проснуться, чтобы лечь спать.

NN

Телевидение — это богатство бедных, привилегия непривилегированных, элитарный клуб для людей из толпы.

Ли Ловингер

Телевидение — это демократия в ее самом неприглядном виде.

Падди Чаевски

Телевидение в его нынешней форме есть опиум для американского народа.

Ричард Никсон

Телевидение сотворено по вашему образу и подобию.

Петр Шулькин

Телевидение приблизило к нам вплотную мир, который заслоняет от нас телевизор.

Хенрик Ягодзиньский

Кинескопы телевизоров — презервативы реальности.

Дитер Хильдебрандт

Современные средства информации хороши тем, что дают нам возможность ворчать в глобальном масштабе.

Лоренс Питер

Телевизор может заменить лишь телевизор с еще большим экраном.

Аркадий Давидович

Воспитывать — значит вырабатывать невосприимчивость к телевидению.

Маршалл Маклюэн

Неверно, будто телевидение отучает людей думать; оно просто фокусирует их безмыслие.

Малколм Маггеридж

Согласно последним научным данным, чем выше уровень интеллекта, тем меньше человек смотрит ТВ. По-моему, все наоборот: чем больше смотришь ТВ, тем ниже уровень твоего интеллекта.

Роберт Орбен

Редактор о телесценарии: «Нам не нужно, чтобы это было хорошо. Нам нужно, чтобы это было в четверг».

Деннис Норден

Телевидение существует для того, чтобы выступать по нему, а не для того, чтобы его смотреть.

Ноуэл Ковард

Никогда не упускай случая заняться сексом или выступить по ТВ.

Гор Видал

Два величайших изобретения в истории: книгопечатание, усадившее нас за книги, и телевидение, оторвавшее нас от них.

Жорж Элгози

Самый серьезный изъян телевизора в том, что у него нет второй страницы.

Арт Бухвальд

Насилие на телеэкране и на газетной полосе — вещи разные. Газеты сообщают о насилии, телевидение его производит.

NN

Я не смотрю телевизор, потому что он губительно влияет на искусство разговаривать о себе.

Стивен Фрай

У меня нет телевизора, но я не интеллигент.

Неизвестный француз

Телевидение делает нас образованнее. При виде включенного телевизора я ухожу в соседнюю комнату и принимаюсь за чтение.

Граучо Маркс

Я ненавижу телевидение. Я ненавижу его так же, как земляные орешки. Попробуй остановись, когда грызешь земляные орешки.

Орсон Уэллс

После телевидения можно уже управлять чем угодно, даже государством.

Сергей Благоволин,
генеральный директор ОРТ

Телевещание слишком важная вещь, чтобы доверять ее телевещателям.

Антони Бенн

ТЕЛЕПРОГРАММЫ И ТЕЛЕВЕДУЩИЕ

Телевидение — отличная штука: можно сидеть каждый вечер дома и смотреть любимую передачу жены.

NN

Благодаря телевидению мир стал большой деревней, а изрядная часть передач возрождает деревенские сплетни.

Маршалл Маклюэн

Это бесстыдная ложь, будто телепрограммы подлаживаются под уровень одиннадцатилетних. На самом деле они подлаживаются под четырнадцатилетних.

Роберт Кристго

Некоторые телепрограммы напоминают жвачку для глаз.

Джон Мейсон Браун

В Лос-Анджелесе мусор уже не выбрасывают. Его перерабатывают в телевизионные шоу.

Вуди Аллен

Чего ради люди будут платить немалые деньги, чтобы выйти из дому и посмотреть плохое кино, если они могут оставаться дома и бесплатно смотреть плохое телевидение?

Сэмюэл Голдвин

Главный закон ТВ: программа, которую можно хотя бы отчасти понять с закрытыми глазами или заткнутыми ушами, — плохая программа.

Эуген Когон

Телевидение позволяет нам наслаждаться обществом людей, которых мы не пустили бы к себе на порог.

Дэвид Фрост

Эти пятнадцатиминутные трагедии я называю «мыльной оперой», потому что без помощи мыла я не пролил бы ни слезы над ее персонажами.

Обозреватель газеты «Крисчен сэнчури» в 1938 г.

Телевещание: заполнение возможно более дешевым хламом промежутков между возможно более дорогими рекламными роликами.

NN

Телереклама хороша уже тем, что ее никогда не прерывают.

NN

На ТВ осталась только одна сравнительно чистая и свободная от насилия передача: реклама средств от тараканов.

NN

Человечество ныне стоит перед чудовищным выбором: либо работа, либо дневные программы ТВ.

NN

От телевизионного критика требуют грамотно писать о безграмотном, остроумно о занудстве и связно — о бессвязном.

Джон Кросби

ТЕЛЕФОН

Трудности с правописанием много способствовали популярности телефона.

«Пшекруй»

Телефонный разговор находится на полпути между искусством и жизнью. Это разговор не с человеком, а с образом, который складывается у тебя, когда ты его слушаешь.

Андре Моруа

Телефонные разговоры потому такие непринужденные и дружеские, что собеседники не видят друг друга.

Леопольд Новак

Пожилой человек: тот, кто помнит времена, когда телефон еще был удобством.

Франсис Родман

Если тело погружено в воду — звонит телефон.

«Теорема Белла»

Сидя в ванне, не спрашивай, кому звонит телефон, потому что он всегда звонит тебе.

NN

Если телефон не звонит, это мне.

Джимми Бюффет

Нет звука громче, чем молчание телефона.

Лоуис Уайз

В телефонной трубке можно отличить прислушивающуюся тишину от тишины, которая не желает слушать.

Янина Ипохорская

Если звонит телефон, мужчина тянется за карандашом, женщина — за стулом.

NN

Телефон позволяет нам не сидеть сложа руки.

Жанна Голоногова

Телефон позволяет женщине работать от звонка до звонка.

NN

Когда телефон-автомат возвращает монету, мужчина берет ее и печально уходит, а женщина набирает новый номер.

Рамон Гомес де ла Серна

Небольшой городок — это место, где женщина часами разговаривает по телефону, набрав ошибочный номер.

Робер Ламуре

Ошибочно набранный номер никогда не бывает занят.

«Наблюдение Ковача»

Она говорила немного по-французски и очень много по телефону.

Эмиль Кроткий

Если женщина страдает молча, значит, рядом нет телефона.

NN

ТЕОРИЯ. ГИПОТЕЗА

См. также «Факты», «Эксперимент»

Нет ничего практичнее хорошей теории.

Роберт Кирхгоф

Теории первого класса предсказывают, теории второго класса налагают запреты, теории третьего класса дают объяснения задним числом.

Александр Китайгородский

Если теория все объясняет — она никуда не годится.

Григорий Ландау

Теории ничего не доказывают, зато позволяют выиграть время и отдохнуть, если ты вконец запутался, стараясь найти то, что найти невозможно.

Марк Твен

Теории, в которые мы верим, мы называем фактами, а факты, в которые не верим, — теориями.

Феликс Коэн

Вечная трагедия науки: уродливые факты убивают красивые гипотезы.

Томас Гексли

Наука — это кладбище гипотез.

Анри Пуанкаре

Гипотезы — это колыбельные, которыми учитель убаюкивает учеников.

Иоганн Вольфганг Гёте

Гипотезы — это леса, которые возводят перед зданием и сносят, когда здание готово.

Иоганн Вольфганг Гёте

Факты — это песок, скрежещущий в шестернях теории.

Стефан Гарчиньский

Чтобы построить полную теорию, фактов всегда достаточно, не хватает только фантазии.

Дмитрий Блохинцев

Ни одна научная теория не получила всеобщего одобрения прежде, чем она была полностью дискредитирована.

Дуглас Йейтс

Если теория не красива, она не верна.

NN

Красивые теории, как и красивые женщины, часто бывают неверными.

NN

Совершил столько ошибок, что самое время подвести под них какую-нибудь теорию.

Веслав Брудзиньский

Прогресс состоит не в замене неверной теории на верную, а в замене одной неверной теории на другую неверную, но уточненную.

Стивен Хокинг

Большинство теорий — лишь перевод старых мыслей на новую терминологию.

Григорий Ландау

Чем фундаментальнее закономерность, тем проще ее можно сформулировать.

Петр Капица

Теоретик знает все меньше и меньше о все большем и большем, и в конце концов он знает ничего обо всем.

NN

Стоит ли ученику перерастать учителя, если теория неверна?

Уршула Зыбура

Эта теория недостаточно безумна, чтобы быть верной.

Перефразированный Нильс Бор

Теоретик занимается подсчетом мерзавцев, практик — подсчетом уличных фонарей.

Дон-Аминадо

ТЕРПЕНИЕ. ВЫДЕРЖКА

См. также «Характер»

Терпение — это искусство скрывать нетерпение.

NN

Терпение — добродетель нищих.

Филип Массинджер

Терпение — ослабленная форма отчаяния, замаскированная под добродетель.

Амброз Бирс

Терпение — оружие самых слабых и самых сильных.

Лешек Кумор

Нужно очень много терпения, чтобы научиться терпению.

Станислав Ежи Лец

Странная вещь! Терпение приходит с годами. Чем меньше остается лет жизни, тем больше наша способность к терпению.

Элизабет Тейлор

Ангельское терпение требует дьявольской силы.

Лешек Кумор

Господи, ниспошли мне терпение! Сейчас! Сию же минуту!

Орен Арнолд

Терпение может быть просто неспособностью принять решение.

NN

Там, где кончается терпение, начинается выносливость.

Данил Рудый

Запасись терпением на двоих: на себя и на своего шефа.

Веслав Брудзиньский

Двадцать раз попробуйте, на семьдесят первый раз получится.

Армейский фольклор

Бойся гнева терпеливого человека.

Джон Драйден

ТЕРПИМОСТЬ И НЕТЕРПИМОСТЬ

См. также «Фанатизм»

Давайте согласимся иметь разногласия.

Роберт Льюис Стивенсон

Я не разделяю ваших убеждений, но я отдам жизнь за то, чтобы вы могли их высказать.

Вольтер

Люди в своем большинстве готовы с риском для жизни защищать ваше право высказывать свои убеждения, но не готовы выслушать вас.

Роберт Браулт

Легко быть терпимым к чужим убеждениям, если у тебя самого нет никаких.

Герберт Луис Сэмюэл

Терпимость — другое название для безразличия.

Сомерсет Моэм

Терпимость — малоприятное подозрение, что другие в конце концов могут быть правы.

NN

Иные готовы считать себя либералами, изменив всего-навсего объект своей нетерпимости.

Веслав Брудзиньский

Отвращение к мухам легко превращается в симпатию к паукам.

Валериу Бутулеску

Будь не таким, как другие, и позволь другим быть другими.

Хенрик Ягодзиньский

Бей фанатиков!

Хенрик Ягодзиньский

Нетерпимость не должна быть терпима.

Видоизмененный Ипполит Тэн

ТЕХНИКА. ТЕХНОЛОГИЯ

См. также «Автоматизация», «Атомная энергия», «Открытия. Изобретения», «Цивилизация и прогресс»

То, что сегодня наука, — завтра техника.

Эдвард Теллер

Техника техникой, но лифт ломается чаще, чем лестница.

Станислав Ежи Лец

Стиральные машины ломаются только во время стирки.

«Закон Йегера»

Если достаточно долго портить машину, она сломается.

«Закон Шмидта»

Можно обеспечить защиту от дурака, но только от неизобретательного.

«Закон Кейсера»

Ремонт: замена одних неисправностей другими.

NN

Механик — человек, думающий при помощи гаечного ключа.

Леонард Луис Левинсон

Инженер — это человек, который может объяснить, как работает то или иное устройство, но не может объяснить, почему оно не работает.

М. Хацернов

Инженер — человек, способный взять теорию и приделать к ней колеса.

Леонард Луис Левинсон

И в технике есть свои графоманы.

Михаил Светлов

Чем сложнее новая идея или новая технология, тем примитивнее оппозиция против них.

Чарлз Джулиш

Технология — это искусство переделать мир так, чтобы с ним уже можно было не сталкиваться.

Макс Фриш

Прогресс технологии одаряет нас все более совершенными средствами для движения вспять.

Олдос Хаксли

Девиз века машин — зуб за зуб.

Хуго Штейнхаус

Досадно то, что самое последнее слово техники будет сказано за минуту до светопреставления.

Дон-Аминадо

ТЕЩА

Жена — не обязательно главная в доме; иногда это теща.

NN

Теща — это мать, которая ужс не нужна.

Анна Ковальская

За каждым мужчиной, достигшим успеха, стоит гордящаяся им жена и удивленная теща.

Брукс Хейз

Успеху мужчины последней готова поверить его теща.

Губерт Хэмфри

Самоубийство — запоздалое признание правоты тещи.

Генри Луис Менкен

Мало кто настолько умен, как думает его мать, и настолько глуп, как говорит теща.

NN

Невозможно угодить всем на свете и своей теще.

Леонард Луис Левинсон

Не меняй тещу опрометчиво — следующая может быть еще хуже.

Юзеф Булатович

Хуже тещи может быть только жена.

Жак Тати

ТИШИНА И ШУМ

См. также «Соседи»

Громче всего требуют тишины.

NN

Тишина — это шум, к которому привыкли.

Евгений Тарасов

Голос мешает больше, чем шум, потому что отвлекает душу, тогда как шум только наполняет слух и бьет по ушам.

Сенека

Включенный пылесос у соседа втягивает все наши мысли.

Рамон Гомес де ла Серна

Пусть музыка будет в каждом доме, кроме дома напротив.

NN

Тишина — ты лучшее из того, что слышал.

Борис Пастернак

Иногда тишина становится сигналом тревоги.

Веслав Тшаскальский

ТОЛПА

См. также «Коллектив. Коллективизм»

Когда сто человек стоят друг возле друга, каждый теряет свой рассудок и получает какой-то другой.

Фридрих Ницше

Нравы народа в периоды смуты часто бывают дурны, но мораль толпы строга, даже когда толпа эта обладает всеми пороками.

Талейран

Лицо толпы не нуждается в маске.

Станислав Ежи Лец

У толпы есть глаза и уши и немногое сверх этого.

Артур Шопенгауэр

Толпа орет одной большой глоткой, но ест тысячью маленьких ртов.

Станислав Ежи Лец

Когда голос берет толпа, уже не важно, что она хотела сказать.

Доминик Опольский

Те, кто сейчас на устах толпы, вскоре будут на ее языке, а потом на зубах.

Станислав Ежи Лец

Легче обмануть толпу, чем одного человека.

Кароль Бунш

И у толпы бывают свои унаследованные фрейдистские комплексы.

Станислав Ежи Лец

Ненавижу одиночество — оно заставляет меня тосковать о толпе.

Станислав Ежи Лец

Чтобы влиться в толпу, вовсе не обязательно выходить на улицу — достаточно, сидя дома, развернуть газету или включить телевизор.

Уистен Хью Оден

ТОРГОВЛЯ

См. также «Покупки», «Реклама», «Сервис», «Цена»

Рынок — это место, нарочно назначенное, чтобы обманывать и обкрадывать друг друга.

Анахарсис (VII в. до н.э.)

Торговля не разорила еще ни одного народа.

Бенджамин Франклин

Крупная торговля заключается в том, чтобы купить, хотя бы и дорого, но в кредит, а продать, хотя бы и дешево, но за наличные.

Э. Б. Уайт

На фабриках мы производим косметику, в магазинах — торгуем надеждой.

Чарлз Ревсон

Моими пальто торгуют мои пальто.

Монти Платт,
фабрикант одежды

Рекламация — двигатель торговли.

Ядвига Рутковская

Постулат «За что купил, за то и продаю» — верный путь к банкротству.

Леонид Крайнов-Рытов

На моей памяти ведущий аукциона не соврал ни разу, кроме тех случаев, когда это было совершенно необходимо.

Генри Уилер Шоу

Покупатель не идиот: это твоя жена.

Из «Признаний рекламного
агента» Дэвида Огилви

Продавцу нужен язык, покупателю — глаза.

Янина Ипохорская

Надпись в супермаркете: «Здесь говорят по-английски и понимают по-французски».

Надпись в дорогом супермаркете: «Здесь говорят по-английски и понимают ваши слезы».

NN

Распродажа: вещи, которые вам не нужны, за цену, перед которой вы не смогли устоять.

Леонард Луис Левинсон

Потребитель — это покупатель, который на что-либо жалуется.

Гарольд Коффин

Неверные весы — мерзость пред Господом, но правильный вес угоден Ему.

Царь Соломон — Притчи, 11, 1

Жизнь недодает, а люди обвешивают.

Геннадий Малкин

Килограмм: 800 грамм в упаковке.

Э. Калиновский

Магазин закрывается за 15 минут до закрытия.

Правило советской торговли

В женском обувном магазине самая удобная пара туфель находится на ногах продавщицы.

NN

Вид попранной женственности. Такой вид часто бывает у хорошеньких продавщиц, которые собрались завоевывать мир, а попали за прилавок.

Виктория Токарева

Надпись на надгробии киоскерши: «Скоро вернусь».

Максим Звонарев

ТОРГОВЫЕ АГЕНТЫ

Хороший торговый агент тот, кто способен заговорить клиента до разорения.

NN

Хороший торговый агент способен продать три пары перчаток Венере Милосской.

Роберт Орбен
в редакции Дм. Пашкова

Предложенный товар уже наполовину продан.

Ноэль Дю Файль

Если у американцев не так много слонов в личном пользовании, то лишь потому, что слонов не предлагают со скидкой на один доллар, и к тому же в рассрочку — по доллару в неделю.

NN

Кто не умеет улыбаться, не должен заниматься торговлей.

Китайская пословица

Надпись на дверях американского дома: «Мы стреляем в каждого третьего коммивояжера, и второй уже приходил».

NN

Я зарабатываю на жизнь продажей мебели. К сожалению, это моя собственная мебель.

Лез Доусон

ТОСТ. БРУДЕРШАФТ

См. также «Выпивка»

Выпьем за наших жен и подруг, и чтобы они никогда не встретились!

Из английских
«Тостов на любой случай», XIX в.

Тост за жену? Я не пью за нее — я пью из-за нее.

Роберт Орбен

Не пей за здоровье человека, у которого оно лучше твоего.

Михаил Генин

Да здравствует все то, благодаря чему мы, несмотря ни на что!

Зиновий Паперный

После трех рюмок коньяку француз переходит на минеральную воду, а русский — на «ты».

Дон-Аминадо

Брудершафт полезен. Если мне скажут: «Ты дурак»,— это еще полбеды, но если мне скажут: «Вы дурак»,— без дуэли не обойтись.

Арриго Бойто

Если выпить на брудершафт цикуту, это, пожалуй, уже на всю жизнь.

Станислав Ежи Лец

ТОТАЛИТАРИЗМ. ТИРАНИЯ. ДЕСПОТИЯ

См. также «Вожди и диктаторы», «Свобода — несвобода»

Тоталитаризм стремится не к деспотическому господству над людьми, а к установлению такой системы, в которой люди совершенно не нужны.

Ханна Арендт

Принцип тоталитаризма: «Один за всех, все — за...»

Михаил Генин

Деспотизм — вот к чему ведет торжествующая общая воля; а чей деспотизм — одного, нескольких или всех, — это уже несущественно.

Бенжамен Констан

Определение деспотизма: такой порядок вещей, при котором высший низок, а низший унижен.

Никола Шамфор

Проводятся эксперименты, которые должны показать, в каких политических условиях может жить человек.

Станислав Ежи Лец

Тоталитарное государство устанавливает неопровержимые догмы и меняет их со дня на день.

Джордж Оруэлл

Четыре драматических единства: единство времени, места, действия и морально-политическое единство.

Станислав Ежи Лец

В условиях тирании гораздо легче действовать, чем думать.

Ханна Арендт

Можно убить человека серпом, можно убить человека молотом. А уж если молотом и серпом...

Станислав Ежи Лец

Большевизм и фашизм — это, конечно, борьба двух концов, а не борьба двух начал.

Дон-Аминадо

Мы ждем, чтоб красная зараза освободила нас от черной смерти.

Юзеф Щепаньский, участник Варшавского восстания 1944 г.

Государство, заранее знающее даты смерти своих граждан, может вести в высшей степени плановое хозяйство.

Станислав Ежи Лец

С крушением рабовладения человек перестал быть частной собственностью.

Доминик Опольский

Лучше тирания банковского счета, чем тирания своих сограждан.

Джон Кейнс

Необходимость — отговорка тиранов и предмет веры рабов.

Уильям Питт

Единственное достоинство диктатуры: не нужно часами сидеть у приемника, чтобы узнать результаты выборов.

Франсуа Мориак

Даже механизм диктатуры — не перпетуум мобиле.

Станислав Ежи Лец

Деспотии гибнут из-за недостатка деспотизма, как хитрецы — из-за недостатка хитрости.

Антуан де Ривароль

ТОЧКА ОПОРЫ

Дайте мне точку опоры — и я переверну Землю!

Архимед

Дайте мне точку опоры — и вы у меня повертитесь!

Иван Иванюк

Дайте мне точку опоры, и я произнесу тост.

Александр Ратнер

Дайте мне точку опоры, и я перевернусь на другой бок.

Иван Иванюк

Дайте мне точку опоры, и я выскажу свою точку зрения.

Виктор Коняхин

Как часто точка зрения не совпадает с точкой опоры!

Геннадий Малкин

Если у тебя много точек опоры, незачем переворачивать мир.

Михаил Туровский

А я утверждаю, что достаточно запустить в космос какую-нибудь точку опоры и приставить лестницу. Дорога на небеса открыта.

Станислав Ежи Лец

ТРАГЕДИЯ

См. также «Театр и драматургия», «Шекспир»

Трагедия: место, в котором трусы умирают, а герои погибают.

Винцентий Стысь

Покажите мне героя, и я напишу трагедию.

Фрэнсис Скотт Фицджеральд

В трагедии мы участвуем, комедию только смотрим.

Олдос Хаксли

В настоящей трагедии гибнет не герой — гибнет хор.

Иосиф Бродский

Трагедия? Сидел одинокий человек в пустой комнате.

Станислав Ежи Лец

Случаются там и сям трагедии, но ничего из них не следует. В этом, вероятно, вся суть трагедии.

Славомир Мрожек

ТРАДИЦИЯ

См. также «Консерваторы и либералы», «Прошлое»

Мертвые правят живыми.

Огюст Конт

Традиция — это всего лишь ностальгия, разгуливающая прилюдно в полной парадной форме.

Эндрю Марр

Традиционалисты — пессимисты по отношению к будущему и оптимисты по отношению к прошлому.

Льюис Мамфорд

Традицию нельзя унаследовать — ее надо завоевать.

Томас Стернз Элиот

У каждой эпохи свои изъяны, которые прибавляются к изъянам более ранних эпох; именно это мы называем наследием человечества.

Генрих Гейне

В борьбе с авторитетом и традицией — создавай традицию и авторитет.

Григорий Ландау

То, что забыли сыновья, стараются вспомнить внуки.

Эйлис Росси

Пора наконец станциям метро вернуть те названия, которые они имели до революции.

Савелий Цыпин

ТРЕЗВЕННИКИ

См. также «Пьянство. Алкоголизм»

Умеренная трезвость еще никому не повредила.

Марк Твен
в редакции Джона Кьярди

Не смотри на мир слишком трезво, а то сопьешься.

Веслав Брудзиньский

Я не доверяю верблюдам и вообще никому, кто может целую неделю не пить.

Джо Льюис

Уж лучше сухой закон, чем вовсе никакой выпивки.

Уилл Роджерс

Если вы бросите пить, курить и есть жирную пищу, вы проживете дольше, но умрете, скорее всего, в одиночестве.

NN

ТРЕТИЙ МИР

См. также «Внешняя политика»

Там, где есть мусульмане, есть нефть; обратное утверждение неверно.

Чарлз Иссави

Выражение «страна, богатая человеческими ресурсами», означает, что эта страна перенаселена и нуждается в помощи.

Джонатан Линн и Энтони Джей

В рамках помощи слаборазвитым странам деньги бедных людей из богатых стран попадают к богатым людям в бедных странах.

Альфред Мозер

Индия — это географический термин. Называть ее нацией — все равно что называть нацией экватор.

Уинстон Черчилль

СССР — это Верхняя Вольта, начиненная баллистическими ракетами.

Хельмут Шмидт

Азия быстрее становится Европой, чем Евразия.

Аркадий Давидович

Да здравствует черное прошлое Африки!

Станислав Ежи Лец

ТРУД

См. также «Работа»

Труд облагораживает человека.

Виссарион Белинский

Труд — проклятие пьющего класса.

Оскар Уайльд

Я встречал очень мало людей, превозносивших тяжелый труд. И, странное дело, все они были те самые люди, на которых я работал всю жизнь.

Билл Голд

Обезьяна выбилась в люди своим трудом.

Данил Рудый

Только получив за труд, обезьяна стала человеком.

Геннадий Малкин

Ежели людей по работе ценить, тогда лошадь лучше всякого человека.

Максим Горький

Труд глупого утомляет его.

Екклесиаст, 10, 15

Ловкие кормятся глупыми, глупые — трудом.

Аргентинское изречение

Ваш труд пропал не напрасно.

NN

ТРУСОСТЬ

См. также «Мужество. Храбрость»,
«Осторожность и риск», «Страх»

Многие были бы трусами, будь у них достаточно смелости.

Томас Фуллер

Есть трусы мозга и трусы сердца.

Станислав Ежи Лец

Смелый убежит, но не уступит.

NN

Робкий, но не трусливый.

Василий Ключевский

В самом ли деле я робок? Мне не хватает смелости ответить на этот вопрос.

Бенни Хилл

Трусы всегда способны нагнать страху на других.

Веслав Тшаскальский

Трусость — мать жестокости.

Мишель Монтень

Трусы должны иметь власть, иначе им боязно.

Станислав Ежи Лец

Иногда корабль перестает тонуть, как только его покидают крысы.

Лешек Кумор

Крысы, бежавшие с корабля, в обиде на него за то, что он не тонет.

Веслав Брудзиньский

Кто выбрался на берег на гребне волны, может скрыть, что у него мокро в штанах.

Станислав Ежи Лец

Лучше минуту быть трусом, чем всю остальную жизнь мертвецом.

Ирландское изречение

Трус — это герой, у которого есть жена, дети и заложенный дом.

Марвин Китмен

Трусливый заяц смешон, храбрый заяц — еще смешнее. Достоинство сохраняет только заяц, запеченный в сметане.

Веслав Брудзиньский

Пряча голову в песок, не забудь зажмурить глаза.

Ежи Лещинский

Страус вовсе не прячет голову в песок — он показывает нам задницу.

Мечислав Шарган

ТЮРЬМА

См. также «Преступление. Преступность», «Свобода — несвобода»

Жизнь как трамвай: кто хочет ехать с комфортом, сидит. Жизнь как трамвай: сидят обычно мужчины.

Янина Ипохорская

Люди делятся на две половины: те, кто сидит в тюрьме, и те, кто должен сидеть в тюрьме.

Марсель Ашар

Об этом человеке известно только, что он не сидел в тюрьме, но почему не сидел — неизвестно.

Марк Твен

Меня тревожат не те люди, которые сидят в тюрьме. Меня тревожат люди, которые не сидят в тюрьме.

Артур Гор

Ко всякому человеку нужен особый ключ — и, разумеется, небольшая отдельная камера.

Мечислав Шарган

Если Англия ко всем своим заключенным относится так же, как ко мне, она не заслуживает иметь их вовсе.

Оскар Уайльд

Тюрьма — недостаток пространства, возмещаемый избытком времени.

Иосиф Бродский

Дальше едешь, тише будешь!

Дон-Аминадо.
«Новые русские пословицы»

Стоило бы подумать о каре пожизненного заключения, усугубленного искусственным продлением жизни.

Станислав Ежи Лец

Сколько хороших людей встало на путь исправления!

Вячеслав Верховский

Если тюрьма не учит заключенного жить в обществе, она учит его жить в тюрьме.

Алан Бартолемью

В тюрьме должно быть меньше тюрьмы.

Павел Крашенинников,
министр юстиции РФ

Не бывает плохих пивных и хороших тюрем.

Л. Камертон

Куда противники тюрем сажают своих противников?

Габриэль Лауб

У

УБИЙСТВО

См. также «Самоубийство», «Смертная казнь», «Террор»

Каждый убийца, вероятно, чей-то хороший знакомый.

Агата Кристи

Убийца считается невиновным, пока не доказана его невиновность или его невменяемость.

NN

— А он убил ее? — Да, у него был прекрасный мотив — он любил ее.

Реймонд Чандлер

Если бы желание убить и возможность убить всегда совпадали, кто из нас избежал бы виселицы?

Марк Твен

Если бы мне пришлось встретить своих убийц на том свете, я предпочел бы жить с ними на этом.

Станислав Ежи Лец

Нехорошо убивать овец, ведь они дают нам шерсть; нехорошо убивать коров, ведь они дают нам молоко; нехорошо убивать свиней, ведь они дают нам мясо.

Из древнегреческого сборника «Филогелос»

УВЕРЕННОСТЬ И СОМНЕНИЯ

См. также «Проблемы и решения»

Уверенность: то, что мы чувствуем, прежде чем успеем оценить ситуацию.

NN

Мы абсолютно уверены только в том, чего не понимаем.

Эрик Хоффер

Можно быть уверенным лишь в том, что ни в чем нельзя быть уверенным.

Плиний Старший

Есть две одинаково удобные позиции: либо верить во все, либо во всем сомневаться; то и другое избавляет от необходимости думать.

Анри Пуанкаре

Слабый человек сомневается перед тем, как принять решение; сильный — после.

Карл Краус

Не уверен — не сомневайся.

Александр Заяц

УВОЛЬНЕНИЕ И ОТСТАВКА

См. также «Кадровая политика», «Карьера»

Шестьдесят — возраст, когда у вас, наконец, набирается достаточно опыта для того, чтобы вас уволили.

NN

В жизни каждого человека наступает момент, когда приходится уступить дорогу тому, кто постарше.

Реджинальд Модлинг

Вашу жизнь портят не те люди, которых вы уволили, а те, которых вы не уволили.

Харви Маккей

— Прислуживаться начальству? Нет уж, увольте.
И его уволили.

Эмиль Кроткий

Нашего шефа нельзя не любить, иначе он вас уволит.

NN

Компетентные работники, которые сами подают в отставку, встречаются чаще, чем некомпетентные, которых увольняют.

Лоренс Питер

Опытный менеджер — это человек, нанимаемый директором, которому слишком больно увольнять своих сослуживцев.

NN

Прокруст: известный древнегреческий специалист по сокращению штатов.

Максим Звонарев

Иногда необходимо вымести старые метлы.

Лешек Кумор

Пусть это будет естественный отбор, но ускоренно и заботливо направляемый.

Виктор Черномырдин
об увольнениях членов
правительства

Он отказался покинуть рай, и тогда там устроили пекло.

Владислав Катажиньский

Следствием чистки в аду, вероятно, становится ссылка в рай.

Лешек Кумор

УДАЧА. ВЕЗЕНИЕ

См. также «Случайность», «Успех и неудача»

Удача — это постоянная готовность использовать шанс.

Франк Доби

Слабые люди верят в удачу, сильные — в причину и следствие.

Ралф Эмерсон

Если человек не верит в удачу, у него небогатый жизненный опыт.

Джозеф Конрад

Раз в жизни Фортуна стучится в дверь каждого человека, но человек в это время нередко сидит в ближайшей пивной и никакого стука не слышит.

Марк Твен

Признайся: ставя на красное и черное, ты все же не теряешь надежды выиграть на зеленое!

Станислав Ежи Лец

Все ожидают выигрыша в лотерее, даже те, кто не покупает лотерейных билетов.

Антоний Слонимский

Фортуна иногда дает слишком много, но достаточно — никогда.

Публилий Сир

Если не в деньгах счастье, значит, мне здорово везет.

Данил Рудый

Кто верит в свою удачу, удачлив.

Кристиан Фридрих Геббель

Бывает, что все удается. Не пугайтесь, это пройдет.

Жюль Ренар

Везение не может быть вечным; невезение, к счастью, тоже.

NN

Брось везунчика в воду, и он выплывет с рыбой в зубах.

Юлиан Тувим

Сидел между двух стульев и упал на четыре лапы.

Влодзимеж Счисловский

Неудачи других кажутся нам совершенно естественными, но вот почему нам не везет — этого мы не можем понять.

Мария Эбнер-Эшенбах

Человек, которому повезло, — это человек, который делал то, что другие только собирались сделать.

Жюль Ренар

УМЕРЕННОСТЬ. ВОЗДЕРЖАНИЕ

См. также «Необходимое и излишнее»

Умеренность в жизни похожа на воздержание в еде: съел бы еще, да страшно заболеть.

Франсуа Ларошфуко

Все мне позволительно, но не все полезно; все мне позволительно, но ничто не должно обладать мною.

Апостол Павел —
1-е послание к коринфянам, 6, 12

Воздержанность — это добровольная бедность.

Сенека

Воздержание хорошая вещь, если воздерживаться умеренно.

NN

Стоит ли отказывать себе в том, в чем можно отказать другому?

Владимир Дубинский

Умеренность необходима во всем. Слишком много лет жизни вредит.

Генри Луис Менкен

Кто отказывается от многого, может многое себе позволить.

Жак Шардон

Мы считаем купленным лишь приобретенное за деньги, а на что тратим самих себя, то зовем даровым. Всякий ценит самого себя дешевле всего.

Сенека

УМ. ИНТЕЛЛЕКТ

См. также «Интеллектуалы»

Умы бывают трех родов: один все постигает сам; другой может понять то, что постиг первый; третий — сам ничего не постигает и постигнутого другим понять не может.

Никколо Макиавелли

Ум — это способность находить убедительные оправдания собственной глупости.

«Пшекруй»

Ум ценится дорого, когда дешевеет сила.

Василий Ключевский

Интеллект — это то, что иногда встречается и у других.

Лешек Кумор

Измерение уровня интеллекта порою показывает, каким умницей ты был бы, если бы не позволил измерять свой интеллект.

Лоренс Питер

Можно было подумать, что в его голове несколько мозжечков.

Станислав Ежи Лец

Стену можно пробить только головой. Все остальное — только орудия.

Лешек Кумор

От ума до рассудка гораздо дальше, чем полагают.

Наполеон I

Мозг гораздо чаще ржавеет, чем изнашивается.

Кристиан Бови

Не стоит обожествлять интеллект. У него есть могучие мускулы, но нет лица.

Альберт Эйнштейн

УМНЫЕ И ДУРАКИ

См. также «Глупость»

Дурак никогда не заходит в тупик, потому что там полно умных.

NN

В этой компании на каждого дурака приходилось десять умных, так что силы были примерно равны.

Вл. Казаков

Дурак замечает первым, как много умных развелось.

Геннадий Малкин

«Не знаю» звучит по-разному в устах умного и дурака.

Лешек Кумор

Тот, кто настойчиво повторяет, что он не дурак, обычно не полностью в этом уверен.

Уилсон Мизнер

Умный любит учиться, а дурак — учить.

Антон Чехов

Умные большему учатся у дураков, чем дураки у умных.

Катон Старший

Вера в то, что глупцы не думают, — самая опасная форма оптимизма.

Данил Рудый

Дуракам везет? Не такие уж они дураки.

Хенрик Ягодзиньский

Если умники обманывают ожидания, это еще не значит, что дураки спасут мир.

Ян Чарный

«Лучше с умным потерять, чем с дураком найти». Но хуже всего с дураком потерять.

Кароль Ижиковский

Иногда даже с умным трудно потерять то, что нашел с дураком.

Владислав Гжещик

С дураком найдешь, да и не разделишь.

В. Даль.
«Пословицы русского народа»

Каждый дурак знает, что до звезд не достать, а умные, не обращая внимания на дураков, пытаются.

Гарри Андерсон

Если, по-твоему, это может сделать каждый дурак, — ты и попробуй.

NN

Гораздо легче стать умным, чем перестать быть дураком.

Василий Ключевский

Дураку достаточно сказать, что он умный; но непроходимому дураку нужно еще это доказать.

Владислав Гжегорчик

Мудрость — это не морщины, а извилины.

Виктор Жемчужников

Мудрость приходит в старости на смену разуму.

Болеслав Вольтер

Нет дурака хуже, чем старый дурак.

Джон Лайли (XVI в.)

Нет дурака хуже, чем старый дурак. Это вам скажет любой молодой дурак.

NN

Уверяю вас, он не такой дурак, каким он вам покажется, когда вы его больше узнаете.

Михаил Светлов

«Вы что, считаете меня идиотом?» — «Нет, но я ведь могу ошибаться».

Тристан Бернар

Дураки жалуются, что их принимают за дураков.

Жильбер Сесброн

Никто так не раздражает, как человек с меньшим интеллектом и большей смекалкой, чем у нас.

Дон Геролд

Каждый из нас бывает дураком по крайней мере пять минут в день; мудрость заключается в том, чтобы не превысить лимит.

Элберт Хаббард

Дураки задают пиры; умные сидят за столом.

Английское изречение

Дураков меньше, чем думают: люди просто не понимают друг друга.

Люк де Вовенарг

Если бы другие не были дураками, мы были бы ими.

Уильям Блейк

УПРЯМСТВО

Упрямство имеет только форму характера, но не его содержание.

Иммануил Кант

Энергия осла проявляется в полную меру только тогда, когда он не двигается с места.

Николае Йорга

Решительность: настойчивость в достижении цели, которую вы одобряете. Упрямство: настойчивость в достижении цели, которую вы не одобряете.

Амброз Бирс

Мир не создан для умных. Он создан для упрямых и крепколобых, которые не держат в голове больше одной мысли одновременно.

Мэри Райнхарт

УРОВЕНЬ ЖИЗНИ. СТОИМОСТЬ ЖИЗНИ

См. также «Доходы и расходы», «Заработок»

Уровснь жизни — то, выше чего хотелось бы жить.

Янина Ипохорская

Все мы находимся за чертой бедности, только по разные ее стороны.

Михаил Генин

Политику затягивания поясов громче всех одобряют те, кто носит подтяжки.

Бернхард Фогель

Уровень экономического развития измеряется отношением стоимости автомобиля к стоимости стрижки волос. Чем ближе эти величины, тем развитее страна.

Сэмюэл Девонс

Стоимость жизни обычно равняется вашему заработку плюс 10 процентов.

NN

Способов выживания так много, что поначалу убедитесь, хватит ли у вас денег.

Джеймс Донливи

Как может выжить человеческий род, если стоимость жизни дошла до десяти долларов за бутылку?

Уильям Клод Филдс, с поправкой на дальнейшую инфляцию

Долго жить невыгодно.

«Коммерсантъ—Деньги»

Чем дороже становится жизнь, тем дешевле становится человек.

Душан Петрович

Стоимость жизни постоянно растет, но спрос на нее не падает.

Кэтлин Норрис

Ничто так не примиряет со стоимостью жизни, как оплата счета за погребение.

NN

УСПЕХ И НЕУДАЧА

См. также «Победа и поражение», «Удача. Везение»

О секретах успеха увереннее всего рассуждают неудачники.

Марсель Ашар

Люди чаще капитулируют, чем терпят крушение.

Генри Форд

Успех делает нас нетерпимыми к неудаче. Неудача делает нас нетерпимыми к успеху.

Уильям Федер

Успех ударяет в голову, неудача ударяет в сердце.

Лоренс Питер

Разница между неудачей и успехом заключается в том, чтобы делать что-то «почти правильно» и «совершенно правильно».

Эдуард Симмонз

Тот, кто в своих неудачах обвиняет других, рассуждая логически, должен также признать их долю в своих успехах.

Говард У. Ньютон

Иные считают успехом, если их вышвырнули через парадную дверь.

Владислав Катажиньский

Успех — дело чистого случая. Это вам скажет любой неудачник.

Эрл Уилсон

Если вы не добились успеха сразу, попытайтесь еще и еще раз. А потом успокойтесь и живите в свое удовольствие.

Уильям Клод Филдс

УТОПИЯ

См. также «Будущее», «Идеи. Идеология»

Грамматическая дефиниция утопии: будущее совершенное время.

Максим Звонарев

Лучше пусть погибнет человечество, чем система, — вот девиз всех утопистов и фанатиков.

Пьер Жозеф Прудон

Следы многих преступлений ведут в будущее.

Станислав Ежи Лец

В переливе трехаршинного кругозора одиночного заключения и сибирской тайги — символ ограниченного утопизма современников.

Григорий Ландау

Утопии оказались гораздо более осуществимыми, чем казалось раньше. И теперь стоит другой мучительный вопрос: как избежать окончательного их осуществления.

Николай Бердяев

Я охотнее слушаю сказки времен, уходящих в далекое прошлое, чем в далекое будущее.

Станислав Ежи Лец

О сказочности утопии надо помнить всем: утопистам, чтобы не обольщаться ею, антиутопистам, чтобы не бояться ее.

Виктория Чаликова

Утопист: счастливчик, который не доживает до исполнения своих мечтаний.

Габриэль Лауб

Покончить с утопиями — это и есть утопия.

Томас Молнар

УЧЕНЫЕ

См. также «Наука», «Профессора»

Наука — это то, что делают ученые, а ученые — это те, кто в данную эпоху считают себя учеными.

Стефан Амстердамский

Чернила ученого и кровь мученика имеют перед Небом одинаковую ценность.

Коран

Ослов и ученых — в середину!

Возглас солдат Наполеона перед «сражением у пирамид» (1798 г.)

Если ученый не может объяснить восьмилетнему мальчику, чем он занимается, то он шарлатан.

Курт Воннегут

Ученый — это лентяй, который убивает время работой.

Джордж Бернард Шоу

Ученый — это человек, который в чем-то почти уверен.

Жюль Ренар

Ученый — это не тот, кто дает правильные ответы, а тот, кто ставит правильные вопросы.

Клод Леви-Стросс

Когда я оказываюсь в обществе ученых-естественников, я чувствую себя как бедный церковный служка, который по ошибке забрел в гостиную, полную герцогов.

Уистен Хью Оден

В слове «ученый» заключается только понятие о том, что его много учили, но это еще не значит, что он чему-нибудь научился.

Георг Лихтенберг

Некоторые дети так любят школу, что хотят оставаться в ней всю жизнь. Из них-то и выходят ученые.

Хуго Штейнхаус

Учеными становятся школьники, которые не смогли научиться массе ненужных вещей.

Эдвард Йокель

Звание ученого не лишает человека права называться интеллигентным человеком.

Л. А. Бридж

В жизни ученого и писателя главные биографические факты — книги, важнейшие события — мысли.

Василий Ключевский

Рано или поздно любопытство становится грехом; вот почему дьявол всегда на стороне ученых.

Анатоль Франс

90% всех когда-либо живших ученых — наши современники.

Из печати 60-х гг.

Откуда, скажите на милость, возьмутся новые идеи и новые подходы, если 90% всех когда-либо живших ученых еще даже не умерли?

Алан Макай

Научный симпозиум: никогда так много людей не работают так мало.

Жорж Элгози

В некоторых отношениях наша цивилизация ушла далеко назад от палеолита: первобытные люди своих стариков съедали, а мы выбираем их в академики.

Анатоль Франс

В любом ученом совете больше голов, чем мозгов.

Дмитрий Пашков

Разность научных потенциалов в коллективе создает известное напряжение.

Иван Иванюк

Академик: ученый, ушедший на вечный покой.

Максим Звонарев

Часто некоторые люди становятся учеными, так же как другие — солдатами, только потому, что они больше ни к какому делу не пригодны.

Георг Лихтенберг

Как трогательно, что простые люди просят совета у ученых людей! И как разумно, что они этим советам не следуют!

Хуго Штейнхаус

Есть лишь один способ добиться того, чтобы каждый ученый обладал бо́льшими знаниями и талантом, — уменьшить число ученых.

Алексис Каррель

УЧИТЕЛЯ И УЧЕНИКИ

См. также «Школа»

Кого боги хотят покарать, того они делают педагогом.

Сенека

Многому я научился у своих наставников, еще бо́льшему — у своих товарищей, но больше всего — у своих учеников.

Талмуд

Я плачу учителю, но учат моего сына его соученики.

Ралф Эмерсон

При изучении наук примеры полезнее правил.

Исаак Ньютон

Чтобы быть хорошим преподавателем, нужно любить то, что преподаешь, и любить тех, кому преподаешь.

Василий Ключевский

Ничто так прочно не запоминают ученики, как ошибки своих учителей.

Антон Лигов

Годы учения, как я полагаю, прошли впустую, если человек не понял, что большинство учителей идиоты.

Хескет Пирсон

Уча, учимся.

Сенека

Сам не умеешь — научи другого.

Антон Лигов

Хороший учитель может научить других даже тому, чего сам не умеет.

Тадеуш Котарбиньский

Он создал школу невежества.

Станислав Ежи Лец

Кто знает все, тому еще многому нужно учиться.

NN

Кто умеет, делает; кто не умеет, учит других.

Джордж Бернард Шоу

Кто умеет, делает; кто не умеет, учит других; а кто не умеет и этого, учит учителей.

Лоренс Питер

Нужно много учиться, чтобы немногое знать.

Шарль Монтескье

Что переварили учителя, тем питаются ученики.

Карл Краус

Секрет учительства в том, чтобы показать, что вы всю жизнь знали то, о чем прочитали вчера вечером.

NN

Из уроков некоторых педагогов мы извлекаем лишь умение сидеть прямо.

Владислав Катажиньский

На одного человека, желающего учить, приходится около тридцати, не желающих думать.

Уолтер Селлар и Роберт Йитман

Больше всего учеников было бы у Диогена с бочкой вина.

Владислав Катажиньский

Если бы небо услышало молитвы детей, на свете не осталось бы ни одного живого учителя.

Персидское изречение

В хорошем учителе мы ценим лучшие качества дрессировщика, клоуна и цирковой лошади, которую год за годом гоняют по кругу.

Максим Звонарев

Учительство — не утраченное искусство, но уважение к учительству — утраченная традиция.

Жак Барзэн

По мнению учителей, яйца курицу не учат, по мнению учеников, курица не птица.

Александр Ботвинников

Образование — верный путь к благосостоянию. Но мало какой школьный учитель служит тому доказательством.

NN

Профессия учителя дает пожизненную гарантию от похищения с целью выкупа.

Станислав Моцарский

Учителя слишком много трудятся и слишком мало получают. В самом деле, это непростое и утомительное занятие — снижать до самого дна уровень человеческих способностей.

Джордж Б. Леонард

Наставнику легче командовать, чем учить.

Джон Локк

Те, кто учит нас уму-разуму, обычно не обращаются к нашему интеллекту.

Лешек Кумор

Вечно учиться; но не — вечно получать уроки.

Григорий Ландау

Человек, который слишком стар, чтобы учиться, по всей вероятности, всегда был слишком стар, чтобы учиться.

Генри Хаскинс

Век живи — век учись, и дураком помрешь.

Русская пословица

УЧРЕЖДЕНИЕ. ОРГАНИЗАЦИЯ

См. также «Бюрократия», «Руководство и управление», «Чиновник»

В учреждениях пахнет календарем.

Рамон Гомес де ла Серна

Учреждения работали бы превосходно, если бы не посетители.

Альфред Сови

Любая реорганизация неизбежно проходит через стадию дезорганизации.

Тадеуш Котарбиньский

Реорганизация: организация, вывернутая наизнанку.

Максим Звонарев

Административное здание может достичь совершенства только к тому времени, когда учреждение приходит в упадок.

Сирил Норткот Паркинсон

— Сколько служащих в вашем учреждении? — Утром тысяча.

Михаил Задорнов

Если число сотрудников превысило тысячу, учреждение замыкается на себя, а внешний мир становится понятием иллюзорным.

Сирил Норткот Паркинсон

Многие ли назовут имена тех, кто осудил Галилея? Но каждый помнит, в каком учреждении они работали.

Юзеф Кусьмерек

ФАКТЫ

См. также «Теория. Гипотеза»

Факты — упрямая вещь.

Тобайас Смоллетт

Факты считаются упрямыми, если не подтверждают чью-то теорию.

Владимир Колечицкий

Многие принимают свою память за ум, а свои взгляды — за факты.

Поль Массон

Факт — это отвердевшее мнение.

«Законы Мерфи»

Теории, в которые мы верим, мы называем фактами, а факты, в которые не верим, — теориями.

Феликс Коэн

Ненадежнее фактов разве что цифры.

Джордж Каннинг

Наука не сводится к сумме фактов, как здание не сводится к груде камней.

Анри Пуанкаре

Факты имеют тот недостаток, что их слишком много.

Сэмюэл Макчорд Кродерз

Знание некоторых принципов легко возмещает незнание некоторых фактов.

Гельвеций

В телефонной книге полно фактов, но нет ни одной мысли.

Мортимер Адлер

Факт всегда глуп.

Фридрих Ницше

Факты не существуют — есть только интерпретации.

Фридрих Ницше

Если факты противоречат моей теории, тем хуже для фактов.

Приписывается Гегелю

Факты под давлением размягчаются.

Закон Данлэпа

Прежде всего нужны факты, а уж потом их можно перевирать.

Марк Твен

Легче столкнуться с фактом, чем посмотреть ему в лицо.

NN

Я никогда не мог примириться с фактом.

Станислав Ежи Лец

ФАНАТИЗМ

См. также «Радикалы», «Терпимость и нетерпимость»

Фанатик: любой человек, который с жаром говорит о вещах, нам безразличных.

Лоренс Питер

Фанатик — это человек, который не может изменить взгляды и не может переменить тему.

Уинстон Черчилль

Фанатик: человек, который делает то, что, по его мнению, делал бы Господь Бог, если бы знал все обстоятельства дела.

Финли Питер Данн

Фанатики готовы уничтожить мир, чтобы спасти его от того, чего они не понимают.

Мариан Добросельский

Меня сожгут, но это лишь эпизод. Мы продолжим нашу дискуссию в вечности.

Мигель Сервет, ученый, казненный по обвинению в ереси

Фанатизм во имя порядка готов внести анархию.

Василий Ключевский

Фанатики — это люди, которые интенсивнее умирают, чем живут.

Жарко Петан

Без фанатизма ничего не добьешься.

Эва Перон

Самое непростительное в фанатике — это его искренность.

Оскар Уайльд

Фанатики красочны, а человечеству приятнее видеть жесты, нежели выслушивать доводы.

Фридрих Ницше

Как много разбойников надеялись стать спасителями!

Здислав Калэндкевич

ФАШИЗМ. НАЦИЗМ

См. также «Радикалы», «Тоталитаризм. Тирания. Деспотия»

Сложение реакционных идей с революционными чувствами дает в результате фашистский тип личности.

Вильгельм Райх

Воля фюрера — вот наша конституция.

Ханс Франк

Министр Геббельс исключил Генриха Гейне из энциклопедического словаря. Одному дана власть над словом, другому — над словарем.

Дон-Аминадо

Фюрер — вождь в законе.

Геннадий Малкин

У меня нет совести! Мою совесть зовут Адольф Гитлер!

Герман Геринг

Если Гитлер вторгнется в ад, я произнесу панегирик в честь дьявола.

Уинстон Черчилль

Я бы не поверил, что Гитлер умер, даже если бы услышал это от него самого.

Хьяльмар Шахт

У Гитлера должны были быть именно такие усики, какие были. Но смотрите! У следующего могут быть кудри и бакенбарды!

Станислав Ежи Лец

ФИЗИКА

Науки делятся на две группы — на физику и собирание марок.

Эрнест Резерфорд

Существует лишь то, что можно измерить.

Макс Планк

Когда видишь уравнение $E = mc^2$, становится стыдно за свою болтливость.

Станислав Ежи Лец

Эйнштейн объяснял мне свою теорию каждый день, и вскоре я уже был совершенно уверен, что он ее понял.

Хаим Вейцман в 1929 г.

— Я работаю с утра до вечера. — А когда же вы думаете?

Диалог между молодым физиком и Эрнестом Резерфордом

Если бы я мог упомнить названия всех элементарных частиц, я бы стал ботаником.

Энрико Ферми

В сущности, теоретическая физика слишком трудна для физиков.

Давид Гильберт, математик

Господь Бог не играет в кости.

Альберт Эйнштейн о «принципе неопределенности» в квантовой механике

Господь Бог изощрен, но не злонамерен.

Альберт Эйнштейн

Господь не только играет в кости, но к тому же забрасывает их порою туда, где мы их не можем не увидеть.

Стивен Хокинг

Не наше дело предписывать Богу, как ему следует управлять этим миром.

Нильс Бор

Во всем виноват Эйнштейн. В 1905 году он заявил, что абсолютного покоя нет, и с тех пор его действительно нет.

Стивен Ликок

Я физик и имею право на сохранение энергии.

Хуго Штейнхаус

Энергия любит материю, но изменяет ей с пространством во времени.

Славомир Врублевский

Если оно зеленое или дергается — это биология. Если воняет — это химия. Если не работает — это физика.

«Краткий определитель наук»

Ад должен быть изотермальным. В противном случае помещенные туда инженеры и физико-химики (а их там должно быть немало) смогли бы сконструировать тепловую установку, которая питала бы холодильник, с тем чтобы охладить часть своего окружения до любой заранее выбранной температуры.

Генри Бент

Два элемента, которые наиболее часто встречаются во Вселенной, — водород и глупость.

Франк Заппа

ФИЛОЛОГИЯ

См. также «Словарь», «Язык»

Филолог — это учитель медленного чтения.

Фридрих Ницше

Грамматик может быть весьма плохим автором; хороший автор — плохим грамматиком.

Пьер Буаст

Слон — огромное животное, но этого недостаточно, чтобы назначить его профессором зоологии.

Роман Якобсон (выступая против назначения Владимира Набокова профессором русской литературы в Гарварде)

Изучать литературу в Гарварде — все равно что изучать женщин в клинике.

Рой Блант

Гомеровские поэмы написал Гомер, а если не он, то кто-то другой с тем же именем.

Олдос Хаксли

ФИЛОСОФИЯ

См. также «Логика»

Философией называется не самая мудрость, а любовь к мудрости.

Августин Блаженный

По рассуждению Платона, человек создан для философии; по мнению Бэкона, философия сотворена для людей.

Томас Маколей

Все философии в конечном счете абсурдны, но некоторые абсурднее, чем другие.

Сэмюэл Батлер

Само имя философии вызывает достаточно ненависти.

Сенека

Когда слушающий не понимает говорящего, а говорящий не знает, что он имеет в виду, — это философия.

Вольтер

Философия имеет дело с проблемами двух видов: решаемыми, которые все тривиальны, и нетривиальными, которые все нерешаемы.

Стиван Канфер

На вечные вопросы обычно даются временные ответы.

Лешек Кумор

Философия: неразборчивые ответы на неразрешимые вопросы.

Генри Брукс Адамс

Ясность — вежливость философии.

Люк де Вовенарг

Философия, собственно, не утверждает ничего, но утверждает это очень непонятными словами.

«Пшекруй»

Некоторые слова, происхождение которых успело забыться, из слуг превратились в хозяев, и теперь уже к ним подбираются понятия, подыскивается подходящее содержание — чтобы хоть куда-нибудь пристроить этих обнищавших, но гордых аристократов.

Кароль Ижиковский

Не плакать, не смеяться, а понимать.

Перефразированный
Бенедикт Спиноза

Сова Минервы вылетает только с наступлением сумерек.

Гегель

Философия не дает бесценных результатов, но изучение философии дает бесценные результаты.

Тадеуш Котарбиньский

Философия одного века — это здравый смысл следующего.

Генри Уорд Бичер

ФИЛОСОФЫ

Когда не обладаешь мудростью, остается любить мудрость, т.е. быть философом.

Николай Бердяев

Когда на твой вопрос отвечает философ, перестаешь понимать вопрос.

Андре Жид

Я философ; это значит, что у меня есть вопрос на любой ответ.

Роберт Зенд

Еврипид дал Сократу сочинение Гераклита и спросил его мнение; он ответил: «Что я понял — прекрасно; чего я не понял, наверное, тоже».

Диоген Лаэртский

Только один человек меня понял; да и тот меня, по правде сказать, не понял.

Гегель

Философ: человек, который формулирует свои предрассудки и систематизирует свое невежество.

NN

В наше время существуют профессора философии, но не философы.

Генри Торо

Подлинный философ ничего не умеет делать и обо всем может судить.

Юрий Крижанич (XVII в.)

Кто делает, тот не понимает. Кто понимает, тот не делает. Он занимается пониманием.

Александр Пятигорский,
философ

Великие философы — это поэты, верящие в реальность своих поэм.

Антонио Мачадо

Вся философия, в сущности, сводится к тому, что один философ пытается доказать, что все остальные философы — ослы. Обычно это ему удается, больше того, он убедительно доказывает, что осел и он сам.

Генри Луис Менкен

Он годится, чтобы дробить философские камни.

Станислав Ежи Лец

Философ — это слепец, который в темной комнате ищет черную кошку, которой там нет. А теолог эту кошку находит.

Лоренс Питер

Ах, эти доморощенные философы, что еще ни разу не умерли!

Станислав Ежи Лец

С тех пор как экзистенциалисты открыли, что человек смертен, нас уже трудно чем-нибудь удивить.

Станислав Дыгат

Посмотрите на портреты всех великих философов и попробуйте после этого отрицать, что мышление старит!

Янина Ипохорская

ФЛИРТ. УХАЖИВАНЬЕ

См. также «Комплименты», «Ловеласы и бабники», «Поцелуй», «Свидание», «Согласие и отказ»

Три вещи непостижимы для меня, и четырех я не понимаю: пути орла на небе, пути змея на скале, пути корабля среди моря и пути мужчины к девице.

Царь Соломон —
Притчи, 30, 18—19

Привлекательная женщина привлекает.

«Законы Мёрфи»

Привлекательные женщины отвлекают.

Константин Кушнер

Наше сближение было быстрым и бешеным: я был быстр, а она была в бешенстве.

Макс Кауффманн

Вероятность встретить привлекательную и благосклонную к вам девушку возрастает в геометрической прогрессии, если вы уже находитесь в компании:

1) другой девушки;
2) своей жены;
3) своего более красивого и богатого друга.

Роналд Байфилд

Вероятность встретить знакомых возрастает, если вы идете с персоной, знакомство с которой вам не хотелось бы афишировать.

«Принцип
пересекающихся знакомых»

Вероятность чего бы то ни было составляет 50%: либо это случится, либо не случится. Это особенно справедливо в отношениях с женщинами.

«Логический постулат Колварда»

Главная трудность — найти девушку, достаточно привлекательную, чтобы она понравилась тебе, и достаточно глупую, чтобы ты понравился ей.

NN

Чем старше женщина, тем больше мужчин ей подходит, но меньше мужчин подходит к ней.

Константин Мелихан

Бесстыжий художник — это субъект, который, прикинувшись соблазнителем, заманивает девушку в свою мастерскую и там ее пишет.

Карл Краус

Я никогда не бегаю за девушками — просто я ускоряю шаг.

«Пшекруй»

Не бегай ни за женщиной, ни за трамваем. Всегда придет следующий.

Итальянское изречение

Бегать за женщинами вполне безопасно. Опасно только поймать женщину.

Жак Девье

Он бы и позволил себя поймать, да больно его испугала приманка.

Веслав Брудзиньский

Ухаживать за ней было опасно: это походило на лотерею, в которой боишься выиграть.

Эмиль Кроткий

Ухаживая за женщинами, многие, так сказать, подсушивают дрова, которые будут гореть не для них.

Оноре Бальзак

Легкие чувства часто длятся очень долго.

Жермена де Сталь

Флирт: когда девушка не знает, чего она хочет, но всячески добивается этого.

Леонард Луис Левинсон

Сегодня немодно флиртовать до сорока лет или быть романтичным до сорока пяти.

Оскар Уайльд

На войне и в любви все средства дозволены.

Джон Флетчер
и Фрэнсис Бомонт

В любви все средства хороши, за исключением тех, которые ведут прямо к цели.

Тадеуш Бреза

Молодую женщину подстерегают тысячи опасностей, но только несколько из них доставляют настоящее удовольствие.

Янина Ипохорская

Любовная игра все равно что езда на машине: женщины предпочитают объезды, мужчины норовят срезать угол.

Жанна Моро

Любовная игра требует абсолютного слуха.

Веслав Малицкий

Женщины обычно держат в руках все козыри, но всегда проигрывают последнюю ставку.

Оскар Уайльд

Цель любовных маневров — пасть вдвоем и как можно ближе друг к другу.

Войцех Бартошевский

Мужчины выбирают не тех женщин, которые им нравятся, а тех, которым они нравятся.

Ежи Юрандот

Женщины обращают внимание не на красивых мужчин, а на мужчин с красивыми женщинами.

Милан Кундера

Будь я женщиной, я бы все время был на сносях, потому что я просто не могу сказать «нет».

Роберт Максуэлл

Она только раз ответила «нет», да и то лишь потому, что не поняла вопроса.

NN

Она сказала себе: переспать с ним — пожалуй, но без фамильярности.

Карл Краус

Она уступила так быстро, что он не успел отступить.

Юзеф Булатович

Женщина, которая сдается слишком быстро, потом организует сопротивление методом диверсии.

Жан Поль Бельмондо

Я долго остаюсь под впечатлением, которое я произвел на женщину.

Карл Краус

Мужчины охотятся, женщины хватают добычу.

Виктор Гюго

В чем секрет моего успеха у женщин? Со служанкой я веду себя, как с дамой, а с дамой — как со служанкой.

Джордж Браммел

Такт в дерзости — это умение почувствовать, до какого предела можно зайти слишком далеко.

Жан Кокто

Женщина нуждается в защите и нападении.

Геннадий Малкин

Женщины настолько привыкли защищаться от мужчин, что, не будучи атакованы, сами переходят в атаку.

Тадеуш Гицгер

Если вам нечего будет делать и у вас будет для этого время — приходите ко мне.

Мэй Уэст

У тебя в кармане торчит пистолет, или ты просто рад меня видеть?

Мэй Уэст

Самое трудное для девушки — убедить своего парня, что он без нее жить не может.

Янина Ипохорская

Испуганная женщина — самая опасная. Поэтому женщины так легко пугаются.

Людвиг Берне

Больших чувств она избегала, как крупных купюр, которые не всегда легко разменять.

Эмиль Кроткий

Размениваю любовь по мелочам. Выдаю сдачу.

Граффити
в Варшавском университете

Женщину нельзя убедить, ее можно только уговорить.

М. Грабовский

Аэродинамичные девушки оказывают наибольшее сопротивление.

«Пшекруй»

Нет опасных женщин, но есть опасливые мужчины.

Джозеф Вуд Кратч

Умный кот не пренебрегает глупой мышью.

Антоний Регульский

Путь к сердцу мужчины ведет через его желудок, но есть женщины, которые знают более короткий путь.

Жак Тати

Чтобы прояснить ситуацию, иногда достаточно выключить свет.

Рышард Подлевский

Читая в купе поезда, суперобложку надень вверх ногами, — и увидишь, со сколькими интересными людьми ты познакомишься.

Янина Ипохорская

Никогда не принимай приглашения незнакомого мужчины, пока он не угостит тебя коробкой конфет.

Линда Феста

Никогда не старайся произвести впечатление на женщину, иначе тебе придется держать фасон до конца своих дней, чтобы не разочаровать ее.

Уильям Клод Филдс

Нельзя перелюбить всех женщин, но надо к этому стремиться.

Жоржи Амаду

Мир тесен: в конце концов все мы встретимся в постели.

Брижит Бардо

ФОЛЬКЛОР

Фольклор — песнь пастуха — есть речь, рассчитанная на самого себя: ухо внемлет рту.

Иосиф Бродский

Народные песни — это когда на сцене больше народа, чем в зале.

NN

В жизни нужно испробовать все, кроме инцеста и народных танцев.

Томас Бичем

Ансамбли народной песни и пляски доказывают, что наш народ необычайно богат людьми, не умеющими ни петь, ни плясать.

Максим Звонарев

Следует отличать народное искусство от народно-демократического.

Станислав Ежи Лец

ФОНДОВАЯ БИРЖА

См. также «Бизнес», «Экономика»

За деньги нельзя купить одного — бедности. Тут нужно обратиться к помощи фондовой биржи.

Роберт Орбен

Маклер: человек, который перебрасывает ваши деньги из акции в акцию, пока они не исчезнут.

Вуди Аллен

Акционеры — глупый и наглый народ. Глупый — потому что покупает акции, наглый — потому что хочет еще получить дивиденды.

Карл Фюрстенберг, финансист

Счастье — это когда ваши акции за год удваиваются в цене.

Ира Коблеф

Биржевой спекулянт — человек, изучающий будущее и действующий до того, как оно наступит.

Бернард Барух

Кто знает, не говорит; кто говорит — не знает.

«Правило биржевого маклера»

Убивают на войне и грабят на бирже люди, которых ты никогда не видишь.

Альфред Капю

Осторожный бизнесмен: человек, который забирает деньги с фондовой биржи и едет с ними в Лас-Вегас.

Роберт Орбен

От спекуляций на бирже следует воздерживаться в двух случаях: если у вас нет средств, и если они у вас есть.

Марк Твен

Октябрь — один из самых опасных месяцев в году для игры на бирже. Остальные опасные месяцы: июль, январь, сентябрь, апрель, ноябрь, май, март, июнь, декабрь, август и февраль.

Марк Твен

Биржевой курс зависит от того, кого на данный момент больше: акций или идиотов.

Андре Костолани

Самый надежный способ удвоить свои деньги — сложить их пополам и сунуть в бумажник.

Франк Хаббард

ФОТОГРАФИЯ

См. также «Внешность. Наружность»

Если вы выглядите как ваше фото на загранпаспорте, вам, вероятно, необходимо отдохнуть за границей.

Видоизмененный Эрл Уилсон

Некоторые лица на негативе выглядят позитивнее.

Доминик Опольский

В наше время все существует ради того, чтобы окончиться фотографией. Фотография мумифицирует время.

Анри Базен

Жизнь — кинематограф, смерть — фотография.

Сьюзан Зонтаг

Я думаю, дьявол — и тот огорчился бы, если бы его фотокарточка выдала его безобразие и ту низкую роль, которую он играет во вселенной.

Карел Чапек

Электронная эра имеет свои неудобства. Раньше отцы донимали нас фотографиями своих сыновей, теперь — полуторачасовыми видеофильмами.

NN

ФРАНЦИЯ И ФРАНЦУЗЫ

Франция: страна, разделенная на сорок три миллиона французов.

Пьер Данинос

Франция — страна, где нет ни зимы, ни лета, ни нравственности; в остальном же это чудесный край.

Марк Твен

У каждого человека две родины — его собственная и Франция.

Анри де Борнье

У него была одна иллюзия — Франция, и одно разочарование — человечество.

Джон Кейнс о Жорже Клемансо

Во Франции долго царил деспотизм, ограничиваемый эпиграммами.

Томас Карлейль

Французский народ — это кошка, которая, даже если ей случается свалиться с опаснейшей высоты, все же никогда не ломает себе шею, а каждый раз сразу же становится на ноги.

Генрих Гейне

Во Франции пять минут на десять минут короче, чем в Испании, но немного длиннее, чем в Англии, где пять минут обычно составляют десять минут.

Беллами Гай

Мы, немцы, поклоняемся только девушке, и только ее воспевают наши поэты; у французов, наоборот, лишь замужняя женщина является предметом любви как в жизни, так и в искусстве.

Генрих Гейне

Французы почти никогда не говорят о своих женах: они опасаются, что собеседник может знать об этом предмете больше, чем они сами.

Шарль Монтескье

Прожив неделю в Париже, я как нельзя лучше понял Францию, прожив в ней три года — совершенно не понимаю ее.

Курт Тухольский

ФРЕЙДИЗМ

См. также «Психоанализ»

Две системы подозрений: фрейдизм и марксизм.

Кароль Ижиковский

Фрейд из души сделал второе тело, здоровенный кусок плоти.

Кароль Ижиковский

Фрейд — отец психоанализа. А матери у психоанализа нет.

Джермейн Грир

У старика был беспощадный взгляд; не было в мире такой иллюзии, которая могла бы его убаюкать — за исключением веры в его собственные идеи.

Альберт Эйнштейн
о Зигмунде Фрейде

Не рассказывайте никому своих снов — что, если к власти придут фрейдисты?

Станислав Ежи Лец

Если кому-то снится влагалище, означает ли это шкаф?

Антоний Слонимский

Иногда сигара — всего лишь сигара.

Зигмунд Фрейд
(в ответ на вопрос его учеников, нет ли чего-либо символического в том, что он курит большие сигары)

Мне снился Фрейд. Что бы это значило?

Станислав Ежи Лец

ФУТБОЛ

Счастливых браков было бы больше, если бы мужья старались лучше понять жен, а жены старались лучше понять футбол.

NN

Поговори со своей женой сегодня — завтра начинается футбольный сезон.

NN

Некоторые считают, что футбол — дело жизни и смерти. Они ошибаются: футбол гораздо важнее.

Билл Шанкли

О футболе я самого лучшего мнения. Отличная игра для грубых девчонок, но не для деликатных мальчиков.

Оскар Уайльд

Мало попасть в ворота, надо еще промахнуться мимо вратаря.

Константин Мелихан

Футбольный матч: поединок свистка судьи со свистом трибун.

Славомир Врублевский

На стадионе дураки прут вперед, как идиоты, — и занимают лучшие места.

Артур Блох

Футбольный комментатор: человек, который профессионально мешает смотреть футбол.

Максим Звонарев

Футбольные комментаторы, ведущие репортаж вдвоем, мешают смотреть игру втрое лучше.

Борис Каменских

Так любил футбол, что смотрел только хоккей.

Леонид Леонидов

ХАРАКТЕР

См. также «Привычка», «Серьезность и легкомыслие», «Сила воли», «Терпение. Выдержка», «Упрямство»

Характер встречается реже, чем героизм.

Поль Клодель

Совершенство характера выражается в том, чтобы каждый день проводить, как последний в жизни.

Марк Аврелий

Характер человека лучше всего раскрывается, когда он описывает характер другого человека.

Жан Поль

Характер человека узнаёшь лишь тогда, когда он становится твоим начальником.

Эрих Мария Ремарк

У меня плохой характер, поэтому я не выношу людей с плохим характером.

Эжен Ионеско

Для выработки характера необходимо минимум два раза в день совершать героическое усилие. Именно это я и делаю: каждое утро встаю и каждый вечер ложусь спать.

Сомерсет Моэм

Человек с характером редко обладает милым характером.

Жюль Ренар

Многие мужчины имеют характер, и ничего больше.

NN

Твердый орешек нередко оказывается пустым.

Влодзимеж Счисловский

Чем сильнее у человека характер, тем менее склонен он к непостоянству в любви.

Стендаль

О характере мужчины лучше всего свидетельствует здоровье его жены.

Сирил Конноли

Я бы не сказал, что женщины не имеют характера, — просто у них каждый день другой характер.

Генрих Гейне

Если женщина проявляет характер, про нее говорят: «Вредная баба». Если характер проявляет мужчина, про него говорят: «Он хороший парень».

Маргарет Тэтчер

ХАРАКТЕРИСТИКИ И АНКЕТЫ

См. также «Бюрократия»

Характеристика: машинописный портрет в иконописной манере.

Максим Звонарев

Труднее всего написать положительную рекомендацию человеку, которого очень хорошо знаешь.

Франк Хаббард

Ничто так не скрашивает плохую характеристику, как хороший некролог.

Александр Ратнер

Никогда человек не бывает так близок к совершенству, как при заполнении анкеты о приеме на работу.

«Пшекруй»

Есть такие серьезные анкеты, что в них нельзя убавить себе больше, чем три-четыре года.

Янина Ипохорская

Один банкет лучше ста анкет.

Земовит Куниньский

ХВАСТОВСТВО

См. также «Скромность»

Хвалиться — значит без всякой учтивости говорить другим: я лучше вас.

Пьер Буаст

Шум еще ничего не доказывает. Курица, которая снесла яйцо, порой кудахчет так громко, словно снесла целую планету.

Марк Твен

Если мужчина говорит о себе плохо — не верь: он просто хвастается.

Ванда Блоньская

Когда в зрелом возрасте нет заслуг, хвастаются школьными успехами.

Ф. Селиванов

Если людям нечем хвастаться, они хвастаются своими несчастьями.

Артуро Граф

Человек — венец творения; а кто это сказал?

Элберт Хаббард

ХИРУРГ. ОПЕРАЦИЯ

См. также «Врачи»

Хирург — человек, заранее умывающий руки.

NN

Хирург — вооруженный терапевт.

Геннадий Малкин

Хирург — человек, которому пациент дает огромную взятку, чтобы тот взял на себя ответственность за неверный диагноз лечащего врача.

Генри Луис Менкен

Хирург: врач, знающий больных изнутри.

NN

Влияние детективных романов: хирурги оперируют в перчатках, чтобы не оставлять отпечатков пальцев.

«Пшекруй»

Я получил счет от хирурга. Теперь мне ясно, почему эти парни работают в масках.

Джеймс Борен

Наш доктор оперирует только в тех случаях, когда это совершенно необходимо. Он просто до вас не дотронется, если ему позарез не нужны деньги.

Херб Шрайнер

Неудачная операция — половина удачного вскрытия.

Хенрик Ягодзиньский

Иной готов умереть, лишь бы не ложиться на операцию, — как будто одно исключает другое.

NN

Прежде чем лечь на операцию, приведи в порядок свои земные дела. Возможно, ты еще выживешь.

Амброз Бирс

ХИТРОСТЬ

См. также «Обман»

Мы потому возмущаемся людьми, которые с нами лукавят, что они считают себя умнее нас.

Франсуа Ларошфуко

Можно быть хитрее другого, но нельзя быть хитрее всех.

Франсуа Ларошфуко

Не слишком хитер тот, кто славится своей хитростью.

Феликс Хвалибуг

Не ставь мышеловку, если сам годишься на роль приманки.

Веслав Брудзиньский

В последнее время все больше входят в моду лисьи шубы. Хитрые эти лисицы!

Станислав Ежи Лец

Хитрый дерется, пока мудрый уступает.

Карел Чапек

Поздоровавшись с греком, не забудь пересчитать пальцы.

Албанская пословица

ХОЛОСТЯКИ

См. также «Брак», «Замужество и женитьба»

Если мужчина — глава семьи, значит, он почти наверняка холостяк.

NN

Одни получают, что заслужили, другие остаются холостяками.

Сашá Гитри

Холостяк — мужчина, которому удалось не найти жену.

Антуан Прево

Холостяк — это человек, у которого есть все для семейного счастья, и поэтому он не женится.

Борис Крутиер

Холостяк: мужчина, который одну и ту же ошибку не совершил ни разу.

NN

Холостяк: мужчина, который сходится с женщиной либо бросает ее и которому нравится и то и другое.

«Плейбой»

Холостяк — это мужчина, который содержит нескольких дорогостоящих женщин на их средства.

NN

Холостяк завязывает отношения с несколькими девушками сразу, чтобы не связать себя с одной.

NN

Холостяк — незавершенное существо, он схож с половинкой ножниц.

Бенджамин Франклин

Холостяк: человек, у которого есть стол и диван, причем история дивана гораздо богаче.

Хенрик Ягодзиньский

На свете есть лишь одна женщина, предназначенная тебе судьбой, и если ты не встретишь ее, ты спасен.

«Нью-Йорк таймс», 1948 г.

Многие холостяки не женятся потому, что развод обходится слишком дорого.

NN

Выдумали тоже, супружество! Настоящему мужчине достаточно няни.

Хенрик Хорош

Есть два разряда холостяков: одни слишком быстры, чтобы их поймать, другие слишком медлительны, чтобы стоило их ловить.

NN

Холостяк — это вечный мальчик.

Хелен Роуленд

И что хуже всего — холостяк потихоньку становится вдовцом.

Рамон Гомес де ла Серна

ХРИСТИАНСТВО И ХРИСТИАНЕ

См. также «Библия», «Иисус Христос»

Христианство не только вера в Бога, но и вера в человека, в возможность раскрытия божественного в человеке.

Николай Бердяев

...Нет ни Еллина, ни Иудея, ни обрезания, не необрезания, варвара, Скифа, раба, свободного, но все и во всем Христос.

Апостол Павел —
Послание к колоссянам, 3, 11

Бог, который нас создал без нас, не может спасти нас без нас.

Блез Паскаль

Античная трагедия есть трагедия рока, христианская трагедия есть трагедия свободы.

Николай Бердяев

Христианин должен освободиться от всего, кроме Христа.

Николай Бердяев

Настоящий христианин — это человек, который стоит на ногах в мире, который стоит на голове.

Неизвестный американец

Христианин — человек, верующий в Новый завет как в божественное учение, вполне отвечающее духовным потребностям его ближнего.

Амброз Бирс

Слово «христианство» основано на недоразумении; в сущности, был один христианин, и тот умер на кресте.

Фридрих Ницше

Христианин — человек, который сердечно любит всех тех, к кому не испытывает ненависти.

Мартти Ларни

Христианин — человек, следующий учению Христа постольку, поскольку оно не противоречит греховной жизни.

Амброз Бирс

Христианство: страховка жизни, которой можно воспользоваться лишь после смерти.

NN

Я не принадлежу к тем, кто, почитая крест, не видит на нем человека.

Станислав Ежи Лец

Обращение дикаря в христианство есть обращение христианства в дикое учение.

Джордж Бернард Шоу

Я не слышал, чтобы он когда-нибудь ругался; не думаю, что он выпил хотя бы рюмку за всю свою жизнь, — ясно, что он совершенно не похож на христианина.

Шон О'Кейзи

Большая часть моих друзей не христиане, но среди них есть несколько англикан и католиков.

Роуз Маколи

Если вас спрашивают, христианин ли вы, — вы, скорее всего, не христианин.

Американское изречение

Подобные люди не защищают христианство, а защищаются христианством.

Георг Лихтенберг

Кажется, миру нужна еще одна религия на остальные шесть дней недели.

Неизвестный американец

Ц

ЦВЕТЫ

См. также «Подарки»

Едва взглянув на букет, определил: «Это пахнет полусотней».

Эмиль Кроткий

Иным женщинам мало букета роз: они еще требуют, чтобы мужчина менял воду в вазе.

Януш Гаудын

Плакат в витрине цветочного магазина: «Курение и забывание дня рождения жены крайне опасно для здоровья».

NN

Скажи это цветами!

Патрик О'Киф
(девиз Американской ассоциации флористов)

Можно солгать не только словами, но и букетом.

Михал Хороманьский

Если муж дарит жене цветы без всякой причины, значит, он только что виделся с этой причиной.

Молли Маги в уточненной редакции

ЦЕЛЬ

См. также «Планы. Программы», «Путь»

Легче идти вперед, чем в нужном направлении.

Михаил Генин

Лишены прозорливости не те люди, которые не достигают цели, а те, которые проходят мимо нее.

Франсуа Ларошфуко

Для человека, который не знает, к какой гавани он направляется, ни один ветер не будет попутным.

Сенека

Кто не знает, куда идет, вероятно, придет не туда.

Лоренс Питер

Цель — ничто, движение — все.

Эдуард Бернштейн

Любую цель люди понимают иначе, чем человек, ее указующий.

Франсис Чизхолм

Бывает и так: добежав до финиша, замечаешь, что бежал не в ту сторону.

Юзеф Булатович

Марширующие в одной колонне не обязательно направляются к одной цели.

Веслав Тшаскальский

После того как мы окончательно потеряли из виду цель, мы удвоили наши усилия.

Возможно, перефразированный
Джордж Сантаяна

ЦЕЛЬ И СРЕДСТВА

См. также «Нравственность. Этика. Мораль»

Кому дозволена цель, тому дозволены и средства.

Герман Бузенбаум, иезуит

Хоть раз бы начать с того, чтобы средства оправдывали цели!

Кароль Ижиковский

Человек использует способ или способ использует человека?

Славомир Мрожек

Достигнув цели, замечаешь, что ты — средство.

Геннадий Малкин

Нет такой цели, которую не оправдывали бы солидные средства.

Виктор Корнилов

Он шел по трупам идущих к цели.

Станислав Ежи Лец

В борьбе за правое дело иногда проигрывает дело, а иногда правота.

Лешек Кумор

ЦЕНА

См. также «Инфляция», «Торговля», «Сервис»

Цена — стоимость плюс разумное вознаграждение за угрызения совести при назначении цены.

Амброз Бирс

Ценность вещи определяется не тем, сколько вы готовы за нее заплатить, и не тем, во сколько она обошлась производителю, а тем, сколько за нее дадут на аукционе.

Уильям Лайон Фелпс

Ценности абстрактны, цены конкретны.

Габриэль Лауб

Я не настолько богат, чтобы покупать дешевые вещи.

Английское изречение

Ничто не дается нам так дешево, как нам хочется.

Андрей Кнышев

Нам все равно, сколько что стоит, до тех пор, пока оно ничего нам не стоит.

Андре Моруа

Покупая корову, убедись, что хвост уже включен в ее цену.

Янина Ипохорская

Ничто так не снижает цену вашей машины, как попытка ее продать.

NN

Сколько бы ни стоило, лишь бы не дорого.

«Пшекруй»

Увы, дорогие вещи лучше дешевых.

Янина Ипохорская

ЦЕНЗУРА

См. также «Свобода слова. Свобода совести»

Не все мысли проходят через мозг, некоторые — только через цензуру.

Станислав Ежи Лец

Ни одно правительство не может существовать без цензуры: там, где печать свободна, никто не свободен.

Томас Джефферсон

Я только не имею права касаться в моих статьях власти, религии, политики, нравственности, должностных лиц, благонадежных корпораций, Оперного театра, равно как и других театров, а также всех лиц, имеющих к чему-либо отношение,— обо всем же остальном я могу писать совершенно свободно под надзором двух-трех цензоров.

Пьер Бомарше

Цензура — это реклама за государственный счет.

Федерико Феллини

Правду можно сказать только о том обществе, которое ее скрывает.

Александр Генис

Можно ли это считать внутренней цензурой, если цензура у писателя в одном месте?

Станислав Ежи Лец

Я бы не допускал в печать ничего, пока война не закончится, а потом сообщил бы, кто победил.

Некий американский цензор в 1943 г.

Цензура как аппендикс: в пассивном состоянии бесполезна, в активном опасна.

Морис Эделман

Цензор – это человек, знающий больше, чем, по его мнению, положено знать вам.

Лоренс Питер

Цензор: чиновник, способный разглядеть три значения в шутке, у которой их только два.

Мартин Регевей

Цензор: человек, наделенный редкостным даром вычеркивать и вырезать именно то, что мы хотели бы увидеть, услышать или прочесть.

NN

Я целиком за свободу самовыражения, при условии, что она будет под строгим контролем.

Алан Беннет

Утраченную веру в слово мне вернула цензура.

Станислав Ежи Лец

Некоторые люди не читают даже запрещенных книг.

Лоренс Питер

ЦЕРКОВЬ

См. также «Религия», «Духовенство»

Нет спасения вне церкви.

Августин Блаженный

Церковь — скорее лечебница для грешников, чем музей святых.

Эбигайл Ван Берен

Церковь, связывая, дарует свободу.

Стефан Наперский

Церковь — это место, где джентльмены, никогда не бывавшие на небесах, расхваливают их перед людьми, которые никогда туда не попадут.

Генри Луис Менкен

Если бы Церковь была совершенна, тебя бы в ней точно не было.

Американское изречение

Я верую в Церковь — Святую, Вселенскую и Апостольскую, и я сожалею, что ее нигде нет.

Приписывается Уильяму Темплу

Церковь не в бревнах, а в ребрах.

В. Даль.
«Пословицы русского народа»

Обряд — религиозный пепел: он охраняет остаток религиозного жара от внешнего холода жизни.

Василий Ключевский

Церковь — единственный бизнес, который в плохие времена переживает пик конъюнктуры.

Чарлз Эйнджел

Наверно, царь Мидас проходил мимо креста Спасителя. Кругом золотые кресты.

Станислав Ежи Лец

ЦЕРКОВЬ И ПРИХОЖАНЕ

Обращение к прихожанам на церковной двери: «Если у тебя есть горести, приходи к нам и расскажи о них. Если у тебя нет горестей, приходи к нам и расскажи, как тебе это удалось».

NN

Он был верующим в том смысле, что церковь, которую он не посещал, была католической.

Кингсли Эмис

Если погода очень плохая, количество прихожан, пришедших на церковную службу, уменьшается. Если погода очень хорошая, количество прихожан, пришедших на церковную службу, уменьшается.

«Правило преподобного Чичестера»

Во время великого поста число верующих несколько снижается, а к пасхе возрастает.

Анатолий Рас

Сколько людей не ходило бы в церковь, если бы их видел там один только Бог!

Жан Пти-Сенн

Бог, сотворивший мир и все, что в нем, Он, будучи Господом неба и земли, не в рукотворных храмах живет.

Деяния апостолов, 17, 24

Силу своих религиозных чувств лучше всего узнаешь, когда священник подходит к тебе с тарелкой для пожертвований, а у тебя только пятидолларовые банкноты.

Джон Фостер Даллес

Америка стала такой возбужденной и нервной, что уже многие годы я не видел прихожанина, который спит в церкви.

Норман Пил

Лучше сидя думать о Боге, чем стоя — о больных ногах.

Митрополит Филарет
о церковной службе

Меня всегда удивляло, что женщинам разрешают входить в церковь. О чем они могут говорить с Богом?

Шарль Бодлер

ЦИВИЛИЗАЦИЯ И ПРОГРЕСС

См. также «Будущее», «Техника. Технология», «Человечество»

Прогресс цивилизации состоит в расширении сферы действий, которые мы выполняем не думая.

Алфред Уайтхед

Цивилизация — не удовлетворение потребностей, а их умножение.

Владислав Гжещик

Мы богаче наших внуков на тысячи еще не изобретенных вещей.

Лешек Кумор

Цивилизация: эскимосы получают теплые квартиры и должны работать, чтобы купить холодильник.

Габриэль Лауб

Цивилизованное общество напоминает ребенка, который ко дню своего рождения получил слишком много игрушек.

Джозеф Томсон

Цивилизация рождается стоиком и умирает эпикурейцем.

Уилл Дюрант

Современная цивилизация: обмен ценностей на удобства.

Станислав Лем

Главные вехи цивилизации: освоение огня, изобретение колеса и открытие, что мужчин можно приручить.

Макс Лернер

И вход «homo» в пещеру был прогрессивным шагом, и выход из нее.

Станислав Ежи Лец

Мы вышли из пещер, но пещера еще не вышла из нас.

Антоний Регульский

Цивилизацию создают идиоты, а остальные расхлебывают кашу.

Станислав Лем

Мы были достаточно цивилизованны, чтобы построить машину, но слишком примитивны, чтобы ею пользоваться.

Карл Краус

Люди становятся орудиями своих орудий.

Генри Торо

Прогресс — не вопрос скорости, а вопрос направления.

NN

Прогресс — это движение по кругу, но все более быстрое.

Леонард Луис Левинсон

Мир движется вперед со скоростью несколько гордиевых узлов в год.

Веслав Брудзиньский

Всякий прогресс основан на врожденной потребности всякого организма жить не по средствам.

Сэмюэл Батлер

Рост ради роста — идеология раковой клетки.

Эдуард Эбби

Прогресс есть замена одних неприятностей другими.

Хавлок Эллис

Прогресс, вероятно, был неплохой штукой, но больно уж он затянулся.

Огден Нэш

Населить мир людьми легко. Избавить мир от людей легко. В чем же трудность?

Станислав Ежи Лец

Если мы хотим создать новый мир, материал для него готов. Первый тоже был создан из хаоса.

Роберт Куиллен

Мы изменили свое окружение так радикально, что теперь должны изменять себя, чтобы жить в этом новом окружении.

Норберт Винер

Разумный человек приспособляется к миру; неразумный пытается приспособить мир к себе. Поэтому прогресс всегда зависит от неразумных.

Джордж Бернард Шоу

Мы приспосабливаем мир к себе, а потом никак не можем приспособиться к приспособленному миру.

Лешек Кумор

Мир нужно изменять, иначе он неконтролируемым образом начнет изменять нас самих.

Станислав Лем

Мы уже не верим в прогресс — разве это не прогресс?

Хорхе Луис Борхес

ЦИНИЗМ

См. также «Идеалы. Идеализм»

Циник: человек, который вслух говорит то, что мы думаем.

Пьер Данинос

Циник: человек, который, учуяв запах цветов, озирается в поисках гроба.

Генри Луис Менкен

Циник: человек, который в десятилетнем возрасте обнаружил, что никакого Санта-Клауса нет, и никак не может с этим смириться.

Джеймс Гулд Коззенс

Циник прав в девяти случаях из десяти.

Генри Луис Менкен

Циник прав в девяти случаях из десяти, но убежден, что прав во всех десяти случаях. Именно это делает его невыносимым.

Чарлз Иссави

Цинизм — это неприятный способ говорить правду.

Лилиан Хеллман

Цинизм — это разочаровавшийся идеализм.

Гарри Кемелман

В цинизме женщины виноват обычно мужчина.

Юзеф Мацеевский

ЦИРК

Цирк — последнее прибежище чистого искусства.

Франсуа Мориак

От акробата не требуют простоты. Его дело — ломаться.

Эмиль Кроткий

Жонглер: человек, подбрасывающий тарелки, чтобы не потерять кусок хлеба.

Видоизмененный Ян Чарный

Клоун: артист, который в цирке играет роль человека.

Казимеж Сломиньский

Если у клоуна нет своей маски, у него нет и своего лица.

Михаил Генин

В цирке все стоят на руках, даже велосипеды.

Рамон Гомес де ла Серна

Тоже мне невидаль, канатоходец! Путь прямой, как натянутая веревка.

Станислав Ежи Лец

Цирковые лошади не танцуют в такт музыке. Это дирижер приспосабливается к их шагу.

Янина Ипохорская

Развращенная успехом у публики цирковая лошадь обижалась, когда ей мало аплодировали.

Эмиль Кроткий

ЦИТАТЫ

См. также «Афоризмы. Изречения», «Научная работа. Научные публикации», «Плагиат»

Цитата: неверное повторение чужих слов.

Амброз Бирс

Цитата — это риск под чужую ответственность.

Владислав Гжещик

Если тебя цитируют — ты уже кто-то. Если у тебя крадут — ты человек выдающийся. Но настоящая слава начинается лишь тогда, когда тебе начинают приписывать чужие слова.

NN

Во всех сомнительных случаях цитату следует приписывать Джорджу Бернарду Шоу.

Найджел Рис

Лучший способ освежить цитату — процитировать точно.

Э. Фок

Только перевранные цитаты никогда не перевирают.

Хескет Пирсон

Ложь бывает четырех видов: ложь, наглая ложь, статистика и цитирование.

NN

Исторические фразы — это слова знаменитых людей, сказанные ими после смерти.

Андре Прево

Вы заметили, что мы обращаем гораздо больше внимания на мудрые мысли, когда их цитируют, чем когда мы встречаем их у самого автора?

Филип Хамертон

Раскавычьте классику цитаты, останется ли он классиком?

Виктор Коняхин

Я знал человека столь мало начитанного, что ему приходилось самому сочинять цитаты из классиков.

Станислав Ежи Лец

Если я цитирую других, то лишь для того, чтобы лучше выразить свою собственную мысль.

Мишель Монтень

За неимением довода приводят цитату.

Гельвеций

— Чтобы не быть голословным, ограничусь цитированием.

Доминик Опольский

Цитировать: употреблять чужие слова для подтверждения чужой мысли.

NN

Люди мыслят и говорят цитатами, только они этого не замечают.

«Пшекруй»

И Бог говорил цитатами.

Станислав Ежи Лец

Мой способ цитирования отличается от обычного тем, что я опускаю кавычки.

Джордж Мур

1. Самой важной цитатой окажется та, источник которой ты не можешь найти.

2. Источник этой цитаты будет указан в самой критичной рецензии на твою работу.

«Закон Даггана»

Цитаты вырывай из себя.

Станислав Ежи Лец

У меня есть цитата на любой случай — это лучший способ мыслить оригинально.

Дороти Сейерз

Я не хочу, чтобы меня цитировали. И не цитируйте то, что я сейчас сказал.

Уинстон Бердетт

Ч

ЧАСЫ

См. также «Время», «Пунктуальность»

Мы распяты на циферблате часов.

Станислав Ежи Лец

Стрелки часов — две руки, которые отнимают у нас время.

Гжегож Станьчик

Слушая тиканье часов, мы замечаем, что время опережает нас.

Рамон Гомес де ла Серна

Сломанные часы дважды в сутки показывают верное время, и по прошествии нескольких лет могут похвастаться длинным рядом успехов.

Мария Эбнер-Эшенбах

Неудивительно, что женщинам ни на что не хватает времени: вы только взгляните на их крохотные часики.

Юлиан Тувим

Невозможно остановить время: этого не допустит часовая промышленность.

Станислав Ежи Лец

Часы неподвижны, маятник колеблется, а время решительно идет вперед.

Эмиль Кроткий

Зернышко к зернышку. А потом клепсидра переворачивается.

Казимеж Сломиньский

Часы не бьют — часы убивают.

Мечислав Шарган

ЧЕЛОВЕК

Человек — это смертный Бог.

Гермес Трисмегист

Человек — всего лишь тростник, слабейшее из творений природы, но он — тростник мыслящий. Чтобы его уничтожить, вовсе не надо всей Вселенной: достаточно дуновения ветра, капли воды. Но пусть даже его уничтожит Вселенная, человек все равно возвышеннее, чем она, ибо он сознает, что расстается с жизнью и что слабее Вселенной, а она ничего не сознает.

Блез Паскаль

Человек — политическое животное.

Аристотель

Человек — общественное животное, которое не выносит своих сородичей.

Эжен Делакруа

Человек — существо без перьев, двуногое, с плоскими ногтями.

Платон

Человек — единственная птица, которую можно ощипать многократно.

Джимми Дюрант

Человек — единственное животное, знающее, что его ожидает смерть, и единственное, которое сомневается в ее окончательности.

Уильям Эрнест Хокинг

Человек — единственное животное, которое причиняет другим боль, не имея при этом никакой другой цели.

Артур Шопенгауэр

Человек есть животное, производящее орудия.

Бенджамин Франклин

Пресловутое недостающее звено между обезьяной и цивилизованным человеком — это как раз мы.

Конрад Лоренц

Когда животное бьют, глаза его приобретают человеческое выражение. Сколько же должен был выстрадать человек, прежде чем стал человеком.

Карел Чапек

Человек не ангел и не животное, и несчастье его в том, что чем больше он стремится уподобиться ангелу, тем больше превращается в животное.

Блез Паскаль

Человек — мера всех вещей.

Протагор

Мерой человека является метр.

Станислав Ежи Лец

Из такого кривого полена, как человек, ничего прямого не выстругаешь.

Иммануил Кант

Бог сотворил нас по своему образу и подобию. Но откуда уверенность, что он работал в реалистической манере?

Станислав Ежи Лец

Если бы человек создал человека, ему было бы стыдно за свою работу.

Марк Твен

Человек сотворил Бога лучше, чем Бог человека.

Ян Чарный

Каждый человек — исключение.

Кароль Ижиковский

Для меня один человек — что целый народ.

Демокрит

Человек и вообще всякое разумное существо существует как цель сама по себе.

Иммануил Кант

Человек — это канат, натянутый между животным и сверхчеловеком, — канат над пропастью. В человеке ценно то, что он мост, а не цель.

Фридрих Ницше

Сверхчеловек — идеал преждевременный, поскольку предполагает существование человека.

Карл Краус

Человеческое, слишком человеческое — большей частью нечто животное.

Акутагава Рюноскэ

Человеческое, слишком нечеловеческое.

Станислав Ежи Лец

А может быть, наши представления о человеке слишком антропоморфны?

Станислав Ежи Лец

С человеком происходит то же, что и с деревом. Чем больше стремится он вверх, к свету, тем глубже уходят корни его в землю, вниз, в мрак и глубину — ко злу.

Фридрих Ницше

Человеческое тело — один из самых распространенных костюмов на карнавале нелюди.

Станислав Ежи Лец

Человек все может! Вот это и настораживает.

Михаил Генин

Человек снесет все, кроме яйца.

«Пшекруй»

На человека нельзя смотреть как на вещь, он столько не стоит.

Патрик О'Рурк

Сколько людей приходится на одного человека?

Ежи Билевич

Однажды я видел живой символ триумфа человека. Он уже стоял над пропастью и писал в нее.

Станислав Ежи Лец

ЧЕЛОВЕК ЧЕЛОВЕКУ

См. также «Мы и другие»,
«Нравственность. Этика. Мораль»

Человек человеку бог, если знает свои обязанности.

Стаций Цецилий

Человек человеку волк.

Плавт

Человек человеку друг, товарищ и брат.

Программа КПСС

Человек человеку Друг, Товарищ и Брут.

Анатолий Рас

Волк волку человек.

Янина Ипохорская

Ворон: «Человек человеку глаз не выклюет. Но подбить подобьет».

Янина Ипохорская

Человек с человеком. И нет человека!

Мечислав Шарган

Человек с человеком веками ведут один монолог.

Станислав Ежи Лец

Человек человеку все-таки ближе, чем ангел.

Готхольд Лессинг

ЧЕЛОВЕЧЕСТВО

См. также «Гуманизм», «Люди»,
«Цивилизация и прогресс»

В конечном счете существует лишь одна раса: человечество.

Джордж Мур

Люби человечество сколько тебе угодно, но не требуй взаимности.

Дон-Аминадо

Человек — разумное существо, но это не относится к человечеству.

Раймон Арон

Человечество имеет за собой шеститысячелетний опыт, и все-таки с каждым поколением впадает в детство.

Тристан Бернар

Человечество стоит на распутье между смертельным отчаянием и полным вымиранием. Господи, даруй нам мудрость сделать правильный выбор!

Вуди Аллен

Человечество, как оказалось, неспособно решить ни одной своей проблемы, но способно пережить их все.

Дэвид Джеролд

Тема диссертации: «Человек в истории человечества».

Станислав Ежи Лец

Человечество вступило в столь высокую фазу развития, что о его будущем говорят с уверенностью только астрологи.

NN

Придет еще время, когда человек будет целовать след ноги человека. Пока не поймет, что это всего лишь его собственный след.

Хенрик Ягодзиньский

Сколько времени нужно людям, чтобы понять прожитое ими столетие? Три столетия. Когда человечество поймет смысл своей жизни? Через 3 тысячи лет после своей смерти.

Василий Ключевский

Судьба человечества — в руках человека. Вот в чем ужас.

Владислав Гжещик

ЧЕСТНОСТЬ. ПОРЯДОЧНОСТЬ

Честность — тщеславие бедняков.

Андрей Петрилин

Быть честным выгодно, но некоторым людям кажется, что это недостаточно выгодно.

Франк Хаббард

Я не замечал, чтобы честность людей возрастала с их богатством.

Томас Джефферсон

В наше время, когда о человеке говорят, что он умеет жить, обычно подразумевают, что он не отличается особой честностью.

Джордж Галифакс

Честный всегда найдет еще более честного, который его пристыдит.

«Пшекруй»

Чем громче он твердил о своей честности, тем тщательнее мы пересчитывали столовые ложки.

Ралф Эмерсон

Он честен ровно настолько, чтобы не быть повешенным.

Пьер Бомарше

Продажному можно заплатить за честность.

Лешек Кумор

Всегда играй честно, если все козыри у тебя на руках.

Оскар Уайльд

В честной борьбе побеждает жулик.

Геннадий Малкин

ЧИНОВНИК

См. также «Бюрократия», «Должность»

Только в государственной службе познаёшь истину.

Козьма Прутков

Казенная служба — последнее прибежище разгильдяя.

Бойс Пенроуз

Государственный служащий — это тот, кто нанимает других для выполнения работы, на которую наняли его.

Герберт Прокноу

Чиновник: лицо, вся ценность которого в рамке.

Орельен Шоль

ЗАКОН ПАРКИНСОНА: Число чиновников растет независимо от объема работы.

Сирил Норткот Паркинсон

Чиновники создают работу друг для друга.

Сирил Норткот Паркинсон

Чиновник множит подчиненных, но не соперников.

Сирил Норткот Паркинсон

Лицо, занимающее самый высокий пост в иерархии, проявляет тенденцию тратить все свое время на чепуху.

Лоренс Питер

Степень настойчивости государственного служащего обратно пропорциональна важности того, на чем он настаивает.

Бернард Левин

Служебные секретные документы существуют не для того, чтобы защищать секреты, а для того, чтобы защищать служащих.

Джонатан Линн
и Энтони Джей

На словах только в любви объясняются, а о делах следует писать.

Петр Капица

Ножки канцелярского стола склонны пускать корни.

Борис Лесняк

Чиновники как книги в библиотеке: самые нужные стоят на самом верху.

Поль Массон

Отказ — единственная радость в его серой жизни чиновника.

«Пшекруй»

Верь людям на слово! Но слово должно быть заверено подписью и печатью.

Михаил Генин

Не ищи отговорок: они всегда должны быть у тебя под рукой.

Михаил Генин

Не думай! Если думаешь — не говори. Если сказал — не пиши. Если написал — не подписывай. Если подписал — беги.

«Пшекруй»

Если хочешь быть покоен, не принимай горя и неприятностей на свой счет, но всегда относи их на казенный.

Козьма Прутков

Чиновник умирает, и ордена его остаются на лице земли.

Козьма Прутков

ЧИСТОТА. ГИГИЕНА

См. также «Баня», «Домашнее хозяйство»

Только тот, кто моет пол, знает, как надо вытирать ноги.

Антон Лигов

Не надо бороться за чистоту, надо подметать!

Илья Ильф

Убирать квартиру совершенно излишне. После первых четырех лет она уже не станет грязнее.

Квентин Крисп

Унитаз — лицо хозяйки.

Ирина Расс

Сперва приведи в порядок свою комнату, а уж потом принимайся за остальной мир.

Джефф Джордан

После меня — хоть ремонт.

Арсений Тарковский

Белую рубашку следует надевать два раза. Затем она делается серой, и ее еще долго можно носить.

Никита Богословский

Если вам больше нечего сказать ребенку, скажите ему, чтобы он пошел умыться.

Эдгар Хау

Не жди с мытьем ног до потопа!

Станислав Ежи Лец

Приятно поласкать дитя или собаку, но всего необходимее полоскать рот.

Козьма Прутков

Перетравить тараканов нельзя, но отравить им жизнь можно.

NN

Нет ничего более негигиеничного, чем жизнь.

Томас Манн

ЧТЕНИЕ И ЧИТАТЕЛИ

См. также «Библиотека. Библиофилы», «Книги»

Я слышал, что жизнь — неплохая штука, но я предпочитаю чтение.

Логан Пирсолл Смит

Смотреть интереснее, чем читать, а читать интереснее, чем жить.

Аркадий Давидович

Страстные книгочеи никогда не одиноки в постели.

NN

Читайте книги — некоторые из них специально для этого написаны.

Михаил Генин

Многие люди читают лишь для того, чтобы иметь право не думать.

Георг Лихтенберг

Скажи мне, что ты читаешь, и я скажу тебе, у кого ты украл эту книгу.

Илья Ильф

Ничего не читал. Он был не читатель, а писатель.

Эмиль Кроткий

Нет писателя настолько неспособного, чтобы не найти подобного ему читателя.

Иероним Стридонский

Глаза читателя более строгие судьи, чем уши слушателя.

Вольтер

Поэт, который читает, выглядит как повар, который ест.

Карл Краус

В прежнее время книги писали писатели, а читали читатели. Теперь книги пишут читатели и не читает никто.

Оскар Уайльд

ЗАКОН ПРОФЕССОРА ТАРАНТОГИ:
Никто ничего не читает; если читает, ничего не понимает; если понимает, немедленно забывает.

Станислав Лем

Всеобщее образование породило массу людей, которые умеют читать, но не умеют понять, что стоит читать.

Джордж Тревельян

Искусство чтения состоит в том, чтобы знать, что пропустить.

Филип Хамертон

Где мне взять столько времени, чтобы читать поменьше?

Карл Краус

Быстрое чтение полезно, если вам нужно прочесть «Британскую энциклопедию». Вот только чем занять остальную часть вечера?

Роберт Орбен

Мы ничего не поймем, если будем читать слишком быстро или слишком медленно.

Блез Паскаль

Читать между строк полезно — глаза не так устают.

Саша́ Гитри

Многие хвалят одни книги, но читают все же другие.

Марциал

Каждый читает такого Бальзака, какого заслуживает.

«Пшекруй»

Читатели читают, а почитатели почитывают.

Александр Жуков

Причина того, что люди так мало запоминают из того, что они читают, заключается в том, что они слишком мало думают сами.

Георг Лихтенберг

Искусство читать — это искусство мыслить с некоторой помощью другого.

Эмиль Фаге

Читать — значит думать чужой головой, вместо своей собственной.

Артур Шопенгауэр

Образованный человек никогда не читает — он перечитывает.

Жорж Элгози

Читатели бывают разные. Одним автор должен объяснять то-то и то-то, другие, пожалуй, сами могли бы объяснить автора.

Витольд Гомбрович

Автор пишет только половину книги: другую половину пишет читатель.

Джозеф Конрад

В книгах мы жадно читаем о том, на что не обращаем внимания в жизни.

Эмиль Кроткий

Все стерпит бумага, но не читатель.

Жозеф Жубер

Когда я перестал пить чай с калачом, то говорю: аппетита нет! Когда же перестал читать стихи или романы, то говорю: не то, не то!

Антон Чехов

Чтение сделало Дон Кихота рыцарем, а вера в прочитанное сделала его сумасшедшим.

Джордж Бернард Шоу

ЧУДО

См. также «Бог», «Вера», «Религия», «Молитва»

Чудо — свобода Бога.

Гилберт Честертон

Чудо — это когда Бог побивает собственные рекорды.

Жан Жироду

Чудо — только девять дней чудо.

Английская поговорка

Чудеса — там, где в них верят, и чем больше верят, тем чаще они случаются.

Дени Дидро

Вера творит чудеса. По принципу взаимности.

Станислав Ежи Лец

Чудо есть чудо только для не верующих в него; для верующих в чудеса нет чудес.

Григорий Ландау

Если бы чудеса существовали, они перестали бы быть чудесами: чудо только потому чудо, что оно не происходит в действительности.

Анатоль Франс

Вера в чудеса примиряет с их отсутствием.

Геннадий Малкин

Чудо — это событие, описанное людьми, услышавшими о нем от тех, кто его не видел.

Элберт Хаббард

Чудо и мученичество идут по одним дорогам; а мы по ним не ходим.

Клайв Льюис

Чудо должно быть от веры, а не вера от чуда.

Николай Бердяев

Взывать к чуду — развращать волю.

Зинаида Гиппиус

Мы всегда должны помнить, что у дьявола есть свои чудеса.

Жан Кальвин

Ничто не поражает так, как чудо, — разве только наивность, с которой его принимают на веру.

Марк Твен

Каждое чудо должно найти свое объяснение, иначе оно просто невыносимо.

Карел Чапек

Каждое чудо можно объяснить задним числом. Не потому, что чудо — это не чудо, а потому, что объяснение — это объяснение.

Франц Розенцвейг

Чудеса нельзя приводить в доказательство.

Талмуд

Разумеется, я не верю в чудо ночи на святого Ивана Купалу, но если бы вы спросили меня о ночи святого Варфоломея...

Станислав Ежи Лец

В Израиле, чтобы быть реалистом, нужно верить в чудеса.

Давид Бен-Гурион

Чудес не бывает: из одной мухи можно сделать только одного слона.

Антон Лигов

Чудеса иногда случаются, но над этим приходится очень много работать.

Хаим Вейцман

Счастливый не верит в чудеса.

Иоганн Вольфганг Гёте

Кто верит в чудеса! Но все их ждут.

Станислав Ежи Лец

Я не верю в чудеса, но ищу чародея.

«Пшекруй»

Чудо: его ударили по щеке, он подставил другую; ударили по другой, а он подставляет третью.

Хенрик Ягодзиньский

На чудо надейся, но Бога не забывай.

Виктор Коваль

ШАХМАТЫ

Тот не шахматист, кто, проиграв партию, не заявляет, что у него было выигрышное положение.

Илья Ильф

В шахматах выигрывает тот, кто ошибается предпоследним.

Савелий Тартаковер

Угроза сильнее ее исполнения.

Зигберт Тарраш (правило шахматной стратегии)

В цейтнот попадает не тот, кто много думает, а тот, кто думает не о том.

Геннадий Малкин

От великого до смешного — один шах.

Аркадий Арканов

«Мыслитель» Родена — шахматист, у которого отняли доску.

Рамон Гомес де ла Серна

Когда вы играете с Фишером, вопрос не в том, выиграете вы или нет; вопрос в том, выживете вы или нет.

Борис Спасский

Женщина никогда не будет играть в шахматы на равных с мужчинами, потому что она не может пять часов сидеть за доской молча.

Пауль Керес

Компьютер однажды побил меня в шахматы, но в кикбоксинге он оказался просто слабак.

Эмо Филипс

ШЕКСПИР

См. также «Театр и драматургия»

Удивительно то, что Шекспир действительно очень хорош, несмотря на всех тех людей, которые говорят, что он очень хорош.

Роберт Грейвз

Чтобы решить, кто написал «Гамлета» — Шекспир или Фрэнсис Бэкон, достаточно было после вчерашнего представления вскрыть могилы обоих и посмотреть, кто из них перевернулся в гробу.

Перефразированный
Уильям Гилберт

Не знаю, в самом ли деле Бэкон написал все пьесы Шекспира, но если он этого не сделал, он упустил величайший шанс своей жизни.

Джеймс Мэтью Барри

Нет ничего утомительней, чем играть Шекспира. За весь вечер не присядешь ни на минутку, если только ты не король.

Джозефин Халл

«Гамлет» — трагедия, которая показывает, к чему ведет попытка решить семейные проблемы сразу же после окончания колледжа.

Том Массон

Чтобы довершить малодушный характер Гамлета, Шекспир в беседе его с комедиантами изображает его хорошим театральным критиком.

Генрих Гейне

Леди Макбет — та же Джульетта, но после свадьбы.

Янина Ипохорская

Не Шекспир главное, а примечания к нему.

Антон Чехов

Я подержала в руках шесть томов этого знаменитого Шекспира. Может, он и вправду их написал, но никогда не поверю, что он это все прочитал.

Янина Ипохорская

Не напиши Шекспир всех этих пьес, никто бы даже не знал, кто он такой.

«Пшекруй»

Кто был министром культуры в эпоху Шекспира?

Станислав Ежи Лец

ШКОЛА

См. также «Высшая школа», «Учителя и ученики», «Экзамены»

Школа — это место, где шлифуют булыжники и губят алмазы.

Роберт Ингерсолл

Мы учимся всю жизнь, не считая десятка лет, проведенных в школе.

Габриэль Лауб

Нынешний школьный аттестат удостоверяет только, что его обладателю хватило способности выдержать столько-то лет школьного обучения.

Лоренс Питер

Пытливый мальчишеский ум начинает работать, едва мальчишка проснется, и работает до тех пор, пока не начинается первый урок.

«Закон Фроста»
в расширенном виде

Школа готовит нас к жизни в мире, которого не существует.

Альбер Камю

Семья должна заботиться, чтобы человек отвечал требованиям общества, какие были 20 лет назад, улица — требованиям сегодняшним, школа — требованиям, какие будут через 20 лет. Сейчас хуже всего делает свое дело школа.

Михаил Гаспаров

Кормилицы говорят о своих питомцах, что надо их посылать в школу: если они и не смогут научиться там чему-нибудь доброму, то, во всяком случае, находясь в школе, не будут делать ничего плохого.

Лукиан из Самосаты (II в. н.э.)

Не для жизни, а для школы учимся.

Сенека

Мы пытаемся скрестить идеал общества без школ с идеалом поголовного приобщения к школе, — насаждая школы без образования.

Роберт Хатчинз

Любой школьный курс — это курс упрощений.

Ян Збигнев Слоевский

Учебник: книга, которая непрерывно открывает Америку.

Влада Булатович-Виб

Ученье — свет, а учебников — тьма!

В. Скуратовский

У самородка все от Бога и ничего от среднего учебного заведения.

Дон-Аминадо

Вы говорите, это известно каждому школьнику? Если бы я знал все, что известно каждому школьнику, я бы мог учить академиков.

Максим Звонарев

В перечень мук, которые претерпел наш народ, следовало бы включить обязательное школьное чтение.

Станислав Ежи Лец

Твердо стойте на своем нежелании вникать в формулы алгебры. В реальной жизни, уверяю вас, никакой алгебры нет.

Фран Лебовиц

Самоучка: школьник, родители которого не делают за него уроки.

NN

Задавая домашнее задание, учителя метят в учеников, а попадают в родителей.

Жорж Сименон

Школьный учитель, безусловно, получает слишком мало в качестве няни, но слишком много в качестве учителя.

Фран Лебовиц

Мой отец хотел, чтобы я имел все возможности по части образования, которых не было у него; поэтому он послал меня в школу для девочек.

Джек Херберт

Ваш мальчик не овладеет как следует дурными привычками, если вы не пошлете его в хорошую школу.

Гектор Хью Манро

В нашей школе при входе проверяют, нет ли у тебя револьвера или ножа, и если у тебя ничего нет, тебе всегда что-нибудь дадут.

Эмо Филипс

Дебил — это пропущенный через школу кретин.

Збышек Крыгель

ШУТКИ

См. также «Анекдоты»,
«Комедия. Комики. Конферансье», «Остроумие»

Хорошая шутка — не изобретение, а открытие.

Эрнст Гомбрих

Иногда надо рассмешить людей, чтобы отвлечь их от намерения вас повесить.

Джордж Бернард Шоу

Если бы Адам вернулся на землю, единственное, что он смог бы узнать, это старые шутки.

Томас Дьюар

Старая шутка не стара до тех пор, пока вы ее не услышали.

Стив Аллен

Старые шутки не умирают — просто у них такой запах.

NN

В каждой шутке есть доля шутки.

NN

Чужие шутки и чужие дети никогда не бывают так хороши, как наши.

NN

Не шути с женщинами: эти шутки глупы и неприличны.

Козьма Прутков

Если неприличную шутку раздеть, то скорее всего она окажется плоской.

Татьяна Скобелева

Плоские шутки тоже необходимы — для мелких умов.

Веслав Тшаскальский

Щ

ЩЕДРОСТЬ

См. также «Скупость»

Неблагодарных гораздо меньше, чем полагают, ибо щедрых значительно меньше, чем думают.

Шарль Сент-Эвремон

Иной сыплет щедро, и ему еще прибавляется; а другой сверх меры бережлив, и однакоже беднеет.

Царь Соломон — Притчи, 11, 24

Легче быть щедрым, чем потом не жалеть об этом.

Жюль Ренар

Многие презирают жизненные блага, но почти никто не способен ими поделиться.

Франсуа Ларошфуко

Многие из нас охотно поделятся с ближним последней вышедшей из моды рубашкой.

Лешек Кумор

Кто ничего не имеет, всегда готов поделиться с другими.

NN

Блаженнее давать, нежели принимать.

Деяния апостолов, 20, 35

Давайте, и дастся вам.

Евангелие от Луки, 6, 38

Вдвойне дает тот, кто дает быстро.

Публилий Сир

Кто дает вдвойне, пусть дает быстро.

Янина Ипохорская

Вдвойне берет тот, кто берет быстро.

«Пшекруй»

Э

ЭКЗАМЕНЫ

См. также «Высшая школа», «Школа»

Лучшие уроки дают экзамены.

Славомир Врублевский

Экзамены: единственная возможность знать хоть что-то хотя бы несколько дней.

Жорж Элгози

Экзамены — безвыигрышная лотерея.

Геннадий Малкин

На экзаменах те, кому совершенно не интересен ответ, расспрашивают тех, кто не может ответить.

Уолтер Рали

Огромное преимущество экзаменатора состоит в том, что он сидит по лучшую сторону стола.

Эдуар Эррио

Экзаменов страшится любой, будь он семи пядей во лбу, ведь на экзамене самый глупый может спросить больше, чем самый умный может ответить.

Чарлз Калеб Колтон

Ни один классик не сдал бы экзамена по собственным произведениям.

Болеслав Пашковский

Приходите на экзамены со свежей головой: во многом придется разбираться впервые.

Фольклор физтеха МГУ

Думаете, вам на экзамене поставят тройку? Поставят, но вам от этого легче не будет.

Армейский фольклор

ЭКОЛОГИЯ. ОХРАНА СРЕДЫ

См. также «Природа»

Мысли глобально, действуй локально.

Экологический лозунг

Осторожно, нас окружает среда!

Григорий Яблонский

Дорога цивилизации вымощена консервными банками.

Альберто Моравиа

Четвертая часть территории Америки покрыта лесами, а остальная часть — бутылками из-под пива.

NN

Велика Россия, а ступить некуда.

Анатолий Рас

Христос ходил по воде. Если загрязнение рек не прекратится, скоро ходить по воде сможет каждый.

NN

Если бы снежный человек был, его бы давным-давно не было.

Александр Жуков

Чем больше дров, тем дальше лес.

Александр Жуков

Экологи полагают, что журавль в небе лучше, чем синица в руках.

Стэнли Пирсон

Не потому ли на Земле все меньше аистов, что все больше людей?

Юрий Скрылев

Мир достаточно велик, чтобы удовлетворить нужды любого человека, но слишком мал, чтобы удовлетворить людскую жадность.

Махатма Ганди

ЭКОНОМИКА

См. также «Бизнес», «Сельское хозяйство»

Экономика есть искусство удовлетворять безграничные потребности при помощи ограниченных ресурсов.

Лоренс Питер

В экономических вопросах большинство всегда не право.

Джон Кеннет Гэлбрейт

Незнание экономических законов не освобождает от ответственности.

Савелий Цыпин

Когда-то экономистов спрашивали: «Если вы такие умные, то почему вы такие бедные?» А теперь мы можем спросить: «Оказалось, вы не такие уж умные. Почему же вы такие богатые?»

Эдгар Фидлер

Прогнозировать средние экономические показатели — все равно что уверять не умеющего плавать человека, что он спокойно перейдет реку вброд, потому что ее средняя глубина не больше четырех футов.

Милтон Фридман

Погоня за прибылью — единственный способ, при помощи которого люди могут удовлетворять потребности тех, кого они вовсе не знают.

Фридрих Хаек

Рынки, так же как парашюты, срабатывают только, если они открыты.

Хельмут Шмидт

Частный сектор — это часть экономики, контролируемая правительством, а государственный сектор — часть экономики, не контролируемая никем.

Джеймс Голдсмит

Сильные разделываются со слабыми, умные разделываются с сильными, а правительство разделывается со всеми.

«Закон джунглей»

Государственное хозяйство — это такое хозяйство, в котором все хотят есть, но никто не желает мыть посуду.

Вернер Финк

Слон — это мышь, изготовленная по правительственному заказу.

Роберт Хайнлайн

Плановая экономика — это крайне дисциплинированное расточительство.

NN

Плановая экономика учитывает в своих планах все, кроме экономики.

Кэри Макуильямз

Мы создали такой крепкий экономический фундамент, с которого сдвинуть экономику нелегко.

С. Крытый

Преимущество мы отдаем той помощи, которая влечет за собой другую помощь, более мощную и длительную.

Михаил Жванецкий

Бесплатных завтраков не бывает.

Бартон Крейн
(а за ним многие другие)

Кто рассчитывает только на попечение государства, пусть подумает о судьбе американских индейцев.

Неизвестный американец

Мы должны выиграть войну против бедности, даже если она приведет нас к банкротству.

Неизвестный американец

Самый быстрый способ выиграть войну против бедности — перестать делать вид, будто мы богаты.

Неизвестный американец

Чтобы преступление никогда не окупалось, следовало бы его национализировать и разорить.

Норман Колли

Сколько у государства ни воруй, все равно своего не вернешь.

Анатолий Рас

Политическая экономия: два слова, которые должны быть разведены по причине полной несовместимости.

NN

Спад — это когда ваш сосед теряет работу, кризис — когда работу теряете вы.

Гарри Трумэн

Спад — это когда приходится затягивать пояс. Кризис — когда нет уже и штанов.

Борис Панкин

За тучными коровами следуют тощие, за тощими — полное отсутствие говядины.

Генрих Гейне

Процветание — это когда большая часть людей получает больше денег, чем зарабатывает, и тратит больше, чем получает.

NN

Что лучше, «искусственное процветание» или естественная нищета?

Станислав Ежи Лец

ЭКОНОМИЯ

Экономия — это способ тратить деньги без всякого удовольствия.

Арман Салакру

Экономия: умение жить сразу после получки на те же деньги, что перед самой получкой.

Житель Арканзаса

Экономия существует для бедных; для богатых существует освобождение от налогов.

Кристиан Бови

Экономия состоит не в сбережении, а в отборе.

Эдмунд Берк

Если каждый месяц откладывать понемногу, то уже через год вы будете удивлены, как мало у вас набралось.

Эрнест Хаскинс

Экономить легче всего тогда, когда ты разорен.

NN

Очень трудно экономить, если твой сосед живет не по средствам.

NN

Экономь воду — разбавляй ее!

NN

ЭКСПЕРИМЕНТ

См. также «Теория. Гипотеза»

Никто не верит в гипотезу, за исключением того, кто ее выдвинул, но все верят в эксперимент, за исключением того, кто его проводил.

NN

Никаким количеством экспериментов нельзя доказать теорию; но достаточно одного эксперимента, чтобы ее опровергнуть.

Альберт Эйнштейн

Чем дальше эксперимент от теории, тем ближе он к Нобелевской премии.

Фредерик Жолио-Кюри

Когда теория совпадает с экспериментом, это уже не открытие, а закрытие.

Петр Капица

Эксперимент должен быть воспроизводимым, то есть терпеть неудачу одним и тем же способом.

NN

Всякий эксперимент воспроизводим — до тех пор, пока его не пытаются повторить в другой лаборатории.

NN

Если вы решили что-либо продемонстрировать, количество ошибок будет прямо пропорционально количеству зрителей.

NN

Эксперимент можно считать удавшимся, если нужно отбросить не более 50 % сделанных измерений, чтобы достичь соответствия с теорией.

«Следствие из закона Мейерса»

Записывай дату эксперимента; это надежно доказывает, что ты находился на рабочем месте.

NN

Какие выводы делают из эксперимента кролики?

Станислав Ежи Лец

Экспериментальный кролик может позволить себе практически все.

Доминик Опольский

Бросая в воду камешки, смотри на круги, ими образуемые: иначе такое бросание будет пустою забавой.

Козьма Прутков

ЭКСПЕРТЫ. КОНСУЛЬТАНТЫ

См. также «Руководство и управление», «Специалисты»

Эксперт — любой человек не из нашего города.

«Правило Марса»

Эксперт — это человек, который больше уже не думает; он знает.

Франк Хаббард

Эксперт излагает объективную точку зрения. А именно свою собственную.

Морарджи Десаи

Эксперт — это человек, который совершил все возможные ошибки в очень узкой специальности.

Нильс Бор

Эксперт знает не больше, чем вы, но его невежество лучше организовано.

NN

Задача эксперта не в том, чтобы быть непогрешимее простых смертных, а в том, чтобы ошибаться по более изощренным причинам.

Дэвид Батлер

Эксперт даст все нужные вам ответы, если получит нужные ему вопросы.

NN

Эксперт не знает ответов на все вопросы, но уверен, что сможет найти их, если дать ему достаточно денег.

NN

Только один человек из тысячи разбирается в финансовых делах — и вы встречаете его каждый день.

Франк Хаббард

Три вещи ведут к разорению: женщины, скачки и доверие к экспертам.

Жорж Помпиду

Консультант по менеджменту — это человек, который берет у вас часы, чтобы сообщить вам точное время, и с этими часами уходит.

Роберт Таунзенд

Арбитр — это постороннее лицо, которое приглашается, чтобы признать нашу правоту.

NN

Сделайте три верные догадки подряд — и репутация эксперта вам обеспечена.

Лоренс Питер

Сломанные часы дважды в сутки показывают верное время и по прошествии нескольких лет могут похвастаться длинным рядом успехов.

Мария Эбнер-Эшенбах

Если нужно выбрать среди экспертов одного настоящего, выбирай того, кто обещает наибольший срок завершения проекта и его наибольшую стоимость.

«Принцип Уоррена»

Если не знаешь, что говорить, говори, что существующая тенденция сохранится.

«Максима Меркина»

Если консультироваться с достаточно большим числом экспертов, можно подтвердить любую теорию.

NN

ЭМИГРАЦИЯ

См. также «Родина. Отечество»

Эмиграция — это похороны, после которых жизнь продолжается дальше.

Тадеуш Котарбиньский

Эмиграция — капля крови нации, взятая на анализ.

Мария Розанова

Где два эмигранта, там три партии.

NN

Дым отечества светлее огня на чужбине.

Лукиан из Самосаты

Где лучше — здесь или там, — зависит от того, где задан вопрос.

Симон Моисеев

Миссия немцев в Париже — уберечь меня от тоски по родине.

Генрих Гейне

Нельзя унести родину на подошвах своих сапог.

Жорж Дантон перед арестом,
в ответ на предложение бежать
из Франции

Редко возвращаются из эмиграции те, кто вовсе не уезжал.

Веслав Брудзиньский

Выезжать за границу у нас всегда было более модно, чем возвращаться.

Веселин Георгиев

Судя по количеству людей, уезжающих в США, у них там еще не все штаты заполнены.

Евгений Микунов

Не уверен — не уезжай!

Борис Замятин

Можно убежать из отечества, но нельзя убежать от самого себя.

Гораций

ЭНТУЗИАЗМ

См. также «Надежда и разочарование»,
«Оптимизм — пессимизм», «Скептицизм»

Энтузиазм — это любовь без ясно определенного объекта.

Эмиль Сьоран

Бывают минуты, когда невозможно удержаться и не начать делать глупости. Это называется энтузиазмом.

Анри Мельяк

Богу было угодно даровать человечеству энтузиазм, чтобы возместить отсутствие разума.

Эдмунд Берк

Энтузиазм заразителен. Его отсутствие — тоже.

«Пшекруй»

Мир принадлежит энтузиастам, которые способны сохранять хладнокровие.

Уильям Макфи

Практичные люди и душу вкладывают в расчете на проценты.

Евгений Сагаловский

У кого в штанах лежит билет партии, тому надо беспрерывно заботиться, чтоб в теле был энтузиазм труда.

Андрей Платонов

Разочарование, ухмыляясь, следует за энтузиазмом.

Жермена де Сталь

Отмена принудительного энтузиазма была встречена с энтузиазмом.

Стефан Гарчиньский

ЭПОХА

См. также «Время», «Прошлое»

Плохо, если в роли учителей выступают продукты эпохи, составляющей предмет обучения.

Ежи Урбан

Аксиомы одной эпохи — нерешенные задачи следующей.

Р. Х. Тони

Ждут своего времени только те, для кого оно никогда не наступит.

Григорий Ландау

Беженцы из своей страны — еще не самое страшное. Куда хуже беженцы из своего времени.

Юлиан Тувим

Дети своего времени со временем сиротеют.

Доминик Опольский

Мы живем в особые, исключительные времена. Уже тысячи лет.

Лешек Кумор

Времена редко бывают хуже, чем люди.

Норман Мейлер

Никогда не знаешь, в какое время живешь: все еще послевоенное или уже предвоенное.

Роже Пейрефит

Там, где нет судей, необходимы хотя бы свидетели.

Леон Кручковский

Великая эпоха способна вместить внушительное число маленьких людей.

Станислав Ежи Лец

Когда прародители бежали из рая, Адам, вероятно, сказал Еве: «Дорогая, нам выпало жить в переходный период».

Уильям Индж

Нет, видно, есть в божьем мире уголки, где все времена — переходные.

Михаил Салтыков-Щедрин

В такие времена, как нынешние, полезно помнить, что времена всегда были нынешние.

Пол Харви

ЭРУДИЦИЯ

См. также «Знание»

Эрудиция — близкая соседка дилетантизма, только живет этажом выше.

Станислав Шеллер

Эрудиция: пыль, вытряхнутая из книги в пустой череп.

Амброз Бирс

Эрудит — резервуар знаний, но не фонтан идей.

Джеймс Норткот

Между человеком мыслящим и эрудитом такая же разница, как между одной книгой и двадцатью каталогами.

Жан Батист Сей

Любознательность — та же суетность. Чаще всего люди стремятся приобрести знания, чтобы потом ими похваляться.

Блез Паскаль

Человек живет не тем, что съедает, а тем, что переваривает. Это одинаково справедливо для ума и для тела.

Бенджамин Франклин

Я знавал множество людей, обладавших огромными познаниями и не имевших ни одной собственной мысли.

Уилсон Мизнер

Люди в своем большинстве живо интересуются всем на свете, за исключением того, что действительно стоит знать.

Оскар Уайльд

На вопрос, какая наука самая необходимая, Антисфен сказал: «Наука забывать ненужное».

Диоген Лаэртский

В пустую голову входит больше знаний.

Карл Краус

Его силой были его знания, а слабостью — его всезнание.

Сидни Смит

Не старайся знать все, иначе будешь невеждой во всем.

Демокрит

Труднее всего обновить ходячую энциклопедию.

Веслав Брудзиньский

Если вы будете пополнять свой словарь пятью новыми словами в месяц, то уже через год ваши друзья скажут: а кого он, собственно, из себя корчит?

Неизвестный американец

Ю

ЮБИЛЕЙ

См. также «Долголетие. Долгожители»

Юбилей — орудие мести тех, кто вынужден признать чужую славу.

Кароль Ижиковский

Юбилей не обязательно нужно заслужить, иногда достаточно просто подождать.

Рышард Подлевский

Некоторые юбилеи вызывают желание перелистать кодекс: не истек ли срок давности некоторых делишек?

Станислав Ежи Лец

Три человека делают с нами, что хотят: парикмахер, гробовщик и оратор на юбилейном банкете.

Хораций Сафрин

Один юбилей — половина похорон.

Тадеуш Бой-Желеньский

В день его девяностолетия сослуживцы поднесли ему вечное перо.

Эмиль Кроткий

Жизнь устроена так, что ходишь на похороны тех, кого любишь, и на юбилеи тех, кого терпеть не можешь.

Веслав Брудзиньский

ЮМОР

См. также «Ирония», «Остроумие», «Сатира»

Если шутка прячется за серьезное — это ирония; если серьезное за шутку — юмор.

Артур Шопенгауэр

Юмор — это способность видеть три стороны одной медали.

Нед Рорем

Юмор — это правда в безопасных для жизни дозах.

NN

Юмор — такое же личное дело, как секс.

Джин Шеперд

Юмор, как плющ, вьется вкруг дерева. Без ствола он никуда не годен.

Генрих Гейне

Человек, который хотя бы отчасти не юморист, — лишь отчасти человек.

Гилберт Честертон

Юмор, пожалуй, единственное изобретение, отличающее людей от скотов и других людей.

Станислав Ежи Лец

Все человеческое грустно. Сокровенный источник юмора не радость, а горе. На небесах юмора нет.

Марк Твен

Юмор — очень редкий металл.

Илья Ильф и Евгений Петров

Юмор, конечно, восстанавливает то, что разрушает пафос, но когда его очень много — он сам начинает разрушать. А от хронического юмора образуется цинизм, с которым жить очень удобно, потому что человек все недооценивает. Всему назначает низкую цену.

Виктория Токарева

Цинизм — это юмор в плохом настроении.

Герберт Джордж Уэллс

Только решетка отделяет юмор от дома умалишенных.

Генрих Гейне

Черного юмора не существует, потому что не бывает белого юмора.

Моуз

Если у человека нет чувства юмора, у него по крайней мере должно быть чувство, что у него нет чувства юмора.

NN

Если человек лишен чувства юмора, значит, было за что.

Данил Рудый

С возрастом женщины все больше полагаются на косметику, а мужчины — на свое чувство юмора.

Джордж Джин Нейтан

Меняю чувство юмора на повод для смеха.

NN

Я

ЯЗВА

Причина язвы не в том, что вы едите, а в том, что гложет вас.

Вики Баум

Язва — болезнь заразная. Ее можно подхватить от начальства.

NN

Если вы не перевариваете своего начальника, то язва желудка вам обеспечена.

Константин Елисеев

ЯЗЫК

См. также «Иностранные языки», «Филология»

Язык — слишком важная вещь, чтобы доверять его языковедам.

Ольгерд Терлецкий

Язык — это диалект, обладающий собственной армией и флотом.

Макс Вайнрайх

Немецкий язык в сущности богат, но в немецкой разговорной речи мы пользуемся только десятой долей этого богатства; таким образом, фактически мы бедны словом.

Французский язык в сущности беден, но французы умеют использовать все, что в нем имеется, в интересах разговорной речи, и поэтому они на деле богаты словом.

Генрих Гейне

Извращенцы! Языком насилуют грамматику.

Станислав Ежи Лец

Сколько уж раз взламывали сокровищницу национального языка, чтобы его обогатить.

Станислав Ежи Лец

Только мертвые языки обретают бессмертие.

Антуан де Ривароль

Чем хуже владеешь языком, тем меньше можешь на нем соврать.

Кристиан Фридрих Геббель

Язык дан человеку для того, чтобы скрывать свои мысли.

Талейран

Если язык дан человеку для того, чтобы скрывать свои мысли, то некоторым он совершенно не нужен.

В. Абакумов

Язык используется либо для выражения мыслей, либо для сокрытия мыслей, либо вместо мыслей.

NN

Нет лучшего кляпа, чем официально разрешенный язык.

Станислав Ежи Лец

Можно объясняться с теми, кто говорит на другом языке, но не с теми, кто в те же слова вкладывает совсем другой смысл.

Жан Ростан

Труднее всего научиться общему языку.

Лешек Кумор

На любом языке я умею говорить со всеми, но этим инструментом я стараюсь не пользоваться.

Виктор Черномырдин

УКАЗАТЕЛЬ ИМЕН

Указатель включает более 2500 имен. Национальная и государственная принадлежность отечественных авторов не указывается. Если об авторе сказано просто: «писатель», «политик», «сатирик» и т.д., речь всегда идет о русском, российском либо советском авторе или деятеле.

Настоящее имя автора, писавшего или выступавшего под псевдонимом, указывается лишь в виде исключения (обычно в тех случаях, когда псевдоним состоит из одного слова, или если автор-женщина берет мужской псевдоним).

Если об иностранном авторе нет никаких сведений или же есть только даты жизни, по возможности приводится также оригинальное написание его имени (латиницей).

Сокращение «ЛГ» означает «Литературная газета».

При транскрипции иностранных имен использовались следующие справочники:

Гиляревский Р. С., Старостин Б. А. Иностранные имена и названия в русском тексте. — М., 1985.

Ермолович Д. И. Англо-русский словарь персоналий. — М., 1993.

Лидин Р. А. Иностранные фамилии и личные имена: Практическая транскрипция... — М., 1998.

Рыбакин А. И. Словарь английских личных имен. — М., 1989.

Рыбакин А. И. Словарь английских фамилий. — М., 1986.

А

В

Г

Д

З

И

К

Л

М

Н

О

П

Р

С

Т

У

Ф

Х

Ц

Ч

Ш

Щ

Э

Ю

Я

УКАЗАТЕЛЬ ТЕМАТИЧЕСКИХ РУБРИК

В

Г

Л

М

Н

Т

ОСНОВНЫЕ ИСТОЧНИКИ

1. На русском языке

Аллен. Суждения // Иностранная литература. — М., 1988. — № 11.

Амиель А. Из дневника. — Спб., 1901.

Афоризмы: По иностранным источникам. — М., 1985.

Бабичев Н., Боровский Я. Словарь латинских крылатых слов. — М., 1988.

Бабкин А. М., Шендецов В. В. Словарь иноязычных выражений и слов. — Л., 1981, 1987. — Т.1 — 2.

Бальзак О. Физиология брака. — М., 1995.

Бердяев Н. А. Афоризмы. — Б.м., 1985.

Бердяев Н. А. Судьба России. — М.; Харьков, 1998.

Бёрне Л. Отрывки и афоризмы // Бёрне Л. Полн. собр. соч. — СПб., 1900. — Т.3.

Бирс А. «Словарь Сатаны» и рассказы. — М., 1966.

Блейк У. Пословицы ада // Блейк У. Избранное. — М., 1965.

Борохов Э. Мысль в слове: Краткая гуманитарная энциклопедия. — Смоленск, 1997.

Борохов Э. Энциклопедия афоризмов. (Мысль в слове). — М., 1998.

Борхес Х. Л. Письмена Бога. — М., 1992.

Бродский И. Набережная неисцелимых. — М., 1992.

Вовенарг Л. Размышления и максимы. — Л., 1988.

Вольтер. Мысли. — СПб., 1904.

Высказывания знаменитых людей. — М., 1995.

Гаспаров М. Записи и выписки // Новое литературное обозрение. — М., 1998, № 29, 31, 33, 34.

Гейне Г. Афоризмы // Гейне Г. Полн. собр. соч. в 12 т. — М.; Л., 1937. Т.10.

Гейне Г. Избранные мысли. — Спб., 1884.

Гете И. В. Изречения в прозе // Собр. соч. в 10 т. — М., 1980. — Т.10.

Гомес де ла Серна Р. Избранное. — М., 1983.

Грасиан Б. Карманный оракул; Критикон. — М., 1981.

Давидович А. Избранное. — Воронеж, 1998.

Даль В. Пословицы русского народа. — М., 1957.

Джебран Х. Д. Песок и пена: Книга афоризмов // Джебран Х. Д. Избранное. — Л., 1986.

Диоген Лаэртский. О жизни, учениях и изречениях знаменитых философов. — М., 1979.

Дон-Аминадо. Наша маленькая жизнь. — М., 1994.

Дон-Аминадо. Парадоксы жизни. — М., 1991.

Душенко К. В. Дешевых политиков не бывает: Афоризмы... — М., 1998.

Душенко К. В. Словарь современных цитат. — М., 1997.

Еврейские афоризмы. — М., 1991.

Займовский С. Крылатое слово. — М.; Л., 1930.

Ижиковский К. Афоризмы // Литературное обозрение. — М., 1992. — №5/6.

Капица П. Л. Все простое — правда: Афоризмы и изречения. — М., 1994.

Ключевский В. О. Афоризмы и мысли об истории // Соч. в 9 т. — М., 1990. — Т.9.

Книга для медленного чтения. 1000 высказываний 200 мыслителей / Сост. Л. Д. Соболев. — М.,1994.

Крайнов-Рытов Л. Похвала остроумию: Мысли и афоризмы. — Нижний Новгород, 1996.

Кроткий Э. Отрывки из ненаписанного // Кроткий Э. Сатирик в космосе. — М., 1959.

Кроткий Э. Отрывки из ненаписанного. — М., 1963.

Кротов В. Словарь парадоксальных определений. — М., 1995.

Ландау Г. Эпиграфы. — М., 1997.

Ларец острословов. — М., 1991.

Ларошфуко Ф. Максимы. Паскаль Б. Мысли. Лабрюйер Ж. Характеры. — М., 1974.

Ливергант А. От А до Я: 300 лет американского афоризма. — М., 1998.

Ливергант А. Суета сует. Пятьсот лет английского афоризма. — М., 1996.

Лихтенберг Г. К. Афоризмы. — М.,1964.

Луций Анней Сенека. Нравственные письма к Луцилию / Пер. С. А. Ошерова. — М., 1977.

Макаров Н. П. Энциклопедия ума, или Словарь избранных мыслей авторов всех времен и народов. — М., 1998.

Макиавелли Н. Государь. — М.; Харьков, 1998.

Малкин Г. Умнеть надо незаметно. — М., 1998.

Меламед Ц. Улыбки до востребования. — Рига, 1966.

Мелихан К. Слово джентльмена. — СПб., 1995.

Моруа А. Афоризмы и максимы; Письма к незнакомке // Моруа А. Надежды и воспоминания. — М., 1983.

Мысли, помогающие нам жить. — М., 1992.

Народ — власть — государство в цитатах российских мыслителей. — Омск, 1996.

Ницше Ф. Антихристианин // Сумерки богов. М., 1989.

Паркинсон С. Н. Законы Паркинсона. — М., 1989.

Питер Л. Дж. Принцип Питера. — М., 1990.

Поэзия и проза Древнего Востока. — М., 1973.

Пьедесталы и карлики: Сборник каламбуров, острот, афоризмов. — М., 1990

Размышления и афоризмы французских моралистов. — СПб., 1995.

Разум сердца: Мир нравственности в высказываниях и афоризмах. — М., 1989.

Ренар Ж. Дневник. — М., 1965.

Римские стоики: Сенека, Эпиктет, Марк Аврелий. — М., 1995.

Ротшильд Н. Искусство нравиться и добиваться успеха. — М., 1998.

Самойлов Д. В кругу себя. — Вильнюс; М., 1993.

Сафир М. Избранные мысли. — Спб., 1893.

Стендаль. О любви // Собр. соч. в 15 т. — М., 1959. — Т.4.

Твен М. Из «Автобиографии»; Из «Записных книжек» // Твен М. Собр. соч. в 12 т. — М.,1959. — Т.12.

Твен М. По экватору // Твен М. Собр. соч. в 12 т. — М.,1959. — Т.9.

Твен М. Том Сойер за границей; Простофиля Вильсон // Твен М. Собр. соч. в 12 т. — М.,1959. — Т.7.

Уайльд О. Афоризмы и парадоксы // Полн. собр. соч. — М., 1909. — Т.7.

Уайльд О. Избранные произведения. — М., 1960. — Т.1 — 2.

Фаина Раневская. Случаи. Шутки. Афоризмы / Сост. А. М. Захаров. — М., 1998.

Фюрстенберг А. 700 коротких строк. — М., 1980.

Хоромин Н. Я. Энциклопедия мысли. — М.,1994.

Шопенгауэр А. Афоризмы житейской мудрости. — М., 1990.

Шоу Дж. Б. Письма. — М., 1971.

Шоу Дж. Б. Справочник разрушителя // Полн. собр соч. в 9 т. — М., 1910. — Т.1.

Штейнберг О. Н. Мир и жизнь: Афоризмы. — Вильна, 1891.

Эккерман И. П. Разговоры с Гете. — М., 1981.

Этика: Словарь афоризмов и определений. — М., 1995.

Юбилей: Московский клуб афористики. — М., 1996.

2. На других языках

21st Century Dictionary of Quotations. — New York, 1993.

Augard T. The Oxford Dictionary of Modern Quotations. — Oxford; New York, 1996.

Bloomsbury Treasure of Quotations. — London, 1994.

Bottcher K. (und and.). Geflügelte Worte, Zitate, Sentenzen. — Leipzig, 1981.

Boudet J. Les Mots de l'histoire. — Paris, 1990.

Brudziński W. Nowe zmyślenia. — Warszawa, 1967.

Brudziński W. Zmyślenia. — Warszawa, 1964.

Bułatowicz J. Wątpię więc myślę. — Warszawa, 1998.

Byrne R. 1 911 Best Things Anybody Ever Said. — New York, 1988.

Calaprice A. The Quotable Einstein. — Princeton (New Jersey), 1996.

Cohen J. M. and M. J. The Penguin Dictionary of Twentieth-Century Quotations. — London, 1995.

Crawley T. Dictionary of Film Quotations. — Norhaven, 1994.

Czarny J., Gicgier T. Trudno nie pisać satyry: Antologia. — Lódź, 1993.

Dickson P. The Official Rules. — New York, 1978.

Dictionnaire des citations françaises. — Paris, 1977.

Dobrosielski M. Tuziny aforyzmów. — Warszawa, 1987.

Douglas A., Strumpf M. Best Book of Aphorisms. — New York, 1989.

Ebner von Eschenbach M. Aforyzmy. — Warszawa, 1974.

Esar E. Humorous English. — New York, 1961.

Flejterski S. Aforystykon finansowy. — Szczecin, 1995.

Garczyński S. Myśli nie przydeptane. — Warszawa, 1990.

Glensk Cz., Glensk J. Myślę więc jestem: Aforyzmy, maksymy, sentencje. — Komorów, 1993.

Glensk J. Wielka encyklopedia aforyzmów. — Wrocław, 1996. — T.1.

Glensk J. Współczesna aforystyka polska: Antologia 1945 — 1984. — Lódź, 1986.

Green J. Dictionary of Cynical Quotations. — London, 1995.

Green J. The Macmillan Dictionary of Contemporary Quotations. — London, 1996.

Gross J. The Oxford Book of Aphorisms. — Oxford; New York, 1983.

Grzeszczyk W. Niuanse i zadry. — Lódź, 1988.

Jagodziński H. Przebłyski wyborne. — Wrocław, 1991.

Jarski R. Wiseckracks. — London, 1998.

Klein A. Quotations to Cheer You Up When the World is Getting You Down. — New York, 1991.

Kotarbiński T. Aforyzmy i myśli. — Warszawa, 1986.

Kraus K. Aforyzmy. — Warszawa, 1975.

Kraus K. Nachts: Aphorismen. — München, 1968.

Kumor L. Krótkie myśli. — Warszawa, 1988.

Kumor L. Pomyślenia, czyli Aforyzmy na każdą okazję. — Warszawa, 1979.

Larousse des citations françaises et étrangeres. — Paris, 1976.

Larousse des citations françaises. — Paris, 1995.

Lec S. J. Myśli nieuczesane odczytane z notesów i serwetek po trzydziestu latach. — Warszawa, 1996.

Lec S. J. Myśli nieuczesane. — Kraków, 1972.

Levinson L. L. Webster's Unafraid Dictionary. — New York; London, 1966.

MacHale D. Wit. — London, 1996.

Maggio R. Quotations from Women on Life. — Paramus (New Jersey), 1997.

Maggio R. Quotations on Love. — Paramus (New Jersey), 1997.

Maloux M. Dictionnaire de proverbes, sentences et maximes. — Paris, 1960.

Maloux M. Dictionnaire humoristique. — Paris, 1965.

Markiewicz H., Romanowski A. Skrzydlate słowa. — Warszawa, 1990 — 1998. — Serja [1] — 2.

McKenzie E. C. 14,000 Quips & Quotes for Writers & Speakers. — New York, 1983.

Metcalf F. The Penguin Dictionary of Modern Humorous Quotations. — London, 1987.

Murphy E. 2 715 One-line Quotations for Speakers, Writers and Raconteurs. — New York, 1996.

Orben R. 2000 Sure-Fire Jokes For Speakers: Encyclopaedia of One-Liner Comedy. — New York, a.a., 1986.

Orben R. The Encyclopaedia of One Liner Comedy. — New York, 1971.

Palmer M. Small Talk, Big Names: 40 Years of Rock Quotes. — Edinburg, 1993.

Partnow E. The Quotable Woman. — Los Angeles, 1977.

Peter L. J. Peter's Quotations: Ideas for Our Time. — New York, 1977.

Puntsch E. Zitatenbuch. — Landsberg am Lech, 1986. — B.1.

Robertson C. The Wordsworth Dictionary of Quotation. — London, 1997.

Rojek, bracia [Ipohorska J.]. Myśli ludzi wielkich, średnich i małych oraz psa Fafika. — Warszawa, 1959.

Rowes B. The Book of Quotes. — New York, 1979.

Słomiński K. Aforyzmy. — Białystok, 1988.

Safire W. Words of Wisdom. — New York, 1989.

Samozwaniec M. Kobieta — miłość — zdrada. — Szczecin, 1991.

Shapiro N. Whatever It Is, I'm Against It. — New York, 1984.

Sherrin N. Dictionary of Humorous Quotations. — Oxford; New York, 1996.

Sommer E., Sommer M. Similes Dictionary. — Detroit, 1986.

Steinhaus H. Słownik racjonalny. — Wrocław i in., 1993.

Szargan M. Pośmiewisko. — Lódź, 1989.

Titelman G. Y. Random Hous Dictionary Popular Proverbs and Sayings. — New York, 1996.

Wilde O. Aforyzmy. — Warszawa, 1974.

Wilde O. The Wit of Oscar Wilde. — London, 1969.

Winokur J. True Confessions. — New York, 1993.

Zdaniewski H. Nieprzyjemne prawdy. — Gdańsk, 1987.

Zybura U. Aforyzmy. — Kalisz, 1984.

3. Пресса

Литературная газета (16-я полоса). — М., 1967—1998.

Магазин. — М., 1992—1997.

Przekrój. — Kraków, 1959—1995.

Коллекция афоризмов Дмитрия Пашкова (Москва).

СОДЕРЖАНИЕ

Литературно-художественное издание

Душенко Константин Васильевич

БОЛЬШАЯ КНИГА АФОРИЗМОВ

Издание второе, исправленное

Художественный редактор *Е. Савченко*
Технические редакторы *Н. Лукманова, А. Щербакова*
Корректор *И. Ларина*

Изд. лиц. № 065377 от 22.08.97.

Налоговая льгота — общероссийский классификатор продукции ОК-005-93, том 2; 953000 — книги, брошюры.

Подписано в печать с готовых монтажей 16.05.00.
Формат 84×108 $^{1}/_{32}$. Гарнитура «Таймс».
Печать офсетная. Усл. печ. л. 55,4. Уч.-изд. л. 35,4.
Тираж 5000 экз. Заказ 4610.

ЗАО «Издательство «ЭКСМО-ПРЕСС»,
125190, Москва, Ленинградский проспект,
д. 80, корп. 16, подъезд 3.

АООТ «Тверской полиграфический комбинат»
170024, г. Тверь, пр-т Ленина, 5.